100 ans

de médecine francophone

Données de catalogage avant publication (Canada)

Grenier, Guy, 1960-

100 ans de médecine francophone : histoire de l'Association des médecins de langue française du Canada

Comprend des réf. bibliogr.

Publ. en collab. avec : Association des médecins de langue française du Canada.

ISBN 2-921146-87-8 (Éditions MultiMondes)

ISBN 2-920577-04-2 (Association des médecins de langue française du Canada)

1. Association des médecins de langue française du Canada – Histoire. 2. Médecine – Pratique – Canada – Histoire. 3. Médecine sociale – Canada – Histoire. 4. Médecine – Canada – Associations – Histoire. I. Association des médecins de langue française du Canada. II. Titre. III. Titre : Cent ans de médecine francophone.

R27.F7G74 2002 610'.6'071 C2002-941617-5

100 ans
de médecine francophone

HISTOIRE DE L'ASSOCIATION DES MÉDECINS
DE LANGUE FRANÇAISE DU CANADA

ÉDITIONS
MULTIMONDES

Design graphique : Métagraphica
Révision linguistique : Robert Paré
Impression : Imprimeries Transcontinental
Les photos sans mention proviennent des archives de l'AMLFC.

ISBN 2-920577-04-2 (AMLFC)
ISBN 2-921146-87-8 (Éditions MultiMondes)
Dépôt légal – Bibliothèque nationale du Québec, 2002
Dépôt légal – Bibliothèque nationale du Canada, 2002

ASSOCIATION DES MÉDECINS DE LANGUE FRANÇAISE DU CANADA (AMLFC)
8355, boul. Saint-Laurent
Montréal (Québec) H2P 2Z6
Téléphone : (514) 388-2228 ou 1 800 387-2228
Télécopie : (514) 388-5335
Internet : www.amlfc.org
Courriel : info@amlfc.org

VENTE ET DISTRIBUTION

ÉDITIONS MULTIMONDES
930, rue Pouliot
Sainte-Foy (Québec) G1V 3N9
CANADA
Téléphone : (418) 651-3885
Télécopie : (418) 651-6822
Téléphone sans frais depuis l'Amérique du Nord : 1 800 840-3029
Télécopie sans frais depuis l'Amérique du Nord : 1 888 303-5931
multimondes@multim.com
http://www.multim.com

DISTRIBUTION EN LIBRAIRIE AU CANADA
Diffusion Dimedia
539, boulevard Lebeau
Saint-Laurent (Québec) H4N 1S2
CANADA
Téléphone : (514) 336-3941
Télécopie : (514) 331-3916
general@dimedia.qc.ca

DISTRIBUTION EN FRANCE
Librairie du Québec
30, rue Gay-Lussac
75005 Paris
FRANCE
Téléphone : 01 43 54 49 02
Télécopie : 01 43 54 39 15
liquebec@noos.fr

DISTRIBUTION EN BELGIQUE
Librairie Océan
Avenue de Tervuren 139
B-1150 Bruxelles
BELGIQUE
Téléphone : +32 2 732.35.32
Télécopie : +32 2 732.42.74
g.i.a@wol.be

DISTRIBUTION EN SUISSE
SERVIDIS SA
Rue de l'Etraz, 2
CH-1027 LONAY
SUISSE
Téléphone : (021) 803 26 26
Télécopie : (021) 803 26 29
pgavillet@servidis.ch
http://www.servidis.ch

VOUS SEREZ PLUS À L'AISE

La Banque Nationale est fière de s'associer au centenaire de l'Association des médecins de langue française du Canada.

Depuis maintenant plus de quinze ans, la Banque Nationale participe activement à la tenue d'événements d'envergure et apporte son aide à l'AMLFC afin de cultiver l'excellence dans le milieu médical francophone. Cette année, la contribution de la Banque à la production du Livre du Centenaire et à la tenue des festivités du centenaire témoigne de son engagement auprès de l'Association.

Au fil des années, l'AMLFC et la Banque Nationale ont solidifié leur partenariat. Bien au-delà d'une offre de produits et services financiers haut de gamme et personnalisés destinés aux membres, cette entente soutient les médecins francophones dans la voie de l'innovation et du dynamisme.

La Banque Nationale est fière d'être un partenaire de premier plan de l'AMLFC. Dans le futur, elle continuera à mettre à contribution l'expertise et les compétences de ses conseillers financiers afin de toujours bien servir les membres de l'AMLFC, une clientèle de choix. La Banque Nationale croit en l'AMLFC qui connaît du succès depuis de nombreuses années, et tient à remercier ce partenaire pour la confiance qu'il lui a toujours témoignée.

Bon centenaire à tous les membres de l'Association des médecins de langue française du Canada!

Sincèrement,

Réal Raymond
Président et chef de la direction
Banque Nationale

Depuis maintenant cent ans, l'Association des médecins de langue française du Canada (AMLFC) a fait preuve d'un leadership exceptionnel, tant sur le plan de l'avancement des connaissances scientifiques qu'en matière de politique de santé.

Tout au long de son évolution, l'Association a su demeurer loyale à sa mission première, soit la formation de ses membres et la promotion de la langue française en médecine.

L'Association des médecins de langue française a apporté une importante contribution à la médecine et à la santé publique. Ce siècle de réalisations témoigne du talent et du dévouement de plusieurs hommes et femmes remarquables.

Chez Merck Frosst, nous tenons en haute estime le travail de l'AMLFC et nous sommes fiers de notre partenariat de longue date.

Au nom de mes collègues chez Merck Frosst et en mon nom personnel, je vous félicite d'avoir franchi ce jalon exceptionnel que représente votre centenaire et vous remercie pour votre travail exemplaire.

Comme nous le savons tous, le domaine de la santé regorge de défis. Aussi, comme les succès passés sont garants de l'avenir, nous pouvons d'emblée convenir que celui de l'AMLFC s'avère des plus prometteurs.

Avec toute ma considération,

Le président
de Merck Frosst Canada Ltée,

André Marcheterre

L'AMLFC, DANS LES DÉCENNIES À VENIR,

SERA À L'IMAGE DE LA MÉDECINE FRANCOPHONE AU PAYS.

ELLE CONNAÎTRA SANS DOUTE DE GRANDS MOMENTS,

ET D'AUTRES PÉRIODES PLUS DIFFICILES

QUI L'OBLIGERONT À S'ADAPTER.

TOUT CE QUE L'ON PEUT ESPÉRER,

C'EST QU'ELLE EXISTERA TANT ET AUSSI LONGTEMPS

QUE DES MÉDECINS DE LANGUE FRANÇAISE

EXERCERONT SUR CE CONTINENT.

REMERCIEMENTS

Ma reconnaissance va d'abord au Dr Jean Léveillé et à M. André de Sève, respectivement président et directeur général de l'AMLFC, qui ont cru que l'histoire de cette association centenaire méritait de faire l'objet d'un livre. Sans leur collaboration et leurs nombreux commentaires, cet ouvrage n'aurait pas le contenu qu'il possède aujourd'hui.

MM. Michel Brochu et Gilles Lapierre ainsi que les Drs Wilhem B. Pellemans, Georges Desrosiers et Marcel Cadotte m'ont permis, lors d'entrevues ou de discussions informelles, d'obtenir des informations précieuses. Je les remercie pour leur collaboration.

Ma sœur, Lucie Grenier, sait mieux que quiconque combien de temps a été nécessaire pour rédiger ce livre, puisqu'elle m'a hébergé lors de mes fréquents séjours à Montréal et a corrigé les premières versions de mon manuscrit. Je la remercie, ainsi que toute sa famille, pour son hospitalité et sa patience.

Je souhaite enfin exprimer ma reconnaissance à tous les membres du personnel de l'AMLFC qui ont pu, de près ou de loin, apporter leur contribution : Diane Bircher, Danielle Labrosse, Maria Martineau et Gina Simboli.

Merci à notre éditeur, M. Jean-Marc Gagnon, et à toute l'équipe des Éditions MultiMondes, pour leurs efforts et leurs conseils à chacune des étapes de la réalisation de ce livre, ainsi qu'à M. Normand Pilotte pour la conception graphique de cet ouvrage.

Ce livre a été rendu possible grâce au financement de la Banque Nationale du Canada et de Merck Frosst Canada.

En 2002, l'Association des médecins de langue française du Canada célèbre le 100e anniversaire de sa fondation. Un siècle d'histoire, pour une association à participation purement volontaire et privilégiant essentiellement le principe du bénévolat, cela constitue en soi un événement assez remarquable. Retracer ses origines, décrire son parcours, déterminer sa contribution au sein de notre collectivité, départager le rôle de ses multiples acteurs, toutes ces tâches relèvent du travail du spécialiste, et celui-ci nous l'avons fort heureusement trouvé en la personne de l'historien Guy Grenier.

Tel un patient archéologue, M. Grenier a minutieusement exploré des labyrinthes d'archives, mis au jour des renseignements de grande valeur, dépoussiéré les chemins du passé et ravivé notre mémoire à l'occasion défaillante. Grâce aux écritures d'époques à la fois lointaines mais à bien des égards si proches de nos préoccupations actuelles, il nous fournit aujourd'hui des indices sur la vie trépidante de notre association.

Cette chronique d'un temps qui, imperceptiblement, devient caduc et s'estompe au fil des générations débute après la Conquête. Les médecins français les plus qualifiés retournent en Europe et sont remplacés par des chirurgiens militaires diplômés des universités de Grande-Bretagne. À peine une trentaine de médecins et chirurgiens francophones demeurent en Amérique du Nord ; la plupart se retrouvent isolés à la campagne. En 1847, seulement 26 médecins francophones sont titulaires d'un diplôme d'une université européenne ou américaine ; c'est que les études coûtent cher et les médecins francophones riches ou téméraires sont peu nombreux.

En 1900, le Dr Michel-Delphis Brochu, originaire du petit village de Saint-Lazare de Bellechasse, propose la création d'une association qui regrouperait l'ensemble des médecins francophones du continent nord-américain. Le Dr Brochu, qui devient en 1902 premier président de l'Association des médecins de langue française de l'Amérique du Nord (AMLFAN), répond alors au souhait longtemps exprimé par les médecins francophones « d'être reconnus comme les égaux de leurs confrères de langue anglaise [...] en matière de savoir et de compétence scientifique ».

La création de l'Association, qui coïncide avec le cinquantenaire de la fondation de l'Université Laval, permet aux médecins de langue française de se retrouver, de s'exprimer, et de prouver non seulement la valeur de leur formation mais également la richesse de leur diversité.

En 1946, l'AMLFAN devient l'Association des médecins de langue française du Canada (AMLFC), pour répondre à une exigence canadienne et afin d'être admise au sein des forums débattant des orientations en matière de santé au Canada.

Au fil des chapitres de cet ouvrage, le lecteur sera en mesure de constater combien l'Association a non seulement contribué à notre évolution, mais constitue un magnifique reflet de ce que nous avons été et de ce que nous sommes devenus, ainsi que des réalisations et ambitions de la médecine de langue française nord-américaine.

Franchir le cap des cent ans constitue, dans un contexte de concurrence et de mutation constante, une preuve de vivacité, soutenue par une volonté d'innovation et de dépassement. Au cours de ces cent ans d'histoire l'Association a constamment modifié ses approches.

Fière de son passé, mais résolument tournée vers l'avenir, l'Association s'est discrètement retirée des activités syndicales et corporatives, au profit des hommages à la communauté médicale par l'intermédiaire de ses publications et de ses distinctions, multiples et fort appréciées.

Les chapitres plus contemporains de son histoire nous rappellent que l'AMLFC se fait un devoir de signaler les réalisations scientifiques, sociales et humanitaires de gens admirables. À l'écoute des détresses de plusieurs, elle érige en partenariat le programme d'aide. Elle souligne à la communauté le travail remarquable des médecins de cœur et d'action. Elle convie les étudiants en médecine à des rencontres avec des conférenciers vivant des expériences hors de l'ordinaire.

Engagée dans le support et l'aide aux pays francophones ou francophiles, l'Association des médecins de langue française du Canada porte une attention soutenue à la formation médicale continue, tout en veillant à la promotion du français.

Grâce au soutien de la Banque Nationale du Canada et de la compagnie Merck Frosst Canada, l'Association, ce témoin privilégié, et à bien des égards unique, de l'évolution de la communauté médicale française d'Amérique, a voulu partager les plus belles pages de son histoire, de ce reflet de nous-mêmes. En plus de faire parvenir un exemplaire de cet ouvrage à chacun de nos 5000 membres, elle convie tous les intéressés à se le procurer.

C'est animés de cet esprit que les membres des différentes constituantes de l'Association poursuivent l'œuvre de leurs prédécesseurs et entreprennent avec détermination ce second centenaire.

Je désire remercier tous ceux et celles qui ont contribué à la réalisation de cet ouvrage et j'exprime le vœu que le lecteur parcoure ces pages avec le même émerveillement que j'ai ressenti à le réviser.

Jean Léveillé, M.D.
Président de l'AMLFC

SIGLES ET ABRÉVIATIONS

ABMHPQ: Association des bureaux médicaux de la province de Québec
ACMDPQ: Association des conseils des médecins, dentistes et pharmaciens du Québec
ACFAS: Association canadienne-française pour l'avancement des sciences
ADRMM: Association pour le développement des relations médicales entre la France et les pays étrangers
AHPQ: Association des hôpitaux de la province de Québec
AMA: American Medical Association
AMC: Association médicale canadienne
AMLF: Association des médecins de langue française (Europe)
AMLFAN: Association des médecins de langue française de l'Amérique de Nord
AMMF: Association mondiale des médecins francophones
AMLFC: Association des médecins de langue française du Canada
BMQ: *Bulletin médical de Québec*
BPM: Bureau provincial de médecine
CEM: Comité d'économie médicale
CETMQ: Comité d'étude des termes de médecine du Québec
CJMS: *Canadian Journal of Medicine and Surgery*
CLSC: Centre local de services communautaires
CMAJ: *Canadian Medical Association Journal*
CMC: Conseil médical du Canada
CMCPQ: Collège des médecins et des chirurgiens de la province de Québec
CPMQ: Corporation professionnelle des médecins du Québec
CRMFC: Comité des relations médicales franco-canadiennes
CRSSS: Conseil régional de la santé et des services sociaux
DBC: *Dictionnaire biographique du Canada*
EMC: Enseignement médical continu
EMCM: École de médecine et de chirurgie de Montréal
FMOQ: Fédération des médecins omnipraticiens du Québec
FMRQ: Fédération des médecins résidents du Québec
FMSQ: Fédération des médecins spécialistes du Québec
FSMPQ: Fédération des sociétés médicales de la province de Québec
JHP: *Journal d'hygiène populaire*

LM: *Laval Médical*
MM: *Montréal Médical*
PAMQ: Programme d'aide aux médecins du Québec
RM: *Revue Médicale*
SMM: Société médicale de Montréal
SMQ: Société médicale de Québec
ULM: Université Laval à Montréal
ULQ: Université Laval à Québec
UMC: *Union Médicale du Canada*
UNUM: Union Mutuelle

L'Association des médecins de langue française du Canada, connue pendant longtemps sous le nom d'Association des médecins de langue française de l'Amérique du Nord, célèbre en 2002 le centième anniversaire de sa fondation. Sa création en 1902 coïncide avec une importante période de développement des connaissances médicales qui obligeait les médecins à se mettre à jour.

Notre récit débute à la fin du XVIIIe siècle et s'étend par la suite de 1902 à aujourd'hui. Il est divisé en sept parties, elles-mêmes subdivisées en une série de courts chapitres bâtis autour de certains thèmes et décrivant la situation globale de la médecine et de la société québécoise et canadienne, l'organisation interne de l'Association ainsi que les sujets qui furent pour elle les plus marquants à chaque époque.

Dans la *première partie,* notre histoire commence par une description de la situation de la médecine francophone d'Amérique avant 1902. Nous présenterons la fondation et l'évolution des facultés de médecine francophones, la transformation de la pratique médicale grâce à l'introduction de nouveaux savoirs par des médecins formés à l'étranger, la situation de la francophonie en Amérique du Nord, la genèse des congrès de médecine, ainsi que la menace que représentait pour la médecine francophone l'implantation d'une licence pancanadienne au début du XXe siècle.

La *seconde partie* s'attarde sur la période comprise entre 1900 et 1902. Nous présenterons la convention de Québec, au cours de laquelle a été suggéré, en 1900, le projet de fondation de l'Association des médecins de langue française de l'Amérique du Nord. Nous dresserons également un portrait du fondateur et premier président de l'AMLFAN, le Dr Michel-Delphis Brochu, et des autres médecins qui ont joué un rôle important dans la naissance et le développement de l'Association. Enfin, nous décrirons le climat général du congrès de fondation de l'AMLFAN en 1902, congrès qui coïncidait avec le cinquantenaire de l'Université Laval.

La *troisième partie* est consacrée aux premières années de l'AMLFAN, entre 1904 et 1914. L'Association organise alors un congrès tous les deux ans dans les principales villes du Québec (Montréal, Trois-Rivières, Québec et Sherbrooke). Ces événements sont l'occasion d'exprimer une série de vœux appelant à des réformes du système de santé québécois. Ils permettent aussi aux médecins de s'attarder aux grands sujets de l'heure et de prendre connaissance des plus récentes innovations, particulièrement dans le domaine de la chirurgie. Dès ces premiers congrès, l'AMLFAN reçoit des conférenciers étrangers de prestige et honore certains de ses membres pour leur engagement passé. Cependant, une série d'événements inattendus, dont le déclenchement de la Première Guerre mondiale, oblige l'AMLFAN à une inactivité de dix ans.

L'Association reprend toutefois ses activités en 1920. La société québécoise et canadienne connaît alors une période de développement considérable, qui s'exprime également dans le domaine de l'enseignement médical et de la pratique hospitalière. Durant les années 1920, l'AMLFAN se structure : elle se constitue en société, se dote d'un conseil général, se nomme un directeur et un secrétaire général, qui assurent un suivi entre les congrès, et fait de *L'Union Médicale du Canada* sa revue. Elle tient également ses premiers congrès hors de la province de Québec. Tels sont les thèmes qui sous-tendent la *quatrième partie,* laquelle couvre la période s'étendant de 1920 à 1942.

À nouveau, un conflit mondial met temporairement fin aux activités de l'AMLFAN mais, en 1946, elle reprend ses occupations dans un tout nouveau contexte. L'État-providence voit le jour au Canada, mais une résistance se manifeste au Québec, qui vit alors sous le long règne de Duplessis. Pour intervenir dans les débats sur l'assurance-hospitalisation, l'AMLFAN devient l'Association des médecins de langue française du Canada (AMLFC). Elle est à l'origine d'un front commun des associations médicales québécoises sur l'assurance-hospitalisation, où sont défendues les positions traditionnelles du nationalisme canadien-français. Au chapitre de l'organisation interne, l'AMLFC crée une série de comités chargés d'élaborer les positions de l'Association sur différents dossiers. Elle multiplie aussi les contacts avec l'ancienne métropole française et organise à deux occasions un congrès conjoint avec son homologue européenne. Ces sujets, qui couvrent la période comprise entre 1946 et 1968, font l'objet de la *cinquième partie.*

La *sixième partie* porte sur la période située entre 1968 et 1980, qui en est une de confrontation et de contestation. La naissance des fédérations médicales oblige les associations préexistantes à se redéfinir pour survivre. En 1968, l'AMLFC modifie ses statuts et ses règlements pour se consacrer désormais uniquement aux questions scientifiques et culturelles de la médecine. Elle s'implique de plus en plus dans le domaine de l'enseignement médical continu par différentes initiatives telles que Sonomed. Elle envoie également des professeurs à l'étranger par l'intermédiaire des Conférences Jacques-Léger. De plus, elle décerne une série de prix aux étudiants, aux résidents et aux chercheurs pour leurs travaux.

Dans la *septième partie*, nous couvrirons la période contemporaine de 1980 à nos jours, qui en est une de compressions budgétaires et de réformes du système de santé. Pour l'AMLFC, elle débute par une crise existentielle et financière qui l'oblige à se restructurer. L'Association développe le volet exposition de ses congrès pour se rapprocher du grand public. Voyant sa situation financière et son effectif se rétablir, elle crée de nouveaux services pour ses membres et s'implique plus que jamais dans leur formation médicale.

Notre récit se termine en l'an 2000, soit au moment où débuta notre recherche. Quelle est la situation actuelle de l'AMLFC et quelles sont ses perspectives ? Nous avons recueilli les propos du président sortant et du futur président de l'AMLFC dans notre épilogue.

Le lecteur constatera l'évolution de l'AMLFC, mais aussi une continuité dans ses objectifs. La formation des médecins francophones, la défense des particularités québécoises en matière d'éducation, les contacts avec la francophonie internationale, la volonté de vulgariser et de diffuser les derniers progrès de la science et de la technologie médicales sont autant d'éléments qui caractérisent l'AMLFC depuis sa fondation. Une autre particularité est le bénévolat offert annuellement, depuis les tout débuts, par des centaines de médecins, qu'ils soient omnipraticiens, spécialistes, étudiants ou résidents, pour la survie et le développement de l'Association.

Retracer l'histoire de l'AMLFC, c'est en effet suivre l'itinéraire collectif de milliers de médecins qui, au fil du temps, ont cheminé ensemble. Si elle a survécu à ses fondateurs, c'est parce que le flambeau a été transmis d'une génération de praticiens à l'autre. Certains, bien sûr, ont laissé des traces plus importantes de leur passage au sein de l'Association. Depuis les années 1960, l'AMLFC rend hommage aux médecins qui, par leur enseignement, leur recherche ou leur engagement dans la communauté, ont contribué au progrès de la médecine francophone au pays. Par de courtes présentations, nous avons choisi d'honorer les principaux médecins qui sont intervenus au cours des premières décennies de l'Association.

Dans le but de compléter l'information tout en évitant d'alourdir le récit, nous avons ajouté à la fin du document une série d'annexes : la liste des dates, lieux et thèmes des congrès de l'AMLFC depuis sa fondation, celles de ses présidents de 1902 à 2002, des directeurs et des secrétaires généraux, des lauréats des différents prix de l'Association, des rédacteurs en chef de *L'Union Médicale du Canada* et des conférenciers de l'AMLFC à l'étranger.

Pour reconstituer cette histoire, nous avons utilisé les procès-verbaux du Bureau exécutif, du Conseil d'administration et des assemblées annuelles du Conseil général de l'AMLFC. Divers périodiques médicaux ont aussi été scrutés, dont *L'Union Médicale du Canada* et le *Bulletin* de l'AMLFC. Nous avons également consulté un certain nombre d'ouvrages généraux et de monographies sur l'histoire de la médecine au Canada. Enfin, nous avons mené des entretiens auprès de membres de l'AMLFC afin d'obtenir un éclairage plus précis sur certains événements et sujets. Toutes ces sources sont présentées à la fin de l'ouvrage.

Un réveil de l'esprit du progrès scientifique et du sentiment de solidarité nationale

Lorsque le Dr Michel-Delphis Brochu proposa, en 1900, la création d'une association qui regrouperait l'ensemble des médecins de langue française de l'Amérique du Nord, le projet pouvait apparaître prématuré. Après tout, les facultés de médecine et les grands hôpitaux de Québec et de Montréal venaient à peine de se doter de laboratoires de bactériologie, de biologie et d'histologie pathologique. Pourtant, l'enthousiasme que souleva son projet prouvait qu'il répondait à un besoin longuement ressenti par les médecins francophones : celui d'être reconnus comme les égaux de leurs confrères de langue anglaise d'Amérique du Nord en matière de savoir et de compétence scientifique, et cela, tout en demeurant fidèles à leur héritage français.

La fondation de l'AMLFAN est en fait l'aboutissement d'un long processus pour ces médecins : création de facultés de médecine francophones, établissement de liens avec la France, fondation de sociétés et de revues médicales permanentes, regroupement des médecins francophones des diverses parties de l'Amérique du Nord, institution de congrès internationaux et union des francophones face aux menaces d'uniformisation des études médicales au Canada. Chacun de ces sujets fera d'abord l'objet d'un bref développement.

CHAPITRE 1

LA FORMATION DES MÉDECINS CANADIENS AVANT 1891

Ce chapitre portera sur l'origine des écoles et des facultés de médecine au Québec. Nous verrons que l'enseignement médical en français a été institué à Québec et à Montréal seulement au milieu du XIXe siècle. Toutefois, une querelle universitaire à Montréal a considérablement nui à l'unification et au développement de cet enseignement. Le règlement de cette querelle à la fin du XIXe siècle, entre autres, permettra d'unifier la médecine canadienne-française.

De l'apprentissage aux écoles de médecine (1760-1843)

La composition ethnique du corps médical au Canada avait considérablement changé après la Conquête. Les médecins français les plus qualifiés étaient retournés en Europe et avaient été remplacés à la tête de la profession par des chirurgiens militaires britanniques, diplômés des universités de Grande-Bretagne. Ces derniers pratiquaient dans les hôpitaux tout en soignant la clientèle riche des villes.

La formation se limitait généralement à un apprentissage auprès d'un médecin ou d'un chirurgien établi.

À peine une trentaine de médecins et de chirurgiens francophones étaient demeurés en Amérique du Nord; la majorité exerçaient à la campagne. Leur formation, de même que celle de leurs successeurs jusqu'au milieu du XIXe siècle, se limitait généralement à un apprentissage auprès d'un médecin ou d'un chirurgien établi. Pendant trois ou quatre ans, le maître initiait son élève aux procédés diagnostiques et thérapeutiques; en échange, le jeune clerc l'assistait lors d'opérations chirurgicales (amputation, réduction des fractures, etc.). Souvent l'art médical se transmettait de père en fils, ce qui explique l'existence de véritables dynasties de praticiens au Canada dès cette période. Par contre, la qualité du savoir transmis variait considérablement selon les connaissances du maître. En général, le praticien officiel n'était guère plus compétent à l'époque que le guérisseur, le rebouteux et autres charlatans qui pullulaient dans les campagnes[1].

---

1. Chartrand, Duschesne et Gingras (1987), p. 107-126; Bernier (1989), p. 31-39; Goulet (1993), p. 13-20.

En 1788, une première loi médicale était adoptée au Canada en vue de contrôler l'accès à l'exercice de la médecine. Alors que les diplômés d'une université britannique étaient automatiquement admis à la pratique, tous les autres étaient tenus de réussir un examen devant un bureau d'examinateurs. Comme un voyage d'études à Édimbourg ou à Londres était à l'époque très onéreux, seuls les francophones riches, ou du moins les plus téméraires, pouvaient bénéficier d'une formation dans une école de médecine étrangère. Lors de la création du Collège des médecins et chirurgiens du Bas-Canada en 1847, seulement 26 médecins francophones contre 73 anglophones étaient titulaires d'un diplôme d'une université européenne ou américaine[2].

Ce n'est qu'au début des années 1870 que les médecins francophones domineront vraiment leur profession au Québec.

Au début, les membres des bureaux d'examinateurs de Québec et de Montréal étaient désignés par le gouverneur et choisis exclusivement parmi les médecins et les chirurgiens militaires britanniques. Ils étaient souvent accusés de discrimination à l'endroit des francophones. Des médecins diplômés d'une université américaine, comme le Dr Pierre de Sales Laterrière en 1789, devaient prouver leur compétence devant le Bureau. Par ailleurs, celui qui ne maîtrisait pas parfaitement l'anglais pouvait facilement se sentir intimidé par les examinateurs. Grâce aux pressions politiques exercées par les médecins civils francophones, les bureaux d'examinateurs devinrent électifs en 1831. Mais si les francophones étaient bien représentés au Bureau de Québec, la situation était tout autre dans celui de Montréal, qui fut longtemps dominé par le corps professoral de l'Université McGill. Encore en 1850, sur les 36 gouverneurs élus au Collège des médecins et chirurgiens du Bas-Canada, 15 seulement, dont aucun de Montréal, étaient francophones[3]. Ce n'est qu'au début des années 1870 que les médecins francophones domineront vraiment leur profession au Québec.

Dès le début du XIXe siècle, quelques médecins francophones avaient tenté d'améliorer la formation théorique de leurs compatriotes. Ainsi, en 1804, le Dr François Blanchet, diplômé d'une université américaine, commençait à donner à Québec un enseignement théorique sur les applications de la chimie à la médecine. Puis, en 1819, les Drs Anthony von Iffland, Pierre de Salles Laterrière, Augustin Mercier et Charles N. Perrault s'associaient pour enseigner l'anatomie, l'obstétrique, la chirurgie et la pratique médicale à

2. Gauvreau, *UMC*, 61, 4, avril 1932, p. 625.
3. Migneault, *UMC*, 55, 10, octobre 1926, p. 618.

l'intérieur du Dispensaire de Québec. En 1823, le Dr Jean Blanchet, neveu et ancien élève de François Blanchet, donnait à son tour un enseignement théorique et pratique de la médecine à l'Hôpital des émigrés, près du port de Québec. En 1834, une nouvelle tentative se manifestait à l'Hôpital de la marine, où des médecins anglophones et francophones (James Douglas, Joseph Painchaud, Joseph Morrin et Anthony von Iffland) organisaient un enseignement médical[4].

Les pionniers de l'enseignement de la médecine, au Canada français, voyaient dans l'hôpital le lieu fondamental de la formation des médecins.

Il semble que les réticences de la population face à la pratique de la dissection et à l'étude de l'anatomie aient joué à l'époque un certain rôle dans l'échec de ces initiatives privées qui n'étaient pas officiellement reconnues. Ces expériences démontrent cependant que les pionniers de l'enseignement de la médecine au Canada français voyaient dans l'hôpital le lieu fondamental de la formation des médecins. À partir de 1823, des anglophones faisaient de même en utilisant le Montreal General Hospital à des fins d'enseignement médical. Leur école allait devenir en 1829 la Faculté de médecine de la nouvelle Université McGill.

Les débuts de l'enseignement de la médecine en français à Montréal et à Québec (1843-1867)

Pendant près de vingt ans, en raison de son statut d'université britannique, l'Université McGill sera la seule institution autorisée à décerner des doctorats en médecine au Bas-Canada. Il faudra attendre les années 1850 pour que des structures d'enseignement similaires voient le jour chez les francophones. Pour cela, les Canadiens français bénéficieront de l'aide inattendue de quelques médecins anglophones, jaloux des privilèges que possède le personnel enseignant de McGill.

Ainsi en 1843, dans le dessein de concurrencer l'Université McGill et d'attirer vers eux la clientèle francophone de Montréal, cinq médecins anglophones fondent une école bilingue – l'École de médecine et de chirurgie de Montréal (EMCM) – qui est incorporée deux ans plus tard. Dès 1845, un premier Canadien français, le Dr Jean Gaspard Bibaud, est embauché comme professeur. Les cours[5] sont alors donnés dans les deux langues. L'EMCM

4. Goulet et Paradis (1992), p. 388-393.
5. Anatomie et physiologie ; chimie et pharmacie ; *materia medica* (présentation des substances médicinales) ; théorie et pratique de la médecine ; principes et pratiques de la chirurgie et de l'art de l'obstétrique ; maladies des femmes et des enfants.

possède une bibliothèque, un laboratoire pourvu d'un microscope ainsi qu'un musée d'anatomie. Les étudiants disposent également d'une modeste salle de dissection pour l'étude de l'anatomie, la science fondamentale la plus importante au début du XIXe siècle. Devant la difficulté de s'approvisionner légalement en corps, les étudiants sont parfois contraints de dérober des cadavres dans les cimetières, ce qui provoque, évidemment, l'indignation de la population[6].

La loi de 1847, qui crée le Collège des médecins et chirurgiens du Bas-Canada, rend obligatoires l'assistance à des cours pendant six mois en clinique médicale et en clinique chirurgicale ou la pratique pendant un an dans un hôpital d'au moins 50 lits pour tout candidat à la pratique. Afin de répondre à ces nouvelles exigences, l'EMCM conclut la même année un accord avec la Faculté de médecine de l'Université McGill; ses étudiants ont accès aux salles du Montreal General Hospital, puis font leur dernière année d'études à McGill pour y obtenir un doctorat[7]. Grâce à cette entente, les diplômés de l'EMCM n'ont plus à subir d'examen devant le Collège des médecins pour être admis à la pratique. De plus, le français devient, à partir de ce moment, la seule langue d'enseignement à l'EMCM, ce que confirme l'engagement des Drs Louis Boyer, Joseph-Émery Coderre et Hector Peltier.

Les pressions auprès de l'Assemblée législative pour que l'EMCM puisse conférer un diplôme ad practicandum *s'avèrent infructueuses.*

En 1849, l'entente est toutefois rompue et les fondateurs de l'EMCM, à l'exception du Dr Pierre Munro, la quittent pour accepter des chaires d'enseignement à l'Université McGill. Ils sont aussitôt remplacés par les Drs Pierre Beaubien, Thomas-Edmond d'Otet d'Orsonnens et Eugène-Hercule Trudel. Ayant retrouvé son autonomie complète, l'EMCM est désormais totalement francophone; elle est par contre privée de toute affiliation universitaire et n'a plus d'hôpital pour son enseignement clinique. Par le biais d'un arrangement avec les sœurs de l'Hôtel-Dieu de Montréal, les élèves de l'EMCM sont admis en 1850 dans cette institution. Après le déménagement de l'Hôtel-Dieu au mont Sainte-Famille en 1861, l'École peut compter sur un établissement d'une capacité de 400 lits pour son enseignement clinique[8]. Cependant, les pressions exercées auprès de l'Assemblée législative pour que l'EMCM puisse elle aussi conférer un diplôme *ad practicandum* s'avèrent

6. Goulet (1993), p. 20-31.
7. *Ibid.*, p. 27-28.
8. *Ibid.*, p. 39.

infructueuses. L'EMCM ne peut évidemment pas compter sur l'appui de McGill, ni sur celui de l'Université Laval, qui considère alors que sa Faculté de médecine de Québec suffit aux besoins des francophones.

Des négociations avec les universités Laval, d'Ottawa, de Toronto et Queen's sont entreprises dans les années 1860 pour une éventuelle affiliation, mais sans succès[9]. Grâce à l'initiative d'un étudiant anglophone du nom de Thomas Bulmer, l'EMCM parvient finalement à s'affilier en 1867 à l'Université Victoria de Cobourg. Cette affiliation à une université protestante de l'Ontario ne nuit aucunement à l'autonomie de l'École. En effet, l'Université Victoria ne s'immiscera jamais dans les affaires internes de sa faculté montréalaise. La seule obligation de l'EMCM, désormais baptisée « École Victoria », consiste à verser des honoraires à l'Université et à déléguer chaque année des représentants à Cobourg lors de la collection des grades[10].

En 1845 est également fondée à Québec une école de médecine, qui utilise l'Hôpital de la marine à des fins d'enseignement clinique. Contrairement à l'EMCM, la nouvelle école de Québec trouve rapidement une solution au problème de l'affiliation universitaire grâce à la fondation, en 1852, de l'Université Laval : six professeurs de l'école sont appelés à former la nouvelle Faculté de médecine. Deux d'entre eux, les Drs James Sewell et Alfred Jackson, sont anglo-protestants. En 1853, le Dr Jean-Étienne Landry est mandaté pour ramener d'Europe les livres, les instruments de chirurgie et les pièces anatomiques nécessaires à l'organisation de l'enseignement, de la bibliothèque et du musée d'anatomie. L'un des pionniers de l'enseignement médical, le Dr Jean Blanchet est nommé doyen de la nouvelle Faculté de médecine, qui ouvre officiellement ses portes en 1854.

À cette époque, chaque faculté de médecine est libre d'organiser l'enseignement médical comme elle l'entend. Les universités de Paris, de Dublin et de Louvain ont servi de modèles à l'Université Laval[11]. En 1859, le Dr Sewell proclame avec fierté qu'il n'y a pas, en Amérique du Nord :

> [...] un seul collège, une seule université qui ait pour l'admission, soit à l'étude, soit à la licence, soit au doctorat, des exigences aussi sévères que celles de notre université. Ce serait même une question de savoir si les anciennes

9. *Ibid.*, p. 40-41.
10. Mignault, *UMC*, 55, 10, octobre 1926, p. 622.
11. Bernier (1989), p. 69.

> universités de Grande-Bretagne (si l'on excepte celle de Londres) demandent autant que nous à leurs élèves[12].

Les leçons données à l'Université Laval dépassent de moitié ce qui est exigé par le Collège des médecins et des chirurgiens du Bas-Canada.

Les leçons données à l'Université Laval dépassent en effet de moitié ce qui est exigé par le Collège des médecins et des chirurgiens du Bas-Canada. Une année d'étude dure neuf mois et demi à Québec, contre six à l'École Victoria et à McGill. De plus, alors que ses concurrentes ne décernent qu'un seul diplôme, l'Université Laval en donne trois : le baccalauréat, la licence (ou maîtrise) et le doctorat. D'une durée de deux ans, le baccalauréat ne couvre que les cours théoriques de base. Pour l'obtenir, l'étudiant doit décrocher la note « bien » ou « très bien » dans chaque matière.

La licence, quant à elle, dure quatre ans, les deux dernières années étant réservées aux cliniques de médecine et de chirurgie, ainsi qu'à l'étude des spécialités. Les leçons cliniques se déroulent à l'Hôtel-Dieu, à l'Hôpital de la marine, au Dispensaire de Québec et à la morgue. Son obtention exige la réussite de deux épreuves écrites et d'une épreuve orale, d'une durée d'au moins six heures chacune. La licence permet de pratiquer l'ensemble des branches de la médecine et de la chirurgie, ainsi que l'obstétrique[13].

Enfin, le doctorat est alors « la récompense d'un travail spécial, élaboré dans le silence du cabinet, laissé au choix du candidat[14] ». Il est décerné à un ancien étudiant qui a soutenu publiquement une thèse d'au moins trois heures. La soutenance de thèse est suivie d'un examen général qui a pour objectif de s'assurer « que le candidat depuis sa sortie de l'université n'a pas discontinué l'étude de sa profession[15] ». En 1859, l'Université Laval attribue son premier doctorat en médecine à François-Alexandre-Hubert Larue pour sa thèse portant sur les rapports entre le suicide et l'aliénation mentale au Bas-Canada. À partir de 1865, l'Université renonce à la thèse et décerne désormais le titre de docteur à l'étudiant qui a conservé les notes « bien » ou « très bien » à la licence.

---

12. Boissonnault, *LM*, 8, octobre 1952, p. 1140.
13. Bernier (1989), p. 69-70.
14. Boissonnault, *LM*, 8, octobre 1952, p. 1129.
15. *Ibid.*, p. 1141.

Projet abandonné de construction de l'Université de Montréal en 1888.
Archives de l'Université de Montréal

L'École de médecine et de chirurgie
de Montréal/Faculté de médecine
de l'Université Victoria, rue des Pins.
Fonds Desjardins

Les armoiries de l'École
après la fusion avec la succursale
de l'Université Laval.
Archives de la Faculté de médecine

L'Université de Montréal, rue Saint-Denis, 1895.
Archives de l'Université de Montréal

La Faculté de médecine
de l'Université McGill, 1871.
McGill University Archives.
Photographic Collection.
PN027812, "Old Medical Faculty (School)
on Cote Street, 1871"

Les rivales coexistent; la Faculté de médecine de la succursale de l'Université Laval, à Montréal, place Jacques-Cartier.
Division des archives/Université de Montréal

Plan d'ensemble.
Référence: DAUL, U519/92/2, 3110 (BU-P-002A)

École de médecine, 1952.
Entrée – Médecine
Référence: DAUL, U519/92/2, 3210 (BU-P-002)

École de médecine, 1875.
Photo tirée de L'Université Laval 1852-1952 *(Monographie) –*
L'original se trouve aux ASQ, tiroir 33
Archives du Séminaire de Québec

École de médecine de l'Université Laval, construite rue de l'Université, en 1864, à Québec.
J.-E. Livernois Ltée, photographe.
N° PH1997-0247
Musée de la civilisation, fonds d'archives du Séminaire de Québec

Laboratoire du département d'anatomie de l'École de médecine de l'Université Laval. *W. B. Edwards, photographe. N° PH1997-0241. Musée de la civilisation, fonds d'archives du Séminaire de Québec.*

Élèves de première année de médecine, 1906-1907. *N° 1997-0702. Musée de la civilisation, fonds d'archives du Séminaire de Québec*

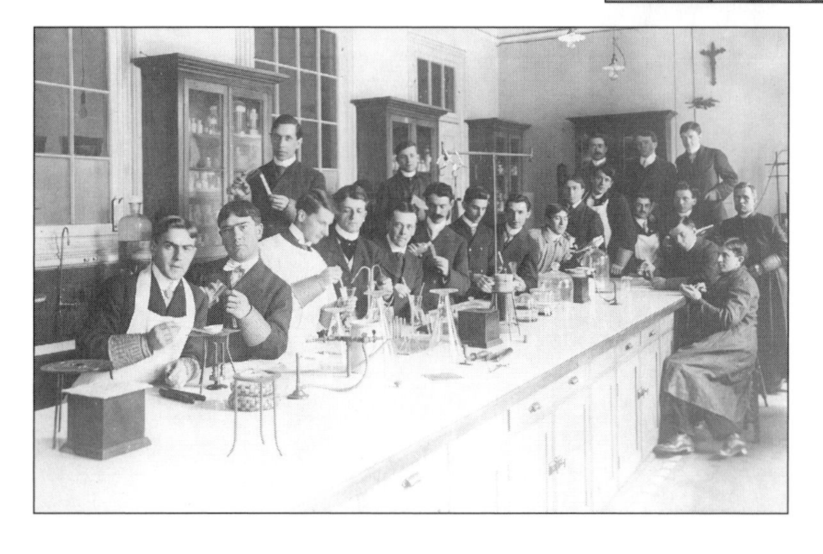

Salle de consultation de la Faculté de médecine de l'Université Laval. *J.-E. Livernois Ltée, photographe. N° PH1997-0266. Musée de la civilisation, fonds d'archives du Séminaire de Québec*

Laboratoire de bactériologie de l'École de médecine de l'Université Laval.
N° PH1997-0247. Musée de la civilisation, fonds d'archives du Séminaire de Québec

Élèves de première année de médecine, 1911-1912. *N° PH1997-0707.*
Musée de la civilisation, fonds d'archives du Séminaire de Québec

Alors que les étudiants en médecine de l'École Victoria et de l'Université McGill proviennent majoritairement de Montréal ou de sa proche banlieue, ceux de l'Université Laval à Québec sont surtout issus des districts ruraux de l'est du Québec[16]. À titre d'exemple, le futur fondateur de l'Association des médecins de langue française de l'Amérique du Nord (AMLFAN), Michel-Delphis Brochu est né en 1853 dans le petit village de Saint-Lazare de Bellechasse. Ses confrères de classe entre 1872 et 1876 sont, pour leur part, originaires des comtés de Champlain, Charlevoix, Kamouraska, Nicolet, Portneuf et Rimouski, voire des Îles-de-la-Madeleine et de l'Île-du-Prince-Édouard[17]. Le système des collèges classiques permet à des jeunes issus de milieux modestes d'accéder aux hautes études et à une profession libérale. Pour les aider à payer leur frais d'admission à l'Université, le Séminaire de Québec offre des bourses à ses meilleurs étudiants ainsi qu'à ses bacheliers les plus pauvres. L'Université Laval accepte tous ceux qui détiennent un certificat d'étude classique et exige de ceux qui présentent des lacunes dans certaines matières qu'ils fassent un baccalauréat ès arts avant d'être admis à la Faculté de médecine.

La Faculté de médecine de l'Université Laval a toujours accordé plus d'attention à la qualité de ses diplômés qu'à la quantité.

En fait, la Faculté de médecine de l'Université Laval a toujours accordé plus d'attention à la qualité de ses diplômés qu'à la quantité. Ses objectifs étaient de former des médecins de campagne qualifiés, appelés éventuellement, en raison de leur culture générale, à s'engager aussi sur la scène politique, littéraire ou sociale. Il valait mieux, aux dires du docteur Sewell, «n'admettre qu'un seul gradué par année, lequel puisse faire honneur à Laval, que d'en recevoir cinquante, pour courir le risque d'avoir à rougir de plusieurs[18]».

La querelle universitaire (1877-1891)

En 1877, l'Université Laval décide d'implanter une succursale à Montréal. Il semble aller de soi que l'École Victoria deviendra la nouvelle Faculté de médecine de l'Université Laval à Montréal. Mais, contrairement à l'Université Victoria, les autorités de Laval veulent exercer un contrôle sur l'enseignement qui sera prodigué dans sa faculté. Cette atteinte à l'autonomie de l'École entraîne la rupture des négociations. Devant cette résistance,

16. Weisz, dans Fournier, Gingras et Keel (1987), p. 150.
17. *Annuaire de l'Université Laval*, 1875-1876, p. 20.
18. Boissonnault, *LM*, 8, octobre 1952, p. 1140.

Contrairement à l'Université Victoria, Laval veut exercer un contrôle sur l'enseignement prodigué dans sa succursale montréalaise.

Dr Auguste-Achille Foucher

l'Université Laval ouvre une école concurrente, attirant à elle deux professeurs titulaires de l'École Victoria, les Drs Jean-Philippe Rottot et Alfred Toussaint Brosseau, et deux agrégés, les Drs Emmanuel-Persillier Lachapelle et Adolphe Lamarche. Elle complète son corps professoral par l'embauche de jeunes médecins, dont Hugues-Évariste Desrosiers[19] et Auguste-Achille Foucher, l'un des pionniers de l'oto-rhino-laryngologie au Québec.

Mais malgré la qualité de son corps professoral, la succursale montréalaise de l'Université Laval aura toujours beaucoup moins d'étudiants que l'École Victoria : de 1880 à 1891, elle ne décernera que 108 doctorats contre 382 pour sa rivale[20]. Par ailleurs, l'Hôtel-Dieu reste fidèle à l'École Victoria, ce qui oblige la succursale montréalaise de l'Université Laval à s'affilier pendant quelques années avec le Montreal General Hospital[21]. Voilà une situation plutôt embarrassante pour une université catholique qui blâme sa rivale pour son affiliation à une université anglophone et protestante ! Devant la nécessité de construire un nouvel hôpital catholique d'une capacité d'au moins 50 lits, les professeurs de la succursale montréalaise de l'Université Laval acceptent de sacrifier leur salaire pendant quatre ou cinq ans[22]. En 1880, l'Hôpital Notre-Dame est finalement établi dans les murs d'un ancien hôtel, l'Hôtel Donegana, situé à proximité du Château Ramezay, où la nouvelle Faculté de médecine a installé ses locaux.

Pendant plus de dix ans, les deux écoles de médecine francophones de Montréal sont à couteaux tirés. Alors que l'École Victoria menace d'un procès civil l'Université Laval pour qu'elle ferme sa succursale montréalaise, l'Université obtient l'appui de Rome pour discréditer l'École Victoria. En 1883, les professeurs et les étudiants de l'École Victoria sont même menacés d'excommunication. En 1889, un édit du pape rend la succursale montréalaise de l'Université Laval autonome par rapport à Québec, ce qui pavera la voie à la réunion, en 1891, des deux écoles de médecine de Montréal. Pour l'École Victoria, cela tombe à point, car elle risque à nouveau de se retrouver sans

19. Auteur en 1892 d'un *Traité pratique de matière médicale, de thérapeutique et de toxicologie*, le Dr Desrosiers sera également rédacteur en chef de *L'Union Médicale du Canada* de 1889 à 1897.
20. *Annuaire de l'Université Laval*, 1916-1917.
21. Goulet (1993), p. 76.
22. Goulet, Hudon et Keel (1993), p. 37.

affiliation universitaire: la même année, en effet, son *alma mater* fusionnait avec l'Université de Toronto[23].

La guerre ouverte entre les deux écoles de médecine francophones de Montréal a consommé l'énergie de nombreux praticiens de talent et nui considérablement à l'unification de la médecine francophone. Leur fusion coïncidera avec le moment où, inspirés des nouvelles théories et pratiques acquises en Europe, de jeunes médecins se prépareront à réformer en profondeur l'enseignement et la pratique de la médecine.

23. Goulet (1993), p. 83.

CHAPITRE 2

LES RETOURS D'EUROPE

La création des facultés de médecine à Québec et à Montréal a permis aux étudiants francophones d'avoir accès à un enseignement médical complet dans leur langue. Au cours du dernier tiers du XIXe siècle, plusieurs d'entre eux se rendront en Europe, plus particulièrement à Paris, pour se spécialiser dans certains domaines alors en plein développement. Dans ce chapitre, nous présenterons les principaux progrès qu'a connus la science médicale à la fin du XIXe siècle et montrerons comment ils ont été diffusés au Québec par l'intermédiaire d'une nouvelle génération de médecins, qui sera également à l'origine de l'Association des médecins de langue française de l'Amérique du Nord.

La révolution pasteurienne

À la fin du XIXe siècle, l'investigation clinique est poussée à son maximum par le développement de la technologie médicale. Au stéthoscope, au spéculum, à l'ophtalmoscope et au thermomètre clinique, introduits dans les premières décennies du XIXe siècle, s'ajoutent l'urétroscope et le cystoscope en 1879, le tensiomètre en 1881, le topomètre et la radiologie en 1896[1]. Ces progrès techniques permettent un tel accroissement des connaissances que certaines branches de l'art médical sont désormais enseignées à part. Des médecins se consacrent maintenant à l'étude exclusive des maladies qui touchent un organe ou un système particulier: les yeux, l'appareil génito-urinaire, la peau, etc. Dans les dernières décennies du XIXe siècle, la ville de Paris devient ainsi le haut lieu de l'enseignement de la neurologie, de la dermatologie, de la gynécologie, de la phtisiologie et de plusieurs autres nouvelles spécialités.

Des médecins se consacrent désormais à l'étude exclusive des maladies qui touchent un organe ou un système particulier.

1. Goulet (1993), p. 103-104.

Parallèlement, une médecine de laboratoire, utilisant les méthodes expérimentales propres aux sciences fondamentales, émerge à côté de la médecine clinique et hospitalière. Les réactions chimiques intracorporelles sont de mieux en mieux connues, tandis que la pratique de la vivisection et l'expérimentation animale facilitent la compréhension des divers phénomènes vitaux. La physiologie, la bactériologie, la microbiologie, l'endrocrinologie progressent, permettant à leur tour l'émergence de la biochimie, de l'embryologie, de la génétique, etc.[2]

La principale révolution qui marquera la fin du XIXe siècle est toutefois l'œuvre d'un chimiste. En découvrant l'existence des micro-organismes, le Français Louis Pasteur contribue à percer le mystère entourant l'origine et la propagation des grandes maladies infectieuses. Comme toute révolution scientifique, la percée pasteurienne ne va pas sans résistance. En 1873, Pasteur se plaint à Claude Bernard du temps que mettent les médecins à accepter sa théorie des germes. Ce à quoi le fondateur de la médecine expérimentale réplique :

> Courage, mon cher Pasteur, non vous ne prêchez pas en vain, la preuve ? Hier soir ma pauvre vessie a été sondée par Gosselin aidé de son jeune interne Guyon qui se réclame de vos travaux. Or voici ce que j'ai remarqué : Gosselin s'est lavé les mains après, mais Guyon avait eu soin de se les laver avant[3].

Plusieurs praticiens âgés sont demeurés fidèles jusqu'à la fin de leur vie aux anciennes théories. D'autres, plus ouverts, ont intégré la théorie des germes dans leur enseignement et leur pratique sans nécessairement en saisir toute l'importance. Il faudra attendre la génération suivante pour que les procédés antiseptiques et aseptiques entrent définitivement dans les mœurs[4].

La chirurgie est le premier secteur de la médecine à profiter des découvertes de Pasteur, grâce à la pratique de l'antisepsie, puis de l'asepsie.

La chirurgie est le premier secteur de la médecine à profiter des découvertes de Pasteur. Grâce à la pratique de l'antisepsie puis de l'asepsie, jumelée au perfectionnement de l'anesthésie et à l'introduction des nouveaux procédés d'observation, tels les rayons X, les grandes opérations intra-abdominales, jusque-là très dangereuses, deviennent des pratiques courantes. Les ablations du rein, de l'appendice et des tumeurs cessent de relever de l'héroïsme.

2. Rousseau (1994), p. 47-53.
3. Kruss et Grégoir (1988), p. 356.
4. Goulet (1993), p. 111-112.

La connaissance de la bactériologie permet au médecin d'axer son action sur l'hygiène, l'éducation et la prévention.

En médecine, les succès seront beaucoup plus lents. Il faudra attendre les années 1930-1940 pour voir les grandes maladies infectieuses vaincues par la découverte de vaccins efficaces et l'apparition des antibiotiques. Mais déjà, la fin du XIXe siècle est empreinte d'espoir pour les médecins. Dans les années 1880, on découvre ainsi les agents responsables de la lèpre, de la malaria et de la fièvre typhoïde (1880), de la tuberculose et de l'érysipèle (1882), de la diphtérie (1883), du tétanos (1884), etc. Avec la mise à jour des toxines puis des antitoxines, la diphtérie, le tétanos et le choléra sont traités efficacement par la sérothérapie dans les dernières années du XIXe siècle[5]. L'industrie pharmaceutique propose de nouveaux médicaments (analgésiques, alcaloïdes, antipyrétiques, etc.) qui, à défaut de guérir, suppriment la douleur et agissent sur les symptômes[6]. En outre, la connaissance de la bactériologie permet au médecin d'axer son action sur l'hygiène, l'éducation et la prévention.

La médicalisation des hôpitaux québécois et montréalais à la fin du XIXe siècle

Au cours des deux dernières décennies du XIXe siècle, huit des dix premiers présidents de l'AMLFAN font un séjour à Paris pour bénéficier de l'enseignement des maîtres de l'École française. Au début des années 1880, le Dr Auguste-Achille Foucher se spécialise en ophtalmologie et en oto-rhino-laryngologie à Paris. En 1888, le Dr Michel-Delphis Brochu, professeur d'hygiène à l'Université Laval à Québec depuis 1884, assiste aux leçons cliniques des Drs Georges Dieulafoy et Pierre Potain en vue d'occuper la principale chaire de l'époque: la pathologie interne. À la même époque, les Drs Louis-Philippe Normand de Trois-Rivières et Pantaléon Pelletier de Sherbrooke visitent également les hôpitaux parisiens. Au cours des années 1890, les Drs Arthur Simard, Joseph-Edmond Dubé, Albert Lesage et Arthur Rousseau passent quelques années à Paris, où ils se familiarisent avec la bactériologie sous la direction d'Émile Roux et d'Élie Metchnikoff à l'Institut Pasteur.

Plusieurs autres médecins canadiens-français, qui prendront une part active aux premiers congrès de l'AMLFAN, se retrouvent également à Paris pendant la dernière décennie du XIXe siècle. Au début des années 1890, le Dr Oscar-

5. Rousseau (1993), p. 50-51.
6. Bernier (1989), p. 151.

Dr Télesphore Parizeau

Félix Mercier étudie l'urologie et se familiarise avec les nouveaux procédés d'anesthésie locale auprès des chirurgiens Félix Louis Terrier et Paul Reclus. Le Dr Georges Villeneuve s'initie à la neurologie, à la psychiatrie et à la médecine légale sous la tutelle des Drs Jean Martin Charcot, Benjamin Ball, Valentin Magnan et Paul Garnier. Les Drs Louis de Lotbinière-Harwood et Siméon Grondin se spécialisent en gynécologie, par l'enseignement du Dr Samuel Pozzi à la même époque. Les Drs Henri Lasnier, Amédée Marien, Alphonse Mercier, Télesphore Parizeau, Eugène Saint-Jacques et plusieurs autres s'initient aux nouvelles techniques de laboratoire à l'Institut Pasteur[7]. En tout, plus de 60 médecins canadiens-français étudient en France à la fin du XIXe siècle. Ces études postdiplômées ont certainement contribué à créer une solidarité à l'intérieur de cette nouvelle élite médicale, qui s'intégrera progressivement dans les facultés de médecine.

À leur retour d'Europe, les praticiens de la nouvelle génération transforment radicalement la pratique médicale et chirurgicale.

À leur retour, les praticiens de la nouvelle génération transforment radicalement la pratique médicale et chirurgicale dans les hôpitaux québécois. Dès 1885, le Dr Michaël Joseph Ahern met en application les principes de l'antisepsie, puis, dans les années 1890, ceux de l'asepsie, avec l'aide du Dr Laurent Catellier, à l'Hôtel-Dieu de Québec[8]. Au même endroit, un département d'ophtalmologie et d'oto-rhino-laryngologie, dirigé par le Dr Patrick Coote, est ouvert en 1897. L'année suivante, le Dr Siméon Grondin s'occupe de la gynécologie dans le service de chirurgie[9]. En 1900, le Dr Michel-Delphis Brochu et Mgr Laflamme, professeur de physique à l'Université Laval, achètent un appareil à rayons X en vue de la création d'un service d'électricité médicale[10]. Enfin, le Dr Arthur Rousseau est chargé, en 1898, de l'organisation du laboratoire de bactériologie de la Faculté de médecine de l'Université Laval à Québec.

Le même processus de médicalisation s'opère aussi dans les hôpitaux francophones de Montréal. En 1887, le Dr Michael-Thomas Brennan aménage le laboratoire de microscopie, de pathologie, de chimie et de bactériologie de l'Hôpital Notre-Dame[11]. Nommé en 1891 responsable du nouveau Service de gynécologie de l'hôpital, le Dr Brennan commence à appliquer les procédés

7. Goulet (1993), p. 109-110.
8. Bernier (1989), p. 153.
9. Rousseau (1994), p. 57.
10. *Ibid.*, p. 59.
11. Goulet, Hudon et Keel (1993), p. 155.

aseptiques à la gynécologie et à l'obstétrique[12]. Un dispensaire des maladies de la peau est aussi fondé dans cet hôpital en 1891, sous la direction du Dr Georges Villeneuve. Ce dernier, assisté du Dr Éloi-Philippe Chagnon, se voit aussi confier la responsabilité, en 1896, du nouveau Service externe pour les maladies nerveuses et mentales[13]. En 1896 également, le Dr Amédée Marien est nommé responsable du laboratoire d'histologie et d'anatomie pathologique à l'Hôtel-Dieu[14]. Deux ans plus tard, en 1898, il introduit l'asepsie dans les salles d'opération de cet hôpital avec l'assistance des Drs Joseph-Edmond Dubé et Eugène Saint-Jacques. La même année, le Dr Oscar Félix Mercier accomplit une réforme similaire à l'Hôpital Notre-Dame, avec l'aide des Drs Albert Lesage et Télesphore Parizeau[15].

Nous assistons ainsi, à la fin du XIXe siècle, à un accroissement incroyable des connaissances médicales. Toutes les anciennes certitudes sont balayées et remplacées par de nouvelles théories et pratiques qui ont encore à subir l'étape du temps. Pour le moment, ce nouveau savoir reste toutefois réservé aux seuls médecins des hôpitaux de Québec et de Montréal. Le besoin de le diffuser à l'ensemble des médecins francophones se fait sentir. Ce sera le rôle des sociétés et des revues médicales.

---

12. *Ibid.*, p. 108-109.
13. *Ibid.*, p. 115-118.
14. Goulet et Paradis (1992), p. 471.
15. Goulet (1993), p. 115-121.

CHAPITRE 3

LA DIFFUSION DU SAVOIR MÉDICAL : LES SOCIÉTÉS SAVANTES ET LES REVUES MÉDICALES

Les médecins du siècle dernier ont souvent noté l'esprit de solidarité qui régnait parmi les étudiants en médecine. Que ce soit à l'intérieur des cours ou lors de sorties en ville, les futurs médecins «étaient bruyants, bons compagnons et unis toujours dans l'ordre comme dans le désordre[1] ». Pour ces jeunes qui venaient majoritairement de comtés ruraux, l'arrivée à Québec ou à Montréal, après sept ou huit années passées dans des collèges classiques, était perçue comme un moment de liberté. Cette franche camaraderie survivait toutefois très rarement à la fin des études. Après l'obtention de leur diplôme, les jeunes médecins devaient décider du lieu où ils pratiqueraient leur art. Plusieurs retournaient dans leur village natal. Généralement, l'admission à la pratique était suivie, peu après, d'un mariage et de la création d'une famille très nombreuse. L'entrée dans la profession marquait donc, pour de nombreux médecins de campagne, le début de la routine et d'un certain isolement.

L'entrée dans la profession marquait, pour de nombreux médecins de campagne, le début d'un certain isolement.

Deux éléments allaient permettre de réunir les médecins, à cette époque, et de diffuser le savoir médical : les sociétés savantes et les revues spécialisées. En offrant un cadre de discussion sur des problèmes scientifiques ou professionnels, les sociétés médicales contribuaient à éliminer l'esprit de clan que l'on retrouvait souvent dans les hôpitaux et les facultés de médecine. Elles favorisaient ainsi la création d'une communauté d'intérêts et d'un esprit de camaraderie entre les médecins.

Pour sa part, la presse médicale était un outil de première valeur pour rejoindre les médecins des régions éloignées[2]. À une époque où les ouvrages de médecine étaient dispendieux et difficiles à importer, les comptes rendus que l'on trouvait dans les revues médicales permettaient

1. Dubé, « Le médecin ; sa formation. Les sociétés médicales et leur utilité », *UMC*, 35, 3, mars 1906, p. 134-141 ; p. 134.
2. Bernier (1989), p. 85-90.

au praticien rural de prendre connaissance des découvertes et des innovations récentes d'Europe ou des États-Unis. Les praticiens locaux étaient par ailleurs invités à présenter leurs observations cliniques les plus intéressantes. La presse médicale, par ses éditoriaux, suscitait également des débats, parfois houleux mais généralement constructifs, sur des questions d'actualité, comme la vaccination antivariolique, la création des bureaux de santé municipaux ou les moyens de combattre les fléaux sociaux qu'étaient l'alcoolisme, la tuberculose, les maladies transmissibles sexuellement ou les maladies mentales.

Après l'enthousiasme et la forte participation aux premières réunions, les sociétés médicales se retrouvent rapidement tenues à bout de bras par une poignée de médecins.

Pendant tout le XIXe siècle, de nombreuses sociétés médicales ont vu le jour au Québec. L'existence de la majorité d'entre elles, avant 1896, a par contre été bien éphémère. Après l'enthousiasme et la forte participation des premières réunions, ces sociétés se retrouvaient rapidement tenues à bout de bras par une infime minorité de médecins, «ceux qui aiment l'étude pour elle-même à cause des plaisirs qu'elle leur procure et des ressources qu'elle leur offre pour se perfectionner dans leur art[3]». Peu à peu, les mêmes individus étaient appelés à la fois à livrer les communications et à occuper les postes au sein du Bureau. Pendant ce temps, les présences devenaient de moins en moins nombreuses, les réunions se faisaient de plus en plus rares, et la société succombait finalement après quelques années d'existence.

La Société médicale de Québec et la création du *Bulletin médical de Québec*

Prenons pour exemple la Société médicale de Québec (SMQ). Celle-ci a été fondée en 1826 par les mêmes médecins qui ont tenté, dans les années 1820, de créer une école de médecine dans la Vielle Capitale. Après sa disparition au début des années 1830, elle renaît de ses cendres en 1842, pour sombrer dans l'inertie quelques années plus tard. Après une longue période de silence, la SMQ revient à la vie en 1865, sous la présidence du Dr François-Alexandre-Hubert Larue. Elle organise ainsi à Québec, en 1867, le congrès qui conduit à la fondation de l'Association médicale canadienne (AMC), puis disparaît à nouveau en 1871. Le Dr Michaël Joseph Ahern tente bien, en 1877, de reformer une société médicale, mais il se retrouve devant une salle vide à l'ouverture de la troisième assemblée[4].

3. Ahern, «Adresse de bienvenenue», *BMQ*, 1, 1899-1900, p. 621-625; 621.
4. *Ibid.*, p. 621-623.

En décembre 1896, alors que les médecins de Québec sont réunis à l'Université Laval afin de commémorer le premier anniversaire de la mort de Louis Pasteur, un jeune médecin du nom de Jules Dorion profite de l'occasion pour proposer, à son tour, la fondation d'une société médicale[5]. Les anciens, qui ont déjà vu une vingtaine de sociétés naître et mourir dans la ville de Québec, reçoivent cette proposition avec scepticisme. Les Drs Michaël Joseph Ahern et Michel-Delphis Brochu décident pourtant de tenter à nouveau l'expérience ; cette fois sera la bonne. Entre 1897 et 1902, une permanence s'opère au niveau du comité exécutif, qui est constitué des Drs Ahern[6] (président), Brochu (vice-président), Charles-Rosaire Paquin et Pierre-Vincent Faucher (secrétaires conjoints) et Jules Dorion[7] (trésorier).

Pendant la première année, les travaux de la SMQ manquent de maturité, mais les présences sont nombreuses et l'intérêt des médecins de Québec pour ses activités ne cesse de croître.

Pendant la première année, les travaux de la SMQ manquent un peu de maturité. Cependant, les présences sont nombreuses et l'intérêt des médecins de Québec et des districts environnants pour ses activités ne cesse de croître. La première communication scientifique, qui est l'œuvre du Dr Ahern, est consacrée à « la génération spontanée et l'asepsie » et est suivie d'une discussion sur la nature, animale ou végétale, des microbes. En mars 1897, Mgr Laflamme, professeur de physique à l'Université Laval, renseigne l'assemblée sur les possibilités d'application à la médecine des rayons X. Par la suite, le Dr Brochu livre un travail original sur « le traitement de l'obstruction intestinale par l'électricité ». Dans les années subséquentes, le traitement de l'avortement incomplet, l'application de l'électricité en médecine, les infections urinaires, la fièvre typhoïde, la diphtérie, la pasteurisation du lait et de nombreux autres thèmes feront l'objet de communications parfois très animées[8].

---

5. *BMQ*, 1, 1899-1900, p. 655.
6. Professeur d'anatomie à la Faculté de médecine de l'Université Laval depuis 1881, Michaël Joseph Ahern est alors le chirurgien le plus réputé à l'est de Québec. Né en 1844, ce fils d'émigrants irlandais s'était pourtant d'abord destiné à la carrière d'instituteur. Il s'est dirigé vers la médecine après s'être lié d'amitié avec un praticien de Saint-Romuald. Après ses études à la Faculté de médecine de l'Université Laval en 1868, il pratique pendant quatre ans à Saint-Romuald puis s'installe à Québec. Son admission comme chirurgien à l'Hôtel-Dieu de Québec marque l'entrée de cette institution dans l'ère moderne. Bernier (1989), p. 153.
7. Le Dr Jules Dorion quittera la pratique médicale en 1907 pour devenir rédacteur en chef du quotiden *L'Action Catholique*. E. Desjardins, *UMC*, 101, 2, février 1972, p. 311.
8. Faucher, « Rapport du Secrétaire de la Société médicale de Québec », *BMQ*, 1, 1899-1900, p. 655-658.

Les premières années, les comptes rendus de la SMQ sont reproduits dans la *Revue médicale*, un hebdomadaire dirigé par le Dr Pierre Paul Boulanger de Lévis. Après le départ de ce dernier pour Montréal en 1899, la SMQ décide de fonder son propre organe, le *Bulletin médical de Québec*. Cette revue existera jusqu'en 1932, année où elle sera alors remplacée par le *Bulletin de la société médicale des hôpitaux universitaires de Québec*, lequel deviendra le *Laval Médical* en 1936, puis *La Vie Médicale au Canada français* en 1972.

La Société médicale de Montréal et la création de L'*Union Médicale du Canada*

À Montréal, les professeurs de l'École Victoria ont été à l'origine de la création, en 1871, de la Société médicale de Montréal. Celle-ci se veut l'équivalent francophone de la Montreal Medico-chirurgical Society, que les anglophones ont fondée en 1865. Les objectifs de cette nouvelle société médicale sont de :

> Cimenter l'union qui doit régner entre les membres de la profession médicale, [...] fournir aux médecins un motif de réunion et l'occasion de fraterniser et de mieux se connaître, [...] s'instruire mutuellement par des lectures, des discussions et des conférences scientifiques, [...] engager tous ceux qui en feraient partie à pratiquer mutuellement tout ce que l'honneur et la fraternité prescrivent aux membres d'une même profession[9].

Le manque de collaborateurs, l'absence de financement, un contenu trop spécialisé ou trop flou ont tous contribué à l'échec des premières revues médicales.

L'œuvre la plus durable de la Société médicale de Montréal (SMM) est sans doute la création, en 1872, de *L'Union Médicale du Canada*. Depuis la parution en 1826 du *Journal médical de Québec*, plusieurs médecins ont tenté sans succès de mettre sur pied une revue médicale. Le manque de collaborateurs, l'absence de financement, un contenu trop spécialisé, ou au contraire trop flou, sont autant de causes qui ont contribué à l'échec de ces premières publications[10]. Le fait qu'il n'y ait pas une seule revue médicale en français dans une province qui compte déjà plus de 600 médecins francophones est, pour les fondateurs de *L'Union Médicale du Canada*, une profonde source de malaise :

9. *UMC*, 1, 1, janvier 1872, p. 33.
10. Saucier, *UMC*, 75, 1946, p. 1340-1342.

> Le peu de succès que les publications de ce genre ont eu jusqu'à ce jour doit suffire pour convaincre tout le monde que ce n'est pas un motif de spéculation qui nous porte à faire cette entreprise. [...]
>
> [...] Dans l'intérêt de la science, dans l'intérêt de l'humanité, il faut absolument entreprendre la lutte ; s'abstenir serait pour ainsi dire un crime. Il faut mettre nos idées, nos travaux au jour, les discuter, les commenter, et s'efforcer d'éclaircir ces questions obscures qui, en trop grand nombre, déparent la science médicale. [...]
>
> Le sentiment d'amour propre national devrait être encore à lui seul capable de nous déterminer à faire les plus généreux efforts non seulement pour soutenir un journal de cette nature mais encore pour travailler au perfectionnement même de la médecine. Un des plus beaux titres de gloire pour l'Allemagne, la France, l'Angleterre et les États-Unis, n'est-ce pas cette pléiade de médecins célèbres que l'on voit briller au premier rang de l'Échelle Sociale[11] ?

Dès sa première année, *L'Union Médicale du Canada* compte 400 abonnés, signe indiscutable que cette revue répond à un besoin.

La Société de médecine pratique de Montréal lance une idée nouvelle : réunir en congrès, une fois l'an ou tous les deux ans, tous les médecins canadiens-français de la province.

L'imbroglio entre l'Université Laval et l'École Victoria aura des répercussions sur la Société médicale de Montréal, qui cesse ses activités en 1887 ; elle est remplacée, l'année suivante par la Société de médecine pratique de Montréal. Celle-ci est présidée par sir William Hingston, l'éminent chirurgien de l'Hôtel-Dieu de réputation internationale, et regroupe des professeurs des deux écoles rivales. Elle a pour seuls objectifs l'avancement des sciences médicales et l'étude de la médecine au point de vue pratique. Devant la faible participation des Canadiens français aux congrès internationaux de médecine, la Société de médecine pratique de Montréal lance, dès sa fondation, une idée nouvelle qu'elle espère voir germer, soit « réunir en Congrès, une fois l'an, ou tous les deux ans, tous les médecins canadiens-français de la province de Québec[12] ». Elle cessera cependant ses activités en 1892.

11. *UMC*, 1, 1, janvier 1872, p. 1-6.
12. *UMC*, 17, 11 novembre 1888, p. 613.

D'autres sociétés médicales sont alors constituées sur une base plus restreinte. Celle qui aura le plus d'influence sera le Comité d'études médicales. En 1896, un jeune chirurgien de l'Hôtel-Dieu, le Dr Amédée Marien, rassemble quelques jeunes médecins, dont les Drs Joseph-Edmond Dubé et Albert Lesage, «encore sous le coup des fortes émotions d'outre-Mer[13]» et quelques anciens ouverts aux innovations, tels les Dr Auguste-Achille Foucher et Henri Hervieux, pour leur donner des leçons sur la bactériologie et les techniques de laboratoire. Après s'être d'abord réuni en cercle fermé, le Comité d'études médicales commence, en 1898, à tenir des séances publiques. En 1900, six membres du Comité[14] se portent acquéreurs de *L'Union Médicale du Canada*. Avec le Dr Lesage comme rédacteur en chef, cette revue s'engage résolument dans la diffusion de la nouvelle médecine scientifique[15].

À la fin du siècle, des sociétés médicales sont également fondées dans les districts ruraux[16]. C'est ainsi que naissent tour à tour l'Association médicale du district de Saint-Hyacinthe et la Société médico-chirurgicale du district d'Iberville en 1889, la Société médicale du comté de Témiscouata en 1897 et l'Association médicale du district de Saint-François en 1898. Très dynamiques à certains endroits, ces sociétés axent surtout leur intervention sur la lutte au charlatanisme, qui prolifère alors à la campagne. Des conférenciers de Québec et de Montréal sont invités par les diverses sociétés des comtés ruraux pour y présenter des communications scientifiques.

Le projet de rassemblement des médecins de langue française stimulera la création de sociétés médicales dans les régions francophones du continent.

Le projet de rassemblement des médecins de langue française sera l'élément qui stimulera la création de sociétés médicales dans l'ensemble des régions francophones du continent nord-américain à partir de 1900.

13. *BMQ*, 2, 1900-1901, p. 28.
14. Il s'agit des Drs Dubé, Hervieux, Lesage, Marien, Louis de Lotbinière-Harwood et Rodolphe Boulet.
15. Chartrand, Duschesne et Gingras (1987), p. 341.
16. Goulet et Paradis (1992), p. 348-355.

CHAPITRE 4

LES MÉDECINS FRANCOPHONES HORS QUÉBEC

Jusqu'à maintenant, nous nous sommes attardés particulièrement aux changements survenus au niveau de la médecine francophone québécoise à la fin du XIXe siècle. Des médecins de langue française pratiquaient cependant ailleurs en Amérique du Nord, en fait dans toutes les régions où résidait une population francophone. Dans ce chapitre, nous brosserons un tableau de la francophonie nord-américaine.

Les francophones des autres provinces du Canada

Le Canadien français hors Québec qui souhaitait se diriger en médecine devait se rendre au Québec pour suivre des études dans sa langue.

L'Acte de l'Amérique du Nord Britannique a permis la reconnaissance d'un foyer national francophone au Canada, soit la province de Québec. La Confédération a aussi permis indirectement un regroupement des divers groupes francophones du Canada, jusqu'alors isolés[1]. En effet, si les Québécois pouvaient compter sur un réseau complet d'écoles publiques de langue française, il en était tout autrement pour leurs compatriotes des autres provinces du Canada. Le Canadien français qui souhaitait se diriger en médecine ou dans d'autres professions libérales devait donc se rendre au Québec pour suivre des études dans sa langue. C'est donc dans les universités de Québec et de Montréal que la majorité des francophones des autres provinces canadiennes acquéraient leur formation médicale.

Les Maritimes[2]

C'est dans l'actuel territoire de la Nouvelle-Écosse qu'ont été établis les premiers établissements français d'Amérique du Nord. L'Acadie a cependant été longtemps l'objet de guerres entre la France et l'Angleterre jusqu'à sa cession définitive à cette dernière en 1713. Avant le «grand dérangement» de 1755, environ 15000 Acadiens habitaient les provinces de l'Atlantique. Cette année-là, ils furent déportés un peu partout sur le continent et ailleurs:

1. ACELF (1967), p. 25
2. Nous avons exclu de ce tableau Terre-Neuve, étant donné que cette province n'a adhéré à la Confédération canadienne qu'en 1949.

Nouvelle-Angleterre, Louisiane, Caraïbes, Angleterre, France, etc. Certains Acadiens se réfugièrent dans des territoires qui étaient demeurés propriétés de la France après 1713, comme l'Île du Cap-Breton (où se trouvait la forteresse de Louisbourg), l'Île-du-Prince-Édouard, les Îles-de-la-Madeleine ou la Gaspésie, mais dès la conquête en 1760, ils furent à leur tour déportés. Quelques années plus tard, cependant, de nombreux Acadiens retournèrent dans leur ancienne patrie. À la création de la Confédération canadienne en 1867, ils étaient environ 80 000 dans les Maritimes, habitant plusieurs îlots dispersés[3].

En Nouvelle-Écosse, ils étaient 32 000 selon le recensement de 1871. La moitié résidait dans l'Île du Cap-Breton, l'autre moitié était concentrée dans les comtés de Digby et de Yarmouth dans le sud-ouest de la province[4]. L'Île-du-Prince-Édouard comptait 10 000 Acadiens au moment de son entrée dans la Confédération en 1873. Ils étaient, pour la plupart, concentrés à l'extrémité nord de l'île, dans l'actuel comté de Prince[5].

C'est toutefois au Nouveau-Brunswick, le long du fleuve Saint-Jean, que s'établirent la majorité des Acadiens. En 1871, ils représentaient 16 % de la population du Nouveau-Brunswick, soit environ 45 000 personnes. Ils étaient majoritaires dans les comtés de Madawaska, Gloucester, Kent et Restigouche. Lors du centenaire de la Confédération en 1967, ils formaient près de 40 % de la population du Nouveau-Brunswick[6]. Ils constituent maintenant un pôle dynamique capable d'influencer la politique de cette province.

Le premier Acadien d'origine diplômé d'une école de médecine obtint son diplôme de l'Université Harvard aux États-Unis.

Dans les provinces de l'Atlantique, il était impossible d'obtenir une formation universitaire en médecine avant 1867, année de la création de la Faculté de médecine de l'Université Dalhousie à Halifax. Le premier Acadien d'origine diplômé d'une école de médecine fut le Dr Alexandre Pierre Landry. En 1870, il obtint un diplôme de l'Université Harvard aux États-Unis. Il pratiqua ensuite au Nouveau-Brunswick dans les régions de Metehegan, Buctouche et Richibucto, puis en Nouvelle-Écosse dans la région de Yarmouth. Il est décédé en 1905[7].

3. *Ibid.*, p. 26.
4. *Ibid.*, p. 30.
5. *Ibid.*, p. 29.
6. *Ibid.*, p. 33.
7. Stewart (1974), p. 69.

Plusieurs des premiers médecins francophones des Maritimes furent des Québécois, originaires souvent du Bas-du-Fleuve, qui s'établirent en territoire acadien après obtention de leur diplôme, généralement obtenu à l'Université Laval à Québec. Certaines familles ont créé de véritables dynasties de médecins à l'est du Canada : les Bourque, Gaudet, Sormany, Leblanc, Laporte, Gauthier ont ainsi fourni des générations de praticiens à la région de l'Atlantique.

Au moment où allait se constituer l'AMLFC, une trentaine de médecins de langue française pratiquaient dans les provinces de l'Atlantique.

L'Ontario

En Ontario, à la fin du XIXe siècle, on enseignait la médecine à Toronto, à Kingston et à London.

À l'époque de la Nouvelle-France, l'actuelle province de l'Ontario n'était en fait que l'arrière-pays parsemé de forts et de postes de traite. Des villes importantes comme Toronto, Kingston ou Niagara Falls ont été construites sur les lieux mêmes de ces anciens sites militaires ou commerciaux. Il n'y avait que dans l'actuelle région de Windsor que l'on retrouvait quelques cultivateurs français. Ils y demeurèrent après la Conquête pour former le premier foyer franco-ontarien.

Après la guerre de l'indépendance américaine, la majorité des Loyalistes s'installèrent dans l'actuel territoire ontarien. Avec l'acte constitutionnel de 1791, le Haut-Canada (Ontario) devint une province anglaise. Pourtant, dès le début du XIXe siècle, des Canadiens français du Québec commencèrent à s'implanter sur la rive occidentale de la rivière des Outaouais, dans les actuels comtés de Carleton, Prescott et Russell, pour y cultiver la terre. D'autres s'installèrent ensuite dans la région de Cornwall où ils travaillèrent dans les manufactures et les moulins. Par la suite, plusieurs francophones s'établirent dans le nord de l'Ontario pour œuvrer dans les industries minière et forestière. Sudbury, Timmins et Cochrane devinrent bientôt d'importants chefs-lieux francophones[8].

En Ontario, à la fin du XIXe siècle, on enseignait la médecine à Toronto, à Kingston et à London. C'est cependant à Montréal, après avoir suivi un cours classique à Rigaud ou à Ottawa, que se sont formés la plupart des médecins francophones ayant exercé à l'ouest de l'Outaouais. Plus de trente médecins francophones pratiquaient leur art en Ontario au début du XXe siècle.

8. *Ibid.*, p. 34-36.

L'Ouest canadien

Seuls des explorateurs et des coureurs des bois avaient parcouru les plaines de l'ouest, à l'époque coloniale. Les unions entre ces Blancs et des femmes autochtones avaient conduit à la création d'un peuple nouveau, les Métis, dont plusieurs avaient adopté la langue française. À sa fondation en 1870, le Manitoba comptait une population à moitié francophone. Les Franco-Manitobains se retrouvèrent par contre rapidement en minorité avec la venue des immigrants européens (ukrainiens, allemands, scandinaves, etc.). Il n'y a guère que dans la région de Saint-Boniface qu'ils forment encore un groupe important[9].

C'est en 1883, au Manitoba, que débute l'enseignement de la médecine dans l'Ouest canadien, mais le corps enseignant est entièrement anglophone.

Dès l'arrivée des premiers immigrants, des Métis francophones quittèrent le Manitoba pour s'installer en Saskatchewan, dans les régions de Prince-Albert, Batoche et Saint-Laurent, ou en Alberta près des villes d'Edmonton ou Calgary. Ces communautés ont cependant été en bonne partie assimilées depuis. Quant à la Colombie-Britannique, il n'y a jamais eu véritablement de peuplement francophone significatif dans cette province jusqu'à récemment.

C'est en 1883, avec la fondation de la Manitoba Medical School, qui s'affiliera ensuite à l'Université du Manitoba, que débute l'enseignement de la médecine dans l'Ouest canadien. Cependant le corps enseignant est entièrement anglophone.

En 1902, on compte treize médecins de langue française dans l'Ouest canadien. Certains d'entre eux travaillent pour la Gendarmerie royale du Canada.

Les Franco-Américains

L'un des événements majeurs de notre histoire est sans doute l'émigration massive des Canadiens français vers les États-Unis. De 1840 à 1930, près de 900 000 francophones ont quitté le Québec pour s'établir chez nos voisins du sud[10].

Bien que cela soit peu connu, l'élément francophone était présent aux États-Unis depuis l'époque coloniale. En effet, près de 100 000 protestants d'origine française, les huguenots, s'étaient installés dans les colonies

9. *Ibid.*, p. 36-37.
10. Roby (2000), p. 11.

britanniques avant 1760. Plus tard, lors des troubles de 1837-1838, plusieurs patriotes se réfugièrent dans les États du Vermont et de New York[11].

C'est pendant la guerre de Sécession, de 1861 à 1865, que les Canadiens français commencèrent à s'installer massivement en Nouvelle-Angleterre pour travailler dans les manufactures de textiles. Rapidement, de véritables communautés francophones bien structurées, qu'on appelait les « Petits Canadas », virent le jour. Le nombre de personnes parlant le français dans ces communautés surpassait celui de la plupart des villes moyennes du Québec[12].

Au début du XXe siècle, on retrouvait ainsi des dizaines de milliers de francophones dans certaines villes du Massachusetts (Lowell, Fall River, Springfield, Worcester, Lawrence, Southbridge, Webster, Holyocke, etc.) du New Hampshire (Manchester, Nashua), du Maine (Biddeford, Lewiston, Van Buren), du Vermont (Burlington), du Connecticut (Baltic, Danielson) et du Rhodes Island (Woonsocket, Pawtucket)[13]. D'autres groupes s'installèrent dans la région des Grands Lacs, autour des villes de Détroit, Chicago et Saint-Paul, toutes des villes qui avaient d'ailleurs été fondées par des Français à l'époque coloniale. Plus tard, certains de ces Franco-Américains émigrèrent vers l'ouest et le sud des États-Unis.

Bien qu'installés dans la république voisine, les Franco-Américains de la fin du XIXe siècle ne voulaient pas pour autant renoncer à leur langue. Ils désiraient aussi être soignés par des compatriotes

Bien qu'installés dans la république voisine, les Franco-Américains de la fin du XIXe siècle ne voulaient pas pour autant renoncer à leur langue, à leur religion et à leurs coutumes particulières. Rapidement, ils se dotèrent d'églises, d'écoles et de journaux de langue française. Ils désiraient aussi être soignés par des compatriotes.

Combien de médecins francophones diplômés de l'Université Laval, de l'École Victoria ou des autres universités canadiennes furent tentés par l'expérience américaine en cette seconde moitié du XIXe siècle ? Seule une analyse plus approfondie nous permettrait de répondre à cette question. Cependant, l'*Annuaire général des médecins de langue française de l'Amérique du Nord,* rédigé en 1912 par le Dr Raymond Villecourt, rédacteur du journal médical *La Clinique*, nous donne un aperçu du nombre de médecins

11. Bélisle (1911), p. 414.
12. Roby (2000), p. 11.
13. Bélisle (1911), p. 420-434.

d'origine canadienne-française qui pratiquaient dans chaque État américain au début de la seconde décennie du XXe siècle[14].

NOMBRE DE MÉDECINS D'ORIGINE CANADIENNE-FRANÇAISE QUI PRATIQUAIENT DANS CHAQUE ÉTAT AMÉRICAIN AU DÉBUT DE LA SECONDE DÉCENNIE DU XXe SIÈCLE

Nouvelle-Angleterre		**Grands Lacs**		**Ouest**		**Sud**	
Massachusetts	180	Michigan	36	Californie	17	Alabama	11
Maine	55	Illinois	32	Washington	7	Texas	8
New Hampshire	50	Minnesota	27	Montana	7	Kentucky	4
Rhode Island	48	Wisconsin	14	Colorado	4	Georgie	4
New York	41	Dakota du Nord	11	Oregon	4	Oklahoma	4
Vermont	25	Ohio	6	Arizona	3	Virginie de l'Est	3
Connecticut	23	Missouri	4	Nouveau-Mexique	2	Arkansas	3
Maryland	2	Indiana	4	Utah	1	Tennessee	2
Pennsylvanie	2	Dakota du sud	4	Nevada	1	Caroline du Nord	2
New Jersey	1	Nebraska	3	Idaho	1	Virginie de l'Ouest	2
		Kansas	2			Mississipi	2
		Iowa	2				
Sous-totaux :	**427**		**145**		**47**		**45**
Nombre total :	664						

L'exil des médecins francophones vers les États-Unis ne date pas d'hier.

Comme nous pouvons le constater, l'exil des médecins francophones vers les États-Unis ne date pas d'hier. Parfois, des étudiants en médecine allaient pratiquer aux États-Unis pendant l'été auprès d'un médecin déjà établi. Pour certains, l'exode vers les États-Unis n'aura été que passager. Deux futurs présidents de l'AMLFAN, les Drs Henri Hervieux et Charles-Nuna de Blois ont ainsi pratiqué aux États-Unis pendant quelques années avant de s'installer définitivement l'un à Montréal, l'autre à Trois-Rivières.

D'autres groupes de médecins francophones exerçaient aux États-Unis au début du XXe siècle: les Louisianais et des Européens d'origines diverses qui s'étaient installés sur le territoire américain. En tout, c'était donc par centaines que l'on comptait les médecins parlant le français chez nos voisins du sud.

14. *Annuaire général des médecins de langue française de l'Amérique du Nord*, 1912, p. 74-110.

L'engagement social des médecins francophones

En raison de son niveau d'instruction, le médecin était souvent sollicité pour occuper des fonctions politiques et sociales importantes.

En raison de son instruction, le médecin était souvent sollicité pour occuper des fonctions politiques et sociales importantes. Cela était particulièrement vrai pour les médecins des régions où les francophones étaient minoritaires. Que ce soit dans les Maritimes, en Ontario, dans les provinces de l'Ouest canadien ou aux États-Unis, des médecins étaient engagés dans la création de journaux francophones, dans la constitution de sections de sociétés canadiennes-françaises, comme la Société Saint-Jean-Baptiste, ou dans divers mouvements visant l'obtention ou la sauvegarde d'écoles catholiques françaises.

Les médecins francophones étaient aussi appelés à occuper des postes de coroners, de commissaires d'écoles, de conseillers municipaux et de maires, et ils étaient souvent appelés à se présenter sur la scène politique provinciale ou fédérale. À titre d'exemple, le premier Franco-Ontarien à siéger à la Chambre des communes était un médecin, le Dr Pierre Saint-Jean, qui fut élu député du comté d'Ottawa en 1874. Auparavant, le Dr Saint-Jean avait été l'un des cofondateurs du premier journal francophone d'Ontario, le *Progrès d'Ottawa*[15]. De même, un médecin de Windsor, le Dr Charles-Eusèbe Casgrain, fut, en 1887, le premier francophone de l'Ontario à être nommé sénateur[16].

L'organisation de sociétés médicales francophones hors du Québec

Les francophones s'activaient dans les mêmes sociétés médicales que leurs confrères de langue anglaise. Plusieurs francophones ont ainsi été présidents de la New Brunswick Medical Society au cours du XXe siècle. Une volonté de se regrouper sur une base linguistique va cependant peu à peu s'exprimer. En 1900, une Association des médecins franco-américains de la Nouvelle-Angleterre est constituée[17]. Au même moment, les médecins acadiens du comté de Madawaska prennent part aux activités de la Société médicale du golfe du Saint-Laurent, en compagnie de leurs confrères de la

15. Sylvestre (1986), p. 37 et 86.
16. *Ibid.*, p. 37 et 119.
17. *BMQ*, 1, 1899-1900. p. 683-684.

Gaspésie, des Îles-de-la-Madeleine et du Bas-du-Fleuve. De même, des médecins francophones des deux rives de l'Outaouais collaborent également à l'intérieur d'une même société médicale, l'Association médicale du district d'Ottawa.

Au début du XXe siècle, ce n'est donc plus seulement au Québec mais partout sur le continent nord-américain que des médecins francophones exercent leur profession. Leur volonté de se regrouper expliquera la fondation, en 1902, de l'Association des médecins de langue française de l'Amérique du Nord.

CHAPITRE 5

LA QUESTION LINGUISTIQUE DANS LES CONGRÈS SCIENTIFIQUES

Les sociétés et les revues scientifiques ont joué un rôle important dans la diffusion du savoir et l'unification de la profession médicale. Progressivement, la nécessité pour les médecins des différents pays de se réunir régulièrement dans le cadre de congrès internationaux se fit sentir. L'absence d'une langue commune représentait toutefois un problème de taille pour les médecins, tant sur la scène mondiale qu'à l'intérieur de l'Association médicale canadienne, à la fin du XIXe siècle.

Les premiers congrès de médecine internationaux

Les échanges entre médecins de nationalités différentes ont toujours existé.

Les échanges entre médecins de nationalités différentes ont toujours existé, bien que de façon limitée. Dès l'Antiquité, il était fréquent que les souverains choisissent comme médecins des praticiens étrangers. Par ailleurs, des élèves provenant de pays éloignés avaient coutume d'aller séjourner quelque temps dans l'un des grands centres d'enseignement de la médecine. Certains d'entre eux continuaient ensuite d'entretenir des contacts avec leurs maîtres par correspondance ou par l'intermédiaire des revues savantes.

L'expansion rapide et ininterrompue des connaissances médicales, durant la seconde moitié du XIXe siècle, rendait nécessaire la tenue de congrès de médecine internationaux. Avec le développement des transatlantiques et des voies ferrées, à la fin du XIXe siècle, ces rencontres internationales entre médecins devenaient possibles. Le premier congrès de médecine mondial eut lieu en 1867, à Bruxelles en Belgique. Par la suite, on a tenu des congrès tous les cinq ans environ, dans les différents grands centres mondiaux de la médecine (Paris, Londres, Berlin, Vienne, etc.). D'autres congrès étaient organisés sur une base plus restreinte, par exemple, sur les thèmes de la tuberculose ou des maladies infantiles.

Rapidement, les médecins, comme les autres scientifiques, furent toutefois confrontés à la délicate question linguistique. Les premiers congrès internationaux furent de véritables tours de Babel où l'anglais, l'allemand et le français, pour ne nommer que ces seules langues, s'affrontaient dans un contexte d'ultranationalisme. Ce n'est qu'au XXe siècle que s'imposa la coutume des résumés des communications dans les langues autres que celle du congrès, puis la pratique de la traduction simultanée.

La naissance de l'Association médicale canadienne

Au Canada, la même situation se reproduisait lors des assemblées de l'Association médicale canadienne (AMC).

C'est en 1845 qu'avait été lancée l'idée d'une association des médecins du Canada-Uni. Cette année-là, des délégués des districts de Montréal, Trois-Rivières, Québec et Toronto se réunissaient à l'École de médecine et de chirurgie de Montréal pour discuter de la possibilité de former une association médicale pancanadienne. Le projet mourut toutefois dans l'œuf lorsqu'une majorité de délégués décidèrent de changer l'objet de la réunion pour discuter de la création d'un Collège des médecins canadiens[1]. Les délégués se prononcèrent en faveur d'organisations provinciales séparées.

Le congrès de fondation de l'Association médicale canadienne eut lieu à l'Université Laval, le 29 mai 1867, en présence de médecins du Québec, de l'Ontario, du Nouveau-Brunswick et de la Nouvelle-Écosse.

Il faudra attendre le printemps 1867 pour que l'Association médicale canadienne (AMC) voie le jour. L'initiateur du mouvement fut le Dr William Marsden, un médecin anglophone de la ville de Québec. C'est après avoir participé au congrès annuel de l'American Medical Association que ce membre de la Société médicale de Québec eut l'idée de fonder une association similaire qui regrouperait l'ensemble des médecins du Canada.

Le congrès de fondation eut lieu à l'Université Laval le 29 mai 1867. Étaient présents des médecins du Québec, de l'Ontario, du Nouveau-Brunswick et de la Nouvelle-Écosse. Le premier président de l'AMC sera sir Charles Tupper, un médecin de la Nouvelle-Écosse qui fut l'un des pères de la Confédération et, plus tard, sera brièvement premier ministre du Canada.

1. Goulet (1997), p. 22-23.

Les médecins de langue française assistèrent en grand nombre au congrès de fondation de l'AMC, mais très rapidement la question linguistique allait représenter un sérieux obstacle à la participation des francophones à de telles activités. Dès le second congrès, à Montréal en 1868, un médecin montréalais, le Dr Alphonse Barnabé Larocque[2] critiquait, dans une intervention remarquée le fait, que les documents de constitution de l'AMC fussent rédigés seulement en anglais. Cela compliquait pour les francophones la compréhension et l'adoption des règlements de l'AMC[3].

La barrière linguistique empêchait les médecins francophones de tirer pleinement profit des réunions annuelles de l'American Medical Association.

Comme les anglophones étaient majoritaires, la quasi-totalité des communications étaient écrites et lues en anglais. Le Canadien français qui présentait une communication dans sa langue savait pertinemment qu'il allait être incompris de la majorité des congressistes. Qui plus est, il risquait, bien malgré lui, de faire sourire l'assemblée en s'exprimant en anglais s'il ne maîtrisait pas cette langue à la perfection. La barrière linguistique empêchait donc les médecins francophones de tirer pleinement profit de ces réunions annuelles. Cela explique que les francophones aient rapidement déserté les congrès de l'AMC. Selon les rédacteurs de *L'Union Médicale du Canada,* « un compte rendu fidèle des travaux de l'Association, lu à esprit reposé est le profit le plus clair qu'un canadien-français [*sic*] puisse retirer de tout cela, quant au reste, l'étoffe n'en vaut pas la façon[4] ».

De plus, les Canadiens anglais cherchaient tout naturellement à tisser des liens plus serrés avec leurs confrères britanniques et américains. Dès le milieu des années 1870, la direction de l'AMC se prononçait en faveur d'une union avec l'American Medical Association. L'idée fut cependant rejetée par les membres.

La ville de Montréal devenait par ailleurs l'hôtesse de plusieurs congrès médicaux internationaux. Ainsi, en 1884, la métropole accueillait le congrès de l'AMC en même temps que celui de la British Association for the Advancement of Science. De même, en 1897, le congrès conjoint de la British Medical Association et de l'AMC regroupait à Montréal près de 1 000 médecins, dont la moitié venait d'Angleterre et des États-Unis. Montréal était

2. Plus tard, en 1875, le Dr Larocque deviendra le premier officier du Bureau de la Santé de la Ville de Montréal. Goulet et Keel, *DBC,* 12, 1990, p. 576-577.
3. McDermott (1935), p. 42.
4. *UMC,* 9, octobre 1880, p. 471

également le site, en 1896, des congrès de l'American Public Health Association, de l'American Pediatric Society et de l'American Pharmaceutical Association[5].

Certes, l'élite médicale canadienne-française assistait à ces congrès, mais très peu de médecins canadiens-français y intervenaient activement. Leurs travaux étaient donc méconnus hors du Québec. Parmi les exceptions, notons le Dr Louis-Édouard Desjardins, du service d'ophtalmologie de l'Hôtel-Dieu de Montréal, et le Dr Auguste Achille Foucher, responsable du même service à l'Hôpital Notre-Dame. Citons également les aliénistes Éloi-Philippe Chagnon et Georges Villeneuve, qui assistaient régulièrement aux congrès de l'American Medico-Psychological Association, ainsi que le Dr Emmanuel-Persillier Lachapelle et les autres membres du service provincial d'hygiène. Décrivant le climat lors de ces réunions, le Dr Foucher indiquera en 1902 :

L'absence d'intervention des francophones dans les congrès canadiens et nord-américains était interprétée comme un désintéressement de leur part au développement de leur discipline.

> Nos confrères anglais nous font bon accueil lorsque nous figurons au milieu d'eux [...] mais l'on se sent mal à l'aise pour exprimer ses idées d'une manière lucide dans un langage qui n'est pas le nôtre. De là viennent notre abstention et notre infériorité, plutôt apparente que réelle, dans les grandes associations qui existent déjà[6].

N'empêche que cette absence d'intervention des francophones dans les congrès canadiens et nord-américains était interprétée comme un désintéressement de leur part face au développement de leur discipline. La fondation d'une association ayant pour objectif la tenue régulière de congrès de médecine français en Amérique du Nord permettra la disparition de ce préjugé.

5. Goulet et Paradis (1992), p. 345-354.
6. *UMC*, 31, 3, mars 1902, p. 177.

CHAPITRE 6

LA DÉLICATE QUESTION DE LA RÉCIPROCITÉ INTERPROVINCIALE

Un autre élément était source de conflits entre francophones et anglophones en cette fin de XIXe siècle. Selon la constitution canadienne adoptée en 1867, l'administration de la santé et de l'éducation est de compétence exclusivement provinciale. Or on assista, dès les premières années du régime fédéral, à des tentatives d'uniformisation des conditions d'admission à l'exercice de la médecine.

Les médecins francophones s'opposent à la création, par une loi fédérale, d'un bureau central d'examinateurs chargé d'uniformiser les conditions d'admission à la pratique médicale.

Dès la fondation de l'Association médicale canadienne (AMC), les médecins de l'Université McGill proposent la création, par une loi fédérale, d'un bureau central d'examinateurs chargé d'uniformiser les conditions d'admission à la pratique médicale partout au Canada. Devant l'opposition des francophones, dirigés par le Dr Jean-Philippe Rottot, professeur à l'EMCM et premier rédacteur en chef de *L'Union Médicale du Canada*, le projet est rejeté en 1872[1]. Les médecins francophones craignent, avec justesse, l'intrusion du gouvernement fédéral dans le secteur par lequel la nationalité canadienne-française au Québec exprime ses particularités culturelles, soit l'éducation. C'est ainsi que «pour la première fois depuis plus d'un siècle, dans une Société Médicale Canadienne, l'esprit latin triomphait[2]».

Dr Jean-Philippe Rottot

Aussitôt, la Société médicale de Montréal entreprend une réforme de la loi médicale québécoise. En vertu de la nouvelle loi, adoptée en 1876 par le gouvernement provincial, le Collège des médecins et des chirurgiens de la province de Québec (CMCPQ) voit ses prérogatives nettement renforcées. Avant d'être admis à une faculté de médecine, en effet, l'aspirant doit d'abord subir un examen général devant un jury nommé par le CMCPQ. De plus, des «assesseurs» nommés par le CMCPQ sont chargés de vérifier les examens dans les facultés de médecine[3].

1. Desrosiers, Gaumer et Grenier (1996), p. 26; Goulet (1997), p. 45-46.
2. Gauvreau, *UMC*, 61, 2, février 1932, p. 139.
3. Goulet (1997), p. 46-47.

Par ailleurs, la loi de 1876 abolit à toutes fins utiles la formation par apprentissage et rend obligatoire l'étude dans une faculté de médecine reconnue, pendant quatre ans. D'un an qu'elle était auparavant, la période de stage dans un hôpital passe à un an et demi. La chimie, l'hygiène, la botanique, la pathologie générale, la thérapeutique générale deviennent des matières obligatoires et l'on ajoute des leçons supplémentaires d'anatomie, de physiologie et de pathologie microscopique. Le futur médecin est également tenu d'assister pendant ses études à six accouchements et de manipuler des médicaments pendant une période de six mois[4].

Sur de nombreux aspects, la loi provinciale de 1876 ne fait qu'officialiser les développements survenus antérieurement dans les facultés de médecine.

Sur de nombreux aspects, la loi de 1876 ne fait qu'officialiser les développements survenus antérieurement dans les facultés de médecine. Dans les années 1860 et 1870, la plupart de ces nouvelles matières ont déjà été introduites par l'entremise de jeunes médecins de retour d'Europe. Toujours est-il qu'avec la loi de 1876, le CMCPQ commençe à exercer une autorité certaine sur les futurs médecins québécois.

L'opposition au projet de loi Roddick

En 1898, le débat sur la création d'un Conseil médical du Canada reprend après la présentation au Parlement d'Ottawa d'un projet de loi établissant une licence interprovinciale. L'auteur de ce projet de loi est le Dr Thomas Roddick, professeur à l'Université McGill.

De 1898 à 1900, les Drs Charles Rosaire Paquin, Pierre-Vincent Faucher, Michel-Delphis Brochu, Louis-Joseph-Alfred Simard, Louis Joseph Octave Sirois et Arthur Simard exposent, dans le *Bulletin médical de Québec,* les dangers auxquels l'enseignement médical pratiqué à l'Université Laval ferait face, selon eux, si le projet de loi Roddick était adopté. Selon les membres de la Société médicale du Québec, les bureaux de médecine provinciaux verraient, avec la création d'un Conseil médical fédéral, leur rôle considérablement diminué. De plus, l'élément francophone serait réduit au strict minimum au sein de ce Conseil. Étant donné «qu'elle est habitée par une nationalité différente qui a ses institutions, sa langue et ses lois et à laquelle on a donné par l'Acte de

Dr Arthur Simard

4. Bernier (1989), p. 72.

l'Amérique du Nord les mêmes droits qu'à la nationalité anglo-saxonne[5] », la province de Québec mérite, selon la SMQ, d'avoir plus de représentants que les autres provinces au Conseil médical du Canada. Or, il est initialement prévu que chaque province, indépendamment de sa population médicale, sera représentée par trois délégués. En outre, l'un des délégués québécois sera certainement un anglophone de l'Université McGill. On ne trouverait donc que deux ou trois délégués francophones au maximum sur les 24 qui composeraient le Conseil médical fédéral.

Le programme d'étude de l'Ontario, avec ses 1 540 heures, ne peut se comparer à celui de l'Université Laval et à ses 3 200 heures.

Dans ce contexte, il ne fait aucun doute que le projet de loi Roddick « enlèverait aux canadiens-français [*sic*] tout contrôle sur l'enseignement médical pour le remettre aux mains des gens d'Ontario[6] ». Il semble évident, en effet, que l'on adoptera à l'échelle pancanadienne le programme d'étude de cette province. Pourtant, celui-ci, avec ses 1 540 heures d'étude en cinq ans, aux dires des membres de la SMQ, ne peut se comparer à celui de l'Université Laval et à ses 3 200 heures[7]. Les études classiques, qui sont partie intégrante de la culture canadienne-française, ne sont pas non plus valorisées dans les provinces anglaises[8]. Par ailleurs, puisque l'Ontario compte alors un surplus de médecins, le Québec risque de se voir envahir, après l'adoption de la licence fédérale, par des praticiens provenant de la province voisine. Enfin, rien ne précise ce qui se produira si l'une des provinces veut se retirer de l'entente. Il semble cependant que cette province se placerait dans une situation d'infériorité, ses médecins se trouvant exclus des situations médicales (quarantaine, armée, pénitenciers) qui relèvent d'Ottawa[9].

Que les craintes de la SMQ soient ou non fondées, il demeure que le débat entourant le projet de loi Roddick permet un ralliement des médecins francophones autour des particularités de leur enseignement médical. En janvier 1900, le Dr Roddick explique son projet de loi lors d'une assemblée spéciale de la SMQ. Celle-ci a profité de l'occasion pour inviter les médecins des districts d'Arthabaska, Saint-François et Trois-Rivières. Le Dr Roddick prend

5. A. Simard, « Le projet de licence interprovinciale de M. le Dr Roddick », *BMQ*, 1, 1899-1900, p. 332-343 ; 336.
6. *BMQ*, 2, 1900-1901, p. 224-225.
7. A. Simard, « La réciprocité inter provinciale », *BMQ*, 1, 1899-1900, p. 165.
8. Sirois, « Réciprocité inter provinciale et Conseil médical de la Puissance », *BMQ*, 1, 1899-1900, p. 612-616.
9. *BMQ*, 1, 1899-1900, p. 398-400.

Après de nombreux amendements, la loi Roddick est finalement jugée satisfaisante pour les médecins francophones, et le Conseil médical de Canada tient sa première réunion officielle le 7 novembre 1912.

note des commentaires de l'assemblée et promet d'apporter des amendements à son projet de loi. Après son départ, l'assemblée continue de siéger et adopte à l'unanimité une motion stipulant que la SMQ s'oppose au projet de loi Roddick tel qu'il a été présenté, «tout en étant favorable à une entente interprovinciale[10]». Les médecins québécois souhaitent plutôt une reconnaissance par les provinces de leurs licences respectives.

Le projet de loi Roddick est adopté en 1902 mais reste inopérant tant et aussi longtemps que l'ensemble des provinces ne se sont pas déclarées d'accord. Malgré l'appui du Dr Emmanuel-Persillier Lachapelle, président du CMCPQ, à la loi Roddick, les représentants de Québec et des districts ruraux au Bureau provincial de médecine resteront très vigilants face à l'épineuse question de la réciprocité interprovinciale pendant toute la première décennie du XXe siècle[11]. Après de nombreux amendements, la loi est finalement jugée satisfaisante pour les médecins francophones en 1910 et le Conseil médical du Canada tient sa première réunion officielle le 7 novembre 1912.

10. *BMQ*, 1, 1899-1900, p. 343.
11. Goulet (1997), p. 71.

CHAPITRE 7

LA RÉUNION DE QUÉBEC ET LA PRÉSENTATION DU PROJET DE L'AMLFAN

Peu de temps après la rencontre avec le Dr Roddick, en janvier 1900, le Dr Charles-Rosaire Paquin propose, lors d'une réunion de la SMQ, la tenue d'une réunion de médecins afin de célébrer le 4e anniversaire de la Société et le premier anniversaire du Bulletin médical de Québec. *Cette réunion, à laquelle seraient invités les médecins de Québec et des districts environnants, offrirait l'occasion de discuter de sujets d'ordre professionnel et des questions médicales qui présentent le plus d'intérêt pratique. L'assemblée appuie la suggestion, et un comité, présidé par le Dr Charles Verge, est formé en vue de l'organisation de la réunion*[1].

En 1900, on suggère la tenue d'une « convention », entre autres pour discuter de sujets d'ordre professionnel et de questions d'intérêt pratique.

Pour l'occasion, une journée sera consacrée à la présentation d'une dizaine de communications scientifiques. On discutera des nouvelles applications de l'électricité en médecine, des troubles urinaires et de leur traitement, des injections médicamenteuses par la trachée, du traitement chirurgical de la pleurésie purulente, des troubles respiratoires chez les enfants, du phénomène du vomissement lors de la grossesse, des examens cliniques et bactériologiques et de chirurgie militaire. Un résumé des travaux de la SMQ depuis sa fondation et une visite des laboratoires de chimie et de biologie de l'Université Laval compléteront cette séance qui sera présidée par le Dr Michaël Joseph Ahern[2].

On annonce également la présence du Dr Ernest Choquette de Saint-Hilaire, qui doit lire quelques extraits de *Carabinades,* un recueil de nouvelles humoristiques où il décrit ses souvenirs d'étudiant en médecine à l'Université Laval. La préface et la postface de ce livre ont été écrites respectivement par les Drs William Henry Drummond et Nérée Beauchemin, également poètes renommés. Auparavant, le Dr Choquette a été préféré à Louis Fréchette et à

1. *BMQ,* 1, 1899-1900, p. 510.
2. *BMQ,* 1, 1899-1900, p. 572-574.

Pamphile Lemay comme lauréat au concours littéraire du gouvernement du Québec pour son roman *Claude Paysan*[3]. La réunion se terminera par une excursion à la chute Montmorency, où a été inaugurée la voie ferrée qui relie ce site touristique à la ville de Québec.

Le Dr Irma Levasseur, qui vient tout juste de terminer ses études à l'Université du Minnesota, sera la première francophone à pratiquer la médecine au Canada.

Outre les sujets scientifiques, deux questions d'intérêt professionnel sont à l'ordre du jour dès le début de la réunion: la réciprocité interprovinciale et l'organisation générale de la profession médicale française en Amérique du Nord.

Environ 150 médecins, presque tous des anciens diplômés de l'Université Laval à Québec, participent à cette réunion, qui se déroule les 25 et 26 juin 1900. Pour plusieurs, c'est l'occasion de retrouver des anciens confrères de classe après de nombreuses années de séparation. Parmi ces médecins, on retrouve le Dr Irma Levasseur qui vient tout juste de terminer ses études à l'Université du Minnesota. Elle sera la première francophone à pratiquer la médecine au Canada. Assistent également à l'événement deux médecins de Trois-Rivières qui, plus tard, occuperont la présidence de l'AMLFAN: les Drs Louis-Philippe Normand et Charles-Nuna de Blois. On note aussi la présence de trois médecins de Montréal. Le Dr Emmanuel-Persillier Lachapelle est de loin le médecin francophone le plus influent de l'époque et, depuis 30 ans, il est de tous les mouvements de réforme[4]. Ainsi, au début des années 1870, il a été l'un des membres fondateurs de la Société médicale de Montréal et de *L'Union Médicale du Canada*. Depuis la fondation de l'Hôpital Notre-Dame, en 1880, il occupe le poste de « surintendant » médical de l'établissement. Il préside aussi le Service provincial d'hygiène depuis sa fondation en 1885. Gouverneur au CMCPQ depuis 1877, il a été élu président du Collège en 1898 après avoir rallié autour de lui près de 1 000 médecins lors des élections. À la convention de Québec, le Dr Lachapelle est accompagné de son neveu, le Dr Emmanuel-Persillier Benoit, membre du Comité d'études médicales de Montréal et rédacteur en chef de *L'Union Médicale du Canada* depuis 1896. Enfin, le Dr Albert Lesage représente le Comité d'études médicales.

Dr Emmanuel-Persillier Lachapelle

Dr Albert Lesage

3. Nadeau, *UMC*, 101, 1972, p. 2130-2142.
4. Desrosiers, Gaumer et Keel, *DBC*, vol. XIV, 1998, p. 620-623.

Le Dr Georges Paquin, de Portneuf, déplore l'absence d'un tarif uniforme pour l'ensemble des médecins et propose que les sociétés médicales de districts s'intéressent à la question.

La réunion débute par un discours du Dr Louis-Joseph-Alfred Simard, doyen de la Faculté de médecine de l'Université Laval, sur les progrès de la médecine à Québec depuis 1852. Le Dr Simard en profite pour rappeler qu'il devient de plus en plus difficile d'être admis à la pratique au Québec, contrairement à l'Ontario où presque tous les candidats sont automatiquement admis[5]. Le Dr René Fortier[6], professeur d'hygiène à la Faculté de médecine, s'attarde ensuite sur le «rôle du médecin dans la prophylaxie privée et publique de la tuberculose[7]». Puis, le Dr Louis Joseph Octave Sirois, de Saint-Ferdinand d'Halifax, soulève l'assemblée en résumant les dangers que représente le projet de loi Roddick pour les études classiques et l'enseignement de la médecine au Québec[8]. Le Dr Georges Paquin de Portneuf, médecin en milieu rural, déplore l'absence d'un tarif médical uniforme pour l'ensemble des médecins et propose que les sociétés médicales de districts s'intéressent à la question[9].

Le Dr Charles-Rosaire Paquin lance alors l'idée d'une nouvelle réunion à Québec pour commémorer le cinquantenaire de l'Université Laval en 1902[10]. Il propose que d'ici là, on se consacre «à l'élaboration de tous les projets d'avancement et de réforme capables de jeter quelque éclat sur cette grande institution[11]». Ce projet de nouveau rassemblement est accueilli chaudement.

Prenant ensuite la parole, le Dr Brochu propose que le rassemblement de 1902 ne se limite pas aux seuls médecins qui ont étudié à l'Université Laval mais englobe «toute la grande famille des médecins de langue française, que nous trouvons épars dans les différents centres du Dominion et même

---

5. L.-J.-A. Simard, *BMQ*, 1, 1899-1900, p. 603.
6. Docteur en médecine (avec distinction) de l'ULQ en 1891, le Dr René Fortier sera le pionnier de la pédiatrie à Québec. En 1905, il commence à la Crèche Saint-Vincent-de-Paul des cliniques sur les maladies des enfants, cliniques qu'il donnera jusqu'en 1929. L'AMLFAN lui décernera le titre de président d'honneur lors de son 5e congrès en 1910. Son fils, le Dr de la Broquerie Fortier, sera également pédiatre et, de 1958 à 1960, président de l'Association des bureaux médicaux des hôpitaux de la province de Québec, ancien nom de l'actuel ACMDPQ.
7. Fortier, *BMQ*, 1, 1899-900, p. 579-589.
8. Sirois, «Réciprocité inter provinciale et conseil médical de la Puissance», *BMQ*, 1, 1899-1900, p. 612-616.
9. G. Paquin, «Rémunération professionnelle et tarif médical», *BMQ*, 1, 1899-1900, p. 617-620.
10. C.-R. Paquin, «Projet d'une 2e convention pour 1902 et de la célébration du cinquantenaire de l'Université Laval», *BMQ*, 1, 1899-1900, p. 604-606.
11. *Ibid.*, p. 606.

de la grande République voisine, où notre nationalité a jeté partout, déjà, de puissants jalons[12]». La commémoration du cinquantième anniversaire de l'Université serait l'occasion idéale pour mettre sur pied une association qui regrouperait l'ensemble des médecins de langue française d'Amérique du Nord.

Les congrès que tiendra l'association projetée permettront d'établir des contacts avec les Louisianais et les médecins européens de langue française qui émigrent aux États-Unis.

La nouvelle association aura pour but d'organiser des congrès périodiques de médecine en français et de promouvoir la création de sociétés médicales partout au Québec et dans les autres foyers francophones du continent. En plus d'encourager l'avancement des sciences médicales, l'AMLFAN projetée favorisera le développement de l'idée française en Amérique. D'après le Dr Brochu, la réunion de tous les médecins de langue française de l'Amérique du Nord à Québec, dans les murs de la première université francophone d'Amérique, aura un énorme écho en Europe, plus particulièrement en France. Les principales sociétés médicales françaises y délégueront nécessairement des médecins renommés. Au surplus, les congrès que tiendra l'association permettront d'établir des contacts avec les Louisianais et les médecins européens de langue française qui émigrent de plus en plus aux États-Unis.

Afin de confirmer la légitimité d'un tel regroupement, le Dr Brochu rappelle les congrès récents de la British Medical Association et de l'AMC à Montréal, où, à cause de la barrière linguistique:

> Les médecins canadiens-français ont été obligés à un rôle tout à fait effacé dans les discussions de ces congrès. D'ailleurs, la masse, dans de telles conditions, se trouve obligée de se tenir à l'écart, et ne peut profiter aucunement des avantages offerts par ces associations scientifiques, souvent de haute valeur[13].

En réponse à ceux qui pourraient juger téméraire le projet d'une association distincte pour les médecins de langue française de l'Amérique du Nord, le Dr Brochu souligne que la SMQ, au cours des quatre dernières années, a prouvé sa capacité de rallier tous les médecins des districts environnants de la Vieille Capitale, «tout en stimulant leur ardeur pour les études scientifiques[14]». De son côté, le Comité des études médicales à Montréal a déjà

12. *BMQ*, 1, 1899-1900, p. 608.
13. *BMQ*, 1, 1899-1900, p. 609.
14. *BMQ*, 1, 1899-1900, p. 607.

Les nombreuses communications des congrès de la future association assureront la survie des revues médicales de langue française.

réalisé certains travaux dignes de mention. Le Dr Brochu ajoute que les nouveaux laboratoires construits à Québec et à Montréal vont produire, dans les prochaines années, des travaux originaux qui alimenteront avantageusement les discussions dans les futurs congrès. Enfin, les nombreuses communications de ces congrès assureront la survie des revues médicales de langue française.

De nouveau, l'assemblée accueille cette proposition avec enthousiasme. Le Dr Lachapelle garantit qu'il exercera toute son influence pour que le projet du Dr Brochu se concrétise. Immédiatement après, le Dr Pierre-Vincent Faucher propose la formation de deux comités pour l'organisation du congrès de 1902: l'un sera formé de membres de la SMQ et l'autre, des Drs Lachapelle et Benoit, ainsi que des membres du Comité d'études médicales de Montréal[15].

La première journée de cette réunion de 1900 se termine au Château Frontenac où, selon une vielle tradition, une série de «toasts» servent de prétexte à de grandes envolées oratoires. Invité à répondre à une levée de verres en hommage à la presse médicale, le Dr Benoit résumera mieux que quiconque l'idée géniale poussant à la création d'une association pour les médecins de langue française:

> Nous avons souffert jusqu'ici de l'isolement où nous avons vécu; le médecin pratiquant dans nos campagnes surtout ne s'est pas senti suffisamment supporté. L'Université, le Collège des médecins, tout cela c'est bien et c'est déjà beaucoup; chacun de nous leur porte un intérêt majeur. Mais il nous faut davantage; il nous faut un point commun de ralliement, quelque chose pour nous unir, nous faire serrer les coudes et travailler, tous ensemble, pour la bonne cause, c'est-à-dire pour nous, pour nos intérêts. Eh bien! j'ai pensé, en écoutant M. le docteur Brochu nous exposer son projet, que c'était là la clef de la situation, le puissant levier dont nous avons besoin pour établir aux yeux de tous notre position, faire valoir nos droits, exprimer nos désirs. En créant une Association médicale française de l'Amérique du Nord, nous prendrons immédiatement la place qui nous appartient sur ce continent. Nous deviendrons l'égal de tous, nous fixerons enfin notre rang social vis-à-vis de l'univers entier[16].

15. *BMQ*, 1, 1899-1900, p. 612.
16. *BMQ*, 2, 1900-1901, p. 39-40.

Un projet qui suscite l'enthousiasme

L'organisation du futur congrès de Québec se met en branle dès le mois suivant. Pendant l'été 1900, les médecins francophones de Montréal sont tous invités à se regrouper autour du Comité d'études médicales. Le 16 octobre 1900, celui-ci ressuscite la Société médicale de Montréal (SMM). À titre de premier président, c'est le Dr Henri Hervieux, médecin de l'Hôtel-Dieu de Montréal, qui est élu[17]. Également en octobre 1900, la SMQ forme un comité de 11 membres en vue de l'organisation du congrès de 1902[18]. Le 18 décembre 1900, le Dr Louis-Joseph-Alfred Simard expose le projet de l'AMLFAN devant la SMM. À sa réunion suivante, en janvier 1901, cette société forme à son tour son comité[19].

La naissance prochaine de l'AMLFAN ainsi que les discussions entourant le projet de loi Roddick et les élections de 1901 au CMCPQ stimulent par ailleurs la création de nouvelles sociétés médicales dans les districts ruraux. En 1900 sont fondées la Société médicale de Chicoutimi et du Lac-Saint-Jean et la Société médicale du comté de Portneuf. L'année suivante, des sociétés médicales voient aussi le jour à Montmagny, dans le district de Trois-Rivières, dans les comtés de Shefford, Charlevoix puis Maskinongé[20]. Chacune de ces sociétés médicales est invitée à nommer un représentant au sein du comité d'organisation du congrès de 1902 à Québec.

Par ses congrès périodiques, la future AMLFAN complétera avantageusement l'œuvre des CMCPQ.

Au cours de l'été 1901, la SMQ invite les gouverneurs récemment élus au Bureau provincial de médecine à prendre part à ses délibérations. Le Dr Brochu en profite pour leur présenter le projet de l'AMLFAN ; le Dr Lachapelle traduit ses propos à l'intention des médecins anglophones présents. Le Dr Brochu indique que par ses congrès périodiques, qui favoriseront en retour la formation et le développement de sociétés médicales, la future AMLFAN complétera avantageusement l'œuvre du CMCPQ. Le rôle de

---

17. *UMC*, 29, novembre 1900, p. 799.
18. En plus du Dr Brochu, ce comité se compose des Drs Michaël Joseph Ahern, Pierre-Vincent Faucher, René Fortier, Albert Jobin, Albert Marois, Charles-Rosaire Paquin, Arthur Rousseau, Louis-Joseph-Alfred Simard, Arthur Simard et Charles Verge.
19. *UMC*, 30, février 1901, p. 112. Ce comité est formé des Drs Rodolphe Boulet, A. de Grand Pré, Joseph-Edmond Dubé, Auguste-Achille Foucher, Louis de Lotbinière-Harwood, Henri Hervieux, Émile-Persillier Lachapelle, Albert Lesage, Amédée Marien, Oscar-Félix Mercier et Charles Narcisse Valin.
20. Goulet et Paradis (1992), p. 357-359.

ce dernier est d'imposer des épreuves à ceux qui veulent exercer la profession, pour s'assurer de leur compétence. Mais, aux dires du Dr Brochu, « on sait trop, d'un autre côté, ce que devient le faible bagage scientifique du nouveau médecin [...] s'il tombe dans un milieu où il vivra isolé de ses confrères, ou dans des conditions peu propres à favoriser son goût pour l'étude et son avancement scientifique[21] ». Par ailleurs, la création d'une association distincte n'a pas pour but de briser l'harmonie entre les médecins de langue française et leurs confrères anglophones. Au contraire, dit le Dr Brochu, c'est la seule façon « de ne pas leur être inférieurs dans la concurrence scientifique[22] ».

Aussitôt après l'allocution du Dr Brochu, le Dr Robert Craik déclare que la Faculté de médecine de l'Université McGill, dont il est le doyen, donnera son appui et participera aux activités de la future AMLFAN. Il signale que son « but d'avancement de l'éducation scientifique est noble et louable, et nous y souscrivons volontiers[23] ». De son côté, le Dr Francis W. Campbell, doyen de la Faculté de médecine de l'Université Bishop[24], dit être tellement confiant de la réussite du projet qu'il conseille que l'AMLFAN tienne ses congrès chaque année, comme le fait l'AMC, plutôt qu'à tous les trois ans, comme on le propose. D'après lui, les médecins des deux langues bénéficieront de l'existence de l'AMLFAN. La concurrence entre les deux associations obligera en effet l'anglophone comme le francophone à se surpasser, ce qui provoquera une saine émulation[25]. Après les applaudissements chaleureux qui suivent ce soutien des doyens des deux universités anglophones à l'AMLFAN, le Dr Ernest Choquette confirme l'appui des médecins des régions rurales au projet du Dr Brochu.

La concurrence entre les deux associations obligera l'anglophone comme le francophone à se surpasser, ce qui entraînera une saine évaluation.

Les diverses revues médicales canadiennes-françaises donnent, bien sûr, leur soutien inconditionnel au projet de création de l'AMLFAN. L'annonce du

21. « L'Association des médecins de langue française de l'Amérique du Nord devant les gouverneurs du Bureau de Médecine », *BMQ*, 3, 1901-1902, p. 39.
22. *Ibid.*, p. 40.
23. *Ibid.*, p. 42.
24. La Faculté de médecine de l'Université Bishop fut fondée en 1871. Même si elle n'a jamais eu autant d'étudiants que ses rivales, elle a toutefois joué un rôle de pionnière au Québec en étant la première à admettre des femmes dans ses classes. La plus connue d'entre elles fut le Dr Maude Abbott, admise à la pratique en 1894 et auteur d'une importante histoire de la médecine au Québec. À la mort du Dr Campbell, cette petite faculté fusionnera avec celle de l'Université McGill.
25. *BMQ*, 3, 1901-1902, p. 42.

congrès de 1902 ne suscite pas par ailleurs de grands remous dans la presse médicale anglophone. Le congrès est ainsi annoncé de façon très sobre par le Dr Malcom Mackay, correspondant québécois de la revue *The Canada Lancet*[26].

À notre connaissance, l'annonce de la création future de l'AMLFAN ne suscita qu'un seul commentaire négatif, soit celui du *Canadian Journal of Medecine and Surgery*, la revue de l'Association médicale de l'Ontario. Selon le Dr John Joseph Cassidy, rédacteur en chef du *CJMS*, l'idée d'un congrès français de médecine en Amérique du Nord était tout à fait déplacée. Le Canada s'était doté d'institutions bilingues et les médecins francophones avaient plutôt intérêt à s'impliquer plus à fond dans l'AMC. La création de l'AMLFAN, écrit-il, risquait de diviser la profession médicale et de nuire à la fusion des deux peuples fondateurs. Le Dr Cassidy disait de plus ne pas comprendre l'importance que les francophones accordaient à leur langue qui, pour lui, n'était qu'un instrument. Il concluait en rappelant que les sciences médicales devaient servir au bien de tous les hommes, et non à la glorification d'une « race » en particulier[27].

Il était normal et légitime de construire une association distincte qui puisse rejoindre plus de 2 000 médecins parlant français sur le continent nord-américain.

Dans le *Bulletin médical de Québec*, le Dr Arthur Simard lui répondit que « si la science n'a point de patrie, les savants, comme le disait Pasteur, en ont une[28] ». Il ajoutait qu'afin que la science serve vraiment à tous, il fallait d'abord et avant tout s'assurer de sa diffusion. Or, l'anglais représentait un obstacle pour la grande majorité des médecins de langue française. Il était donc normal et légitime que l'on construise une association distincte qui pourrait rejoindre plus de 2000 médecins parlant français sur le continent nord-américain.

À cela, le Dr Cassidy répliqua que la connaissance de l'anglais, du français et de l'allemand était indispensable pour tout médecin souhaitant participer à des congrès internationaux. À titre d'exemple, au congrès international de juillet 1901 à Londres, Robert Koch avait choisi de présenter sa communication en anglais. Comme tous les congressistes avaient, dans un premier

26. *The Canada Lancet*, 35, 1901, p. 704-705.
27. J.J. Cassidy, « A Plea for Union between Canadian Physician », *CJMS*, 10, 1901, p. 56-57.
28. A. Simard, « L'opinion des médecins d'Ontario et l'Association des médecins de langue française de l'Amérique du Nord », *BMQ*, 3, 1901-02, p. 29-36 ; 30.

temps, parfaitement compris les propos du médecin allemand, la discussion avait pu ensuite se dérouler pendant un moment en français sans qu'il y eût malaise. Il invitait donc les Canadiens français à imiter leurs ancêtres normands et à envahir les Anglo-Saxons au lieu de s'isoler[29].

L'expérience montrera que les craintes du Dr Cassidy étaient sans fondement. Même si l'AMLFAN devait devenir le foyer de rassemblement privilégié des médecins francophones pendant tout le XXe siècle, certains d'entre eux continuèrent à prendre une part active aux activités de l'AMC et des diverses sociétés médicales internationales où l'anglais était la langue dominante. De même, l'usage exclusif de la langue française lors des congrès de l'AMLFAN n'empêcha jamais les médecins anglophones d'y intervenir de façon régulière.

Conclusion de la première partie

À la fin du XIXe siècle, la querelle universitaire, qui a été un puissant facteur de division chez les médecins francophones du Québec, est résolue. De nouveaux savoirs et de nouvelles pratiques sont implantés par des jeunes médecins de retour d'Europe. Des sociétés et des revues médicales diffusent ces connaissances et favorisent la création d'un nouvel esprit de solidarité chez les médecins francophones jusqu'alors éparpillés sur le continent. Ces derniers ont par ailleurs constaté que la barrière linguistique les empêche de profiter pleinement des congrès de l'AMC et des autres associations de médecine panaméricaines. Enfin, le projet de loi Roddick oblige les médecins québécois à défendre les particularités de leur enseignement médical.

Toutes les conditions rendant possible et nécessaire la création d'une association qui regrouperait l'ensemble des médecins francophones d'Amérique du Nord sont donc réunies à la fin du XIXe siècle. Il suffira qu'un médecin, le Dr Michel-Delphis Brochu de Québec, en suggère la création, lors d'une réunion de médecins en 1900, pour que l'AMLFAN devienne réalité.

29. J.J. Cassidy, «Language Is only the Instrument of Science», *CJMS*, 10, décembre 1901, p. 445-447.

DEUXIÈME PARTIE

Du projet à sa réalisation. La création de l'AMLFAN (1900-1902)

Dans la première partie de notre ouvrage, nous avons montré que plusieurs facteurs justifiaient les médecins de langue française de l'Amérique du Nord à se regrouper en une association à la fin du XIX*e siècle. Il ne manquait plus qu'une bougie d'allumage pour que l'AMLFAN devienne un projet partagé par la majorité des médecins de langue française du Canada et des États-Unis, puis une réalité concrète deux ans plus tard.*

Dans cette partie, nous verrons la réunion de Québec, au cours de laquelle le Dr Michel-Delphis Brochu proposa en juin 1900, de faire coïncider la commémoration du cinquantenaire de l'Université Laval avec la création de l'Association des médecins de langue française de l'Amérique du Nord. Nous esquisserons ensuite le portrait du fondateur et premier président de l'AMLFN, puis brosserons un tableau des autres médecins francophones qui, durant le premier tiers du XX*e siècle, contribuèrent à la naissance, puis à la survie et au développement de l'AMLFAN. Enfin, nous décrirons l'ambiance qui régnait lors du congrès de fondation de l'Association en juin 1902.*

Le Dr Michel-Delphis Brochu

CHAPITRE 8

LE FONDATEUR DE L'AMLFAN, MICHEL-DELPHIS BROCHU (1853-1933)

Ainsi, une réunion de médecins organisée par la Société médicale de Québec en juin 1900 s'était terminée par un vibrant appel à la création, pour 1902, d'une Association des médecins de langue française de l'Amérique du Nord. Dans ce chapitre, nous vous ferons connaître la vie et l'œuvre de l'auteur du projet et premier président de l'AMLFAN, le Dr Michel-Delphis Brochu de Québec.

Delphis Brochu, finissant 1872-1873. *Musée de la civilisation, fonds d'archives du Séminaire de Québec PH2000-2347, 1 mars 1873*

Michel-Adolphus Brochu naquit à Saint-Lazare, dans le comté de Bellechasse, le 15 juillet 1853. Il était le second de trois fils de Pierre Brochu, cultivateur et marchand général, et de Mathilde Naud, dite Labrie. Après le décès de celle-ci en 1863, Pierre épousa en secondes noces Clémentine Labonté, qui lui donnera quatre autres enfants.

Le futur fondateur de l'AMLFAN sera le seul membre de cette famille de cultivateurs à se diriger vers les études supérieures. Après des études primaires dans sa paroisse, le jeune Michel-Adolphus entre au Séminaire de Québec, où se manifestent ses aptitudes pour les études. Dès l'âge de 19 ans, il obtient avec très grande distinction un baccalauréat ès arts qui lui permet d'être admis à la Faculté de médecine de l'Université Laval[1]. C'est aussi à ce moment qu'il remplace son second prénom Adolphus par Delphis.

En 1876, le jeune Michel-Delphis reçoit un doctorat en médecine, titre attribué uniquement à ceux qui obtiennent une note « très bien » dans toutes les matières.

En 1876, le jeune Michel-Delphis reçoit un doctorat en médecine, titre attribué uniquement à ceux qui obtiennent une note «très bien» dans toutes les matières. Après son admission à la pratique, il décide de s'installer à Québec, où il épouse, en 1878, dans le quartier Saint-Roch, Marie-Eugénie Marois. Celle-ci est la sœur de l'abbé C.-A. Marois qui, plus tard, sera vicaire général de l'archidiocèse de Québec. Elle était également la sœur du Dr Albert Marois qui sera, pendant des décennies, le confrère du Dr Brochu à l'Hôtel-Dieu de Québec et à l'Asile Saint-Michel-Archange. L'année suivante, la jeune épouse décède en couches.

1. *L'Événement*, 13 mars 1933, p. 10.

En 1884, le Dr Brochu épouse en secondes noces Clotilde Fortin. Sept fils et quatre filles naîtront de ce second mariage. En 1915, le deuxième fils du Dr Brochu, Raoul, terminera avec succès son doctorat à la Faculté de médecine de l'Université Laval[2]. Deux autres fils, Jules-Émile et Paul, seront pharmaciens dans la région de Québec. Trois enfants du Dr Brochu décèdent avant l'âge de cinq ans[3]. Cela témoigne de l'ampleur de la mortalité infantile à la fin du XIXe siècle, d'où la grande importance accordée à l'obstétrique et à la pédiatrie lors des premiers congrès de l'AMLFAN.

L'enseignement du Dr Brochu à la Faculté de médecine de l'Université Laval

Le Dr Brochu impressionne surtout par son érudition et sa mémoire.

En 1884, la Faculté de médecine de l'Université Laval confie au Dr Brochu la chaire d'hygiène, alors la matière préférée des étudiants en médecine. Puis, après un voyage en Europe, où il étudie sous la direction de maîtres tel Georges Dieulafoy, il devient titulaire en 1890 de la chaire de pathologie interne. Les leçons cliniques qu'il donne à l'Hôtel-Dieu de Québec à partir de 1893 sont des plus appréciées. D'après le Dr Albert Jobin, l'un de ses anciens élèves, le Dr Brochu impressionne surtout par son érudition. Il donne ses cours sans l'aide de notes, en se fiant uniquement à sa mémoire[4].

Depuis sa nomination à l'Université Laval, le Dr Brochu est un auteur et un conférencier prolifique. En 1889, il publie un *Mémoire sur la nécessité d'une inspection hygiénique médicale des ateliers et des manufactures*[5]. Puis, en 1891, il présente, à la chaire des cours littéraires de l'Université Laval, une communication intitulée « Du caractère, de la valeur et de l'utilité sociale de l'hygiène[6] ». Ses expériences en la matière servent à alimenter le débat, à la SMQ, sur la « Filtration de l'eau d'approvisionnement de la ville de Québec[7] ». Une communication sur l'épilepsie jacksonnienne est publiée dans l'*UMC*[8], et

2. Les Drs Michel-Delphis et Raoul Brochu partageront un cabinet dans la haute-ville de Québec, au 63 rue Saint-Jean.
3. R. Brochu (1987), p. 189.
4. Jobin, *LM*, 7, septembre 1942, p. 335.
5. Goulet et Paradis (1992), p. 254.
6. *JHP*, 7, 1890, p. 354-369; 8, 1891, p. 16-28.
7. *BMQ*, 1, 1899-1900, p. 510-514.
8. *UMC*, 26, 6, juin 1897, p. 385-403.

d'autres articles paraissent aussi dans la *Revue médicale*[9]. Il est aussi l'âme dirigeante du *Bulletin médical de Québec*, depuis sa fondation en 1899. Dans le premier numéro de cette revue, il décrit quatre cas de « phtisie pulmonaire et syphilis du poumon[10] » et « un cas de chorée grave[11] ». L'année suivante, il présente les « syndromes hystériques stimulant les maladies organiques des centres nerveux[12] » puis un article intitulé « De l'anévrysme aortique, type récurrent laryngé[13] », tout ceci, dans le cadre de ses cliniques à l'Hôtel-Dieu de Québec. De plus, lors du décès en 1899 du doyen de la Faculté de médecine de l'ULQ, le Dr Charles Eusèbe Lemieux, il est appelé à faire l'éloge du dernier représentant de l'ancienne école de médecine de Québec[14]. Enfin, il présente une communication sur « la dépuration urinaire » lors de la réunion médicale de Québec.

Quand, en 1900, il suggère la fondation d'une association regroupant les médecins francophones de l'Amérique du Nord, le Dr Brochu est à l'apogée de sa carrière de clinicien et d'enseignant.

Quand, en 1900, il suggère la fondation d'une association regroupant l'ensemble des médecins francophones du continent nord-américain, le Dr Brochu est donc à l'apogée de sa carrière de clinicien et d'enseignant.

L'après-présidence : les interventions du Dr Brochu au Collège des médecins

Un signe incontestable de l'impact de l'AMLFAN réside dans les titres obtenus par le Dr Brochu immédiatement après sa présidence. Ainsi, après le congrès de 1902, il reçoit du gouvernement français le titre d'officier de l'instruction publique[15]. Cinq ans plus tard, en 1907, le Dr Brochu se voit également décorer de l'Ordre de l'Étoile noire de la Grande Chancellerie de la Légion d'honneur.

En 1903, après le décès du Dr Arthur Vallée père, le Dr Brochu est élu premier vice-président du CMCPQ. Durant ses années au Collège, le Dr Brochu s'occupera surtout de deux dossiers : le projet de loi Roddick, dont il est l'un des

9. « Traitement par l'électricité dans le traitement de l'occlusion intestinale aiguë », *RM*, 1, 1897, p. 1-6 ; « Vomissements durant la grossesse », *RM*, 1, 1898, p. 273-275 ; 289-292 ; « Trois cas de dermatoscléroses partielles », *RM*, 2, 1899, p. 329-333.
10. *BMQ*, 1, 1899-1900, p. 148-154 ; p. 190-201.
11. *BMQ*, 1, 1899-1900, p. 403-419.
12. *BMQ*, 2, 1900-1901, p. 235-242 ; 414-425 ; 575-589.
13. *BMQ*, 3, 1901-1902, p. 269-285 ; 321-339.
14. *BMQ*, 1, 1899-1900, p. 46-52.
15. Au cours des années suivantes, ce titre sera aussi accordé à chaque président de l'AMLFAN. Un autre membre du comité organisateur de chaque congrès (le trésorier ou le secrétaire) sera par ailleurs élu Officier d'Académie.

principaux adversaires, et le financement des sociétés médicales. Comme nous l'avons indiqué précédemment, la réciprocité interprovinciale exigea une décennie de discussions et d'amendements avant que les médecins québécois la jugent acceptable. Au chapitre du financement des sociétés médicales, par contre, les interventions du Dr Brochu demeurèrent lettre morte. Il semblerait que la majorité des gouverneurs à l'époque aient craint que les sociétés médicales ne s'intéressent qu'aux questions d'ordre professionnel et se transforment en syndicats médicaux[16]. Au sein du CMCPQ, le Dr Brochu occupait une position centriste, à mi-chemin entre le conservateur Dr Emmanuel-Persillier Lachapelle et le très radical Dr Albert Laurendeau, grand adversaire du système des collèges classiques.

Au sein du CMCPQ, le Dr Brochu occupait une position centriste, à mi-chemin entre le conservateur Dr Emmanuel-Persillier Lachapelle et le très radical Dr Albert Laurendeau, grand adversaire du système des collèges classiques.

Au milieu des années 1900, plusieurs gouverneurs du Bureau provincial de médecine espéraient que le fondateur de l'AMLFAN succéderait au Dr E.-P. Lachapelle à titre de président du CMCPQ, Le Dr Brochu refusa ce poste. Le choix se porta alors, en 1907, sur un autre ancien président de l'AMLFAN, le Dr Louis-Philippe Normand.

La surintendance médicale du Dr Brochu à l'Asile Saint-Michel-Archange (1903-1923)

Le Dr Brochu succéda également, en 1903, au Dr Arthur Vallée à la chaire des maladies mentales et nerveuses de la Faculté de médecine de l'ULQ et accepta la charge de la surintendance médicale de l'Asile Saint-Michel-Archange. Fondé en 1845, sous de nom de Quebec Lunatic Asylum, cet établissement avait été la première institution permanente vouée exclusivement à l'internement et au traitement des aliénés au Québec. Situé sur le site de l'ancien manoir de Robert Giffard, seigneur de Beauport et premier médecin de l'Hôtel-Dieu de Québec, cet asile avait d'abord été la propriété de trois médecins très influents de la ville de Québec, les Drs James Douglas, Joseph Morrin et Jean-Charles Frémont[17], puis, dans les années 1860, des Drs Jean-Étienne Landry et François-Elzéar Roy. D'autres personnalités connues du monde médical furent également associées, au fil des ans, à cette institution psychiatrique. Ainsi, le Dr Laurent Catellier, doyen de la

16. Goulet (1997), p. 91-92.
17. Le Dr Frémont fut le second doyen de la Faculté de médecine de l'Université Laval, de 1856 à sa mort en 1862. Il fut également le premier francophone, de 1856 à 1859, à occuper la présidence du CMCPQ.

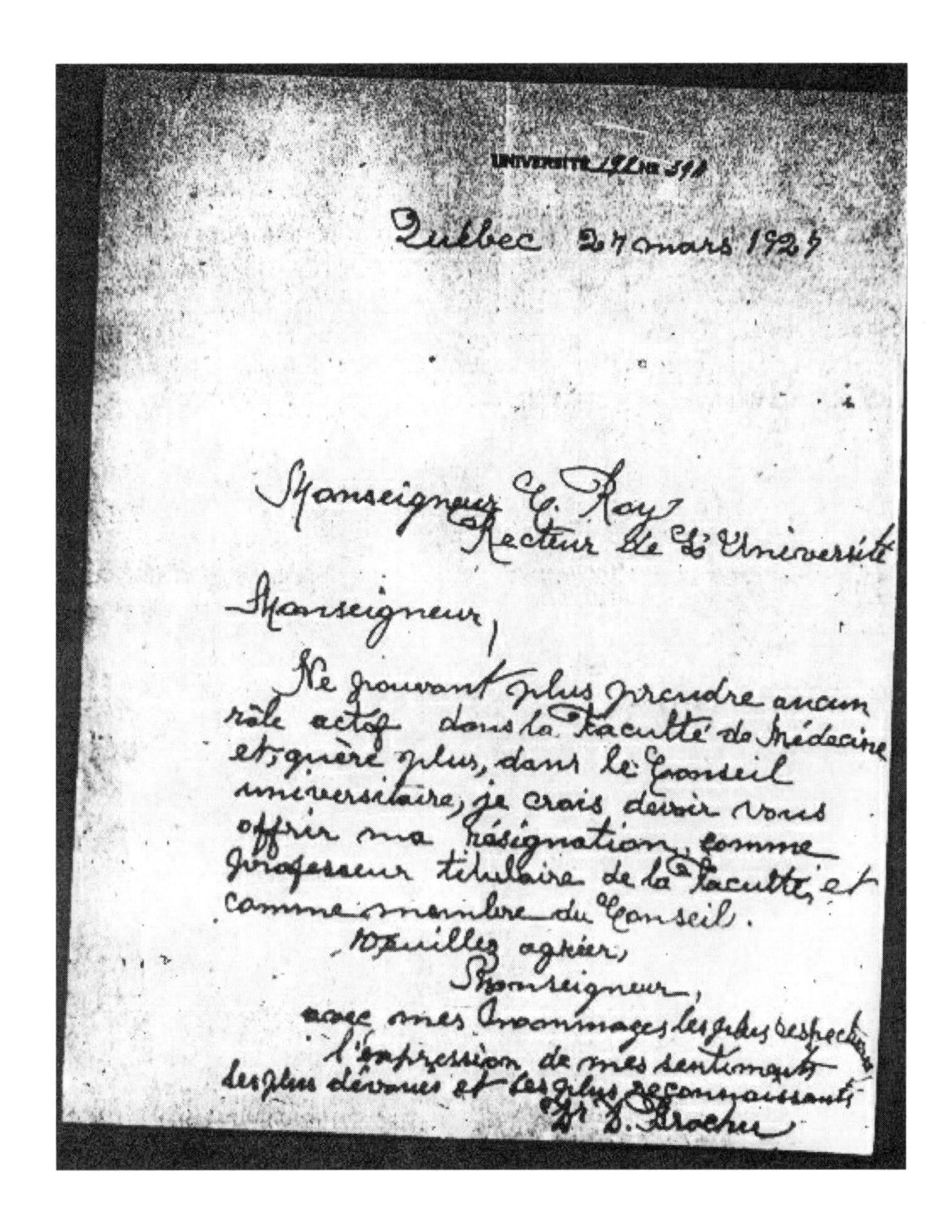

UNIVERSITÉ

Québec 27 mars 1927

Monseigneur C. Roy
Recteur de l'Université

Monseigneur,

Ne pouvant plus prendre aucun rôle actif dans la Faculté de Médecine et, guère plus, dans le Conseil universitaire, je crois devoir vous offrir ma résignation comme professeur titulaire de la Faculté et comme membre du Conseil.

Veuillez agréer,
Monseigneur,
avec mes hommages les plus respectueux l'expression de mes sentiments les plus dévoués et les plus reconnaissants
Dr D. Brochu

Lettre du Dr Delphis Brochu à Mgr Roy, recteur de l'Université Laval.
Archives du Monastère des Augustines de l'Hôtel-Dieu de Québec

Dr D. Brochu

Québec 7 Mai 1902

UNIVERSITÉ 7 No 96

A Mr le Dr N.-E. Dionne
Secrétaire du Comité Général
des fêtes du cinquantenaire de
l'Université Laval

Monsieur et cher confrère,

Inutile de vous dire, comme professeur et membre de votre Comité, tout l'intérêt que je porte au succès des fêtes du cinquantenaire de notre belle Université Laval, non plus que la haute considération et la reconnaissance particulière que je dois à cette institution qui fut mon Alma Mater et à l'œuvre de laquelle j'ai l'insigne honneur d'être associé. Comme Président de l'Association des Médecins de langue française je me fais un devoir de remercier votre Comité de la bonne appréciation que vous avez bien voulu faire, dans votre lettre-circulaire aux anciens élèves de Laval, du projet d'un congrès médical que nous préparons pour ces fêtes, et nous nous flattons de l'espoir que ce congrès auquel les médecins diplômés de Laval seront en nombre, servira à mettre en relief la valeur de l'éducation que nous avons reçue dans cette université et l'influence qu'elle a exercée sur les progrès intellectuels dans notre profession.

Ci-inclus, un chèque et billets, pour la somme de deux cents piastres, que je désire offrir comme ma faible part au fonds de la souscription générale en faveur de cette œuvre d'intérêt national.

Veuillez agréer
M. le Secrétaire
l'hommage de mes sentiments
les plus distingués
Dr M. Brochu

Lettre du Dr Michel-Delphis Brochu au Dr Dionne, secrétaire du Comité général des fêtes du cinquantenaire de l'Université Laval en 1902.
Archives du Monastère des Augustines de l'Hôtel-Dieu de Québec

Québec 22 janvier 1902

UNIVERSITÉ 3 Nº 1

Mr le Dr N. E. Dionne
Secrétaire du Comité
Exécutif des fêtes du Cinquantenaire

Mon cher Docteur,

J'accepte avec plaisir l'honneur que vient de me faire le Comité Exécutif des fêtes du Cinquantenaire en me admettant au nombre de ses membres. Mon concours le plus dévoué lui était acquis d'avance. Je demeure, Monsieur le Docteur,
Votre très humble
et très dévoué M. D. Brochu M.D.

Lettre du Dr Michel-Delphis Brochu au Dr Dionne, secrétaire du Comité général des fêtes du cinquantenaire de l'Université Laval en 1902.
Archives du Monastère des Augustines de l'Hôtel-Dieu de Québec

Oct. 1912

UNIVERSITÉ 177 No 38

Monsieur l'Abbé Gosselin
Recteur de
l'Université

Monsieur le Recteur,

J'ai l'honneur d'accuser
réception de la votre
du 18 courant me
proposant d'aller
représenter l'Université
à la réunion du Comité
des médecins au sujet
du Bill médical fédéral, à
Ottawa. Je me ferai

un honneur d'accepter
cette charge et soyez
assuré que je m'efforcerai
de sauvegarder les
intérêts de l'Université
et de ses élèves dans
l'ordonnance des mesures
à adopter pour l'application
pratique de cette nouvelle
législation.

En vous remerciant
pour l'honneur que vous
avez bien voulu me
faire je vous prie d'agréer
l'hommage de ma plus
haute considération et
de mon entier dévouement

Votre très humble
et très respectueux
Dr D. Brochu

Lettre du Dr Michel-Delphis Brochu à l'abbé Gosselin, recteur de l'Université Laval en 1912.
Archives du Monastère des Augustines de l'Hôtel-Dieu de Québec

Faculté de médecine de l'Université Laval durant la première décennie du XXe siècle, y œuvra comme médecin résidant durant les années 1860. Le Dr Alfred Jackson, dont le décanat vit l'engagement du Dr Brochu à titre de professeur à l'Université Laval, en fut le médecin inspecteur du gouvernement pendant plusieurs années. Ce dernier poste fut ensuite occupé par le Dr Vallée jusqu'en 1885, année où il devint le premier surintendant médical.

Père du 9e président de l'AMLFAN, le Dr Vallée fut une figure dominante de la profession médicale à Québec à la fin du XIXe siècle. Il fut successivement professeur à la clinique des enfants en 1876, professeur de médecine légale de 1881 à 1885, de toxicologie en 1885-1886 et de «tocologie» (nom donné alors à la gynécologie-obstétrique) à la Faculté de médecine à l'ULQ en 1885. Il fut médecin à l'Hôtel-Dieu de Québec à partir de 1883. De 1892 jusqu'à sa mort, il fut aussi gouverneur du CMCPQ pour le district de Québec. Le Dr Vallée fut par ailleurs le premier président, en 1897, de la Société médico-psychologique de Québec, une association qui regroupait tous les médecins travaillant dans les institutions psychiatriques de la province[18].

Le Dr Arthur Vallée, surintendant médical de Saint-Michel-Archange, suggéra au gouvernement de confier le soin des aliénés aux communautés religieuses.

Sous la surintendance du Dr Vallée, d'importantes réformes furent mises de l'avant. Les instruments servant à restreindre les mouvements des aliénés furent abolis et un enseignement sur les maladies mentales et nerveuses fut implanté et assuré par lui à la Faculté de médecine. Le Dr Vallée suggéra également au gouvernement de confier le soin des aliénés aux communautés religieuses. En 1893, l'Asile de Beauport est acheté par les sœurs de la Charité de Québec et rebaptisé, l'année suivante, Saint-Michel-Archange[19]. En 1900, l'ancienne résidence du Dr Douglas devient le sanatorium Mastaï[20]. Située à proximité de l'asile, cette institution reçoit des pensionnaires aux prises avec des problèmes d'alcoolisme ou de toxicomanie. Des personnalités religieuses et politiques s'y font traiter de façon très discrète. La durée du séjour est en effet de quelques jours seulement et l'on ne tient pas de dossiers médicaux. Le Dr Brochu y est chargé du traitement médical.

18. Keating, *DBC*, 13, 1994, p. 1136-1137.
19. Après son affiliation à l'Université Laval en 1924, l'Asile Saint-Michel-Archange prendra le nom d'Hôpital Saint-Michel-Archange. En 1976, il sera rebaptisé Centre hospitalier Robert-Giffard.
20. Ce sanatorium fut probablement baptisé ainsi en l'honneur du pape Pie IX, dont le vrai nom était Mastaï Ferretti.

Pendant les 20 ans où il occupera le poste de surintendant médical de Saint-Michel-Archange, le Dr Brochu poursuivra les réformes de son prédécesseur et tentera d'améliorer la formation du personnel.

Pendant les 20 ans où il occupera le poste de surintendant médical de l'Asile Saint-Michel-Archange, le Dr Brochu poursuivra les réformes entreprises par son prédécesseur. Dès son entrée en fonction, il préconise ainsi l'alitement systématique des patients, pratique qui, dit-il, élève les aliénés « à la dignité de véritables malades[21] ». Cette technique, qui a été le sujet de nombreuses discussions en 1900 dans la section psychiatrique du congrès international de la médecine à Paris, permet aux patients psychiatriques de récupérer leurs forces physiques et mentales et de diminuer les états de surexcitation. Le Dr Brochu aménage également des salles spéciales pour les lucides et les convalescents et organise une série d'activités, de sorties et d'occupations pour cette catégorie de patients. Dans l'optique des aliénistes de l'époque, ce traitement « moral » avait l'avantage de distraire l'esprit des patients des illusions et des idées fixes qui les égarent et de briser l'enchaînement des idées délirantes. En outre, accorder à ces malades une plus grande liberté est vu comme une étape transitoire vers le retour à la vie sociale. Le Dr Albert Marois, surintendant adjoint depuis 1885, est chargé en 1903 de l'organisation méthodique du travail des aliénés et la tenue d'un registre d'observation médicale[22]. L'année suivante, une table d'opération est installée à l'intérieur des murs de l'Asile pour les cas chirurgicaux.

Le Dr Brochu tentera également d'améliorer la formation du personnel. Ainsi, en 1915, des cours sont organisés pour préparer les infirmières à l'obtention du diplôme. Dirigés par le Dr Marois, ces cours sont complétés par des conférences du Dr Brochu sur les soins à donner aux aliénés. Trente religieuses attachées à l'Asile suivent les cours. Le Dr Brochu espère qu'un cours semblable sera mis sur pied pour les gardiens laïques, généralement peu instruits, du département des hommes, mais ce sera peine perdue tant que le poste de gardien ne sera pas mieux rémunéré. En raison des mauvaises conditions salariales et la lourdeur de la tâche, il sera toujours difficile pour le surintendant de conserver très longtemps un personnel laïque compétent. Les plus qualifiés quittent dès qu'ils trouvent une meilleure occupation, tandis qu'un nombre important d'incompétents sont renvoyés chaque année. Cela entraînera l'introduction de religieuses dans le département des hommes.

21. « Rapport de Monsieur le docteur Brochu, surintendant médical de l'Asile d'aliénés de Québec », *Document de la session de la province de Québec*, 38, 4, Québec, 1905, p. 263.
22. *Ibid.*, p. 260.

Les ressources très limitées qu'octroie à l'époque le gouvernement québécois à l'entretien et au traitement des aliénés nuisent en fait à la mise en place d'un vaste programme de réformes, tant à Saint-Michel-Archange qu'à Saint-Jean-de-Dieu à Montréal[23]. Sans compter que les surintendants médicaux doivent négocier avec les communautés religieuses, propriétaires des institutions asilaires francophones, avant de mettre en œuvre certaines innovations. Plus chanceux, le Verdun Protestant Hospital for Insane (l'actuel l'Hôpital Douglas) pourra toujours compter sur l'appui financier des familles riches de la communauté anglophone pour compenser le sous-financement[24].

Les ressources très limitées qu'octroie à l'époque le gouvernement québécois à l'entretien et au traitement des aliénés nuisent en fait à la mise en place d'un vaste programme de réformes, tant à Saint-Michel-Archange qu'à Saint-Jean-de-Dieu à Montréal.

Le Dr Brochu fera aussi face continuellement au problème de la surpopulation dans son institution. L'Asile Saint-Michel-Archange dessert à l'époque tout l'est du Québec, des îles de la Madeleine jusqu'au lac Saint-Pierre. En 1911, l'institution compte 1 480 patients, mais seulement trois médecins, les Drs Albert Marois, Ulric-Antoine Bélanger et Charles Salluste Roy, pour s'en occuper à temps plein. Le surintendant médical exigera que soient engagés des médecins supplémentaires. Le Dr Eudore Parent, de retour d'un stage spécialisé en clinique des maladies mentales en Europe, se joindra au personnel médical en 1911. Un autre médecin, le Dr Paul-Arthur Poliquin, sera engagé en 1915 pour prendre charge de la section des hommes, des travaux de laboratoire et de la petite chirurgie[25].

Comme la plupart des aliénistes du début du XXe siècle, le Dr Brochu croyait en une augmentation véritable des cas de maladie mentale qu'il attribuait à une dégénérescence physique, morale et intellectuelle de la population. Fidèle à la théorie popularisée en France par l'aliéniste Valentin Magnan, le Dr Brochu était convaincu que les individus ayant de mauvaises habitudes de vie étaient susceptibles d'engendrer des descendants prédisposés à la folie ou à la déficience[26]. La lutte contre la prolifération de l'aliénation mentale était donc, selon lui, étroitement liée « à une question d'hygiène privée et d'hygiène sociale dont l'État, pas plus que les individus, ne saurait se désintéresser[27] ». Ainsi, les maladies contagieuses et de la nutrition pendant

23. Au début du XXe siècle, le montant annuel que verse le gouvernement québécois à l'Asile Saint-Michel-Archange est de 100 $ par patient. Wallot, 1998, p. 85.
24. Paradis, dans Séguin (1998), p. 58.
25. Lambert (1993), p. 43.
26. Grenier (1994), p. 105-115.
27. « Rapport du Dr D. Brochu », *19e rapport annuel du secrétaire et registraire de la province de Québec pour l'exercice du 1er juillet 1904 au 30 juin 1905*, Québec, 1905, p. 79.

la première enfance et, pour les femmes, la fatigue résultant des grossesses répétées étaient des causes fréquentes de maladies mentales. Contrairement à la plupart des médecins québécois de l'époque, le surintendant de l'Asile de Beauport doutait cependant de l'importance accordée à la consommation d'alcool dans l'origine de la maladie mentale. D'après lui, la population rurale, fortement majoritaire alors, était généralement sobre[28].

Par ailleurs, plusieurs des patients admis étaient considérés comme incurables. Le Dr Brochu déplorait ainsi que de nombreuses familles placent leurs parents à l'asile plutôt que dans des hospices pour personnes âgées. Il regrettait de même l'absence, dans ces hospices, d'un service distinct de quelques lits, pour le placement des personnes atteintes de sénilité ou sujettes à certaines formes de délire accidentel[29].

Pour faciliter le retour à la société des aliénés, le Dr Brochu entreprit une expérience audacieuse pour l'époque, soit le placement dans des familles étrangères.

En vue de pallier les problèmes de surpopulation, le Dr Brochu, tout comme ses collègues de Saint-Jean-de-Dieu et du Verdun Protestant Hospital, favorisait les sorties à l'essai pour les patients qui avaient connu une nette amélioration de leur état et qui devenaient réfractaires au traitement asilaire[30]. Cependant, il eut vite fait de constater que plusieurs familles refusaient de reprendre leurs malades tant qu'ils n'étaient pas complètement guéris. D'autres aliénés n'avaient même pas de foyer où rentrer. Pour faciliter le retour à la société de ces individus «jouissant d'une assez grande lucidité pour remplir un rôle utile dans une famille, et encore susceptibles, avec l'aide d'une surveillance intelligente, de s'adapter, dans une certaine mesure, aux conditions de la vie sociale[31]», le Dr Brochu entreprendra une expérience audacieuse pour l'époque, soit le placement dans des familles étrangères.

En raison de sa connaissance de l'aliénation mentale, le Dr Brochu sera maintes fois invité à donner son avis lors de procès criminels. Il participa ainsi en tant qu'expert, en 1922, à l'un des procès les plus célèbres de l'histoire du Canada, celui de la belle-mère d'Aurore «l'enfant martyre». Appelé comme témoin de la couronne, le surintendant de l'Asile Saint-Michel-Archange

---

28. «Rapport du Dr D. Brochu, Surintendant médical à l'Asile de Beauport», *Document de la session de la province de Québec*, 40, 6, Québec, 1907, p. 79.
29. «Asile Saint-Michel de Beauport. Rapport de M. le docteur Brochu», *Document de la session de la province de Québec*, 49, 6, Québec 1916, p. 92.
30. Grenier (1990), p. 90-91.
31. «Rapport du Dr D. Brochu, Surintendant médical à l'Asile de Beauport», *Document de la session de la province de Québec*, 40, 6, Québec, 1907, p. 80.

Le Dr Michel-Delphis Brochu (debout, au centre) entouré de collègues.
Archives du Monastère des Augustines de l'Hôtel-Dieu de Québec

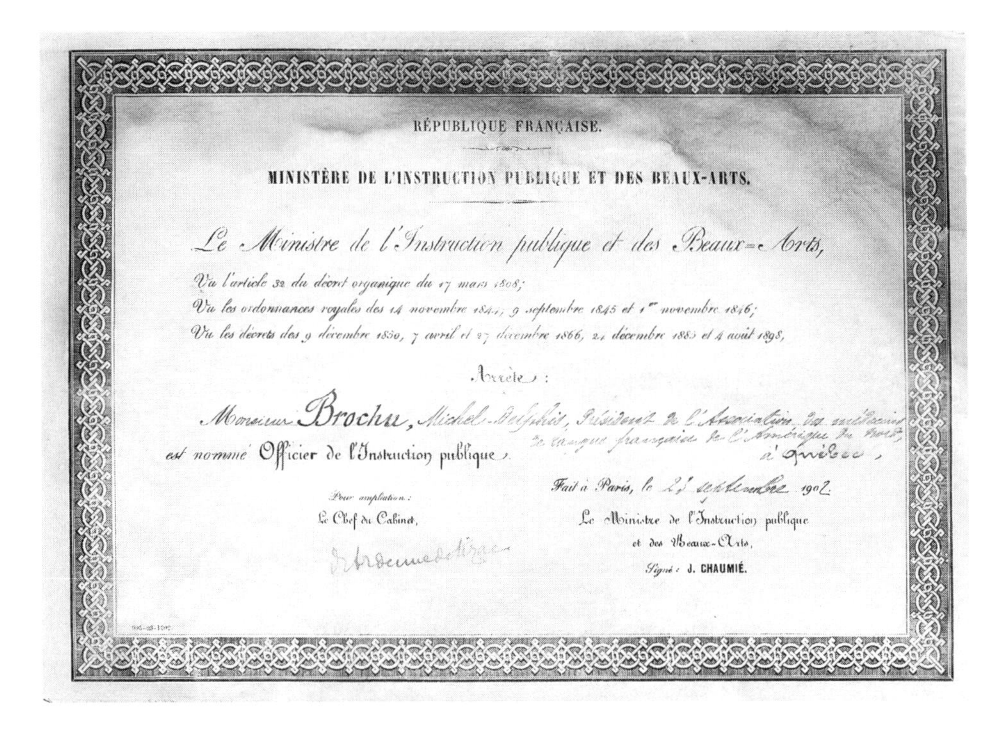

RÉPUBLIQUE FRANÇAISE.

MINISTÈRE DE L'INSTRUCTION PUBLIQUE ET DES BEAUX-ARTS.

Le Ministre de l'Instruction publique et des Beaux-Arts,

Vu l'article 32 du décret organique du 17 mars 1808;
Vu les ordonnances royales des 14 novembre 1844, 9 septembre 1845 et 1er novembre 1846;
Vu les décrets des 9 décembre 1850, 7 avril et 27 décembre 1866, 24 décembre 1885 et 4 août 1898,

Arrête :

Monsieur Brochu, Michel-Delphis, Président de l'Association des médecins de langue française de l'Amérique du Nord, à Québec,
est nommé Officier de l'Instruction publique.

Fait à Paris, le 2[illegible] septembre 1902.

Pour ampliation :
Le Chef du Cabinet,

Le Ministre de l'Instruction publique
et des Beaux-Arts,
Signé : J. CHAUMIÉ.

Brevet d'officier de l'Instruction publique et des Beaux-Arts, décerné au Dr Brochu en 1902 par le gouvernement français.
Archives du Monastère des Augustines de l'Hôtel-Dieu de Québec

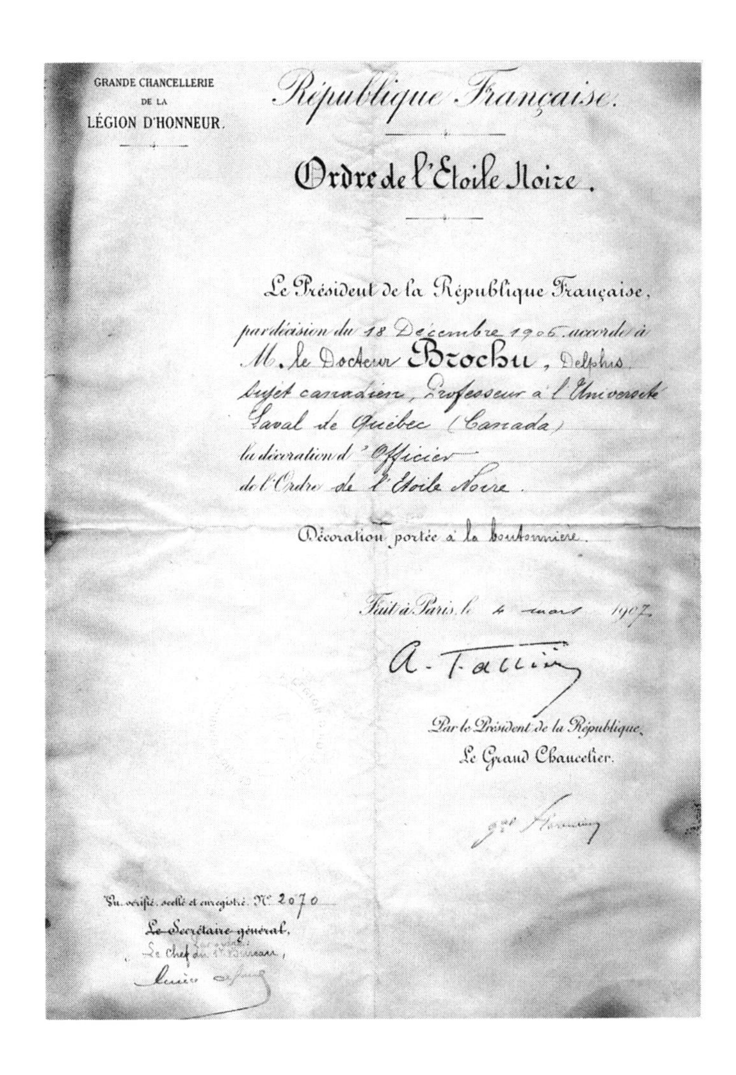

GRANDE CHANCELLERIE
DE LA
LÉGION D'HONNEUR.

République Française.

Ordre de l'Étoile Noire.

Le Président de la République Française,
par décision du 18 Décembre 1906 accorde à
M. le Docteur Brochu, Delphis,
sujet canadien, Professeur à l'Université
Laval de Québec (Canada)
la décoration d'Officier
de l'Ordre de l'Étoile Noire.

Décoration portée à la boutonnière.

Fait à Paris, le 4 mars 1907.

Par le Président de la République,
Le Grand Chancelier.

Vu, vérifié, scellé et enregistré. N° 2070
~~Le Secrétaire général,~~
Le Chef du 1er Bureau,

Brevet d'officier de l'Ordre de l'Étoile noire décerné au Dr Brochu par le gouvernement français en 1907.
Archives du Monastère des Augustines de l'Hôtel-Dieu de Québec

Dessin représentant le Dr Michel-Delphis Brochu, réalisé à la pierre noire par Albert Lemay.
Trouvé parmi les papiers personnels du Dr Raoul Brochu (legs du 26 février 1969)
Archives du Monastère des Augustines de l'Hôtel-Dieu de Québec

déclara que « l'accusée était en état de comprendre la nature de ses actes, qu'elle a[vait] toute son intelligence, et qu'elle possédait le sens de l'appréciation morale[32] ». Jugée saine d'esprit, l'accusée sera condamnée à l'échafaud, la peine sera plus tard commuée en emprisonnement à vie et sera purgée au pénitencier de Kingston. La belle-mère d'Aurore succombera, à Montréal en 1936, à un cancer généralisé, dix mois après avoir obtenu sa libération conditionnelle[33].

Les dernières années

En 1923, le Dr Brochu quittera ses fonctions de surintendant médical et d'enseignant. À Saint-Michel-Archange, le Dr Charles Salluste Roy prendra la relève. Pour occuper la chaire des maladies mentales, l'Université Laval engagera un médecin français, le Dr Albert Brousseau. Le Dr Brochu dirigera ensuite un établissement d'hydrothérapie et d'électrothérapie médicale à Saint-Romuald, où il travaillera avec son fils, le Dr Raoul Brochu, qui lui succédera comme directeur. Le père et le fils rédigeront, en 1926, un article sur « les aspects cliniques de la dermatosclérose[34] ».

En plus de la Société médicale de Québec et de l'ALMFAN, le Dr Brochu fit partie de plusieurs autres sociétés savantes. Il fut ainsi membre de la Société thérapeutique de Paris et membre correspondant de la Société médicale des Hôpitaux de Paris et de l'American Medico-Psychological Association. Il participa également aux activités de l'Association médicale canadienne.

Malgré ses nombreuses activités, le Dr Brochu demeura fidèle jusqu'à sa mort à l'Association dont il fut le fondateur et premier président.

Malgré ses nombreuses activités, le Dr Brochu demeura fidèle jusqu'à sa mort à l'Association dont il fut le fondateur et premier président. C'est ainsi qu'il intervint régulièrement au cours des cinq premiers congrès de l'AMLFAN. Après la Première Guerre mondiale, sa présence aux congrès se fit plus discrète mais demeura constante. En 1930, à l'occasion du 11e congrès à Montréal, l'AMLFAN lui remettra une plaquette d'argent[35].

32. *La Presse*, mardi 20 avril 1920, p. 23.
33. Grenier (1999), p. 276-282.
34. *BMQ*, 27, 1926, p. 366-373.
35. Vallée, *UMC*, 62, 4, avril 1933, p. 286.

Le Dr Brochu est décédé le 12 mars 1933 à l'Hôtel-Dieu de Québec, un an à peine avant le congrès de Québec, tenu conjointement avec les membres de l'Association des médecins de langue française d'Europe. Il avait alors 79 ans. Pour honorer sa mémoire, le gouvernement du Québec a désigné un territoire situé dans la division de recensement de Champlain du nom de canton Brochu. Dans la même division se trouve le lac Brochu, également désigné en son honneur[36]. Un pavillon du Centre hospitalier Robert-Giffard a aussi été rebaptisé pavillon Delphis-Brochu. Pour sa part, la bibliothèque de l'Hôtel-Dieu de Québec conserve toute la documentation médicale produite par le fondateur de l'AMLFAN.

Indifférent aux hommages qu'on lui portait à chaque congrès, il considéra toujours que son rôle, dans la création de l'AMLFAN, s'était résumé à celui de porte-étendard.

En 1963, pour perpétuer la mémoire de son premier président, l'AMLFC a institué la conférence Brochu, qui sera présentée durant son congrès annuel par un invité de prestige jusqu'en 1981[37].

Du Dr Michel-Delphis Brochu, ses confrères ont retenu particulièrement sa puissance de conviction et sa facilité d'expression mais aussi et surtout sa modestie proverbiale. Indifférent aux hommages qu'on lui portait à chaque congrès, il considéra toujours que son rôle, dans la création de l'AMLFAN, s'était résumé à celui de porte-étendard.

Le Dr Michel-Delphis Brochu à son bureau.
Œuvre (encre) réalisée par Pierre Thériault. Archives de la Galerie historique Lucienne-Maheux du Centre hospitalier Robert-Giffard

36. R. Brochu (1987), p. 184.
37. La liste des conférenciers Brochu figure en annexe.

CHAPITRE 9

LES AUTRES FONDATEURS DE L'AMLFAN

Si le Dr Michel-Delphis Brochu fut la bougie d'allumage et le premier porte-étendard de l'AMLFAN, celle-ci n'aurait pu devenir une réalité sans l'appui inconditionnel des membres des Sociétés médicales de Québec et de Montréal et des médecins francophones des autres régions du Québec, du Canada et des États-Unis. Nommer tous ceux qui contribuèrent à la naissance et à la survie de l'AMLFAN pendant les premières décennies du XXe siècle serait une tâche qui dépasserait de beaucoup les limites du présent ouvrage. Nous nous limiterons donc à une courte présentation de la vie et de l'œuvre des médecins qui, après avoir participé à l'organisation du premier congrès, ont par la suite occupé la présidence de l'AMLFAN. En plus de nous donner l'occasion de rendre hommage à ces bâtisseurs, cela nous permettra aussi de montrer à quel point l'AMLFAN fut un projet partagé par l'ensemble de l'élite médicale francophone.

Les médecins de Québec

L'AMLFAN fut un projet partagé par l'ensemble de l'élite médicale francophone.

Puisque la Société médicale de Québec fut à l'origine du projet de l'AMLFAN, il nous apparaît légitime de commencer cette nomenclature avec une présentation de deux de ses membres qui assumèrent la présidence de l'Association, en 1908 et en 1920 respectivement, soit les Drs Arthur Simard et Arthur Rousseau.

Fils du doyen de la Faculté de médecine de l'Université Laval, le Dr Arthur Simard a obtenu avec grande distinction son doctorat de l'ULQ en 1890. Après trois ans d'études en Europe, il est appelé en 1894 à succéder au Dr Brochu à la Chaire d'hygiène de la Faculté de médecine de Laval. Secrétaire du district de Québec pour le premier congrès de l'AMLFAN en 1902, le Dr Simard présidera en 1908 le 4e congrès. Comme tous les premiers présidents de l'AMLFAN, il occupera par la suite d'importantes fonctions. De 1914 à 1918, il assumera, comme son père avant lui, la présidence du CMCPQ. Il présidera également de 1917 à 1921, le Conseil d'hygiène de la province de Québec[1].

Le Dr Arthur Rousseau peut être considéré comme celui qui contribua à la renaissance de l'AMLFAN en 1920 après dix ans d'inactivité.

Si le Dr Brochu fut le fondateur de l'AMLFAN, le Dr Arthur Rousseau peut être considéré comme celui qui contribua à sa renaissance en 1920 après dix ans d'inactivité. Fils d'un médecin de Saint-Casimir de Portneuf qui fut longtemps gouverneur au CMCPQ, le Dr Arthur Rousseau fit ses études classiques au Séminaire de Québec, où il remporta des prix dans presque toutes les matières. Dès son inscription à la Faculté de médecine de l'ULQ en 1891, le Dr Arthur Vallée (père) le prend sous sa tutelle. Après l'obtention de son doctorat en 1895, le Dr Rousseau étudie à Paris et, dès son retour au pays, est nommé agrégé puis directeur du laboratoire de bactériologie pratique de l'ULQ. Professeur de bactériologie de 1900 à 1904, il succédera au Dr Brochu au poste de professeur de clinique interne à l'Hôtel-Dieu de Québec puis, en 1904, deviendra titulaire de la Chaire de pathologie générale, deux postes qu'il conservera jusqu'à sa mort en 1934. Après avoir présidé en 1920 le 6e congrès de l'AMLFAN, le Dr Rousseau sera nommé doyen de la Faculté de médecine de l'Université Laval et le demeurera jusqu'en 1934. Sous son décanat seront fondés les Hôpitaux Laval et Saint-Sacrement et la Clinique Roy-Rousseau et établis, à la Faculté de médecine, les instituts de biologie, du cancer et d'anatomie pathologique ainsi qu'un service de diététique[2].

Les fondateurs montréalais

Les médecins de la région de Montréal qui occupèrent le poste de présidents de l'AMLFAN à ses débuts ont tous un profil similaire à celui des Drs Brochu, Simard et Rousseau. Dans leur domaine respectif, ils furent tous des bâtisseurs. Nous présenterons brièvement les Drs Auguste-Achille Foucher, Henri Hervieux, Joseph-Edmond Dubé et Albert Lesage.

Diplômé de l'École Victoria en 1879, le Dr Foucher fut immédiatement engagé par l'école rivale, la succursale montréalaise de l'Université Laval, à titre de professeur de théorie et de clinique d'ophtalmologie, d'otologie et de rhino-laryngologie. En 1880, il organisa le service clinique d'ophtalmologie

1. Gauvreau, *UMC*, 60, 10, octobre 1931, p. 685-692.
2. Lesage, *UMC*, 63, 2, février 1934, p. 115-126.

et d'oto-rhino-laryngologie du nouvel Hôpital Notre-Dame. Il fut également l'auteur, en 1894, d'un important *Traité pratique des maladies des yeux, des oreilles et du pharynx.*

Le Dr Foucher fut l'un des rares médecins francophones de la fin du XIXe siècle à assister régulièrement à des congrès internationaux. En 1887, il a participé ainsi au 7e Congrès international de médecine à Washington. Il fut aussi secrétaire de la section d'ophtalmologie lors du congrès de la British Medical Association de 1897 à Montréal. Enfin, il fut membre associé de la Société française d'ophtalmologie et de la Société française d'hygiène. Après avoir présidé le 2e congrès de l'AMLFAN en 1904, le Dr Foucher deviendra trésorier de la Faculté de médecine de l'ULM. Il occupera ce poste jusqu'en 1920, année de la fondation de l'Université de Montréal. Son fils, le Dr Ernest Foucher, se spécialisera lui aussi en ophtalmologie et en oto-rhino-laryngologie[3].

Dr Joseph-Edmond Dubé

Pour leur part, les Drs Henri Hervieux, Joseph-Edmond Dubé et Albert Lesage étaient trois des six médecins qui s'étaient portés acquéreurs, en 1900, de *L'Union Médicale du Canada.* Ces jeunes médecins participeront à l'ensemble des réformes que connaîtra la profession médicale québécoise pendant les premières décennies du XXe siècle.

Invité à briguer le poste de professeur de matière médicale et de thérapeutique, le Dr Henri Hervieux devient le premier professeur de l'Université de l'ULM à être choisi par concours.

Né en 1863, diplômé de l'École Victoria en 1886, le Dr Hevieux était l'aîné du groupe. Fils d'un modeste chirurgien de Saint-Jérôme, il dut aller travailler aux États-Unis pendant ses études. De plus, il fut le seul membre de sa promotion qui n'eut pas la chance d'étudier en France. Après avoir été admis à la pratique, il décide de continuer à assister aux leçons cliniques données par ses anciens professeurs à l'Hôtel-Dieu de Montréal. Ce zèle lui est profitable puisqu'il est invité, en 1895, à briguer le poste de professeur de matière médicale et de thérapeutique. Il devient alors le premier professeur de l'ULM à être choisi par concours. Après son entrée dans le Conseil de la Faculté de médecine, il recommande l'engagement des Drs Dubé, Lesage et autres jeunes médecins qui reviennent d'Europe. Médecin de l'Hôtel-Dieu de Montréal à partir de 1893 et médecin consultant à l'Hôpital Sainte-Justine de 1908 à 1913, le Dr Hervieux sera le sixième président de l'AMLFAN[4].

3. Roy, *UMC*, 61, 11, novembre 1932, p. 1203-1205.
4. *UMC*, 42, 2, février 1913, p. 63-68.

Jusqu'à sa mort en 1939, le Dr Joseph-Edmond Dubé sera le médecin le plus populaire de Montréal.

Jusqu'à sa mort en 1939, le Dr Joseph-Edmond Dubé sera le médecin le plus populaire de Montréal. Après l'obtention (avec grande distinction), en 1894, de son doctorat de médecine de l'Université Laval à Montréal, il poursuit pendant deux ans ses études en France. Il est de retour à Montréal en 1896, titulaire d'un doctorat en médecine de l'Université de Paris qui lui permet d'exercer partout en France et dans ses colonies. L'année suivante, il est nommé pathologiste à l'Hôtel-Dieu de Montréal et participe avec son collègue, le Dr Amédée Marien, à l'introduction des pratiques antiseptiques. Puis, en 1899, il est assistant à la clinique médicale de l'Hôtel-Dieu et à la Faculté de médecine de l'ULM, et fonde également une ligue contre l'alcoolisme. À sa renaissance en 1900, il est élu vice-président de la Société médicale de Montréal, puis en devient le président en 1901.

Membre actif de l'Antituberculous League à partir de 1899, il participe, en 1901, au congrès contre la tuberculose à Ottawa. Plus tard, en 1911, il est à l'origine de la fondation de l'Institut Bruchési, le dispensaire antituberculeux de Montréal. Il sera d'ailleurs, en 1913, le premier titulaire de la chaire de phtisiothérapie de l'ULM. Le Dr Dubé fut de plus un pionnier en matière d'hygiène infantile. En 1901, il mit sur pied l'œuvre de la Goutte de lait, un dépôt de lait stérilisé pour les jeunes enfants. À la fondation de l'Hôpital Sainte-Justine, en 1907, auquel il a apporté une contribution importante, il est nommé président du bureau médical de cet hôpital. Il fondera également, en 1934, la Société de gastro-entérologie. En 1922, le Dr Dubé présidera le 7e congrès de l'AMLFAN[5]. Son neveu, le Dr Edmond Dubé, sera doyen de la Faculté de médecine de l'Université de Montréal de 1944 à 1950.

Si le nom de Joseph-Edmond Dubé est synonyme d'action et d'engagement, c'est par sa plume que se fera surtout connaître Albert Lesage[6]. Pendant 44 ans en effet, de 1900 à 1944, le Dr Lesage sera rédacteur en chef de *L'UMC*. Les années d'étude de ce fils et frère de médecins, et députés fédéraux, furent assez mouvementées. Natif de Saint-Raymond dans le comté de Dorchester, le Dr Lesage s'est d'abord inscrit en médecine à Québec. Après un an d'étude, il quitte toutefois la Faculté de médecine de l'Université Laval de Québec pour celle de Montréal, après que le recteur eut exigé que les étudiants qui

5. Lesage, *UMC*, 68, 12, décembre 1939, p. 1277-1284 ; Benoit, *UMC*, 68, 12, 1939, p. 1285-1286.
6. Amyot, *UMC*, 83, 12, décembre 1954, p. 1343-1348.

Si le nom de Joseph-Edmond Dubé est synonyme d'action, c'est par sa plume que se fera connaître Albert Lesage, qui sera rédacteur en chef de L'Union Médicale du Canada *durant 44 ans.*

venaient de la campagne résident au pensionnat de l'Université[7]. Obtenant ensuite avec grande distinction le titre de docteur en médecine à l'ULM en 1894, le Dr Lesage est aussitôt nommé interne à l'Hôpital Notre-Dame. Il met cependant fin à son internat sans préavis pour aller étudier deux ans à Paris.

Ses frasques de jeunesse n'ont toutefois pas nui à la carrière du Dr Lesage car, à son retour au pays en 1897, il est immédiatement nommé médecin à Notre-Dame, où il sera, une quinzaine d'années, président du Conseil médical. Assistant à la clinique interne de la Faculté de médecine de l'ULM en 1899, il est nommé professeur agrégé en 1901. Il sera ensuite, de 1910 à 1925, professeur titulaire de pathologie médicale et, de 1920 à 1939, titulaire de la clinique médicale de l'Hôpital Notre-Dame. Membre de la direction de la Faculté de médecine de l'Université de Montréal à partir de 1930, il sera doyen de 1939 à 1944. Le Dr Lesage fut également président de la SMM en 1908 et membre fondateur en 1929, puis vice-président en 1939 du Collège royal des médecins et des chirurgiens du Canada. Secrétaire de l'AMLFAN lors de ses deux premiers congrès, le Dr Lesage sera président de l'Association de 1924 à 1926.

Les médecins des régions

Le tableau serait incomplet sans la présentation de trois médecins qui exerçaient hors des deux grands centres universitaires, les Drs Louis-Philippe Normand, Pantaléon Pelletier et Charles-Nuna de Blois.

Docteur en médecine de l'ULM en 1886, le Dr Normand[8] visite les hôpitaux de Londres et de Paris et fait un stage à la Polyclinique de Chicago. À la fondation en 1901, il devient premier président de l'Association médicale du district de Trois-Rivières. Le Dr Normand a été également gouverneur au CMCPQ à partir de 1895.

Un an à peine après avoir présidé le 3e congrès de l'AMLFAN en 1906, le Dr Normand sera élu président du CMCPQ, poste qu'il occupera jusqu'en 1914. Sous sa direction, le CMCPQ adoptera en 1909 un règlement qui rendra obligatoire le cursus médical de cinq ans. De plus, le français deviendra

7. Lesage, *UMC*, 75, 2, février 1946, p. 198. Une vingtaine d'étudiants avaient quitté l'Université Laval pour la même raison durant l'année 1890-1891.
8. Gauvreau, *UMC*, 57, 8, août 1928, p. 494-503.

la seule langue utilisée lors des réunions du Collège des médecins[9]. Le Dr Normand sera aussi maire de Trois-Rivières de 1908 à 1913.

Quand eut lieu le 5e congrès de l'AMLFAN à Sherbrooke, en 1910, le Dr Pantaléon Pelletier était la personne toute désignée pour le présider. Chirurgien à l'Hôpital Sacré-Cœur, coroner du district de Saint-François depuis 1889, membre du Conseil d'hygiène de la province de Québec à partir de 1893, ancien président de l'Association médicale du district de Saint-François, le Dr Pelletier était aussi député provincial depuis 1900 et président de l'Assemblée législative (ancien nom de l'Assemblée nationale) à partir de 1909. Après le congrès de Sherbrooke, le Dr Pelletier sera promu, en 1911, agent général du Québec à Londres, fonction qu'il occupera jusqu'à sa mort en 1924[10].

Lorsqu'en 1940, la ville de Trois-Rivières accueillera le 16e congrès de l'AMLFAN, le choix du président se portera sur l'un des derniers survivants de la génération des fondateurs : le Dr Charles-Nuna de Blois. Ce docteur en médecine de l'ULQ en 1892 est surtout connu pour l'établissement qu'il fonda, le Sanatorium de Blois. Cette maison de santé s'adressait aux personnes fortunées qui souffraient de toxicomanie, de maladies du système nerveux et d'affections chroniques[11]. Pour se spécialiser dans le traitement des maladies nerveuses, le Dr de Blois avait fait des études à Paris, à New York et en Allemagne. Dès 1906, il fut secrétaire canadien des congrès internationaux d'électrologie et de radiologie médicale. Il fut l'inventeur d'un appareil de production d'ozone pour le traitement de l'anémie qui fut présenté en 1908 à l'Académie de médecine de Paris. À son décès en 1952, le Dr de Blois était le doyen des médecins québécois et, malgré son âge vénérable de 85 ans, toujours actif[12].

Fondateurs d'hôpitaux, doyens de faculté, âmes dirigeantes de revues et de sociétés médicales, actifs au sein du CMCPQ ou en politique, les fondateurs de l'AMLFAN ont tous marqué, chacun à sa façon, l'histoire de la médecine et de la santé au Québec.

Il nous a paru essentiel de souligner le profil commun des principaux fondateurs de l'AMLFC. À l'image du Dr Brochu, ses successeurs à la présidence de l'Association furent tous des bâtisseurs. Fondateurs d'hôpitaux, doyens de faculté, âmes dirigeantes de revues et de sociétés médicales, actifs au sein du CMCPQ ou en politique, les fondateurs de l'AMLFAN ont tous marqué, chacun à sa façon, l'histoire de la médecine et de la santé au Québec.

9. Goulet (1993), p. 72-74.
10. *Dictionnaire des parlementaires du Québec, 1792-1992*, 1992, p. 589.
11. Goulet et Paradis (1992), p. 126.
12. Lesage, *UMC*, 81, 11, novembre 1952, p. 1265-1268.

CHAPITRE 10

LE PREMIER CONGRÈS DE L'AMLFAN (QUÉBEC, 25-27 JUIN 1902)

De janvier à juin 1902, les fondateurs de l'Association se consacrèrent aux préparatifs du premier congrès. Nomination des dirigeants, adoption des règlements, appel aux médecins francophones pour la présentation de communications, les tâches ne manquaient pas.

Les derniers préparatifs

De janvier à juin 1902, les fondateurs de l'Association se consacrèrent aux préparatifs du premier congrès: nomination des dirigeants, adoption des règlements, appel de communications…

Au début de l'année 1902, *L'Union Médicale du Canada* invite toutes les sociétés médicales de district à se regrouper autour de l'AMLFAN. *L'UMC* indique que le moment est venu «de centraliser, une fois l'an si possible, ces forces éparses ici et là et de créer une organisation permanente qui fasse honneur à la profession médicale française[1]».

Le 6 mars, tous les médecins francophones de Montréal sont convoqués à une rencontre avec la délégation de Québec à l'ULM. Le Dr Brochu expose alors l'organisation qu'il projette pour le congrès de Québec. Elle serait formée de quatre sections (médecine; chirurgie et spécialités; gynécologie, obstétrique et pédiatrie; hygiène et intérêts professionnels) qui siégeraient à tour de rôle. Cela permettrait à tous les médecins, qu'ils soient spécialisés ou non, de suivre l'ensemble des discussions et d'acquérir des connaissances dans tous les domaines de l'art médical.

Au chapitre de l'organisation interne, il propose qu'il y ait un président général, trois vice-présidents (qui représenteraient respectivement le Québec, l'Ontario et les États-Unis), des présidents d'honneur (qui viendraient des facultés de médecine ayant adhéré au principe de l'Association), deux secrétaires généraux et deux trésoriers, un pour le district de Québec, l'autre pour celui de Montréal.

1. *UMC*, 31, 1, janvier 1902, p. 6.

Les deux premiers secrétaires sont tous deux de futurs présidents de l'AMLFAN: les Drs Arthur Simard et Albert Lesage. À titre de trésorier pour le district de Québec est élu le Dr Albert Marois, diplômé de l'Université Laval à Québec qui a fait des études en neurologie à Paris en 1885. Depuis, il est l'assistant du surintendant médical à l'Asile Saint-Michel-Archange. Il est également chirurgien à l'Hôtel-Dieu de Québec et professeur de toxicologie et de médecine légale à l'Université Laval[2]. Au poste de trésorier pour le district de Montréal est élu un ancien de l'École Victoria, le Dr Vitalien Cléroux[3]. Les trois premiers vice-présidents de l'AMLFAN sont les Drs Emmanuel-Persillier Lachapelle, Léandre Coyteux Prévost et Jules Lactance Archambault. Le Dr Prévost est un diplômé de l'École Victoria (1874). Au cours de ses études, il s'était enrôlé (en 1872) comme zouave pontifical avec les Drs Séverin Lachapelle, Norbert Fafard et Elzéar Berthelot[4]. Depuis 1882, il est médecin à l'Hôpital général d'Ottawa. Ancien licencié de l'ULQ (1870), le Dr Archambault exerce pour sa part depuis de nombreuses années à Cohoes, dans l'État de New York. En 1898, il a été président de la Société médicale du comté d'Albany[5]. Le premier congrès de l'histoire de l'AMLFAN sera sous la présidence d'honneur des doyens des quatre facultés de médecine québécoises.

Le premier congrès de l'histoire de l'AMLFAN sera sous la présidence d'honneur des doyens des quatre facultés de médecine québécoises.

Enfin, l'assemblée élit naturellement, au titre de président de l'AMLFAN, l'initiateur du projet, le Dr Michel-Delphis Brochu. Selon le nouveau président, la future association, par ses congrès, regroupera en un seul centre d'action les énergies des médecins francophones. La seule condition imposée pour les travaux et les discussions sera l'usage exclusif de la langue française. Les premiers congrès serviront à la diffusion et à la vulgarisation des connaissances nouvelles et à la discussion sur les grandes questions d'actualité. Ils auront pour objectif accessoire de favoriser la création de sociétés médicales dans les divers districts francophones d'Amérique du Nord, dans le but de mettre fin à l'isolement du médecin de campagne et permettre la poursuite des discussions entre chaque congrès.

2. E. Desjardins, *UMC*, 107, 1, janvier 1978, p. 115-116.
3. Médecin de l'Hôtel-Dieu de Montréal, le Dr Cléroux a été l'un des premiers à participer aux activités du Comité d'études médicales. Depuis 1886, il est membre associé de la Société française d'hygiène.
4. E. Desjardins, *UMC*, 98, 10, octobre 1969, p. 1728.
5. *UMC*, 27, 8, août 1898, p. 528.

Un représentant des onze sociétés médicales de la province de Québec est en outre invité à faire partie du premier bureau de direction. Plusieurs de ces premiers représentants assisteront régulièrement aux premiers congrès de l'AMLFAN. C'est le cas des Drs Séraphin Gauthier de Saint-Guillaume d'Upton et Joseph-François Langlais de Trois-Pistoles. Par ailleurs, vingt-cinq médecins s'impliquent à titre individuel dans l'organisation du premier congrès. Parmi ceux-ci, treize exercent aux États-Unis, dont l'un, le Dr Thomas Laliberté du Minnesota. Quatre autres médecins œuvrent pour leur part dans les provinces maritimes[6].

Le 8 avril 1902 sont nommés les dirigeants des diverses sections qui composeront le premier congrès: le Dr Michaël Joseph Ahern présidera la section consacrée à la chirurgie et à ses spécialités; en tant que président du CMCPQ et du Service d'hygiène de la province de Québec, le Dr Lachapelle hérite naturellement de la section qui portera sur l'hygiène et les questions d'intérêt professionnel; le Dr Coyteux Prévost dirigera les travaux de gynécologie, d'obstétrique et de pédiatrie; la section médicale sera animée par le Dr Louis-Avila Demers, professeur de l'École Victoria puis à l'Université Laval à Montréal et président de la Société médicale de Montréal en 1901. Trois vice-présidents et deux secrétaires sont également élus pour chacune des sections. En ajoutant à tous ces dirigeants les membres du bureau de direction et la vingtaine de médecins de la région de Québec œuvrant dans les divers comités d'organisation, près d'une centaine de médecins sont donc engagés directement, à des titres divers, dans l'organisation du premier congrès de l'AMLFAN.

Près d'une centaine de médecins sont engagés directement, à des titres divers, dans l'organisation du premier congrès de l'AMLFAN.

Par la suite, les comités de sections organisent leur propre programme de travaux. Les communications doivent être remises à l'un des secrétaires ou, s'ils proviennent du reste du Canada ou des États-Unis, à l'un des deux vice-présidents résidant hors du Québec, au plus tard le 30 mai. Les communications remises plus tard seront présentées à la fin de l'ordre du jour. En tout, près de cent projets de communications sont acheminés, ce qui témoigne de l'intérêt porté au premier congrès de l'AMLFAN. Un jeune chirurgien de l'Hôtel-Dieu de Montréal, le Dr Eugène Saint-Jacques présente à lui seul trois titres pour le congrès de Québec.

6. Il s'agit des Drs Lucien Béliveau de Shédiac, François-Xavier Comeau de Caraquet et Fidèle Gaudet de Saint-Joseph, tous trois du Nouveau-Brunswick, et du Dr Aimé Leblanc d'Arichat en Nouvelle-Écosse.

En tout, près de cent projets de communications sont acheminés, ce qui témoigne de l'intérêt porté au premier congrès de l'AMLFAN.

Les frais d'inscription au congrès seront de 3 $, ce qui équivaut alors au prix d'une chambre d'hôtel. Ces frais permettent au congressiste de prendre part à tous les travaux, de présenter des communications, d'intervenir pendant les discussions, de voter et de recevoir les comptes rendus du congrès. Seuls les membres participent aux activités scientifiques du congrès ; leurs conjointes peuvent assister aux festivités.

Rassemblement, festivités et discours : le congrès de fondation de l'AMLFAN à Québec

Se déroulant du 25 au 27 juin 1902 à Québec, le premier congrès de l'AMLFAN conclut en fait une semaine de patriotisme. Dès le 22 juin, en effet, la Vieille Capitale est le théâtre de processions, de concerts, de spectacles et de banquets commémorant le 60e anniversaire de la Société Saint-Jean-Baptiste de Québec puis le cinquantenaire de l'Université Laval, une institution qui a déjà formé 675 médecins depuis sa fondation.

Selon l'*UMC*, 450 médecins se sont inscrits pour le congrès de Québec. À son ouverture, le 25 juin, plus de 300 médecins sont présents, dont près de 85 % exercent dans la province de Québec. Le congrès débute par un hommage du Dr Brochu à l'Université Laval, où auront lieu les travaux scientifiques. Selon le président, celle-ci « a donné à notre jeune peuple, un peu perdu au milieu des races différentes, l'arme si puissante et si nécessaire à la protection comme au maintien de son individualité : la haute culture intellectuelle. Elle a été, en un mot, le plus solide rempart de notre nationalité[7] ». Puis le Dr Brochu cède la parole au recteur de l'Université Laval, Mgr O. Matthieu.

Dans un long discours, le ministre québécois de l'Instruction publique, Adélard Turgeon, demande : « si ce siècle qui vient de finir [...] doit porter le nom d'un homme, n'a-t-on pas dit qu'il serait le siècle de Pasteur[8] » ? Ses découvertes ont déjà sauvé des millions de personnes et en sauveront encore plus dans l'avenir, « au fur et à mesure que seront mieux connues et plus habilement pratiquées ses merveilleuses méthodes préventives et curatives[9] ». Le ministre Turgeon s'attarde surtout à l'importance de ces

7. *1er congrès de l'Association des Médecins de l'Amérique du Nord*, Québec, J.C.K. Laflamme, 1903, XLIV-XLIV.
8. *Le Soleil*, mercredi 25 juin 1902, p. 2.
9. *Ibid.*

progrès dans la lutte contre la mortalité infantile: «Par l'obstétrique, ce sont des millions de mères que l'on conserve à leur enfant, par le sérum, ce sont des millions d'enfants qu'il laisse aux bras des mères[10].» En conclusion, il précise qu'en se regroupant les médecins de langue française du continent américain ne visent qu'à se défendre «des tentatives d'envahissement, des projets d'unification qui se font jour maintenant, comme à toute époque de notre histoire nationale[11]». Outre le représentant du gouvernement provincial, plusieurs autres dignitaires assistent au premier congrès de l'AMLFAN. La France est ainsi représentée par son consul, le représentant de l'Alliance française et un délégué de l'Université de Paris.

Selon le président, la tenue du congrès en alternance dans les grands centres francophones du continent permettra aux médecins de la grande famille franco-américaine de fraterniser et de mettre en commun leurs recherches et leurs travaux.

Dans son discours d'ouverture, le Dr Brochu remercie d'abord les représentants de la médecine française et de la profession médicale anglophone de la province de Québec qui ont appuyé la création de l'AMLFAN: «Leur présence servira, sans doute, à resserrer les liens qui nous unissent déjà à la grande école française, et à l'école anglaise de cette province, avec laquelle nous aimons à conserver les relations de la meilleure courtoisie[12].» Selon le président, les congrès de l'AMLFAN contribueront «à détruire cet esprit d'individualisme dans lequel se confine trop souvent le médecin praticien et qui est aussi funeste à son avancement et au perfectionnement de son éducation que contraire au prestige et à l'influence de notre profession[13]». Les congrès se tiendront alternativement dans les principaux centres francophones du continent, ce qui donnera l'occasion aux médecins des différents groupes de la grande famille franco-américaine de fraterniser et de tirer profit de la mise en commun de leurs recherches et de leurs travaux. De tels rassemblements sont des plus désirables pour l'avancement de la profession médicale francophone en raison du caractère mixte des pays qu'habitent leurs participants.

Le premier président est bien sûr conscient des lacunes et des difficultés que doit surmonter la profession médicale franco-américaine:

> Nous avions à nous rappeler que nous ne sommes tous, pour ainsi dire, assimilés qu'au rôle de praticiens; qu'il n'existe pas dans nos milieux d'enseignement ou dans nos services hospitaliers de carrières ouvertes qui permettraient à des hommes spécialement doués de se consacrer exclusivement à

10. *Ibid.*
11. *Ibid.*
12. *1er congrès…*, LVII.
13. *UMC*, 31, 1902, p. 462.

> des études expérimentales, à ces recherches ou à ces travaux de laboratoires d'où découlent les progrès les plus marquants dans les sciences[14].

La médecine francophone doit également tenir compte du faible appui des autorités publiques et des ressources limitées mises à la disposition de l'éducation et de la santé. Malgré ces obstacles, la profession médicale connaît, depuis quelques années, d'importants progrès: fondation et prolifération de journaux médicaux, création de sociétés médicales, réorganisation et perfectionnement de l'enseignement pratique et hospitalier de la médecine.

Par ses congrès, l'AMLFAN hâtera les progrès et les perfectionnements, et permettra à l'ensemble des praticiens de se mettre à jour.

Par ses congrès, l'AMLFAN hâtera la réalisation des progrès et des perfectionnements. En attendant la rédaction de communications qui feront date dans le monde scientifique et assureront «à notre profession médicale française le respect et l'appréciation de tous[15]», les congrès de l'AMLFAN permettront à l'ensemble des praticiens de se mettre à jour. Les travaux scientifiques de l'AMLFAN représenteront, «pour ainsi dire, la synthèse des progrès les plus récents dans la science et l'art de la médecine[16]». L'œuvre de diffusion et de vulgarisation s'exprimera également par des expositions. Le président indique que des produits pharmaceutiques, des instruments chirurgicaux et des livres médicaux sont exposés à la Faculté de médecine. Une séance de cinéma, autre innovation récente, est aussi offerte aux congressistes.

Dans l'après-midi du 25 débutent les travaux scientifiques, qui suscitent la présence constante de plus de 200 médecins. En tout, 80 communications sont au programme. La médecine proprement dite fait l'objet de 26 travaux. Dix-neuf communications portent sur la chirurgie et huit, sur les spécialités chirurgicales, c'est-à-dire l'ophtalmologie et l'oto-rhino-laryngologie. L'obstétrique, la gynécologie et la pédiatrie sont l'objet de quatorze communications alors que huit travaux portent sur l'hygiène et cinq, sur des questions d'intérêt professionnel.

Le temps alloué à chaque communication est de dix minutes, suivi de cinq minutes de discussion et d'un autre cinq minutes pendant lesquelles le conférencier peut répliquer. Il est cependant prévu que le président de la section peut accorder plus de temps si la discussion le mérite. Cette

14. *1er congrès...*, LIX-LX.
15. *Ibid.*, LIX.
16. *Ibid.*, LXI.

À peine la moitié des travaux sont présentés, malgré qu'on ait finalement divisé ce congrès en deux groupes siégeant en même temps.

prérogative a certainement été utilisée puisque à peine la moitié des travaux sont présentés, malgré qu'on ait finalement divisé le congrès en deux groupes siégeant en même temps.

Quelques communications se démarquent par leur pertinence et leur actualité. En chirurgie, le Dr Albert Marois présente la technique de la «rachi-cocaïnisation», ancêtre de la rachianesthésie[17]. Le Dr Ahern, son collègue à l'Hôtel-Dieu de Québec, a été le premier à utiliser ce procédé au Canada, en 1900, quelques mois à peine après que Martin Théodore Tuffier, chirurgien de Paris, l'eut mis au point.

Le Dr Fernand Monod expose pour sa part les indications et contre-indications de l'intervention chirurgicale dans le traitement de l'appendicite aiguë[18], un sujet dont il a suivi toutes les discussions à la Société de chirurgie de Paris et à l'Académie de médecine. Présentant les arguments respectifs des «interventionnistes» et des «abstentionnistes», il indique que seule une publication intégrale des statistiques permettra de trancher en faveur de l'un des deux camps. Selon ce chirurgien, l'opération doit être idéalement pratiquée 12 à 48 heures après la crise, afin d'éviter que l'appendicite dégénère en péritonite. Cependant, les complications sont moins à redouter dans la mesure où un traitement médical, dont l'opium, l'application de glace sur le ventre et une diète sévère, est rigoureusement établi dès le début de la crise. Au même moment, le futur roi Édouard VII se remet d'une opération pour une péritonite, ce qui rend cette communication très actuelle.

En ophtalmologie, le Dr Rodolphe Boulet présente le «traitement chirurgical de la kératite en bandelette[19]». Il souligne que la chirurgie traite beaucoup plus rapidement que le traitement médical ces cas d'inflammation de la

---

17. «Analgésie chirurgicale et obstétricale par injection sous-arachnoïdienne lombaire de cocaïne», *1er congrès...*, p. 264-271.
18. *1er congrès...*, p. 281-293.
19. *1er congrès...*, p. 421-426. Après avoir terminé avec distinction ses études de médecine à l'ULM en 1890, le Dr Boulet a étudié l'oto-rhino-laryngologie et l'ophtalmologie à Paris, à Vienne, à Berlin et à New York. À son retour à Montréal, il a œuvré à l'Institut ophtalmique, fondé par le Dr Louis-Édouard Desjardins. Depuis 1901, il est ophtalmologiste et laryngologiste à l'Hôtel-Dieu de Montréal et suppléant au cours et à la clinique d'ophtalmologie et d'oto-rhino-laryngologie. Il sera aussi président de la Société médicale de Montréal en 1902 et en 1907 et membre correspondant de la Société d'oto-rhino-laryngologie de France et de l'American College of Surgeons. Gouverneur au CMCPQ depuis 1901, il en sera le vice-président en 1914, puis le président de 1918 à 1926. Il deviendra le premier spécialiste à occuper un tel poste. En 1930, pris de nostalgie, il s'exilera en Europe. Il est décédé à Pangins, en Suisse. Lesage, *UMC*, 64, 1935, p. 113.

cornée. Le Dr Foucher décrit pour sa part l'évolution qu'ont connue, depuis cent ans, le diagnostic et le traitement de l'ulcère à hypopion[20].

Plusieurs communications se consacrent à la tuberculose, une maladie qui cause alors plus de ravages dans la population que toutes les autres maladies contagieuses réunies. Ainsi, le Dr Arsène Mesnard, de l'Hôpital international Péan de Paris, présente «le traitement de la toux, de l'insomnie et des sueurs nocturnes chez le tuberculeux[21]». Le Dr Daniel-E. Lecavalier de Montréal signale que l'ouverture de sanatoriums populaires près des grandes villes, l'assistance à la famille et la création de dispensaires antituberculeux seraient «nos meilleures armes pour lutter contre la tuberculose[22]». Le Dr Pantaléon Pelletier indique que l'ignorance, le manque d'air et de lumière, la malpropreté, la malnutrition et surtout l'abus de boissons alcooliques sont autant de facteurs qui facilitent la prolifération de la maladie. Il dit cependant craindre que la campagne menée par les médecins contre la tuberculose provoque «une véritable microphobie qui, faisant traiter les tuberculeux à l'égal des pestiférés, déterminera les patrons, chefs d'industries, directeurs de collectivités, à les bannir de leurs ateliers[23]». Le Dr Gaudiose Paradis, de Montmagny, rappelle pour sa part que le bacille de Koch se transmet également à l'homme par les animaux domestiques. De plus, les lieux publics (églises, écoles, théâtres, etc.) sont d'excellents foyers de contagion[24].

Plusieurs communications se consacrent à la tuberculose, une maladie qui cause alors plus de ravages dans la population que toutes les autres maladies contagieuses réunies.

En médecine, le Dr Charles Achille Daigle[25] livre un exposé sur les «troubles et maladies de la nutrition» au cours duquel il décrit les principaux procédés d'exploration (analyse de l'urine, hématosprectoscopie, hématimétrie et chronométrie). Le Dr Charles-Narcisse Valin présente pour sa part deux cas de lèpre nerveuse, observés à l'Hôpital Notre-Dame, qui permettaient de contredire deux opinions très répandues chez les médecins, soit l'incurabilité de la lèpre et la non-contagion de la lèpre nerveuse. Il invite les médecins à être vigilants face à la possibilité de la formation, au pays, d'un foyer

20. «L'ulcère à hypopion à cent ans d'intervalle», *1er congrès...*, p. 395-408.
21. *1er congrès...*, p. 169-175.
22. *1er congrès...*, p. 207-234.
23. «De la défense de la tuberculose», *1er congrès...*, p. 527.
24. «Enseignons aux nôtres comment combattre la tuberculose», *1er congrès...*, p. 547-563.
25. *1er congrès...*, p. 118-139. Médecin à l'Hôtel-Dieu de Montréal et pathologiste à la Maternité et à la Crèche de la Miséricorde, le Dr Daigle est démonstrateur en anatomie depuis 1901 à l'ULM.

Selon le Dr Joyal, ce qui distingue une théorie vraie d'une autre erronée est que la première permet de prévoir des faits nouveaux.

lépreux dans la population immigrante[26]. Le Dr Brochu livre deux communications, l'une sur l'insuffisance rénale[27], et la seconde sur «l'étude du pronostic et du traitement des hémiplégiques[28]». Une communication du Dr Achille Joyal de Montréal a pour objet la «précision et certitude en médecine[29]». Selon lui, ce qui distingue une théorie vraie d'une autre erronée est que la première permet de prévoir des faits nouveaux. À titre d'exemple, la théorie microbienne a donné des résultats pratiques pour la chirurgie, la pathologie et la thérapeutique.

Dans une autre section, le Dr Elphège Adalbert René de Cotret, professeur d'obstétrique et de cliniques obstétricales à l'ULM, décrit l'action du «veratrum viride dans le traitement de l'éclampsie puerpérale[30]», médicament spécifique de cette affection qu'il utilise depuis 1898. Le Dr Albert Laurendeau, de Saint-Gabriel de Brandon, décrit la manière dont le médecin de campagne peut pratiquer une césarienne au domicile de la patiente dans des conditions hygiéniques acceptables[31]. Entre la vie de l'enfant et celle de la mère, le médecin doit privilégier la survie du premier s'il est bien constitué. Si, au contraire, la cause de l'accouchement difficile réside dans l'enfant et que celui-ci soit condamné à l'imbécillité ou à des infirmités, le Dr Laurendeau dit recourir alors à la craniotomie plutôt qu'à la césarienne. Il affirme: «Ici encore, ma conscience n'hésite pas, il m'en coûte peu de sacrifier ce petit être malformé pour conserver la mère à sa famille et à la société[32].» Dans un autre exposé, le Dr Séraphin Boucher, de Montréal, dresse un bilan de la première année de l'œuvre de la Goutte de lait, un dépôt de distribution de lait stérilisé qui a fortement contribué à réduire la mortalité des nouveau-nés[33].

Dans la section consacrée à l'hygiène et aux intérêts professionnels, le Dr Vitalien Cléroux résume un rapport intitulé «Contributions à l'étude de l'enseignement médical[34]». Un ancien membre du conseil provincial

26. *1er congrès...*, p. 176-206.
27. *1er congrès...*, p. 1-39.
28. Celle-ci est absente du compte rendu du 1er congrès.
29. *1er congrès...*, p. 145-152.
30. *1er congrès...*, p. 346-366.
31. «Sur l'opération césarienne», *1er congrès...*, p. 369-380.
32. *1er congrès...*, p. 380.
33. *1er congrès...*, p. 564-568.
34. *1er congrès...*, p. 571-576. En plus du Dr Cléroux, les Drs Brochu, Louis-Daniel Mignault, Arthur et Louis-Joseph-Alfred Simard, Avila Demers, Albert Marois, Charles-Narcisse Valin et Joseph-Edmond Dubé ont collaboré à la rédaction de ce rapport.

Le Dr Joseph Isaïe Desroches suggère que l'hygiène soit enseignée dès le primaire dans les écoles et que son enseignement dans les facultés de médecine soit complété par une clinique des maladies contagieuses et épidémiques.

d'hygiène, le Dr Joseph Isaïe Desroches de Montréal, lance un plaidoyer pour que cesse «notre apathie pour l'hygiène[35]». Il suggère que cette discipline se propage à l'intérieur de la population, qu'elle soit enseignée dès le primaire dans les écoles et que, dans les facultés de médecine, son enseignement soit complété par une clinique des maladies contagieuses et épidémiques. Un médecin d'origine française chargé de l'inspection médicale de l'île Anticosti, le Dr Joseph Schmidt décrit les particularités climatiques et épidémiologiques de cette île du golfe du Saint-Laurent. Selon lui, le climat de l'île est particulièrement sain et très favorable aux gens qui suivent les règles simples de l'hygiène mais peut être dangereux pour les tuberculeux[36].

Dans la soirée du 26 juin, les membres du congrès sont invités à un banquet au Château Frontenac. Prennent place à la table d'honneur, à la droite du président, le consul de France, le recteur de l'Université Laval, le doyen de la Faculté de médecine, le représentant du gouvernement fédéral, le Dr William Hingston, l'abbé Gustave Bourassa de Montréal, le coroner du district de Québec, etc. À sa gauche se retrouvent le vice-consul des États-Unis, le député provincial de Gaspé, le représentant de l'Université de Paris, le délégué de la ville de Québec et les dirigeants de l'AMLFAN. Après un repas «digne du Château Frontenac[37]», servi avec ponctualité pendant que s'exécute un orchestre de grande classe, le Dr Brochu propose un premier toast à la santé du futur roi Édouard VII. Ce toast est aussitôt suivi de l'exécution du «God Save the King». Se succèdent ensuite une série d'hommages à la France, aux États-Unis, au Canada, à la province de Québec, à la ville de Québec, à l'Université Laval, «à nos hôtes», à l'Association, aux sociétés médicales, à la presse médicale, aux dames et à la presse.

Dans son discours «à la santé de la France», le Dr Arthur Simard déclare que le rôle du Canadien français est de maintenir, de diffuser et d'augmenter l'influence de l'esprit français en Amérique du Nord. Le médecin canadien-français «est devenu le représentant de la science médicale française en Amérique[38]». Le toast à la province de Québec est porté par «un fils absent, mais non pas perdu[39]», le Dr Armand Bédard, de Lynn au Massachusetts, qui

35. *1er congrès...*, p. 511-516.
36. «Géographie médicale», *1er congrès...*, p. 536-546.
37. *L'Événement*, 27 juin 1902.
38. *1er congrès...*, LXVIII.
39. *Ibid.*, LXXVII.

décrit avec émotion son retour à la mère partie. Il souligne que, par un revirement de l'histoire, la seule partie du continent nord-américain colonisé à l'origine par les Anglais, soit l'Est américain, est devenue le théâtre de la migration des Canadiens français. « Il y a des villes considérables, décrit-il, où la majorité est canadienne, où l'on parle français, comme dans les rues de Québec, où le sentiment patriotique est d'une intensité extraordinaire[40]. »

Le Dr Georges Boucher, de Brockton au Massachusetts, lit quelques vers de sa composition.

Immédiatement après, le Dr Georges Boucher, de Brockton au Massachusetts, lit quelques vers de sa composition :

Lorsque l'aigle, féconde extase,
Sent tressaillir en lui l'amour,
Et que de l'ardeur qui l'embrase
Un jeune aigle va naître un jour,
Fier, il n'a qu'une inquiétude :
Trouver sur des bords qu'on élude
Une terrible solitude
Pour le fruit de sa volupté ;
Car si l'aigle, noble père, aime,
Il a surtout, instinct suprême,
Souvent plus que l'homme lui-même,
Le sens vrai de sa dignité.

Or, déployant son aile immense,
L'aigle s'élève dans les airs,
Et là, pendant qu'il se balance,
Scrutant du regard les déserts,
S'il voit sur de lointains rivages
Resplendir parmi les nuages
Un pic atteint des seuls orages,
Que nul être n'ose approcher,
Lui, sur cette cime élevée,
Au roi de l'éther réservée,
Vole déposer sa couvée
Au faîte même du rocher ;
Afin qu'en ouvrant la paupière,
Et bien avant que son essor
Ne lui révèle sa carrière,
L'aiglon puisse entrevoir son sort,
Et comprendre, intime mystère,
Que si son nid est de la terre,
Lui naquit pour une autre sphère
Plus ample et toute de clarté ;
Et pour que l'horrible éminence
Inspire au fils, dès sa naissance,

Le sentiment de sa puissance
Et l'orgueil de sa royauté.

Ainsi, la France, notre mère,
À peine a-t-elle au sein des eaux
Vu jaillir un autre hémisphère,
Qu'elle accourt vers ces bords nouveaux ;
Et jugeant quelle providence
Serait pour ces lieux une France
Elle enfante dans la souffrance
Ce peuple où revit sa fierté ;
Et, pour que son empire dure ;
Donne à cette France future
Ce boulevard de la nature
Sûr gage d'immortalité[41].

---

40. *Ibid.*, LXXIV.
41. Georges-A. Boucher, *Chants du Nouveau Monde*, Québec, Quartier latin, 1952, p. 94-95.

Premier congrès de l'Association des médecins de langue française de l'Amérique du Nord à Québec en 1902.

Il s'agissait des « Strophes de l'Aigle », que l'on retrouve plus tard dans son *Ode à Québec*[42].

Basée sur une communauté d'intérêts, la nouvelle Association, selon le Dr Brochu, se distinguera des autres par la langue qu'elle utilisera lors de ses travaux, un langage commun qui permettra de penser et d'agir de façon similaire.

En réponse à l'hommage à l'AMLFAN, le Dr Brochu réplique que l'accueil enthousiaste des convives à ce toast prouve que la nouvelle Association « avait conquis d'avance toutes vos sympathies et vos plus ferventes adhésions[43] ». Pour sa part, il s'est limité à être « le porte-drapeau d'une idée qui était le partage de tous ceux de mes confrères qui ont le plus à cœur le prestige et l'avancement de notre profession[44] ». L'AMLFAN n'aurait pas pu se constituer sans l'appui des membres des comités de Québec et de Montréal et des diverses sociétés médicales. Basée sur une communauté d'intérêts, la nouvelle Association se distinguera des autres par la langue qu'elle utilisera lors de ses travaux, ce qui lui donnera « je ne sais quels liens plus étroits et plus intimes[45] ». Le langage commun permettra en effet de penser et d'agir de façon similaire. Il souhaite, enfin, que l'AMLFAN devienne le drapeau à partir duquel « rayonnera la science médicale française sur toutes les parties de ce continent ; et nous devons nourrir l'ambition qu'elle reste dans l'avenir le centre vers lequel graviteront tous les groupes français de l'Amérique du Nord[46] ».

---

42. Après l'écoute de ces strophes, l'écrivain Edmond de Nevers demandera au Dr Boucher de « jurer fidélité aux Muses », *Ibid.*, p. 12-13.
43. *1er congrès…*, LXXXVIII.
44. *Ibid.*, LXXXIX.
45. *Ibid.*, XC.
46. *Ibid.*, XCII.

À la clôture de l'événement, il est décidé que Montréal sera le lieu du prochain congrès de l'AMLFAN. Celui-ci coïncidera avec le 25e anniversaire de la succursale montréalaise de l'Université Laval. Le Dr Foucher est élu président, le Dr Lesage demeure secrétaire général, alors qu'au poste de trésorier général est élu le Dr Séraphin Boucher[47]. Le Dr Ahern est nommé premier vice-président. Il sera assisté d'un ancien de l'École de Victoria qui pratique depuis près de 30 ans à Putnan, dans le Connecticut, le Dr Omer Larue. Ce dernier a longtemps été président de la Société Saint-Jean-Baptiste de cette ville de la Nouvelle-Angleterre et trésorier de la Société historique franco-américaine. En 1885, il a organisé le premier congrès des Canadiens du Connecticut. Par ailleurs, il a participé à plusieurs campagnes présidentielles en faveur du parti démocrate.

Lors du discours de clôture, le Dr Brochu félicite le nouveau président, à qui «l'estime et la confiance de toute la profession médicale sont acquises et dont le prestige est le mieux établi non seulement par une très grande popularité dans la clientèle mais aussi par des écrits et des travaux didactiques qui font honneur à notre littérature[48]». Il conclut que le premier congrès de l'AMLFAN a permis l'expression d'un sentiment de solidarité nouveau entre tous les médecins francophones du continent nord-américain. Comme preuve, «l'assistance a été la plus nombreuse dont nous ayons été témoins dans les congrès de notre pays[49]».

Le Dr Brochu conclut que le premier congrès de l'AMLFAN a permis l'expression d'un sentiment de solidarité nouveau entre tous les médecins francophones du continent nord-américain.

Le congrès se termine par une grande réception en soirée aux chutes Montmorency, gracieuseté du gérant du Kent House, J.W. Baker. La salle du buffet, où joue l'orchestre, est décorée spécialement du premier écusson de l'AMLFAN. Un train spécial est mis à la disposition des 200 convives pour les ramener à minuit et demi dans la Vieille Capitale.

Le lendemain, quelques médecins, la plupart de l'extérieur de Québec, profitent de l'excursion prévue au Lac-Saint-Jean par chemin de fer. D'autres, cependant, se préparent déjà à quitter Québec pour assister à l'Assemblée semi-annuelle du CMCPQ, qui débute le 1er juillet à Montréal. Pendant ce

47. Alors démonstrateur d'histologie et assistant au laboratoire d'histologie de l'ULM, le Dr Boucher sera plus tard, de 1913 à 1937, directeur du Service de santé de la Ville de Montréal. Amyot, *UMC*, 76, 1, janvier 1947, p. 3-4.
48. *1er congrès...*, XCV.
49. *Ibid.*, XCVI.

temps, le Dr Jules Dorion, de Québec, se chargera de la publication des comptes rendus du congrès.

Certes, le premier congrès de l'AMLFAN ne fut pas un succès sur toute la ligne. Plusieurs grands noms de la médecine française, dont les Drs Paul Brouardel, Georges Dieulafoy, Claude Récamier et Paul Jules Tillaux, qui avaient promis d'y assister, ne purent, pour différentes raisons, s'y rendre. D'autre part, la discussion, au dire des observateurs, s'égarait parfois. La revue *Montréal Médical* n'en écrivit pas moins: «Pour être juste, nous devons dire que tous les mémoires, les observations personnelles, les remarques improvisées, tous étaient revêtus d'un cachet particulier portant des conclusions éminemment pratiques[50].» Ce point de vue était partagé par la revue *The Canada Lancet* qui, tout en indiquant l'absence de faits nouveaux scientifiquement démontrés, signalait la vivacité des discussions. Se référant à leur propre expérience, les conférenciers parvenaient souvent à présenter leur sujet, généralement bien choisi, sous un éclairage original[51].

Pour toutes ces raisons, le premier congrès de l'AMLFAN, selon les rédacteurs du *Montréal Médical* et des autres revues médicales a été, pour les médecins francophones d'Amérique du Nord, «une page éloquente de notre histoire[52]».

La participation massive des médecins de langue française au cours du premier congrès de l'AMLFAN prouve également que les médecins francophones nord-américains du début du XXe siècle n'étaient pas du tout indifférents aux progrès de leur discipline.

Conclusion de la seconde partie

La célébration du cinquantenaire de l'Université Laval en 1902 fut l'occasion idéale de mettre sur pied une association qui regrouperait l'ensemble des médecins francophones du continent nord-américain. La participation massive des médecins de langue française à l'organisation et aux activités du premier congrès de l'AMLFAN démontra que la proposition présentée par le Dr Michel-Delphis Brochu, lors de la convention de Québec en 1900, répondait à un besoin vivement ressenti par tous. Elle prouva également que les médecins francophones nord-américains du début du XXe siècle n'étaient pas du tout indifférents aux progrès de leur discipline.

50. *Montréal Médical*, 2, 1902, p. 228.
51. *The Canada Lancet*, 25, 1902, p. 227.
52. *MM*, 2, 5, 15 juillet 1902, p. 227.

TROISIÈME PARTIE

Les premières années (1904-1910)

Les activités de l'AMLFAN, pendant sa première décennie d'existence, se résumèrent à la tenue d'un congrès tous les deux ans. Ces premiers congrès furent toutefois riches en événements : des médecins de réputation internationale y assistèrent ; les médecins engagés dans le domaine de l'hygiène et de la santé publique en profitèrent pour y exprimer des vœux en vue d'éventuelles réformes ; les cliniciens les plus compétents y présentèrent les plus récentes innovations venues de l'étranger. Les congrès furent également l'occasion d'honorer certains médecins qui avaient contribué au développement de l'enseignement et de la pratique médicale. Enfin, les premiers congrès se caractérisèrent par la présence constante de représentants des divers paliers de gouvernement et par l'organisation de différentes activités sociales. Dans cette partie, nous présenterons ces divers sujets dans autant de chapitres distincts. Nous expliquerons également les raisons pour lesquelles l'AMLFAN connut, à partir de 1910, une période de léthargie qui dura dix ans.

CHAPITRE 11

D'ILLUSTRES PARTICIPANTS AUX PREMIERS CONGRÈS DE L'AMLFAN

Dès ses premiers congrès, l'AMLFAN reçut des conférenciers illustres qui, par leur présence, lui assurèrent une grande crédibilité. Dans ce chapitre, nous présenterons cinq de ces chercheurs étrangers de réputation mondiale qui marquèrent les premières années de l'AMLFAN.

Le fondateur de la gynécologie : Samuel Pozzi

Lors du second congrès de l'AMLFAN, à Montréal en 1904, la Faculté de médecine de Paris est officiellement représentée par un clinicien de réputation mondiale, le Dr Samuel Pozzi.

Lors du second congrès de l'AMLFAN, à Montréal en 1904, la Faculté de médecine de Paris est officiellement représentée par un clinicien de réputation mondiale, le Dr Samuel Pozzi. À la fin du siècle précédent, cet ancien élève de Pierre Paul Broca a pratiqué des expériences de réimplantations utérovésicales chez le chien[1]. Plus tard, lors d'une hystérectomie, il sélectionnera par inadvertance l'uretère, constatant alors le phénomène du reflux urinaire chez l'humain[2]. Le Dr Pozzi a fait de la gynécologie, une branche autonome de la chirurgie générale et de l'obstétrique. Son *Traité de gynécologie opératoire* a été traduit en quatre langues.

Le Dr Pozzi est la figure dominante du 2e congrès. Dans la section consacrée à la gynécologie, qui est présidée par l'un de ses anciens élèves, le Dr Louis de Lotbinière-Harwood, il décrit une méthode spéciale de traitement « de la stérilité chez la femme due au développement incomplet de l'utérus[3] ». Par la suite, il pratique deux opérations, la première à l'Hôpital Notre-Dame, avec l'assistance des Drs Harwood et Aldège Éthier, la seconde à l'Hôpital Royal-Victoria, assisté des Dr William Gardner et J.R. Goodal, où il présentera une technique opératoire personnelle pour le traitement d'une forme spéciale de dysménorrhée.

Dr Samuel Pozzi

1. Kuss et Grégoir (1988), p. 341.
2. *Ibid.*, p. 333.
3. *2e congrès de l'Association des médecins de langue française de l'Amérique du Nord*, Montréal, Impr. La Patrie, 1905, p. 371-373.

Invité à prononcer un discours au début du congrès de 1904, le Dr Pozzi s'attardera sur les qualités spéciales des médecins canadiens-français qu'il a côtoyés à l'Hôpital Broca de Paris. Tout en possédant «la vivacité d'intelligence, la rapidité d'intuition et d'assimilation, la netteté, la clarté des races latines», ces derniers détenaient en plus «le sens pratique, l'allure méthodologique, le tournant d'esprit réfléchi, provenant de l'atavisme vieux-normand ou du mélange anglo-saxon[4]». Afin de resserrer les liens entre les médecins francophones des deux continents, le Dr Pozzi suggère «la création éventuelle d'une maison canadienne pour les étudiants à Paris[5]». Cette dernière deviendra réalité dans les années 1920.

Un phtisiologue de réputation mondiale: le Dr Adolpheus Knopf

Dans les années 1920, le Dr Knopf sera un participant assidu des congrès de l'AMLFAN, intervenant régulièrement dans tous les débats sur le traitement de la tuberculose et des autres maladies respiratoires.

C'est également au cours du 2e congrès de l'AMLFAN qu'intervient pour la première fois un expert en phtisiologie très connu, le Dr Adolpheus Knopf de New York. Cet Américain d'origine a fait des études en France à la fin du XIXe siècle, où il a côtoyé de nombreux médecins canadiens-français. Dans les années suivantes, plusieurs médecins canadiens-français engagés dans le traitement de la tuberculose assisteront au cours de troisième cycle qu'il donnera à New York.

En 1910, le Dr Knopf remportera au congrès international de Berlin le prix récompensant le travail sur la lutte contre la tuberculose[6]. La même année, l'AMLFAN lui décernera le titre de président honoraire en remerciement des nombreuses communications qu'il aura offertes lors des précédents congrès. Encore dans les années 1920, le Dr Knopf sera un participant assidu des congrès de l'AMLFAN, intervenant régulièrement dans tous les débats sur le traitement de la tuberculose et des autres maladies respiratoires.

Un ancien collaborateur de Louis Pasteur: Adrien Loir

En 1906, l'AMLFAN accueille un autre chercheur réputé, le Dr Adrien Loir, neveu et ancien assistant de Louis Pasteur. Au début du siècle, le Dr Loir a participé à l'implantation d'instituts Pasteur en Tunisie et en Australie.

4. *2e congrès*..., p. 7-8.
5. *2e congrès*..., p. 9. Nous développerons ce sujet dans le chapitre 18.
6. A. Rousseau, *BMQ*, 12, 1910, p. 123.

Dr Adrien Loir

Pendant le banquet du congrès de 1906, l'éminent médecin déclare que son maître Pasteur «a été touché, lorsqu'un jour de 1891, il a reçu l'annonce que son nom était donné à un nouveau village canadien, près du lac Saint-Jean[7]». À la clôture du congrès, il remet à l'AMLFAN, au nom d'un groupe de sociétés savantes françaises, un médaillon commémoratif. Le président et le secrétaire général du 3e congrès reçoivent tous deux, également des mains du Dr Loir, une médaille de bronze[8].

Pour le 3e congrès de l'AMLFAN, le Dr Loir a préparé une communication sur un sujet qu'il connaît parfaitement: la rage. Mais, après avoir entendu dire que cette maladie n'existe pas au Canada, il s'abstient de la lire. Par la suite, le Dr Michaël Joseph Ahern de Québec lui montrera le tombeau du duc de Richmond, sur lequel il est indiqué que cet ancien gouverneur du Canada est mort de cette maladie en 1818. Présentant enfin une communication sur le sujet lors du congrès de 1908, le Dr Loir signalera alors que la rage était présente dans l'ouest du Canada et des États-Unis et que le Québec pouvait être victime d'épidémie en provenance de cette région du continent[9].

Pour le 3e congrès, le Dr Loir a préparé une communication sur la rage, qu'il connaît parfaitement, mais après avoir entendu dire que la maladie n'existe pas au Canada, il s'abstient de la lire.

Pendant deux ans, soit de 1906 à 1908, le Dr Loir sera professeur à la Faculté de médecine vétérinaire de Montréal.

Un alcoologue: Henri Triboulet

Le congrès de 1906 est aussi le premier au cours duquel intervient le Dr Henri Triboulet. Délégué de la Société de thérapeutique, de la Ligue nationale contre l'alcoolisme et de la Société médicale des hôpitaux de Paris, le Dr Triboulet est également l'auteur de *L'Alcool et l'alcoolisme*, un ouvrage très populaire auprès des médecins canadiens-français pendant les premières décennies du XXe siècle.

Dr Henri Triboulet

Selon le Dr Charles-Narcisse Valin, la communication du Dr Triboulet, lors du congrès de 1906, sur les rapports de causalité entre l'alcoolisme et la tuberculose a été un modèle de synthèse et de concision[10]. Pour sa part, le

7. *3e congrès de l'Association des médecins de langue française de l'Amérique du Nord*, Trois-Rivières, Impr. Vanasse et Lefrançois, 1906, p. 58.
8. *3e congrès...*, p. 736-737.
9. A. Loir, «La rage au Canada», *4e congrès de l'Association des médecins de langue française de l'Amérique du Nord*, Québec, Impr. Laflamme, 1910, p. 304-316.
10. Valin, «Réflexions sur le congrès de Trois-Rivières», *UMC*, 35, 8, août 1906, p. 460-464.

Dr Triboulet livrera, dans la revue française *La Clinique*, un compte rendu très positif du 3e congrès de l'AMLFAN[11]. Il sera d'ailleurs l'un des participants français les plus réguliers lors des congrès subséquents. Tout comme le Dr Loir, il sera nommé président honoraire de l'AMLFAN à l'issue du congrès de 1906.

Un futur prix Nobel au second congrès de l'AMLFAN : Alexis Carrel

Le médecin le plus illustre à avoir assisté aux premiers congrès de l'AMLFAN n'avait alors que 31 ans et commençait à peine à faire parler de lui, et c'était Alexis Carrel.

Dr Alexis Carrel

Si les Dr Pozzi, Knopf, Loir et Triboulet sont à l'apogée de leur carrière quand ils se présentent pour la première fois à un congrès de l'AMLFAN, le médecin le plus illustre à avoir assisté aux premiers congrès de l'Association n'a alors que 31 ans et commence à peine à faire parler de lui. Il s'agit d'Alexis Carrel.

Par un curieux hasard, ce médecin originaire de Lyon, dont les travaux ouvrent la voie à la transplantation des organes, réside alors au Québec. Incapable de trouver un poste dans sa ville natale, Alexis Carrel a en effet décidé, en 1904, de s'installer en Amérique. Visitant l'Hôtel-Dieu de Montréal au début de juin 1904, il y fait la rencontre d'un jeune chirurgien, le Dr François de Martigny, qui le présente ensuite à son frère aîné, le Dr Adelstan de Martigny. Le premier contact entre ce dernier et le Dr Carrel est plutôt houleux, la discussion bifurque rapidement sur la politique et la religion.

Cette anecdote est l'occasion de dévoiler un sujet longtemps tabou. Au cours de leurs études à l'étranger, les jeunes médecins canadiens-français se tenaient au courant des derniers progrès de leur discipline, bien sûr, mais entraient aussi en contact avec des courants de pensée que l'Église catholique jugeait subversifs. Les Drs Adelstan et François de Martigny avaient ainsi adhéré à la franc-maçonnerie et, depuis quelques années, l'aîné était même l'un des chefs reconnus de cette société secrète au Canada. D'autres médecins francophones avaient aussi adhéré à cette association et plusieurs, sans en être membres, appuyaient certains des idéaux qu'elle véhiculait. Ce dernier élément explique sans doute certaines positions avant-gardistes prises par l'élite médicale francophone au début du XXe siècle.

Lors de leur première rencontre, donc, après que le Dr Adelstan de Martigny, politiquement de gauche, eut invité le très catholique Carrel à adhérer à la

11. *3e congrès...*, p. 739-741.

franc-maçonnerie, les deux médecins en viennent aux coups. Toutefois, après cet échange musclé, les deux hommes deviendront de très grands amis. À tel point que lorsque le Dr Adelstan de Martigny sera à l'article de la mort en 1917, le Dr Carrel se rendra à son chevet et offrira ses services pour tenter de le sauver[12].

Ce sont les frères d'Adelstan de Martigny qui ont invité Alexis Carrel à intervenir dans les diverses sociétés scientifiques, dont l'AMLFAN. Sa communication, lors du congrès de 1904, est basée sur les expériences qu'il a pratiquées sur des chiens[13]. Le Dr Carrel dit avoir recherché, pour l'anastomose vasculaire, une technique opératoire satisfaisante, qui puisse s'appliquer à la fois aux artères et aux veines. Ses expériences ont donné jusqu'à maintenant des résultats incomplets[14]. Des complications postopératoires sont en effet toujours survenues. Le Dr Carrel, sans le savoir alors, a découvert le phénomène du rejet.

Les congressistes présents réservent un accueil chaleureux à la communication du Dr Carrel. Malheureusement, aucune porte ne s'ouvrira pour lui dans quelque faculté ou hôpital francophone. C'est finalement aux États-Unis, d'abord à Chicago puis à l'Institut Rockefeller de New York, qu'il trouvera le laboratoire idéal pour les recherches sur la transplantation des tissus qui le rendront célèbre et lui permettront d'obtenir, en 1912, le prix Nobel de médecine[15].

Plus tard, c'est sur les champs de bataille d'Europe que les chirurgiens militaires francophones d'Amérique du Nord expérimenteront les nombreuses innovations d'Alexis Carrel.

Le Dr Carrel n'assistera plus à aucun congrès de l'AMLFAN par la suite, mais son esprit continuera à s'y manifester. Lors du congrès de 1910, le Dr François de Martigny livrera ainsi un résumé de sa brochure *De la transfusion du sang,* où il décrit la technique de son ami, Alexis Carrel. Plus tard, c'est sur les champs de bataille d'Europe que les chirurgiens militaires francophones d'Amérique du Nord expérimenteront les nombreuses innovations mises de l'avant par ce chercheur français.

Grâce à leur participation aux premiers congrès, les Drs Pozzi, Knopf, Loir, Triboulet et Carrel ont contribué à donner à l'AMLFAN une reconnaissance internationale. Leur présence et leur enseignement laisseront des empreintes indélébiles auprès des cliniciens canadiens-français.

---

12. Le Moine, *DBC,* 14, 1998, p. 811-812.
13. Celles-ci avaient été présentées dans le *Lyon Médical* en 1902.
14. A. Carrel, « Les anastomoses vasculaires et leur technique opératoire », *2e congrès…,* p. 323-328.
15. Amyot, *UMC,* 95, 9, septembre 1966, p. 1072-1073.

CHAPITRE 12

LES THÈMES ET VŒUX DES CONGRÈS DE 1904 À 1910

Dès 1904, une importante tradition s'établit à l'intérieur des congrès de l'AMLFAN. Des rapports généraux portant sur des questions d'actualité étaient présentés en plénière. Profitant de la présence de la presse et des représentants des divers paliers de gouvernement, les rapporteurs énonçaient une série de vœux pour d'éventuelles réformes. Nous présenterons, dans ce chapitre, les thèmes privilégiés par les médecins au cours des congrès de 1904 à 1910: la tuberculose, l'alcoolisme, l'expertise médico-légale, l'hygiène infantile et l'inspection médicale des écoles. Nous énumérerons aussi quelques-uns des vœux énoncés par les médecins lors des premiers congrès de l'AMLFAN et donnerons un aperçu de ce qu'il en résulta dans les années suivantes.

La tuberculose

«Consomption», «phtisie», «peste blanche», la richesse des vocables désignant la tuberculose, au début du XXe siècle, témoigne de l'importance de cette maladie. Principale cause de mortalité avant la Seconde Guerre mondiale, la tuberculose frappait surtout les couches les plus pauvres de la population. Et, puisqu'ils étaient dans l'ensemble plus pauvres que leurs compatriotes anglophones et composaient, au Québec, la majorité de la classe ouvrière, les Canadiens français étaient particulièrement victimes de la peste blanche. En 1910, une commission royale chargée d'enquêter sur l'incidence de la tuberculose dans la province de Québec signalait que la proportion de décès attribuables à cette maladie atteignait 201 habitants pour 100 000 chez les Canadiens français, contre 149 chez les anglophones[1]. Dans ce contexte, il n'est pas étonnant que, de toutes les maladies, la tuberculose soit de loin celle qui fut le plus souvent l'objet de communications pendant les premiers congrès de l'AMLFAN.

De toutes les maladies, la tuberculose est de loin celle qui fut le plus souvent l'objet de communications lors des premiers congrès de l'AMLFAN.

1. Tétrault, dans Keating et Keel (1995), p. 139.

Si les médecins du début du XXe siècle avaient une bonne connaissance des moyens par lesquels la tuberculose se propageait, ils avaient encore beaucoup à apprendre sur le plan thérapeutique.

Lors du 2e congrès en 1904, la tuberculose est l'objet d'un rapport présenté par le Dr Alphonse Mercier, ancien docteur en médecine de l'ULM, puis de l'Université de Paris. Selon ce médecin de l'Hôpital Notre-Dame, la tuberculose se propage surtout par le crachat et l'exhalation des malades. Le lait et la viande d'animaux sont également à craindre, et l'alcool fait le lit de la tuberculose. Au cours de la discussion, le Dr Adolphe Lamarche nuance la thèse du rapporteur; ce n'est pas l'alcool mais l'alcoolisme qui cause la prolifération de la maladie. Le rapport sur la tuberculose présenté au congrès de 1904 montre aussi que les médecins du début du XXe siècle croient encore à la possibilité de transmission héréditaire de cette maladie. À cela, le Dr Albert Larendeau réplique en plénière que l'on peut naître avec une prédisposition à la tuberculose, mais non avec la maladie en soi. Les enfants de tuberculeux sont faibles à la naissance et peu résistants face aux risques d'infection[2].

Dr Arthur Rousseau

Au congrès suivant, en 1906, la tuberculose est l'objet de deux rapports présentés par les Drs Arthur Rousseau et Gaudiose Paradis. Le Dr Rousseau proclame que « la congestion tuberculeuse dérive de deux sources principales: le crachat du phtisique et le lait des vaches tuberculeuses[3] ». La seconde cause peut facilement être supprimée en abattant toutes les bêtes qui réagissent à la tuberculine. Le Dr Rousseau suggère aussi la tenue de conférences auprès des jeunes et des futurs mariés. Le Dr Paradis considère, pour sa part, que l'alcoolisme est la cause principale de l'extension de la tuberculose.

Si les médecins du début du XXe siècle avaient une bonne connaissance des moyens par lesquels la tuberculose se propageait, ils avaient encore beaucoup à apprendre sur le plan thérapeutique[4]. Incapables de combattre efficacement le bacille de Koch, les médecins proposent donc d'en limiter la dissémination par la prévention, l'inspection des aliments et l'isolement des malades. Au congrès de 1908, le Dr Adolpheus Knopf décrit les trois types d'institutions destinées au traitement des tuberculeux: le dispensaire, l'hôpital spécial et le sanatorium. Il signale également l'existence d'une

2. *La Presse*, mercredi 29 juin 1904, p. 5.
3. A. Rousseau, « La tuberculose, Étiologie, prophylaxie », *UMC*, 35, 8, août 1906, p. 435-454; 449.
4. Parmi les traitements de la tuberculose, signalons celui par inhalations d'air ozonisé que présente au congrès de 1910 le Dr Charles-Nuna de Blois. Ce traitement a été expérimenté par les Drs Michel-Delphis Brochu, Albert Marois, Arthur Rousseau et Eugène Matthieu à Québec, Albert Lesage à Montréal et Clément-Édouard Darche à Trois-Rivières.

«conception canadienne», le préventorium, créé à Sainte-Agathe-des-Monts par le Dr Arthur Richer[5]. Dans cette dernière institution, on recueille seulement les individus prédisposés «et on les préserve contre le développement de la phtisie pulmonaire[6]».

Le congrès de 1906 se conclut avec la présentation d'un programme complet de lutte contre la tuberculose. Les congressistes suggèrent ainsi l'inspection des écoles et des ateliers, l'application d'amendes contre le crachat et autres manquements à l'hygiène, la distribution gratuite de tuberculine aux agriculteurs, une compensation financière à ceux qui doivent abattre une partie de leur bétail, la création de sanatoriums ou de quartiers spéciaux dans les hôpitaux pour le soin des tuberculeux, etc.[7]

Il faudra attendre 1920 pour que les gouvernements, fédéral et provincial, élaborent une véritable politique de lutte contre la tuberculose.

Au cours des premières décennies du XXe siècle, quelques médecins, assistés de philanthropes et de membres de communautés religieuses, seront à l'origine de certaines initiatives. Ainsi, en 1911, est créé à Montréal l'Institut Bruchési. Dans certaines municipalités sont également constituées des ligues antituberculeuses. Mais, il n'existera pas d'actions concertées pendant les années 1910. Il faudra attendre 1920 pour que les gouvernements, fédéral et provincial, élaborent une véritable politique de lutte contre la tuberculose.

Le débat sur le sérum de Marmorek

Les premiers congrès de l'AMLFAN sont aussi le lieu idéal pour débattre de l'efficacité d'un sérum antituberculeux développé au début de 1904 par Alexander Marmorek, un chercheur de l'Institut Pasteur qui, en 1895, avait mis au point un sérum antistreptococcique très efficace. Très rapidement, la presse s'était emparée de l'affaire et avait prétendu que l'on avait découvert le remède à la tuberculose.

Un mois à peine après que Marmorek ait développé son sérum, ce dernier est expérimenté pour la première fois au Canada français par le Dr Louis-Joseph Lemieux de l'Hôpital Notre-Dame. Pendant le 2e congrès de l'AMLFAN, en juin 1904, le Dr Lemieux présente les résultats des observations

5. S.-A. Knopf, «Le sanatorium, le dispensaire et l'hôpital spécial pour le traitement des tuberculeux», *4e congrès de l'Association des médecins de langue française de l'Amérique du Nord*, Québec, Impr. Laflamme, 1910, 1908, p. 147-153.
6. *Ibid.*, p. 152.
7. *3e congrès de l'Association des médecins de langue française de l'Amérique du Nord*, Trois-Rivières, Impr. Vanasse et Lefrançois, 1906, p. 730-732.

cliniques faites avec ce sérum[8]. Selon lui, les patients qui ont bénéficié de cette médication ont tous connu une amélioration de leur état. Cependant, les expériences réalisées au cours des premiers mois de l'année 1904 ne lui permettent pas de donner une opinion définitive face à l'efficacité du sérum. L'année suivante, la Société médicale de Montréal forme une commission pour s'enquérir de la valeur du sérum de Marmorek. Elle se montrera, elle ausi, très prudente quant à l'efficacité de ce traitement antituberculeux.

Selon le Dr de Martigny, le sérum de Marmorek est efficace en début de maladie et, sans être une panacée, procure un soulagement aux malades qui présentent peu d'espoir de guérison.

Au congrès de 1906, le sérum de Marmorek trouve cependant un défenseur inconditionnel en la personne du Dr Adelstan de Martigny, un médecin de l'Hôtel-Dieu de Montréal qui, en 1904, avait été envoyé par la Commission d'hygiène de la Ville de Montréal étudier à Paris la méthode Marmorek. À son retour, en 1906, il avait livré, dans le *Journal de Médecine et de Chirurgie*, le résultat de ses propres recherches cliniques avec ce sérum. Selon le Dr de Martigny, le sérum de Marmorek est efficace en début de maladie et, sans être une panacée, procure un soulagement aux malades qui présentent peu d'espoir de guérison[9]. L'optimisme du Dr de Martigny est cependant refroidi par le Dr Henri Triboulet, qui considère que son compatriote Marmorek a parlé beaucoup trop tôt[10]. Le Dr Albert Laurendeau se dit également sceptique à l'endroit de ce sérum[11].

En 1908, le Dr Adelstan de Martigny se fait de nouveau le défenseur du sérum de Marmorek. Ses propos sont cependant contredits par les Drs John-James Guérin, Adolpheus Knopf, Albert Lesage, Maurice Renaud et Odilon Leclerc, ce dernier de Québec. Le Dr Renaud, de Paris, déclare que l'expérimentation a prouvé que ce sérum n'est pas spécifique. Quant au Dr Knopf, il dit ne pas croire du tout à la valeur curative de ce sérum. Pour ce médecin new-yorkais spécialisé en phtisiothérapie, l'air pur, le repos et une saine alimentation sont les meilleures thérapeutiques face à la tuberculose.

Le sérum de Marmorek s'avérera finalement l'un des nombreux sérums prétendument antituberculeux créés par divers chercheurs au début du XXe siècle, mais qui n'auront réussi, finalement, qu'à susciter de faux espoirs.

8. L.J. Lemieux, «Essais de traitement de la tuberculose par le sérum antituberculeux Marmorek», *2e congrès*… p. 165-196.
9. A. de Martigny, «Traitement de la tuberculose par le sérum de Marmorek», *3e congrès*…, p. 139-195.
10. *3e congrès*…, p. 195.
11. *La Presse*, mercredi 27 juin 1906, p. 8.

Il faudra attendre le vaccin mis au point par Calmette et Guérin dans les années 1920 pour que les médecins aient en main un outil de prévention efficace contre la tuberculose.

Cela n'empêchera pas les membres de l'AMLFAN de proposer la création d'un institut de recherche pouvant contribuer à la production de vaccins et de sérums susceptibles de combattre la tuberculose et les autres grandes maladies infectieuses. Dès 1904, les congressistes souhaitent que «des représentations soient faites aux autorités du gouvernement fédéral pour l'inviter à fonder un Institut Pasteur qui réponde aux besoins immédiats de la population de ce pays[12]». Au congrès suivant, en 1906, les membres de l'AMLFAN forment un comité, composé des Drs Michel-Delphis Brochu, Auguste-Achille Foucher, Adrien Loir et Éphrem Panneton[13], et chargé d'exercer des pressions en vue de la création d'un Institut Pasteur au Québec[14]. Le projet n'aboutira pas et il faudra attendre la fin des années 1930 pour que soit créé au Québec un institut de recherche en microbiologie.

Au congrès de 1906, les membres de l'AMLFAN forment un comité, composé des Drs Michel-Delphis Brochu, Auguste-Achille Foucher, Adrien Loir et Éphrem Panneton, et chargé d'exercer des pressions en vue de la création d'un Institut Pasteur au Québec.

L'alcoolisme

Comme nous l'avons indiqué précédemment, l'usage immodéré d'alcool était perçu comme un important facteur de prolifération de la tuberculose au début du XXe siècle. Mais l'alcoolisme était aussi la cause présumée de l'ensemble des autres fléaux sociaux: maladies nerveuses et mentales, criminalité, misère sociale, foyers désunis, etc. Maladie sociale par excellence, l'alcoolisme cesse à ce moment d'être vu comme un simple vice pour peu à peu devenir une maladie au sens médical du terme.

L'alcoolisme est l'un des thèmes à l'étude lors du 3e congrès de l'AMLFAN en 1906. Les diverses communications présentées montrent toutefois l'absence de consensus des médecins de l'époque sur cette question. Le Dr Adrien Loir propose de lutter contre l'alcoolisme en favorisant la consommation du vin et du cidre, des boissons jugées hygiéniques et moins nocives que les

12. *2e congrès...*, p. 559-560.
13. Membre fondateur de l'Association médicale du district de Trois-Rivières, le Dr Éphrem Panneton a été longtemps gouverneur du CMCPQ. Il est également le père de deux médecins qui seront aussi connus pour leurs œuvres littéraires, les Drs Joseph Auguste (auteur de plusieurs ouvrages de poésie sous le pseudonyme de Sylvain) et Philippe Panneton (le futur Ringuet).
14. *3e congrès...*, p. 735.

Le Dr Jules Dorion déplore que des médecins aient fait de l'alcoolisme une maladie alors que ce n'est qu'un vice. La prétention de guérir l'alcoolisme par des médicaments est une porte ouverte au charlatanisme.

boissons distillées[15]. Le Dr Henri Triboulet réplique que si ces deux boissons, ainsi que la bière, sont nutritives, elles n'en renferment pas moins de l'alcool[16]. Il considère que «le moteur humain, entraîné à l'alcool, arrive à se passer de tout, sauf d'alcool[17]». Le Dr Jules Dorion suggère, de son côté, de reléguer l'alcool à la pharmacie, comme l'opium et la cocaïne précédemment[18]. Il déplore que des médecins aient fait de l'alcoolisme une maladie, alors que ce n'est qu'un vice. La prétention de guérir l'alcoolisme par des médicaments est une porte ouverte au charlatanisme.

Pour lutter contre l'alcoolisme, les congressistes suggèrent différentes solutions : la prohibition, une limite d'un débit de boisson pour 10000 âmes dans chaque municipalité, la prise en charge du commerce de l'alcool par le gouvernement provincial ou encore l'octroi d'une charte à une compagnie privée, les surplus de cette dernière servant au financement d'institutions philanthropiques et caritatives[19]. Ils appuient également un vœu du Dr Triboulet, qui demande l'abolition de la vente libre de l'absinthe, liqueur à base d'essences de plantes dont l'une, la thujone, peut provoquer des hallucinations et des convulsions de type épileptique. En 1906, la Suisse et la Belgique sont les premiers pays à abolir l'absinthe. Le mouvement d'abolition s'étendra à la France, aux États-Unis et à l'Empire britannique au début de la Première Guerre mondiale[20].

Bien que des médecins présentent les effets négatifs de l'alcool sur le physique et le mental, la croisade contre l'alcoolisme restera surtout l'affaire des moralistes pendant toute la première moitié du XXe siècle.

L'expertise médico-légale

Un autre domaine où la formation du médecin représentait de grands avantages pour la société en général était celui de la médecine légale.

---

15. A. Loir, «Lutte contre l'alcoolisme au moyen des boissons dites hygiéniques», *3e congrès...*, p. 352-362.
16. H. Triboulet, «Hygiène des boissons et tuberculose. Influence causale de l'alcoolisation», *3e congrès...*, p. 322-351.
17. *Ibid.*, p. 348.
18. F.X. Dorion, «L'alcoolisme. Ses causes sociales», *3e congrès...*, p. 368-370.
19. *3e congrès...*, p. 733.
20. Prestwich (1988), p. 132. L'absinthe que nous pouvons acheter actuellement au Canada ne contient pas de thujone. On parle cependant de légaliser l'absinthe originale, qui est encore produite dans certains pays européens.

Selon le Dr Villeneuve, la loi et la pratique existantes ne donnent pas suffisamment de garanties pour éviter qu'un innocent soit victime d'une erreur judiciaire ou qu'un coupable puisse se soustraire du châtiment.

Au 2e congrès de l'AMLFAN, en 1904, une réforme des expertises médico-légales est présentée par le Dr Georges Villeneuve, surintendant médical de l'Hôpital Saint-Jean-de-Dieu depuis 1896 et professeur de médecine légale à l'ULM[21]. Selon le rapporteur, la loi et la pratique existantes ne donnent pas suffisamment de garanties pour éviter qu'un innocent soit victime d'une erreur judiciaire ou qu'un coupable puisse se soustraire du châtiment. Le Dr Villeneuve propose la construction de nouvelles morgues adaptées à l'enseignement pratique de la médecine légale et la reconnaissance, par les autorités, des compétences spéciales des médecins légistes.

Pour éviter que certaines catégories d'individus à risque se retrouvent devant la justice ou surpeuplent inutilement les asiles d'aliénés, la section consacrée à la médecine légale pendant ce même congrès suggère la formation d'établissements spéciaux pour le traitement des enfants arriérés, des épileptiques et des alcooliques. Elle recommande aussi la création, dans les hôpitaux généraux, de salles d'isolement pour les patients agités[22].

Ces dernières suggestions seront maintes fois répétées dans les rapports des Drs Villeneuve et Brochu, surintendants des asiles Saint-Jean-de-Dieu et Saint-Michel-Archange. Mais c'est seulement après la Première Guerre mondiale que ces recommandations trouveront une oreille favorable auprès du gouvernement provincial.

L'hygiène infantile et l'inspection médicale des écoles

Il aura fallu attendre la fin du XIXe siècle pour que la sauvegarde de l'enfance devienne une préoccupation majeure dans l'ensemble des pays industrialisés. Cet intérêt nouveau pour la lutte contre la mortalité infantile s'expliquait par la montée des nationalismes[23]. Au Canada français, les autorités religieuses et politiques avaient rapidement constaté que la survie de la nation française en Amérique reposait sur une natalité nombreuse. Mais encore fallait-il, pour que la revanche des berceaux soit efficace, que les nouveau-nés survivent et soient en santé. Comme les gastro-entérites étaient les principales causes de mortalité chez les nourrissons, la promotion de

21. G. Villeneuve, « De la réforme de l'expertise médico-légale en matière d'autopsie et dans la recherche des crimes et délits, dans la province de Québec », *2e congrès...*, p. 122-138.
22. *2e congrès...*, p. 562.
23. Baillargeon (1998), p. 30-31.

l'allaitement maternel, la pasteurisation du lait et l'enseignement des principes élémentaires de l'hygiène devienrent les instruments indispensables de la lutte contre les maladies de l'enfance. Pour prévenir les maladies de la seconde enfance, les hygiénistes favorisaient l'inspection médicale des écoles et l'enseignement de l'hygiène aux élèves.

Le Dr Charles-Narcisse Valin, titulaire de la Chaire d'hygiène à L'ULM, estimait que certaines punitions imposées dans les écoles étaient antihygiéniques.

Dès le second congrès en 1904, « la nécessité de l'inspection médicale dans les maisons d'éducations[24] » est l'objet du rapport du Dr Charles-Narcisse Valin, titulaire de la Chaire d'hygiène à l'ULM. Selon lui, certaines punitions imposées dans les écoles sont antihygiéniques[25]. Le Dr Valin en veut pour exemples la suppression des récréations, les gifles sur le côté de la tête (qui peuvent provoquer la rupture des tympans), les bras en croix (cause de fatigue musculaire) ou l'obligation de baiser le plancher. Les membres de l'AMLFAN formulent le vœu que soit imposée l'inspection médicale de toutes les maisons d'éducation et que soit vulgarisé l'enseignement de l'hygiène dans les écoles[26]. Les dentistes suggèrent, quant à eux, que les bureaux d'hygiène mandatent des membres de leur profession pour examiner les enfants et donner des conférences sur l'hygiène dentaire et buccale dans les écoles. Ils demandent également la collaboration des médecins dans la promotion de l'hygiène dentaire[27].

Dr Henri Hervieux

L'hygiène infantile reste l'un des thèmes privilégiés lors du 3e congrès en 1906. Dans son rapport, le Dr Henri Hervieux explique que l'application des règles de l'hygiène permet un développement favorable de l'enfant dans le sein de sa mère. Le repos pendant la grossesse éviterait la plupart des accouchements prématurés. Le lait maternel est l'alimentation parfaite du nourrisson, de préférence au lait de vache stérilisé. Le sevrage doit être graduel et il faut éviter de donner des repas trop volumineux aux enfants de 2 à 7 ans[28].

Auparavant, dans la section consacrée à l'obstétrique et à la pédiatrie pendant le congrès de 1904, le Dr Joseph Lespérance, diplômé de la Faculté de Paris, avait présenté une étude comparée des vertus du lait maternel et du

24. *2e congrès*..., p. 96-121.
25. *2e congrès*..., p. 113-114.
26. *2e congrès*... p. 559-560.
27. *2e congrès*..., p. 562-563.
28. H. Hervieux, « Hygiène infantile », *3e congrès*..., p. 216-226.

lait de vache. Lui aussi favorisait nettement le lait maternel pour l'alimentation du nourrisson[29].

Pour sa part, le Dr Joseph-Edmond Dubé s'attarde à « l'hygiène de la seconde enfance ». Selon lui, les enfants qui habitent la ville veillent trop tard et manquent de lieux d'amusement. Il suggère également que l'on accorde plus d'heures de récréation aux élèves dans les écoles[30]. Un médecin d'Embrun en Ontario, le Dr Albert Chevrier, déplore les conditions sanitaires des écoles de campagne. Il souhaite que l'on ne s'attarde pas seulement aux aspects physiques (ventilation, chauffage, éclairage, etc.), mais qu'on s'attaque aussi aux habitudes antihygiéniques par la coopération entre les médecins et les parents, les élèves et les professeurs[31]. Le Dr Éphrem Panneton décrit une initiative qu'il a eue à la Société médicale de Trois-Rivières. Il s'agit de cartes imprimées, énonçant une série de conseils aux mères de famille. Ces cartes sont distribuées par les curés de la région[32].

Le Dr Valin déclare que les conditions de vie modernes (surmenage, promiscuité, longues heures de travail, atmosphère des usines, etc.) rendent l'individu plus susceptible qu'autrefois à la contagion, d'où l'urgence d'inculquer dès le jeune âge des notions d'hygiène.

Au 4e congrès, en 1908, l'inspection médicale des écoles ainsi que l'enseignement de l'hygiène sont l'objet des rapports des Drs Charles-Narcisse Valin et Michel-Delphis Brochu. Le Dr Valin déclare que les conditions de vie modernes (surmenage, promiscuité, longues heures de travail, atmosphère des usines, etc.) rendent l'individu plus susceptible qu'autrefois à la contagion, d'où l'urgence d'inculquer dès le jeune âge des notions d'hygiène[33]. Mais pour en saisir l'importance, l'enfant doit d'abord posséder une connaissance adéquate du corps humain et de son fonctionnement. L'enseignement de l'hygiène est par ailleurs un excellent moyen de présenter l'histoire des Jenner, Pasteur, Lister, Koch, Roux et autres véritables héros de l'humanité. Pour prouver l'utilité de l'hygiène, le Dr Valin se sert des exemples japonais, allemand et américain. Grâce à l'hygiène, le Japon a été le premier pays de l'histoire, en 1905 lors de sa guerre contre la Russie, à éviter que son armée soit décimée par les épidémies. L'Allemagne a éliminé presque totalement la variole de son territoire, par la vaccination, et combat efficacement

---

29. J. Lespérance, « Lait de femme et lait de vache », *2e congrès...*, p. 431-440.
30. J.-E. Dubé, *3e congrès...*, p. 211-215.
31. A. Chevrier, « L'Hygiène scolaire », *3e congrès...*, p. 227-233.
32. E. F. Panneton, « L'œuvre des conseils aux mères de familles », *3e congrès...*, p. 234-237.
33. C.-N. Valin, « Nécessité urgente de l'enseignement scolaire de l'hygiène », *4e congrès de l'Association des médecins de langue française de l'Amérique du Nord*, Québec, Impr. Laflamme, 1910, p. 320-333.

la tuberculose et la fièvre typhoïde. Pour ce qui est des États-Unis, l'adoption de mesures de santé publique leur a permis de hausser considérablement les conditions de vie à Cuba, à Porto Rico et aux Philippines. Le Dr Brochu suggère, de son côté, l'organisation par l'État d'une campagne en faveur de l'hygiène dans toutes les maisons d'éducation.

L'hygiène dans les écoles est à nouveau l'un des thèmes choisis lors du 5e congrès en 1910. Cette fois, les rapporteurs s'attardent surtout à la façon dont l'hygiène est enseignée à l'étranger. Ainsi, le Dr Jean-Pierre Décarie, de Montréal, indique qu'il y a peu de différence entre le Québec et les autres pays, telle la France, quant à la matière présentée. Il note toutefois des lacunes dans la formation des professeurs. Pour sa part, le Dr John Kennedy, de Montréal, parle de l'exemple des États-Unis où, selon lui, tous les élèves connaissent dès le jeune âge les notions de base de l'hygiène et les mesures à prendre en cas d'incendie. Il suggère à nouveau que soit généralisée l'hygiène scolaire.

Contrairement aux autres grands thèmes discutés lors des premiers congrès de l'AMLFAN, la question de l'hygiène infantile aura un écho très favorable auprès des autorités religieuses et municipales. Dès 1910, la ville de Montréal est dotée d'un réseau de «Gouttes de lait» dans ses différentes paroisses, grâce auxquelles les mères de famille obtiennent du lait stérilisé et des informations sur les soins à donner aux enfants. De plus, plusieurs médecins rédigeront des manuels d'hygiène qui seront utilisés dans les écoles par les professeurs.

Contrairement aux autres grands thèmes discutés lors des premiers congrès de l'AMLFAN, la question de l'hygiène infantile aura un écho très favorable auprès des autorités religieuses et municipales.

Les autres vœux formulés lors des premiers congrès

Outre les grands thèmes présentés ci-dessus, d'autres questions feront aussi l'objet de vœux de la part des membres de l'AMLFAN lors de ses premiers congrès. Ainsi, en 1904, les congressistes se prononcent en faveur de la nomination d'une commission scientifique chargée de l'analyse chimique et bactériologique de l'eau fournie par la ville de Montréal. Ils demandent par ailleurs que les villes s'opposent à la construction de tout bâtiment public dépourvu d'un système de ventilation suffisant. D'autres vœux exprimés demandent la mise en place d'un programme de prévention des maladies vénériennes et l'interdiction, par le gouvernement fédéral, de la vente et de l'usage de la préservaline, une substance jugée dommageable à la santé[34].

Au congrès de 1906, le Dr Alfred Napoléon Rivet, professeur de chimie et de toxicologie de l'ULM, formule une série de neuf vœux sur les médicaments brevetés. Il suggère entre autres que le contenu de chaque préparation soit bien mis en évidence sur l'étiquette et que l'on interdise la vente dans les épiceries de tout produit renfermant des poisons[35]. Deux ans plus tard, une partie de ces vœux sera réalisée par l'adoption d'une loi fédérale[36].

On suggère par ailleurs la suppression des tarifs douaniers sur les publications médicales et l'adoption d'un tarif pour les examens médicaux des compagnies d'assurance.

Entre le moment où ces différents vœux seront exprimés et celui où ils se concrétiseront, il s'écoulera un laps de temps plus ou moins considérable. Ce n'est vraiment que dans les années 1920 que les gouvernements fédéral et provincial commenceront à s'impliquer concrètement dans le domaine de la santé publique. Les vœux formulés lors des premiers congrès de l'AMLFAN prouvent cependant que les médecins francophones du début du XXe siècle sont partisans, sur de nombreux points, de positions très avant-gardistes.

34. *2e congrès...*, p. 559-562.
35. *3e congrès...*, p. 734.
36. Collin et Béliveau (1994), p. 154.

CHAPITRE 13

LES PROGRÈS DE LA CHIRURGIE ET DES SPÉCIALITÉS MÉDICALES (1904-1910)

Outre les grands thèmes que nous avons présentés dans le chapitre précédent, peu de domaines de la pratique médicale furent omis dans le cadre des premiers congrès de l'AMLFAN. De 1902 à 1910, ces congrès ne produisirent aucun travail inédit qui révolutionne une discipline. Par contre, ils permirent la diffusion et la vulgarisation des dernières connaissances et pratiques issues de l'étranger. Ils fournirent aussi une tribune aux meilleurs cliniciens francophones d'Amérique du Nord.

Les progrès de la chirurgie

De toutes les disciplines médicales, aucune ne connut autant de changements que la chirurgie au début du siècle dernier.

De toutes les disciplines médicales, aucune ne connut autant de bouleversements que la chirurgie au début du siècle dernier. Les premiers congrès de l'AMLFAN permirent de noter les multiples transformations qui marquèrent la pratique chirurgicale pendant cette période.

Lors du 2e congrès en 1904, le Dr Oscar-Félix Mercier expose les progrès qu'a connus la chirurgie depuis le congrès de fondation à Québec, deux ans plus tôt. Il signale que le chloroforme est maintenant préféré à l'éther et que l'anesthésie locale par la cocaïne compte désormais de nombreux partisans. Par ailleurs, la prostatectomie péritonéale, « qui était à ses premiers débuts lors du congrès de Québec est aujourd'hui une opération de chirurgie courante[1] ». La chirurgie du cœur, des reins, des voies urinaires et du cancer du sein ont acquis leur droit d'existence et il est désormais possible de reconstituer des nez grâce aux prothèses sous-muqueuses et sous-cutanées à la paraffine. Enfin, de nouvelles techniques d'investigation, comme la ponction lombaire et l'œsophagoscopie, ont vu le jour.

Dr Oscar-Félix Mercier

1. *2e congrès de l'Association des médecins de langue française de l'Amérique du Nord*, Montréal, Impr. La Patrie, 1905, p. 314.

Dr William Hingston

De nombreuses communications permettent de décrire les miracles de la nouvelle chirurgie à cette époque. Ainsi, en 1904, le Dr Amédée Marien présente une fillette de cinq ans atteinte d'une luxation congénitale de la hanche qu'il a traitée en janvier 1903 par la méthode de Lorenz[2]. Avec l'assistance des Drs William Hingston et Edward Archibald, chirurgiens de l'Hôpital Royal-Victoria, le Dr Marien a placé les membres de sa patiente dans un appareil plâtré. Depuis l'enlèvement du dernier appareil, un mois avant le 2e congrès, le traitement se résume à des massages et à des exercices pour combattre la raideur musculaire[3]. Une dizaine d'années auparavant, un tel trouble était considéré comme incurable.

De nombreuses communications permettent de décrire les miracles de la nouvelle chirurgie à cette époque.

Lors du même congrès, le Dr Pierre-Zéphyr Rhéaume livre un travail chaudement félicité, décrivant «un de ces cas que tout chirurgien, quel qu'il soit, préfère ne pas voir arriver dans son service hospitalier[4]», soit une lésion traumatique de la moelle épinière. Selon ce chirurgien de Valleyfield, il est nécessaire d'intervenir rapidement quand l'hémorragie est le résultat d'une fracture ou d'une luxation vertébrale. Dans les cas d'hématorachis ou d'hématomyélie primitive, il conseille cependant d'attendre cinq à six semaines et de pratiquer une laminectomie s'il n'y a pas d'amélioration[5]. Il est chaudement félicité par l'assemblée.

En 1908, les Drs Pierre-Calixte Dagneau de Québec et Eugène Saint-Jacques de Montréal présentent des rapports sur le traitement chirurgical de la tuberculose rénale. Les deux conférenciers s'entendent sur la nécessité de l'ablation de l'organe malade dans la mesure où l'intégrité fonctionnelle de l'autre rein est assurée et où la maladie n'a pas touché la vessie et les autres organes.

En 1910, le Dr Eugène Saint-Jacques décrit le «traitement de Bacelli» contre le tétanos. Pour être efficace, ce traitement doit débuter avant la période de généralisation. Dans un premier temps, le médecin désinfecte le point d'infection avec de l'acide phénique. Puis suivent des injections régulières d'acide carbolique. En cas d'aggravation, il faut administrer de l'acide phénique dans l'espace sous-arachnoïdien sur le sujet endormi au chloroforme.

2. Lors de son passage à Montréal en 1903, Adolf Lorenz avait vu la patiente du Dr Marien.
3. *2e congrès…*, p. 347-349.
4. *2e congrès…*, p. 350.
5. Z. Rhéaume, «Contusions médullaires sans lésions osseuses. L'hématomyélie», *2e congrès…*, p. 350-352.

L'inspection des urines permet de vérifier s'il y a eu une trop grande absorption d'acide phénique. Les propos du Dr Saint-Jacques sont corroborés par le Dr John-James Guerin, qui signale que le traitement de Bacelli est le seul qui soit efficace contre le tétanos[6].

L'appendicite

Les premiers congrès se distinguent par le caractère souvent passionné des discussions, comme en fait foi la divergence entre les partisans du traitement médical de l'appendicite et ceux de l'intervention chirurgicale.

Les premiers congrès se distinguent par le caractère souvent passionné des discussions. À titre d'exemple, en 1904, le Dr François de Martigny, chirurgien de l'Hôtel-Dieu de Montréal, expose la question de l'heure dans le domaine de la chirurgie, soit le diagnostic et le traitement de l'appendicite[7]. La discussion qui suit le rapport montre les divergences entre les partisans d'un traitement médical et ceux d'une intervention chirurgicale à tout prix.

Le rapporteur se dit partisan de l'opération «à chaud» quand le cas est trop grave. Cette opération préventive et radicale doit être appliquée idéalement chaque fois que le diagnostic a été nettement établi. On peut aussi opérer à froid dans la mesure où le traitement médical a modéré les symptômes. Cependant, ce traitement médical, qui consiste en une diète sévère et l'application de glace sur l'abdomen, ne peut être qu'une solution temporaire en attendant l'opération.

Lors de la discussion, le Dr Albert Laurendeau réitère sa foi dans l'efficacité du traitement médical. Aucun des 105 cas qu'il a refusé d'opérer ne s'est soldé par un décès. Sa foi dans le traitement médical de l'appendicite est partagée par le Dr Ernest Choquette de Saint-Hilaire qui prédit que le traitement chirurgical de l'appendice sera devenu obsolète dans quelques années. Défendant les conclusions du rapport présenté par son jeune frère, le Dr Adelstan de Martigny réplique que les prétendues guérisons par traitement médical n'en sont pas. Il cite le cas d'une jeune fille jugée «guérie» onze fois par un confrère. Elle a finalement été guérie par la chirurgie après une douzième attaque.

La discussion sur l'appendicite offre l'occasion d'un débat dans l'Association concernant la couverture de ses congrès par les grands médias. En effet, le Dr Laurendeau n'a pas apprécié qu'un quotidien de Montréal ait seulement

6. *La Tribune*, jeudi 25 août 1910.
7. F. X. Lemoine de Martigny, «L'appendicite», *2e congrès…*, p. 29-95.

La discussion sur l'appendicite offre l'occasion d'un débat dans l'Association concernant la couverture de ses congrès par les grands médias.

retenu de son intervention en plénière qu'il préconisât l'usage de sacs d'avoines chaudes pour traiter l'appendicite. Outré, il précisera le lendemain qu'il voulait simplement dire que l'avoine soulageait tout aussi efficacement que la glace les crises d'appendicite aiguës. Après une vive discussion, les participants au 2e congrès adoptent la résolution suivante :

> Que le deuxième congrès de l'Association des médecins de langue française de l'Amérique du Nord regrette que des choses incorrectes aient été publiées dans certains journaux ;
>
> Que des avancées erronées aient été également publiées ;
>
> Qu'en appréciant le sympathique intérêt témoigné au Congrès par les journaux, le Congrès regrette que la chose soit arrivée[8].

Peu pratiquée durant la dernière décennie du XIXe siècle, l'appendicectomie devient l'une des opérations les plus fréquentes à partir du début des années 1900. L'engouement pour une ablation préventive de l'appendice, comme plus tard des amygdales, sera toutefois à l'occasion questionné par certains médecins.

Une collaboration entre médecins et chirurgiens

S'il y a conflit entre médecins et chirurgiens sur le traitement de l'appendicite au début du XXe siècle, sur d'autres sujets au contraire, les membres des deux grandes divisions de l'art médical collaborent. Ainsi, au 4e congrès en 1908, le Dr Albert Lesage est chargé de décrire les infections des voies biliaires du point de vue médical, alors que le Dr Albert Paquet de Québec présente l'aspect chirurgical de celles-ci. Le Dr Lesage explique que les infections biliaires, dont la plus fréquente est la lithiase biliaire, sont causées par l'envahissement de micro-organismes. Le traitement des ictères infectieux est purement médical, alors que celui des pancréatites relève exclusivement de la chirurgie[9]. Plus tard, le Dr Arthur Rousseau dira que l'exposé du Dr Lesage a été certainement « l'un des plus sérieux produits devant l'Association[10] ».

8. *La Presse*, jeudi 30 juin 1904, p. 1.
9. A. Lesage, « Infections des voies biliaires », *4e congrès de l'Association des médecins de langue française de l'Amérique du Nord*, Québec, Impr. Laflamme, 1910, p. 56-95.
10. A. Rousseau, *BMQ*, 12, 1910, p. 122.

Le congrès de 1910 s'attarde particulièrement aux maladies du système digestif. De nouveau, médecins et chirurgiens collaborent. Le Dr Joseph-O. Bourgoin, médecin de l'Hôpital Sainte-Justine, décrit le cancer de l'estomac, alors que le Dr Eugène Saint-Jacques rapporte les considérations cliniques sur cette maladie, en présentant des pièces anatomiques. Lors du même congrès, le Dr Brochu précise, pour sa part, les différences diagnostiques entre le cancer de l'estomac et la gastrite chronique. Enfin, les Dr Arthur Rousseau et Odilon Leclerc, de Québec, présentent le rapport sur la dyspepsie gastro-intestinale.

Les progrès des autres spécialités médicales

Dans les autres domaines de l'art médical, les progrès, bien que moins spectaculaires, sont également manifestes.

Ainsi, le président de la section consacrée aux maladies des femmes, au cours du congrès de 1904, le Dr Louis de Lotbinière-Harwood, déclare que la plupart des opérations pratiquées à l'étranger l'ont également été ici, «et nos statistiques sont là pour démontrer que l'art difficile de la chirurgie est bien compris et avantageusement exercé par les gynécologues français d'Amérique[11]». Se référant au Dr Samuel Pozzi, le gynécologue de l'Hôpital Notre-Dame rappelle que les opérations gynécologiques tendent de plus en plus «à la conservation aux femmes, de leur sexe[12]». L'ablation des ovaires et de l'utérus ne sera pas une pratique généralisée dans les hôpitaux francophones du Québec.

En 1904, un médecin attaché à l'Hôpital Saint-Jean-de-Dieu, le Dr Joseph E. Dion, décrit l'influence de certaines maladies fébriles sur la marche de la folie.

Également en 1904, un médecin attaché à l'Hôpital Saint-Jean-de-Dieu, le Dr Joseph E. Dion, décrit l'influence de certaines maladies fébriles sur la marche de la folie. Il note que la fièvre accentue parfois le délire, mais, à d'autres occasions, permet un retour à la lucidité[13]. Citant un article paru dans une revue médicale française, le Dr Dion explique ce phénomène par la création par l'organisme d'antitoxines susceptibles à la fois d'emporter la maladie récente et l'ancienne maladie mentale. Cette communication est intéressante car elle annonce les futures thérapies de choc qui seront populaires en psychiatrie à partir des années 1920 et 1930. Un médecin

11. *2e congrès…*, p. 368.
12. *2e congrès…*, p. 370.
13. *2e congrès…*, p. 522-534.

viennois, Wagner von Jauregg, recevra en effet en 1918 le prix Nobel de médecine pour avoir réussi à traiter efficacement les patients souffrant de paralysie générale syphilitique par la malaria.

Le Dr Georges Villeneuve fut le premier à appliquer l'entomologie à la médecine légale au Canada.

Au chapitre de la médecine légale, signalons également la communication présentée au congrès de 1908 par le Dr Georges Villeneuve sur « l'application de l'entomologie à la médecine légale[14] ». Selon les divers insectes et larves présents sur le cadavre, il est possible de déterminer le jour du décès. Le Dr Villeneuve fut le premier à appliquer l'entomologie à la médecine légale au Canada, en utilisant les études de l'entomologue français Megnin et en tenant compte du climat québécois.

Une observation clinique inédite

Les congrès de l'AMLFAN permettent aussi la présentation de cas cliniques assez rares. Par exemple, en 1904, le Dr Jules-Lactance Archambault exhibe une pièce pathologique et des planches photographiques qui montrent une anomalie congénitale dont on ne retrouve alors qu'un seul cas dans la littérature[15] : celui du gros intestin et d'une partie de l'intestin grêle d'une fillette décédée à l'âge de deux jours et demi réduits à un état rudimentaire alors que le reste du tube digestif est parfaitement normal. Cette malformation congénitale s'était sans doute produite pendant le sixième ou le septième mois de la gestation et avait probablement été causée par une lésion vasculaire ayant entravé l'apport sanguin.

Les maladies contagieuses et la médecine préventive

La priorité accordée à la tuberculose n'a pas empêché certains médecins de s'intéresser aux autres maladies infectieuses. À titre d'exemple, en 1904, le Dr Arthur Lessard de Granby s'attarde à la « mortalité par la diphtérie dans la province de Québec[16] ». Cette maladie vient tout juste d'être vaincue grâce à la création d'un sérum par Roux et Behring. Le Dr Lessard déplore qu'elle fasse encore trop de victimes dans la province de Québec, en raison des prix trop élevés du sérum et des difficultés qu'éprouvent certaines localités à s'en procurer au moment propice.

14. *4e congrès…*, p. 255-270.
15. J.L. Archambault, « Atrésie congénitale du tiers supérieur de l'intestin grêle avec état rudimentaire de tout le tube intestinal au-dessus », *2e congrès…*, p. 337-346.
16. *2e congrès…*, p. 479-482.

Citant le cas de Granby, où une épidémie de diphtérie a sévi en 1898-1899, le Dr Lessard dit que le taux de mortalité y a été faible parce que cette municipalité avait établi un dépôt de sérum antidiphtérique où les cinq médecins de la ville pouvaient s'approvisionner. Il conclut à la nécessité d'assurer, au Canada, « la fondation et l'entretien par l'État d'un Institut Pasteur[17] ». Tout en étant d'une grande utilité publique lors d'épidémies, grâce à la fabrication de sérums et de vaccins efficaces, cet institut ouvrirait par ailleurs des portes à des jeunes médecins ayant des connaissances spéciales en chimie et en biologie.

Le congrès de 1904 est marqué par une intervention du Dr Louis Elzéar Pelletier, secrétaire du Conseil supérieur d'hygiène depuis sa fondation en 1887, qui demande que les médecins déclarent tous les cas de maladies contagieuses.

Le congrès de 1904 est également marqué par une intervention du Dr Louis Elzéar Pelletier, secrétaire du Conseil supérieur d'hygiène depuis sa fondation en 1887, qui demande que les médecins déclarent tous les cas de maladies contagieuses. Les médecins sont divisés sur cette question, certains se prononçant pour la déclaration obligatoire, alors que d'autres intervenants n'en voient pas la nécessité[18].

En 1910, le Dr Georges Bourgeois, de Trois-Rivières, propose que l'on combatte les maladies vénériennes de la même façon que la tuberculose, par la distribution de cartes présentant des conseils moraux et hygiéniques. Cette pratique existe déjà en Europe et à New York. Les instructions présentées à New York contre la syphilis et la gonorrhée sont intéressantes, car si on y retrouve certaines conceptions plutôt moralisatrices (dormir seul, ne pas utiliser d'alcool ou de tabac, etc.), d'autres sont encore valables de nos jours, comme le conseil d'éviter de prêter sa seringue. Ce ne sera qu'après la Première Guerre mondiale, quand on aura constaté que de nombreux soldats ont été infectés, que les gouvernements organiseront une vaste campagne de lutte contre les maladies transmises sexuellement.

Les questions d'ordre professionnel

Au-delà des communications purement scientifiques, de nombreuses communications portent par ailleurs sur des questions d'ordre professionnel (enseignement de la médecine, déontologie, association de médecins, etc.). Sur ces différents points, quelques médecins se démarquent également par leurs interventions.

17. *2e congrès…*, p. 482.
18. *2e congrès…*, p. 475-478.

Un sujet chaudement discuté est celui de la formation de base des étudiants en médecine. En 1904, le Dr Louis-Édouard Fortier[19] se fait le défenseur de la formation classique comme préparation à l'étude de la médecine. Cette position est celle de la majorité des médecins francophones de l'époque. En 1908, cependant, le Dr Albert Laurendeau, «un réformateur qui prend quelquefois des airs de destructeur[20]», fait entendre un autre son de cloche. Il attribue aux lacunes de l'enseignement des sciences durant les études préparatoires à la médecine le peu d'intérêt des membres des sociétés médicales de district – sauf celles de Québec et de Montréal – pour l'étude de la médecine. Le Dr Laurendeau suggère de créer des écoles commerciales ou industrielles, au lieu de continuer de construire des collèges classiques, et invite surtout à enseigner la vérité scientifique aux jeunes, y compris le darwinisme, plutôt que de mettre l'accent sur l'étude des langues mortes[21]. À cause des clameurs de la majorité des congressistes, le Dr Laurendeau est incapable de conclure son intervention. La formation classique restera nécessaire à l'inscription à la médecine dans les universités francophones du Québec. En 1909, toutefois, une loi du CMCPQ étend à cinq ans le programme des études médicales. L'enseignement obligatoire de la bactériologie théorique et pratique est affirmé dans la loi de 1909, dont le Dr Fortier est le principal maître d'œuvre.

Le Dr Laurendeau invite à enseigner la vérité scientifique aux jeunes, plutôt que de mettre l'accent sur l'étude des langues mortes.

Les erreurs professionnelles sont aussi discutées. Lors du second congrès en 1904, le Dr Joseph-Edmond Dubé présente le cas d'un individu atteint d'une infection blennorragique, décédé à l'Hôtel-Dieu de Montréal après avoir été traité par un pharmacien[22]. L'autopsie pratiquée par l'interne Benjamin Georges Bourgeois, en présence des médecins de l'Hôtel-Dieu, a démontré qu'une péri-endocardite et une néphrite s'étaient rajoutées à l'infection du départ. Cela prouvait que les cas de blennorragie ne devaient jamais être traités à la légère, mais surtout que les pharmaciens avaient intérêt «à se

19. Médecin de l'Hôtel-Dieu de Montréal à partir de 1893, le Dr Louis-Édouard Fortier a enseigné la matière médicale, l'anatomie, la thérapeutique et la pathologie interne à l'ULM. Il a également été attaché à la rédaction de *L'Union Médicale du Canada*, rédacteur de la revue *L'Abeille médicale* et secrétaire à la rédaction du *Journal d'hygiène populaire*. Il a aussi été le fondateur et le directeur de l'Hôpital chinois de Montréal et d'un hôpital à Caughwanaga. Lesage, *UMC*, 68, 9, septembre 1947, p. 1155.
20. *UMC*, 37, 10, octobre1908, p. 607.
21. A. Laurendeau, «Discours sur les intérêts professionnels… l'Hygiène, la médecine mentale et légale», *4e congrès…*, p. 369-388.
22. J.-E. Dubé, «Infection blennorrhagique aiguë suivie de péri-endocardite, néphrite et mort», *2e congrès…*, p. 210-215.

rappeler qu'ils n'ont que le droit et les connaissances voulues pour préparer et non pas prescrire les drogues[23] ».

Beaucoup d'autres sujets d'intérêt professionnel sont discutés pendant les premiers congrès de l'AMLFAN, par exemple le secret médical ou la création d'une association mutuelle pour protéger les médecins contre d'éventuelles poursuites. En 1908, le Dr Joseph-Edmond Dubé suggère de tenir un congrès portant strictement sur les aspects professionnels de la médecine. Tout en s'intéressant aux questions d'intérêt professionnel, l'AMLFAN reconnaît, par contre, l'hégémonie exercée alors par le CMCPQ dans la défense de la profession médicale.

Conclusion

Présenté en français par des cliniciens locaux, le nouveau savoir se diffusait à l'intérieur de la communauté médicale francophone.

Les quelques communications résumées ici ne représentent, bien sûr, qu'un faible échantillon des divers sujets qui furent discutés dans le cadre des premiers congrès de l'AMLFAN. Les sujets scientifiques présentés entre 1904 et 1910 étaient en fait ceux que les médecins discutaient à l'étranger au même moment. Tel était l'objectif des fondateurs de l'AMLFAN, qui espéraient que les congrès permettraient de débattre des grandes questions d'actualité et de faire connaître les dernières innovations de l'art médical. Présenté en français par des cliniciens locaux, le nouveau savoir se diffusait à l'intérieur de la communauté médicale francophone. Comme le dit en 1904 l'un des propriétaires de *L'UMC*, le Dr Amédée Marien :

> Il y a quelques années encore, nous nous contentions d'aller en grand nombre admirer les autres, tout en nous extasiant sur leurs supériorités : supériorité de l'organisation professionnelle, supériorité de l'enseignement médical, supériorité des hôpitaux, etc. Aujourd'hui, nous avons le droit de dire qu'il s'est fait du progrès chez nous, et ce qui a été fait a été bien fait[24].

Avec près de 500 communications portant sur l'ensemble de la pathologie et de la thérapeutique, les premiers congrès de l'AMLFAN permirent de prouver que le Canada français n'était pas réfractaire au progrès.

23. *Ibid.*, p. 215.
24. Marien, « La discussion de l'appendicite Congrès de Montréal », *UMC*, 33, 8 août 1904, p. 506.

CHAPITRE 14

UN HOMMAGE AU PASSÉ

Généralement, la date et le lieu des premiers congrès de l'AMLFAN coïncidaient avec la célébration de grands événements: cinquantenaire de l'Université Laval en 1902, vingt-cinquième anniversaire de fondation de la succursale montréalaise de l'Université Laval en 1904, tricentenaire de la ville de Québec en 1908. Dans ce contexte, il était normal que les congrès de l'AMLFAN, tout en étant consacrés d'abord et avant tout à l'étude des grandes questions d'actualité, fussent aussi l'occasion de rendre hommage aux médecins du passé. Cet hommage prenait deux formes. Tout d'abord, certains médecins présentaient des communications sur l'histoire de la profession médicale au Canada. Ensuite, l'AMLFAN décernait le titre de président honoraire à plusieurs médecins qui avaient apporté d'importantes contributions à la médecine francophone en Amérique du Nord par leur enseignement, leur pratique ou leur implication sociale.

À l'ouverture des premiers congrès de l'AMLFAN, les présidents ne manquaient jamais de rappeler dans leur discours les différents changements qu'avaient connus l'enseignement et la pratique médicale au Québec depuis l'époque coloniale.

Un intérêt pour l'histoire de la médecine

À l'ouverture des premiers congrès de l'AMLFAN, les présidents ne manquaient jamais de rappeler dans leur discours les différents changements qu'avaient connus l'enseignement et la pratique médicale au Québec depuis l'époque coloniale. En 1904, le Dr Auguste-Achille Foucher rappelle ainsi qu'avant la seconde moitié du XIXe siècle, seulement quelques médecins canadiens-français possédaient une formation universitaire, acquise à Paris, à Édimbourg ou aux États-Unis. Depuis trente ans, l'exception est devenue la règle: « Aujourd'hui on peut compter par centaines ceux qui ont étudié en Europe; nous comptons parmi nous au moins une dizaine de gradués de la Faculté de Paris[1]. »

1. *2e congrès de l'Association des médecins de langue française de l'Amérique du Nord*, Montréal, Impr. La Patrie, 1905, p. 1.

Dr Emmanuel-Persillier Benoît

Certes, ces discours avaient pour but de signaler les progrès de la médecine au cours des dernières années. Mais ils constituaient aussi un hommage aux fondateurs des Écoles de médecine de Québec et de Montréal du milieu du XIXe siècle, ces hommes qui avaient transmis à leurs étudiants le feu sacré. Par la suite, leurs élèves avaient fondé, dans les universités, de nouvelles chaires d'enseignement, des musées et des laboratoires, et introduit dans les hôpitaux de nouvelles pratiques.

Au cours du même congrès de 1904, le Dr Emmanuel-Persillier Benoit présente l'histoire du Dr William Beaumont, un médecin né à Lebanon au Connecticut, qui, dès le début du XIXe siècle, a observé les phénomènes gastriques pendant une dizaine d'années, à partir du cas d'Alexis Saint-Martin, un voyageur de Québec qui avait à l'abdomen une large plaie ouverte[2].

Les notes du Dr Ahern sur les médecines du Canada à l'époque coloniale constituent encore de nos jours une référence importante.

Le médecin qui s'intéresse le plus à l'histoire de la médecine, au début du XIXe siècle, est le Dr Michaël Joseph Ahern. Au congrès de 1908, qui coïncide avec le tricentenaire de la Vieille Capitale, ce chirurgien de l'Hôtel-Dieu de Québec dépose un texte racontant l'histoire de certains charlatans qui pratiquaient sous le régime français[3]. Lors du congrès suivant, en 1910, le Dr Ahern présente un historique de « la maladie de Baie Saint-Paul », une épidémie de syphilis qui a frappé la colonie à la fin du XVIIIe siècle. Au même moment, le Dr Ahern commencera une série de notes biographiques sur les médecins du Canada à l'époque coloniale. Elles seront complétées par son fils, le Dr Georges Ahern, et publiées sous forme de volume en 1923. Ce livre reste encore, de nos jours, un ouvrage de référence important[4].

Après la relance de l'AMLFAN, en 1920, l'histoire de la médecine sera l'objet d'une section régulière pendant les congrès. Elle sera animée par le Dr Léo Pariseau, radiologiste de l'Hôtel-Dieu de Montréal et propriétaire d'une imposante collection de livres anciens[5]. Plus tard, en 1950, des membres de la Faculté de médecine de l'Université Laval fonderont la Société canadienne d'histoire de la médecine[6]. Plusieurs travaux de cette société seront

2. E.P. Benoit, « Note sur le docteur Beaumont », *2e congrès…*, p. 303-307.
3. M.J. Ahern, « Quelques charlatans du régime français dans la province de Québec », *4e congrès de l'Association des médecins de langue française de l'Amérique du Nord*, Québec, Impr. Laflamme, 1910, p. 430-440.
4. Bernier (2000), p. 25-35.
5. Peu de temps avant sa mort en 1944, le Dr Pariseau a cédé sa collection à l'Université de Montréal.
6. Les premiers présidents de cette société, de 1950 à 1980, seront les Dr Sylvio Leblond, Charles-Auguste Gauthier, Émile Gaumond, de la Broquerie Fortier et Jean Baudoin. Duffin et Potter (2000), p. 294-301.

L'enseignement de l'histoire de la médecine a été délaissé à partir des années 1970, mais on assiste maintenant à un retour de cette matière dans les facultés de médecine québécoises.

publiés dans *L'Union Médicale du Canada*, le *Laval Médical*, *La vie médicale au Canada français*, *le Canadian Medical Association Journal* et plusieurs autres revues savantes. Le principal historien de la médecine au Québec dans les années 1960-1970 sera le Dr Édouard Desjardins, de l'Hôtel-Dieu de Montréal, rédacteur en chef de *L'UMC* de 1970 à 1978. Le Dr Desjardins publiera plus de 70 articles sur le sujet[7].

Longtemps enseignée dans les facultés, l'histoire de la médecine a été délaissée à partir des années 1970. Depuis quelques années, cependant, nous assistons à un retour de cette matière dans les facultés de médecine québécoises.

Les présidents honoraires

Dr Édouard Desjardins

Les premiers congrès furent également l'occasion d'honorer plusieurs médecins qui avaient contribué au progrès de l'enseignement ou de la pratique médicale ou qui, par leur engagement politique et social, avaient joué un rôle dans le développement de certaines œuvres philanthropiques.

Au congrès de 1904, l'AMLFAN décide ainsi de nommer un président honoraire pour chacune de ses sections.

Les chirurgiens portent leur choix sur le Dr William Hingston. Chirurgien à l'Hôtel-Dieu de Montréal, le Dr Hingston aurait réalisé dans cette institution deux premières mondiales: une néphrotomie en 1868[8]; l'ablation de la langue et du maxillaire inférieur d'un patient cinq ans plus tard[9]. Il a aussi assisté le Dr Jean-Philippe Rottot dans la réalisation des premières hystérectomies au Québec. En souvenir de son ancien maître, le Dr Pierre Munro, le Dr Hingston est resté fidèle jusqu'à la fin à l'École Victoria. Il a ainsi décliné le poste de doyen de la Faculté de médecine de Bishop en 1871, puis en 1877, il a refusé d'adhérer à la succursale montréalaise de l'Université Laval. Le Dr Hingston a aussi été maire de la ville de Montréal de 1875 à 1877 et a alors adopté d'importantes mesures de santé publique. Il a de plus été président du CMCPQ de 1886 à 1889.

---

7. Roland (1984), p. 131-133.
8. Meunier (1989), p. 73.
9. *Ibid.*, p. 123.

Le Dr Louis-Édouard Desjardins a de plus participé à la fondation de la Gazette médicale de Montréal *en 1887, du quotidien* L'Étendard *en 1883 et plus tard, en 1910, du* Devoir.

Les travaux sur l'ophtalmologie et l'oto-rhino-laryngologie, en 1904, sont sous la présidence d'honneur du Dr Louis-Édouard Desjardins. Après avoir porté la soutane et enseigné la musique au Séminaire de Nicolet à la fin des années 1850, le Dr Desjardins a quitté la vie ecclésiastique pour s'inscrire à l'École Victoria, dont il est sorti diplômé en 1864. À l'Institut ophtalmologique de Montréal qu'il a dirigé, avec l'aide de son frère le Dr Henri Desjardins, puis du Dr Rodolphe Boulet, il a formé tous les ophtalmologistes et les oto-rhino-laryngologistes francophones. Depuis 1900, le Dr Desjardins est membre de la Société française d'ophtalmologie. En 1904, il préside la séance inaugurale du 10e congrès international d'ophtalmologie à Lucerne en Suisse. Le Dr Desjardins a également défendu à Rome l'École Victoria, quand celle-ci a été frappée d'anathème. Il a de plus participé à la fondation de la *Gazette médicale de Montréal* en 1887, du quotidien *L'Étendard* en 1883 et plus tard, en 1910, du *Devoir*[10].

Dr Rodolphe Boulet

La section consacrée aux maladies mentales, aux maladies nerveuses et à l'anatomie pathologique choisit pour président honoraire le Dr Edmond-Joseph Bourque. Ce dernier est médecin en chef depuis 1885 de l'Hôpital Saint-Jean-de-Dieu. Diplômé de l'École Victoria, le Dr Bourque a été le premier médecin francophone à dispenser un enseignement clinique des maladies mentales. Dès 1885, il a fait connaître l'enseignement de l'aliéniste français Valentin Magnan, le maître à penser des neuropsychiatres francophones jusqu'au déclenchement de la Première Guerre mondiale[11].

Dr Adolphe Lamarche

Le Dr Adolphe Lamarche est élu président honoraire de la section d'obstétrique et de pédiatrie. Professeur à l'ULM depuis 1878, le Dr Lamarche a été également propriétaire de *L'Union Médicale du Canada* pendant plus de vingt ans et son rédacteur en chef de 1882 à 1889. En 1883, il a été nommé gouverneur à vie de l'Hôpital Notre-Dame. De plus, il a participé régulièrement aux congrès internationaux qui avaient lieu à Montréal. Ainsi, il a été membre du comité d'organisation local du congrès de l'American Public Health Association en 1894. Il a aussi été vice-président en 1897 de la section Anatomie et physiologie lors du congrès de la British Medical Association[12].

10. Goulet, *DBC*, 14, 1998, p. 315-316.
11. Keating (1993), p. 122.
12. S. Lachapelle, *UMC*, 39, 7, juillet 1910, p. 375-380.

En plus de ces médecins, l'AMLFAN donnera également le titre de président aux dirigeants des congrès précédents, aux médecins étrangers de prestige, aux doyens des différentes facultés de médecine québécoises, aux médecins engagés sur la scène politique, aux principaux membres du Comité provincial d'hygiène et du CMCPQ, ainsi qu'à quelques médecins ayant pris part à la fondation d'hôpitaux, de revues, de sociétés médicales ou de nouvelles chaires d'enseignement.

De 1904 à 1910, près de soixante médecins sont honorés par l'AMLFAN[13]. Décrire l'œuvre de chacun de ces membres honoraires dépasse malheureusement le cadre de cet ouvrage. En fait, cela équivaudrait à écrire toute l'histoire de l'élite médicale canadienne-française de la seconde moitié du XIXe siècle.

13. Voir en annexe, la liste des présidents honoraires de l'AMLFAN de 1902 à 1910.

CHAPITRE 15

LES CONGRÈS DE 1904 À 1910

De 1904 à 1910, les activités de l'AMLFAN se résumèrent à la tenue d'un congrès bisannuel. Cependant, chacun de ces congrès eut ses particularités propres, ne serait-ce que par le lieu où ils se tenaient. Par ailleurs, ces congrès étaient l'occasion de banquets et de différentes activités sociales, qui permettaient aux médecins de fraterniser. Nous décrirons ici l'ambiance régnant dans chacun de ces congrès.

Le congrès de 1904 à Montréal : un congrès surtout scientifique

Le 2e congrès de l'AMLFAN ouvre ses portes à des membres d'autres professions, et une section est réservée à la chirurgie dentaire.

Deux ans après la tenue du congrès de fondation, les membres de l'AMLFAN se retrouvent à Montréal, pour le 2e congrès, qui se déroule du 27 au 29 juin 1904. Les fêtes du 25e anniversaire de l'ULM n'ont pas le même éclat que celles du premier jubilé de l'ULQ. La participation est donc un peu moindre (environ 250 médecins participent aux travaux et 219 assistent au banquet), mais les communications sont, dans l'ensemble, plus originales.

D'importantes innovations marquent le 2e congrès, entre autres la présentation de rapports généraux en plénière. Par ailleurs, l'AMLFAN ouvre maintenant ses portes à des membres d'autres professions. Ainsi, une section est réservée à la « chirurgie dentaire ». Elle est présidée par Joseph Nolin, dentiste de Montréal. En tout, vingt-six dentistes participent aux activités de ce congrès. Il y aura une section consacrée à la chirurgie dentaire dans chacun des congrès suivants jusqu'en 1910. Un ingénieur sanitaire de Montréal est invité à présenter, dans la section consacrée à l'hygiène, une communication portant sur « la ventilation et l'aération des habitations dans les pays froids[1] ». Dans les congrès suivants, des juristes et des membres du clergé interviendront également, particulièrement sur des questions d'ordre éthique.

1. *2e congrès de l'Association des médecins de langue française de l'Amérique du Nord*, Montréal, Impr. La Patrie, 1905, p. 488-491.

Le 2e congrès impressionne aussi par la participation massive (43) des étudiants en médecine à ses activités. Plusieurs deviendront des figures régulières lors de futurs congrès de l'AMLFAN, dont Gustave Archambault, Joseph-Édouard Bélanger, Adrien Bonin, Adrien Corsin, Eugène Dufresne, Ludovic Verner et Arthur Vallée fils.

Dr Arthur Vallée

Le 2e congrès débute le 28 juin dans la salle de promotion de l'ULM. Quelques médecins anglophones y assistent[2], de même que la première femme diplômée en médecine d'une université québécoise[3], le Dr Grace England Ritchie, qui participe également aux activités du congrès. Environ 15% des congressistes viennent de l'extérieur du Québec, de la Nouvelle-Angleterre pour la plupart. On remarque toutefois aussi la présence d'un chirurgien californien[4]. Du Nouveau-Brunswick proviennent deux médecins qui participeront aux activités de l'AMLFAN pendant plusieurs décennies: le Dr Pio-H. Laporte[5] et le Dr Josué P. Pinault, médecin de Campbellton et diplômé, en 1899, de l'ULQ. Notons enfin la présence d'une importante délégation française dirigée par le Dr Samuel Pozzi[6].

La première femme diplômée en médecine d'une université québécoise, le Dr Grace England Ritchie, participe également aux activités du 2e congrès.

Dans son discours d'ouverture, le président de l'AMLFAN, le Dr Auguste-Achille Foucher, signale l'existence au Québec, en 1904, de quatre facultés de médecine, quinze sociétés médicales et huit journaux médicaux. En fondant l'AMLFAN en 1902, la médecine canadienne-française a voulu savoir si oui ou non elle était «aussi indifférente aux intérêts qui la concernent que semblait le croire son abstention presque systématique des associations médicales de langue anglaise[7]». Le président ajoute que, «laissé à lui-même, le médecin, quelque studieux qu'il puisse être, ne tarde pas à s'éloigner du progrès

2. Le corps professoral de l'Université McGill est ainsi représenté par les Drs William Gardner, James Chalmers Cameron et Arthur Laphtorn Smith, tous des francophiles reconnus.
3. Le Dr England Ritchie a été diplômée de l'Université Bishop en 1891.
4. Il s'agit du Dr Ferdinand Canac-Marquis, diplômé de l'ULQ, qui exerce depuis une dizaine d'années à San Fransisco.
5. Docteur en médecine de l'ULM en 1901, le Dr Laporte exerçait à Edmundston. Il a été maire de cette ville de 1912 à 1919, puis député provincial et ministre provincial de la Santé. Il était aussi un excellent musicien. Son frère, le Dr Paul Carmel Laporte, a été président de la Société médicale du Nouveau-Brunswick en 1945 et un sculpteur renommé. Les frères Laporte ont tous deux été membres du Conseil général de l'AMLFAN dans les années 1930. Stewart (1974), p. 217-221.
6. La profession médicale française est représentée par les Drs A. Motus, professeur de clinique ophtalmologique à l'École de médecine de Paris, Foveau de Courmelle, Lortat Jacob, G. Sabareaunu, F.X. Gouraud, Léon Lortat Jacob et Maurice Faure, tous de Paris.
7. *2e congrès...*, p. 1.

En diffusant le nouveau savoir et en créant une plus grande harmonie dans la profession, les sociétés médicales et les congrès de l'AMLFAN répondent aux besoins des médecins isolés.

et tombe fatalement dans la routine[8] ». En diffusant le nouveau savoir et en créant une plus grande harmonie dans la profession, les sociétés médicales et les congrès de l'AMLFAN, « qui en sont le couronnement[9] », répondront aux besoins des médecins isolés.

La soirée du 28 est consacrée aux allocutions générales, sous la présidence honoraire de Mgr Paul Bruchési, vice-chancelier de l'Université Laval à Montréal, et L.A. Jetté, lieutenant-gouverneur de la province de Québec. De nombreux dignitaires prennent successivement la parole : le lieutenant-gouverneur, le maire de Montréal, le consul de France, le Dr Samuel Pozzi, le ministre fédéral de la Marine et des Pêcheries, le procureur général de la province de Québec, etc. À cette occasion, le Dr Brochu reprend les arguments du Dr Foucher selon lesquels le nouveau médecin qui vient de terminer ses études se retrouve généralement dans un état d'isolement : « Le diplôme n'est le plus souvent, en fait, que le privilège de redevenir ignorants[10]. » L'AMLFAN et les autres associations scientifiques ont justement pour tâche « de suppléer à l'action des universités, en offrant aux jeunes médecins qui viennent prendre leur rang dans l'arène professionnelle, les conditions les plus propres à leur faire acquérir le sens pratique et à leur permettre de suivre les progrès et l'évolution de la science médicale[11] ». Au surplus, l'AMLFAN et les sociétés médicales contribueront à « consolider l'unité de la race canadienne-française[12] ». La première journée se termine par une réception à l'Université Laval à Montréal.

Le lendemain matin commencent les travaux des différentes sections. Des visites à l'Hôtel-Dieu et à l'Hôpital Notre-Dame sont également prévues.

Lors du banquet du mercredi soir à l'Hôtel Place-Viger, les traditionnels « toasts » sont remplacés par un *smoking concert* auquel les conjointes sont admises. Au programme musical figurent des œuvres de Bizet, de Tchaïkovski, etc. Les discussions se poursuivent aux tables, puis, l'alcool, la nourriture et la musique aidant, les polémistes finissent par se livrer à des concessions.

---

8. *Ibid.*
9. *Ibid.*
10. M.-D. Brochu, « Le rôle des universités et des sociétés médicales dans la formation de l'esprit médical », *2e congrès...*, p. 14.
11. *Ibid.*, p. 13.
12. *Ibid.*, p. 15.

Tirant un bilan du 2e congrès, l'un des propriétaires de *L'UMC,* le Dr Amédée Marien, se dit déçu de la discussion sur l'appendicite, qui est demeurée au stade des formules. Il explique cependant que les deux premiers congrès de l'AMLFAN ont permis de prouver que le Canada français n'est pas réfractaire au progrès.

Un autre propriétaire de *L'UMC,* le Dr Joseph-Edmond Dubé, s'attarde plutôt sur l'atmosphère du congrès. Il signale que la discussion, «si elle s'est faite quelquefois avec vivacité (c'est dans notre tempérament), elle n'a jamais manqué de bonne humeur (c'est aussi dans notre tempérament)[13] ». Le ton polémique qui s'exprime dans les congrès est un signe caractéristique de l'esprit latin des médecins francophones. Les congrès de l'AMLFAN et les réunions des diverses sociétés médicales ont permis de regrouper les médecins de bonne volonté, «ceux qui veulent, en un mot, s'instruire réciproquement; ceux qui s'intéressent aux questions d'intérêt professionnel; ceux, enfin, qui veulent propager partout la sympathie et la camaraderie professionnelle[14]». Les deux premiers congrès de l'AMLFAN représentent donc, pour lui, une victoire sur l'individualisme et l'inertie qui ont été trop longtemps le lot de la profession médicale francophone.

Pour le Dr Joseph-Edmond Dubé, les deux premiers congrès représentent une victoire sur l'individualisme et l'inertie qui ont trop souvent été le lot de la profession médicale francophone.

Un premier congrès régional : Trois-Rivières (26-28 juin 1906)

Le succès des deux premiers congrès de l'AMLFAN était prévisible, puisqu'ils avaient bénéficié de l'appui des universités. Dans ce contexte, le 3e congrès représentait le véritable défi : un petit groupe de médecins, qui œuvrait dans un district rural dépourvu de maison d'enseignement et relativement peu fourni en services hospitaliers, pouvait-il organiser avec succès un tel congrès ?

Le 26 juin 1906, les congressistes se réunissent à la salle de l'hôtel de ville trifluvien pour s'y inscrire. Ils sont accueillis par la fanfare L'Union musicale de Trois-Rivières. Pour la première fois, des médecins de l'Ouest canadien assistent à un congrès de l'AMLFAN. Il s'agit des Drs D. Boulanger, de Saint-Lambert, et J.H.O. Lambert, de Saint-Boniface au Manitoba.

---

13. Dubé, «Le congrès de Montréal-juin 1904-Impressions et souvenirs», *UMC*, 33, 8, août 1904, p. 439.
14. Dubé, «Le médecin : sa formation. Les sociétés médicales et leur utilité», *UMC*, 35, 3, mars 1906, p. 138.

Au 3e congrès, le Dr Louis-Philippe Normand décrit l'histoire de la médecine dans la région de Trois-Rivières, depuis l'ouverture du premier hôpital en 1697.

Dans son discours d'ouverture, le Dr Louis-Philippe Normand décrit l'histoire de la médecine dans la région de Trois-Rivières, depuis l'ouverture en 1697 du premier hôpital. Rappelant que depuis une cinquantaine d'années, près de la moitié de la population canadienne-française a émigré dans le pays voisin, le Dr Normand souhaite que l'AMLFAN soit «le premier maillon de cette chaîne qui devra nous lier à nos compatriotes des États-Unis[15]». Cette unité est symbolisée par le sceau de l'Association qu'adoptera l'Assemblée générale: un bouclier tricolore, avec au centre un caducée orné d'un castor et de feuilles d'érable (emblème du Canada) et d'une bannière de cinq étoiles représentant les États-Unis. Ce sceau a été retenu par une commission formée des Drs Brochu, Foucher, Loir et Panneton[16].

Dr Charles-Nuna de Blois

Pour sa part, le Dr Charles-Nuna de Blois, secrétaire du congrès, salue les délégués des diverses sociétés médicales qui ont collaboré à l'organisation du congrès. Parmi celles-ci, l'Association médicale de Fall River, représentée par le Dr J.E. Lanoie, l'Association française du Manitoba, que préside le Dr Lambert et l'Association médicale et internationale de Madawaska, que représentent les Drs Pio-H. Laporte d'Edmundston au Nouveau-Brunswick, Joseph Archambault de Fort Kent et Louis Albert de Van Buren dans l'État du Maine[17].

La soirée est réservée, comme toujours, aux allocutions des dignitaires. Prennent la parole à tour de rôle le lieutenant-gouverneur, l'évêque de Trois-Rivières, le premier ministre Lomer Gouin, le maire de Trois-Rivières, le vice-consul de France, ainsi que les médecins français, dont Henri Triboulet et Adrien Loir. Le premier ministre québécois, sir Lomer Gouin, demande en boutade aux congressistes de ne pas découvrir de nouveaux microbes, «vu que nous en avons déjà assez[18]». Ayant jugé que l'AMLFAN est une société dont les travaux seront utiles pour tout le peuple, le gouvernement québécois a accordé «un substantiel octroi pour notre congrès[19]». Plus tard, les congressistes assistent aux fêtes de nuit, composées de feux d'artifice sur le fleuve, de feux de la Saint-Jean et d'un concert.

15. *3e congrès de l'Association des médecins de langue française de l'Amérique du Nord*, Trois-Rivières, Impr. Vanasse et Lefrançois, 1906, p. 41.
16. *3e congrès…*, p. 737.
17. *3e congrès…*, p. 36.
18. *3e congrès…*, p. 51.
19. Lesage, «Bref historique», *UMC*, 67, 9, septembre 1938, p. 1025.

Dr Louis-Philippe Normand

Le lendemain, en fin d'après-midi, un groupe de médecins visitent l'Hôpital militaire du camp de Trois-Rivières, où ils sont reçus par les Drs Charles W. Wilson et Kenneth Cameron, respectivement lieutenant-colonel et major. À la demande des visiteurs, les ambulanciers et les brigadiers simulent une opération de secours aux blessés. Des visites sont aussi organisées à l'Hôpital Saint-Joseph et au Sanatorium de Trois-Rivières. Les congressistes sont ensuite invités à participer à deux réceptions successives, organisées par les épouses des Drs Normand et Panneton[20].

Donnant son appréciation du congrès de Trois-Rivières, Le Dr Charles-Narcisse Valin suggère entre autres qu'un comité juge de la valeur des travaux et procède à un tri et à un classement deux mois avant la tenue de l'événement.

Donnant son appréciation du congrès de Trois-Rivières, le Dr Charles-Narcisse Valin signale qu'une certaine éducation reste à faire parmi les médecins. Ainsi, pendant le thème sur l'alcoolisme, un rapporteur aurait parlé pendant près de deux heures malgré les avertissements du président et les plaintes de l'auditoire qui voulait entendre le Dr Triboulet. Il y a aussi beaucoup trop de communications à l'ordre du jour, ce qui fait que d'excellents travaux ne peuvent être discutés. Le Dr Valin suggère donc qu'un comité juge de la valeur des travaux et procède à un tri et à un classement deux mois avant la tenue du congrès. Il indique de plus qu'une petite ville peut difficilement offrir un confort valable à des congressistes. La tenue d'un congrès pendant des fêtes civiques, comme la Saint-Jean-Baptiste, rend d'autant plus difficile les questions du logement et du transport[21].

Le *Montréal Médical* considère de son côté que le 3e congrès de l'AMLFAN a été jusque-là le plus brillant : 310 médecins y ont participé activement et 118 travaux ont été présentés[22]. Le 3e congrès de l'AMLFAN a été le premier pris en main et dominé par de simples praticiens.

Une certaine maturité : le 4e congrès (Québec, 20-22 juillet 1908)

Dans l'optique de ses organisateurs, le 4e congrès de l'AMLFAN devait coïncider avec les fêtes du tricentenaire de la ville de Québec. Pendant près de six mois, une incertitude a donc subsisté quant à la date effective de sa tenue. En raison de l'effondrement du pont de Québec, en effet, les autorités municipales ont envisagé la possibilité de reporter à l'année suivante les

20. *3e congrès…*, p. 738.
21. Valin, « Réflexions sur le congrès de Trois-Rivières », *UMC*, 35, 8, août 1906, p. 460-464.
22. *MM*, 10, 115, 15 septembre 1910, p. 353.-354.

fêtes commémoratives du tricentenaire. Celles-ci ont toutefois lieu en juillet 1908, comme il a été prévu initialement.

On fixe le coût d'inscription à 5 $ pour les membres et à 1,50 $ pour les étudiants et les non-médecins. Comme à l'occasion du premier congrès, on retrouve une importante exposition de produits pharmaceutiques, et d'instruments chirurgicaux et hospitaliers. Le Dr Charles-Nuna de Blois y expose un appareil inhalateur d'ozone qu'il a lui-même inventé pour le traitement de la tuberculose et des autres maladies respiratoires.

Le 4e congrès de 1908 attire près de 300 médecins, provenant de 87 municipalités du Québec, de 24 villes des États-Unis et de six villes de l'Ontario et du Nouveau-Brunswick. Quelques médecins viennent de la région des Grands Lacs (Michigan, Wisconsin, Illinois, Minnesota) et même de l'État de Washington.

À la séance d'ouverture, le Dr Simard précise à nouveau que le rôle des congrès de l'AMLFAN en est un de vulgarisation et de mise à jour des questions médicales les plus controversées. Il est trop tôt pour espérer la présentation de travaux qui révolutionneront la médecine: «Ce n'est pas encore notre rôle et on ne peut pas vraisemblablement l'exiger de nous[23].» Des progrès ont toutefois été réalisés dans l'enseignement et la pratique de la médecine au Québec. À preuve, l'Angleterre vient de reconnaître que les diplômes délivrés par les Universités Laval et McGill valent ceux des universités britanniques. Par ailleurs, les sociétés médicales québécoises sont désormais au nombre de vingt-deux.

La cérémonie d'ouverture, qui a lieu à l'Université Laval, est suivie d'une réception et d'une fête de nuit dans les jardins du Séminaire de Québec. Tout comme dans les congrès précédents, ces activités attirent des membres importants de l'élite sociale. On note ainsi la présence d'Alexandre Taschereau, représentant du gouvernement provincial et futur premier ministre. Des médecins de la flotte des palmes vertes de l'Institut de France, en uniforme militaire, assistent également à la conclusion de la première journée du congrès.

---

23. *4e congrès de l'Association des médecins de langue française de l'Amérique du Nord*, Québec, Impr. Laflamme, 1910, p. 37-38.

Le médecin français Yves Delâge, membre de l'Académie des sciences et professeur d'anatomie et de zoologie maritime, a été impressionné par l'amour des Canadiens français pour leur ancienne patrie.

Les sociétés françaises ont délégué les Drs Yves Delâge, membre de l'Académie des sciences et professeur d'anatomie et de zoologie maritime, et Maurice Renaud, chef de laboratoire à la clinique chirurgicale de la Salpêtrière à Paris. Impressionné par l'amour des Canadiens français pour leur ancienne patrie, le Dr Delâge affirme que ses hôtes doivent moins à la France «que celle-ci ne doit à ses enfants restés fidèles à leur race et à leur langue, à travers le temps et l'espace[24]».

À la fin de la seconde journée, une réception est prévue à la Kent House. Une cinquantaine de médecins y auraient été présents. Le 4e congrès se termine par une fête champêtre au lac Saint-Joseph.

Au dire du Dr Arthur Rousseau, le 4e congrès a prouvé l'avènement d'une certaine maturité sur le plan scientifique. Les communications ont en effet cessé de porter sur des généralités. Le Dr Rousseau suggère par contre que l'AMLFAN cesse de tenir ses congrès en même temps que des fêtes publiques. Les propriétaires de *L'UMC* partagent cet avis. Si les rapports généraux ont été de grande qualité, le travail des sections a par contre été «à peu près nul[25]», à l'exception de la section de médecine. *L'UMC* fait certainement référence ici à la section de chirurgie, qui a terminé ses activités après seulement une heure, ses travaux se résumant à une étude comparative entre «les chirurgiens du Moyen-Âge et les chirurgiens de nos jours», présentée par le Dr Amédée Marien, et à une autre communication du Dr Michaël Joseph Ahern. Les autres «travaux inscrits n'ont pas été lus, soit que les manuscrits manquaient, soit que leurs auteurs étaient retenus aux pieds de Champlain ou sur les plaines d'Abraham[26]». Beaucoup de médecins ont aussi délaissé les travaux dans les sections afin de profiter pleinement des fêtes du tricentenaire.

Pour éviter que cela se répète, *L'UMC* suggère que les prochains congrès aient lieu en septembre. Ceci permettra en outre aux médecins européens d'assister plus nombreux et de participer plus activement aux travaux de l'AMLFAN. La revue préconise également l'organisation d'un bureau permanent pour l'Association. Ce dernier deviendra une réalité dans les années 1920.

24. *4e congrès…*, p. 52.
25. *UMC*, 37, 10, octobre 1908, p. 605.
26. *UMC*, 37, 10, octobre 1908, p. 607.

Un demi-échec: le 5e congrès (Sherbrooke, 23-25 août 1910)

Le 5e congrès est le seul dont les comptes rendus n'aient pas été publiés. Nous n'en savons donc que ce que les quotidiens ont laissé comme témoignage. Quelques communications furent cependant publiées dans les diverses revues médicales.

Les activités du congrès se déroulent au Séminaire Saint-Charles Boromée de Sherbrooke. Outre les thèmes consacrés aux maladies de l'estomac et à l'enseignement de l'hygiène dans les écoles, le congrès est marqué par une causerie du Dr Daniel-E. Lecavalier, tirée d'une brochure qu'il vient de publier à Paris sur «la philosophie et la physiologie de l'alimentation». Selon le Dr Lecavalier, les différences de tempérament entre les peuples peuvent s'expliquer par leur alimentation particulière.

Le 25 août, le congrès se termine par l'élection des dirigeants du 6e congrès, qui doit se dérouler en 1913 à Montréal. Ce délai de trois ans a pour but d'empêcher que le congrès de l'AMLFAN entre en conflit avec celui de l'Association des médecins de langue française d'Europe, dont la fondation est prévue pour octobre 1912. Le nouveau président est le Dr Henri Hervieux. Les Drs Éloi Philippe Chagnon et Benjamin Bourgeois sont élus aux postes de secrétaire général et de trésorier. Les trois vice-présidents exercent tous au Québec; il s'agit des Drs Rousseau de Québec, J. Omer Ledoux de Sherbrooke et Séraphin Gauthier d'Upton. Les Drs John-James Guerin et Pierre-Vincent Faucher sont élus présidents honoraires. Comme toujours, une excursion en train est organisée pour les congressistes. Celle-ci les conduit à Newport, en passant par Magog et le lac Memphrémagog.

Le 5e congrès n'a rien à envier aux précédents au chapitre de la qualité des communications et de l'aspect social.

Un membre du comité de rédaction de *L'Union Médicale du Canada*, sans doute le Dr Lesage, dira qu'à chaque congrès «les travaux sont plus sérieux, mieux observés, mieux vus[27]». Le 5e congrès n'a rien à envier aux précédents au chapitre de la qualité des communications et de l'aspect social. La discussion a été soutenue et «on sentait que le carabin des arrières [*sic*]-bancs [*sic*] de l'école se réveillait[28]».

27. *UMC*, 39, 10, octobre 1910, p. 605.
28. *UMC*, 39, 10, octobre 1910, p. 604.

On retiendra surtout du 5e congrès qu'à peine 131 médecins étaient présents à l'ouverture et que seulement 45 communications étaient inscrites.

Par contre, on retiendra surtout du 5e congrès qu'à peine 131 médecins étaient présents à l'ouverture et que seulement 45 communications étaient inscrites. De plus, le chef de la délégation française, qui devait livrer une conférence sur la chirurgie des aliénés, ne s'était même pas présenté[29].

Selon le président sortant de la SMM en 1911, le Dr Eugène Saint-Jacques, le corps médical de Montréal était le premier responsable de l'échec du 5e congrès. Les médecins de la métropole brillaient par leur absence à Sherbrooke, contrairement à ceux de Québec, qui étaient venus en groupe bien organisé, alors qu'« en tête paraissaient les membres de leur faculté[30] ». Il faut dire que, l'assistance moyenne aux réunions de la SMM avait baissé considérablement au cours de la même année. Pire, selon le Dr Saint-Jacques, « nous pouvons compter sur les dix doigts les membres de cette société qui ont fait des communications véritablement scientifiques et qui mériteraient la publication ou l'analyse à l'étranger[31] ».

Comment expliquer cette absence des médecins montréalais ? Dans un premier temps, août 1910 est le mois de la publication du célèbre rapport Flexner. Ce médecin, qui a enquêté sur l'enseignement de la médecine en Amérique pour le compte de la fondation Carnegie, se montre très critique à l'endroit de la Faculté de médecine de l'ULM, où il déplore surtout l'absence d'enseignement pratique et de laboratoires. Le doyen de la faculté, le Dr Emmanuel-Persillier Lachapelle, indique que, sur certains points, le rapport du médecin américain est erroné. Ainsi, la Faculté de médecine de l'ULM ne compte pas seulement huit professeurs, mais bien vingt titulaires et trente agrégés. À cela, le Dr Saint-Jacques répliquera :

> Il est à se demander lequel est le plus déplorable, de passer pour n'avoir que huit professeurs, ou d'en avoir un total de 55, et de les voir si indifférents aux progrès de notre art dans notre province et à l'influence que nous devrions exercer comme corps enseignant[32].

---

29. *MM*, 10, 115, 15 septembre1910, p. 354-355.
30. *UMC*, 40, 1, janvier 1911, p. 37.
31. *UMC*, 40, 1, janvier 1911, p. 37.
32. *UMC*, 40, 1, janvier 1911, p. 38.

Le demi-échec du congrès de Sherbrooke est dû en partie au vieillissement du corps professoral de l'ULM et au désintérêt des médecins montréalais pour les activités scientifiques.

Le rapport Flexner n'est certes pas responsable du désintérêt des médecins montréalais pour les activités scientifiques, mais il a sans doute contribué à rendre évident le vieillissement du corps professoral de l'ULM. La nouvelle génération formée à l'étranger, au début du XXe siècle, n'est pas encore dominante au conseil de la faculté.

D'autres éléments expliquent le manque d'intérêt pour les activités de la principale société médicale francophone du Québec en 1910. En février, des élections municipales ont eu lieu à Montréal. Plusieurs médecins y ont pris part activement, dans des partis adverses. Le maire élu en 1910 est d'ailleurs un médecin, le Dr John-James Guerin. Quelques médecins, qui étaient inspecteurs d'écoles ou employés du Service de santé de la ville de Montréal sous l'administration précédente, sont alors remerciés de leurs services. De plus, l'organisation à Montréal d'un congrès eucharistique cette année-là est prétexte à la mise au ban de certains médecins soupçonnés, à tort ou à raison, d'être membres de la franc-maçonnerie[33]. Toutes ces causes réunies font que, l'atmosphère régnant à Montréal parmi le corps médical, au cours de l'année 1910, en est une de conflits et de crises.

Les médecins des régions étaient également peu nombreux au congrès de Sherbrooke, ce qui semblait confirmer la prise de position du Dr Albert Laurendeau lors du congrès de 1908, qui disait que les médecins désertaient les sociétés médicales quand les questions d'intérêt professionnel étaient absentes. Certains médecins déploraient l'impossibilité de débattre à fond de ces questions dans le cadre du congrès bisannuel de l'AMLFAN. De même, le CMCPQ et le Conseil provincial d'hygiène se réunissaient trop peu fréquemment. « Nos sociétés médicales se meurent[34] », écrivait le Dr Laurendeau en 1911. Il défendra donc au CMCPQ, dont il était alors l'un des vice-présidents, le projet d'une fédération des sociétés médicales, qui avait été amené par les Drs Charles-Rosaire Paquin et Eugène Saint-Jacques[35]. Cette première tentative de syndicalisation médicale sera toutefois rejetée par la majorité des gouverneurs du CMCPQ en 1911[36].

33. R. Desjardins (2001), p. 333-335.
34. Laurendeau, « Nos sociétés médicales – la loi médicale », *UMC*, 40, 1, janvier 1911, p. 21-30; 22.
35. *La Tribune*, 26 août 1910.
36. Goulet (1997), p. 91-92.

L'année 1910 semble donc avoir été marquée par un conflit entre deux visions, celle de l'ancienne génération, devenue conservatrice, et celle des avant-gardistes. Le congrès de Sherbrooke en subit les contrecoups.

Le demi-échec du congrès de 1910 ne devait cependant pas remettre en question l'utilité de l'AMLFAN. Bien au contraire, le nouvel exécutif élu tentera de faire du 6e congrès, prévu pour 1913, le plus important rassemblement de médecins francophones jamais réalisé jusqu'alors. Ce sera le sujet de notre prochain chapitre.

CHAPITRE 16

UNE DÉCENNIE SANS CONGRÈS (1910-1920)

Après avoir tenu cinq congrès en dix ans, l'AMLFAN traversa une décennie complète sans pouvoir se réunir. Le décès du sixième président de l'Association, le Dr Henri Hervieux, puis le déclenchement de la Première Guerre mondiale obligèrent l'AMLFAN à remettre à plus tard d'importants projets.

Le congrès qui n'a jamais eu lieu

Comme nous l'avons signalé dans le chapitre précédent, le 6e congrès de l'AMLFAN était prévu pour 1913 à Montréal. Les membres de l'Association avaient décidé de ne pas se réunir en 1912 pour éviter la concurrence avec le premier congrès de l'Association des médecins de langue française d'Europe, prévu au mois octobre de cette année-là.

Le Dr Henri Hervieux tente de resserrer les liens entre l'AMLFAN et les médecins européens.

Dès son élection à la présidence, le Dr Henri Hervieux se montre déterminé à faire oublier l'échec du 5e congrès de l'AMLFAN. Il entreprend des démarches pour obtenir l'adhésion de médecins des régions les plus éloignées des États-Unis et même du Mexique. Mais surtout, il tente de resserrer plus que jamais les liens entre l'AMLFAN et les médecins européens. Ces derniers souhaitent l'appui de l'AMLFAN à la création de l'Association des médecins de langue française d'Europe et encouragent les membres de l'association nord-américaine à adhérer massivement. À l'issue du 12e congrès français de médecine, à Lyon le 22 octobre 1911, la nouvelle AMLF (Europe) est officiellement fondée. Selon le Dr Paul Courmont, secrétaire général de ce congrès :

> L'université Laval est celle des universités lointaines qui a envoyé à la fois les plus chaleureuses approbations par la plume de nos collègues, M. Hervieux de Montréal, et de [*sic*] M. Rousseau de Québec, et le plus grand nombre d'adhésions, en tête desquels [*sic*] le nom du président de l'Association des médecins de la langue française de l'Amérique du Nord[1].

Le premier congrès de l'AMLF (Europe) se déroule du 13 au 16 octobre 1912 à Paris. Souffrant, le Dr Hervieux ne peut y assister et l'AMLFAN a officiellement délégué le Dr Jean-Pierre Décarie, qui représente aussi la SMM et la Faculté de médecine de l'ULM. Le Dr Décarie est chargé d'inviter les médecins européens à tenir leur prochain congrès à Montréal. Le Dr Hervieux recevra de son homologue européen, le Dr Anatole Chauffard, un message indiquant que l'AMLF (Europe) a décidé « que la session mil neuf cent seize se tiendra à Montréal et émet le vœu que des liens étroits unissent l'Association des médecins de langue française à l'Association similaire des médecins de l'Amérique du Nord[2] ». Apprenant la nouvelle, le Dr Hervieux décide, malgré son état de santé, de faire un séjour en France. Son état se détériore, toutefois, et il est opéré d'urgence par les Drs Chauffard et Édouard Quénu. Il décédera en revenant d'Europe.

Après bien des tergiversations, les médecins de Montréal demandent finalement à leurs confrères de Québec d'être les hôtes du 6e congrès.

La mort du Dr Hervieux soulève le problème de la succession. En principe, le premier vice-président de l'AMLFAN, le Dr Arthur Rousseau, devient président par intérim. Mais peut-il diriger de Québec l'organisation d'un congrès prévu à Montréal ? Après bien des tergiversations, les médecins de Montréal demandent finalement à leurs confrères de Québec d'être les hôtes du 6e congrès. Un nouveau Bureau exécutif est alors formé. Il comprend le Dr Rousseau (président), Arthur Vallée (secrétaire général) et Arthur Lessard (trésorier).

Puis le congrès qui devait initialement se tenir en 1913 est finalement remis en septembre 1914. Les thèmes prévus sont l'étude des néphrites, les accidents de travail, l'alimentation des enfants, les eaux minérales, la question de l'eau potable et les stations d'altitude. On annonce que le Dr Henri Triboulet

1. *UMC*, 41, 1, janvier 1912, p. 27. En plus du Dr Hervieux, les Drs Eloi-Philippe Chagnon, Albert Lesage et de Montréal, et les Drs Pierre Calixte Daneau, Napoléon Arthur, Conrad, Odilon Leclerc, Albert Paquet, Arthur Rousseau, Arthur et Arthur Vallée figurent parmi les fondateurs de l'AMLF (Europe).
2. *UMC*, 41, 11, novembre 1912, p. 651.

présentera une conférence sur l'hygiène des nourrissons. Trois autres médecins français ont également confirmé leur participation, dont le Dr Paul Garnier, un médecin légiste et aliéniste réputé, qui sera le délégué officiel de la Société médicale des hôpitaux de Paris.

En plus des six thèmes généraux, le 6e congrès ne réunira pas moins de douze sections différentes : médecine, chirurgie, obstétrique, hygiène, gynécologie, pédiatrie, psychiatrie et médecine légale, ophtalmologie et oto-rhino-laryngologie, dermatologie et syphiligraphie, physiothérapie, anatomie pathologique et bactériologie, intérêts professionnels. Bref, le 6e congrès doit couvrir tous les domaines de la profession médicale.

Le Dr Albert Lesage se fait le promoteur du 6e congrès. Aux critiques selon lesquelles les congrès mettent toujours en vedette les mêmes personnes et se résument davantage en rencontres sociales qu'en rassemblements scientifiques, le rédacteur en chef de *L'UMC* répond :

> Ce raisonnement équivaut à dire que nos hôpitaux sont remplis de malades dont nous ne pouvons tirer aucun profit pour nous-mêmes et pour les autres ; que nos laboratoires sont incapables d'exercer aucun travail de contrôle applicable à la clinique ; que les travailleurs et les chercheurs, dont le nombre et l'activité augmentent chaque année, doivent s'immobiliser dans le statu quo, comme les purs scolastiques de l'Antiquité, envoûtés par les idées rétrogrades d'un passé désuet ; et que nous devons rester indifférents aux problèmes de l'avenir dont l'épais rideau dérobe à notre vue tant de points obscurs malgré les clartés nouvelles du siècle dernier[3].

Alors que le 6e congrès semble destiné au succès, voilà qu'éclate la Première Guerre mondiale.

Alors que le 6e congrès semble destiné au succès, voilà qu'éclate la Première Guerre mondiale. Par respect pour leurs compatriotes engagés sur les champs de bataille, les organisateurs décident de reporter à plus tard le congrès. La Première Guerre mondiale rend également impossible la tenue d'un congrès conjoint avec l'AMLF (Europe), prévu pour 1916. Il faudra attendre 1934 pour que ce projet se concrétise. La guerre perturbera aussi, bien sûr, l'enseignement médical dans les universités.

3. Lesage, « L'Association des médecins de langue française de l'Amérique du Nord », *UMC*, 43, 7, juillet 1914, p. 278.

L'AMLFAN sombre donc dans une léthargie apparente jusqu'en 1920. Mais pendant que les contacts avec la France sont coupés, quelques médecins s'engagent dans l'Hôpital militaire canadien nº 6 organisé par l'Université Laval. Sur le front européen, ces médecins découvriront de nouvelles techniques chirurgicales, qu'ils feront connaître à leur retour.

Conclusion de la troisième partie

Après cinq congrès qui ont attiré en moyenne plus de 260 médecins, l'AMLFAN cesse ses activités pendant la Première Guerre mondiale. Quel bilan peut-on tirer de ses premières années ?

En tout, 750 médecins différents, venant de partout en Amérique du Nord, participèrent à au moins un des cinq premiers congrès.

Dans l'optique de ses fondateurs, l'AMLFAN, par ses congrès, avait pour but de rallier les médecins de langue française du continent autour d'un seul pôle d'attraction. En tout, 750 médecins différents, venant de partout en Amérique du Nord, participèrent à au moins un des cinq premiers congrès de l'Association.

Certes, les cinq premiers congrès de l'AMLFAN ne produisirent pas de travaux originaux et révolutionnaires. Il faut cependant préciser que, dans l'optique du Dr Brochu, son fondateur, l'Association devait d'abord se limiter à la diffusion du nouveau savoir et des nouvelles pratiques venus de l'étranger et à un débat sur les grandes questions d'actualité. Avec la présentation de 500 communications, dont plusieurs sur les grands enjeux de la médecine (tuberculose, maladies infantiles, alcoolisme, appendicite, etc.), on peut considérer que cet objectif fut atteint. Comme l'indiquera le Dr Rousseau, les travaux des premiers congrès de l'AMLFAN formaient « un exposé assez complet du mouvement médical de l'époque et ils ont constitué en leur temps une source d'information précise sur ce que l'on pensait et disait dans les milieux médicaux, et surtout ce que l'on y faisait[4] ». Les différents vœux qui furent émis lors des premiers congrès montrent par ailleurs que les médecins de langue française étaient parfaitement conscients des lacunes du système de santé québécois.

4. Rousseau, « Le congrès de Québec. Utilité et nécessité des congrès de médecine », *UMC*, 49, 6, juin 1920, p. 273-285 ; 276.

La présence des Drs Alexis Carrel, Adolpheus Knopf, Samuel Pozzi, Henri Triboulet et autres médecins de réputation internationale donna de plus une crédibilité certaine à l'Association. Le gouvernement français, l'Université de Paris et les principales sociétés savantes de France envoyèrent des délégués à chacun des premiers congrès de l'AMLFAN. De même, la présence constante de dignitaires prouvait que l'Association avait obtenu une reconnaissance officielle de la part des élites politiques, religieuses et sociales.

Tous ces éléments prouvent bien que l'AMLFAN fut, dès le départ, un projet partagé par l'ensemble de la communauté médicale francophone d'Amérique du Nord. La participation massive des médecins au congrès de 1920, qui marquera la relance de l'AMLFAN après dix ans d'inactivité, le démontrera hors de tout doute.

QUATRIÈME PARTIE

Une association bien vivante dans une société en mouvement (1918-1944)

Après le décevant congrès de Sherbrooke en 1910, l'AMLFAN fut contrainte malgré elle à une longue période d'inactivité. La tenue, en 1920, d'un nouveau congrès prouvera toutefois que l'Association était toujours bien vivante. Durant l'entre-deux-guerres, des progrès significatifs se manifesteront dans les domaines de l'enseignement médical et de la pratique hospitalière. Les vœux exprimés lors des congrès trouveront un accueil favorable auprès des autorités gouvernementales durant les années 1920 et 1930. Les congrès de l'Association dans la troisième décennie permettront également de constater l'influence grandissante de la médecine américaine. Parallèlement, l'AMLFAN se dotera progressivement de structures permanentes. Enfin, la maturité scientifique s'exprimera de plus à l'intérieur de ses congrès, particulièrement dans les années 1930.

CHAPITRE 17

LA RELANCE DE L'ASSOCIATION (1918-1920)

La mort du président de l'AMLFAN, le Dr Henri Hervieux, puis le déclenchement de la Première Guerre mondiale interrompirent la tenue des congrès. Mais dès la signature de l'Armistice, le Dr Arthur Rousseau décida de réorganiser l'Association. Une délégation de Québec fut envoyée à Montréal pour discuter de ce point avec les confrères de la métropole.

Les médecins n'étaient toutefois pas encore au bout de leurs peines. À l'automne 1918, le Québec fut frappé par la terrible pandémie de grippe espagnole. Signalée pour la première fois sur un vaisseau en provenance de l'Inde, l'épidémie se répandit rapidement, pour toucher plus d'un demimillion de personnes. Au plus fort de l'épidémie, tous les lieux publics (écoles, églises, théâtres, salles de danse, de cinéma, etc.) furent fermés et des règlements très sévères furent adoptés concernant l'ouverture des commerces afin d'éviter la congestion dans les tramways. On ouvrit des hôpitaux civiques temporaires et on transforma partiellement de nombreux centres hospitaliers pour recevoir les patients frappés par la grippe. Les étudiants en médecine de quatrième et de cinquième années furent sollicités pour assister les médecins des hôpitaux réguliers ou provisoires, qui étaient littéralement débordés. En tout, quelque 50 médecins succombèrent en devoir. La majorité avaient dans la trentaine. Particulièrement touchée par l'épidémie d'influenza, la Faculté de médecine de l'ULM perdit 28 de ses membres, dont deux professeurs, les Drs Alphonse Mercier, de l'Hôpital Notre-Dame, et Romulus Falardeau, de l'Hôtel-Dieu de Montréal[1].

Particulièrement touchée par l'épidémie de grippe espagnole, la Faculté de médecine de l'ULM perdit 28 de ses membres.

Moins d'un an plus tard, en novembre 1919, un incendie éclatait dans les bâtiments de l'Université Laval à Montréal, rue Saint-Denis. La Faculté de médecine fut très durement touchée. Ses salles de cours ainsi que ses laboratoires de chimie, de bactériologie et de physiologie furent totalement détruits. En attendant la reconstruction, les cours furent donnés dans les

1. Goulet (1993), p. 153-154.

locaux de l'École des hautes études commerciales, de l'École vétérinaire, dans la grande salle d'opération de l'Hôtel-Dieu, au Laboratoire municipal de bactériologie et dans un immeuble désaffecté des Chevaliers de Colomb[2].

Selon le Dr Arthur Rousseau, les cinq premiers congrès de l'AMLFAN n'ont pas été le lieu de production de découvertes importantes, mais ils ont défendu un idéal supérieur.

Enfin, un congrès est prévu pour l'automne 1920 à Québec. Le 25 mai, le Dr Arthur Rousseau livre une allocution devant la Société médicale de Montréal pour défendre l'utilité et la nécessité des congrès de médecine. Certes, les cinq premiers congrès de l'AMLFAN n'ont pas été le lieu de production de découvertes importantes, mais ils ont défendu un idéal supérieur.

> Ils ont voulu être et ils ont été les interprètes et les champions de la pensée et de la culture française ; ils se sont appliqués à développer et à affirmer la vitalité de l'esprit français en Amérique, pendant que l'américanisme et l'anglosaxisme, enivrés de leurs succès réels, tendent de plus en plus à s'affranchir de l'autorité du génie latin et rêvent de le dominer[3].

En outre, les communications et les discussions des congrès ont toujours été éminemment pratiques et ont comblé d'importantes lacunes sur le plan de la formation des médecins canadiens-français. « Il n'est guère de chapitres de la pathologie et de la thérapeutique qui n'aient été largement explorés dans nos congrès[4]. » La présence à un congrès est le meilleur moyen pour le médecin de rester à jour et de conserver sa curiosité, « mieux que le livre qui suit de trop loin le progrès, même mieux que la revue ou le journal, peu suivis, moins bien compris que la parole[5] ».

LE 6e CONGRÈS : QUÉBEC (9-11 SEPTEMBRE 1920)

Le 6e congrès, qui marque la relance des activités de l'AMLFAN, se déroule du 9 au 11 septembre. Cette date était celle prévue au départ pour le congrès de 1914, qui a finalement été annulé par le déclenchement de la Première Guerre mondiale. En souvenir de cet événement, les congressistes portent

2. Goulet (1993), p. 155.
3. Rousseau, « Le congrès de Québec. Utilité et nécessité des congrès de médecine », *UMC*, 49, 6, juin 1920, p. 273-285 ; 275.
4. *Ibid.*, p. 275-276.
5. *Ibid.*, p. 276.

une médaille[6] sur laquelle est gravée la date fatidique. Cette date a également une autre valeur symbolique : elle coïncide avec celle de la victoire de la Marne remportée par les forces alliées.

Depuis le congrès de Sherbrooke en 1910, plusieurs membres fondateurs de l'AMLFAN sont disparus, tels les Drs Emmanuel-Persillier Lachapelle, Jules-Lactance Archambault, Léandre Coyteux Prévost et Michaël Joseph Ahern, premiers vice-présidents de l'Association, ainsi que le Dr Vitalien Cléroux, l'un des premiers trésoriers. Les Drs Alphonse Mercier et Georges Villeneuve, qui avaient présenté respectivement les rapports sur la tuberculose et l'expertise médico-légale lors du congrès de 1904, sont décédés durant l'année 1918. Enfin, quelques semaines avant la tenue du congrès, deux intervenants réguliers de ces rencontres, les Drs Georges Paquin et Albert Laurendeau, ont également perdu la vie.

Dr Charles Vézina

Les thèmes privilégiés sont les néphrites, les accidents du travail, les maladies vénériennes et le traitement chirurgical des plaies. Les deux premiers thèmes devaient être discutés lors du congrès prévu pour 1914. Quant aux deux autres, ils ont été inspirés par l'expérience de la guerre.

Pour présenter le rapport sur les néphrites, le choix porte sur un participant régulier, le Dr Albert Lesage, et sur un jeune médecin de l'Hôpital Saint-François d'Assise à Québec, le Dr Émile Fortier. Le premier décrit le pronostic et le traitement des néphrites chroniques, le second fait de même pour les néphrites aiguës.

Sur la question des accidents du travail, le Dr Charles Vézina indique que la loi alors en vigueur ne prévoit aucune indemnité pour les maladies professionnelles.

Sur la question des accidents du travail, le Dr Charles Vézina[7] indique que la loi alors en vigueur ne prévoit aucune indemnité pour les maladies professionnelles. Selon lui, « toute maladie contractée par le fait de l'exercice d'un métier devrait être indemnisée au même titre qu'un accident survenu par le fait du travail[8] ». Par ailleurs, le patron ne devrait pas avoir à supporter les conséquences d'un accident qui aurait aggravé chez l'ouvrier une maladie

6. Un exemplaire de cette médaille a été remis à l'AMLFC en 1993 par le Dr Claude Duguay. Il avait été découvert par le mari du Dr Francine Tourangeau à Rimouski, dans une maison ayant appartenu autrefois au Dr Pierre-Paul Gagnon. *Bulletin de l'AMLFC*, 26, 10, octobre 1993, p. 8.
7. Chirurgien à l'Hôtel-Dieu, le Dr Vézina sera doyen de 1940 à 1954 de la Faculté de médecine de l'Université Laval. En 1946, il présidera le18e congrès de l'AMLFC.
8. *6e congrès de l'Association des médecins de langue française de l'Amérique du Nord*, Québec, Laflamme, 1921, p. 211.

antérieure. Les névroses traumatiques posent également des problèmes. Il est en effet toujours difficile de savoir si ces affections sont temporaires ou permanentes.

Le lieutenant-colonel Pierre-Zéphyr Rhéaume, chirurgien en chef de l'Hôpital militaire canadien n° 6, déclare que la guerre a prouvé la supériorité de l'école aseptique française sur celle des Anglo-Saxons où domine l'antisepsie.

Le rapport consacré au traitement des plaies est présenté par des chirurgiens qui ont participé à la Première Guerre mondiale. Le lieutenant-colonel Pierre-Zéphyr Rhéaume, chirurgien en chef de l'Hôpital militaire canadien n° 6, déclare que la guerre a prouvé la supériorité de l'école aseptique française sur celle des Anglo-Saxons, où domine l'antisepsie. L'expérience sur le front a en effet «montré que presque toutes les plaies de guerre sont septiques, et que les antiseptiques avaient failli à leur tâche[9]». Ces derniers tuent en fait la cellule et empêchent le travail de réparation. Alexis Carrel a alors préconisé la désinfection systématique par l'hypocholorite de soude (ou liquide de Dakin), ce qui a permis de sauver bien des vies. Par la suite, le Dr Henri Gaudier a introduit la technique d'excision de la plaie, suivie de la suture primitive. L'hôpital militaire dirigé par le Dr Rhéaume a pratiqué des centaines d'excisions au cours de l'année 1917.

Le Dr Georges Ahern indique pour sa part que la guerre de 1914-1918 a résumé «en une héroïque leçon des choses toute la pathologie expérimentale et clinique de près d'un siècle[10]». L'expérience de la guerre doit désormais s'appliquer à la pratique civile, les fractures multiples, compliquées par la présence d'hémorragies, d'infections et de gangrène, se rencontrant également dans les accidents de train ou d'automobile, dans les accidents de chasse ou lors d'explosions dans les mines. Le Dr Ahern décrit ainsi les résultats obtenus récemment à l'Hôtel-Dieu de Québec, où il occupe le poste d'assistant-chirurgien, alors que quatre patients ont été traités selon la méthode de Carrel et huit, selon celle de Gaudier. La guérison a été beaucoup plus rapide en suivant la seconde méthode.

De nouveau, le congrès est divisé en trois sections consacrées à la médecine, à la chirurgie et à l'hygiène. Au cours du congrès, le Dr Arthur Rousseau présente une communication sur la neurasthénie. Le président de l'AMLFAN conseille l'activité physique et psychique pour les personnes atteintes de cette forme de dépression, plutôt que le repos au lit comme le recommande

9. *6e congrès...*, p. 97.
10. *6e congrès...*, p. 122.

le neurologue français Jules Déjerine. À l'Hôtel-Dieu de Québec, un ancien président de l'AMLFAN, le Dr Arthur Simard, fait une présentation clinique sur le pied bot, accompagnée d'une opération.

Le Dr Louis-Félix Dubé a constaté des cycles de 25 à 30 ans entre les diverses épidémies de grippe, ce qui signifierait la possibilité d'une autre vague meurtrière entre 1945 et 1950.

Le Dr Louis-Félix Dubé, de Notre-Dame-du-Lac, expose quant à lui ses réflexions sur la récente épidémie de grippe espagnole. Celui que l'on surnomme «l'autre Dubé», pour le distinguer de son homonyme montréalais Joseph-Edmond Dubé, est alors le médecin de campagne le plus influent de la province de Québec. Le Dr Dubé a constaté des cycles de 25 à 30 ans entre les diverses épidémies de grippe, ce qui signifierait la possibilité d'une autre vague meurtrière entre 1945 et 1950. De plus, l'épidémie de 1918 a surtout frappé la population âgée de 20 à 34 ans. La population qui avait survécu à l'épidémie d'influenza de 1889 semblait avoir été immunisée. Ainsi, la presque totalité des médecins de moins de 50 ans ont contracté le virus en 1918, mais ils ont tous survécu lors d'une vague mineure en 1920. Le Dr Dubé signale un fait intéressant: certains malades semblent avoir contracté la grippe par l'intermédiaire d'animaux. Des chevaux auraient ainsi été à l'origine de l'infection de bûcherons. Des expériences d'immunisation chez le cheval permettraient peut-être de découvrir un vaccin efficace[11].

Comme toujours, plusieurs dignitaires assistent au congrès. On note ainsi la présence du lieutenant-gouverneur, Charles Fitzpatrick, du premier ministre du Québec, Louis-Alexandre Taschereau, du secrétaire de la province, Athanase David, du maire de Québec, Henri-Edgar Lavigueur, et de plusieurs autres. Le banquet des dignitaires a lieu le vendredi 10 septembre à la résidence du lieutenant-gouverneur. Le premier ministre Taschereau en profite pour annoncer les intentions de son gouvernement concernant la santé publique. Le gouvernement québécois se portera acquéreur de trois hôpitaux, l'Hôpital Laval à Québec et ceux de Sainte-Agathe-des-Monts et du Lac-Édouard, d'une capacité de 600 lits, pour combattre la tuberculose. Le premier ministre promet également de pourvoir aux soins des malades pauvres – ce qui deviendra une réalité l'année suivante avec la loi de l'assistance publique –, de construire des établissements pour le soin des épileptiques et de soutenir le programme décidé par les médecins pour lutter contre la mortalité infantile. En échange, le premier ministre souhaite que les

11. L.F. Dubé, «La grippe. Quels enseignements peut-on tirer de l'épidémie 1918-20?», *UMC*, 49, 11, novembre 1920, p. 573-581.

médecins s'entendent sur la formation d'une commission qui traiterait les cas d'accidents du travail en litige. La soirée se termine par une communication du Dr Jean-Pierre Décarie sur la mission de l'Hôpital militaire Laval, en France, pendant la Première Guerre mondiale.

Le même jour, de nombreux congressistes ont assisté aux obsèques de l'ancien maire de Québec et premier ministre du Québec, l'honorable Simon-Napoléon Parent, frère d'un membre de l'AMLFAN, le Dr Eudore Parent, médecin de l'Hôpital Saint-Michel-Archange.

Le 6e congrès se termine par une excursion à l'île d'Orléans. Respectant le système d'alternance qui existe depuis la fondation de l'AMLFAN, le prochain congrès aura lieu à Montréal en 1924 sous la présidence du Dr Joseph-Edmond Dubé.

Le congrès de 1920, à Québec, a incontestablement remis l'AMLFAN sur la voie de la stabilité et du progrès.

Plus de 450 médecins ont participé au 6e congrès. Quelques-uns venaient de la Saskatchewan, de l'Alberta et de la Californie. D'autres, comme les Drs Joseph Edge et Valmont Allard, de Chandler en Gaspésie, se sont rendus à Québec en automobile à partir des régions les plus éloignées du Québec. Cela fera dire au secrétaire du 6e congrès, le Dr Arthur Vallée, que l'AMLFAN n'a pas du tout été affectée par dix ans d'inactivité. « Ce repos forcé aura au contraire stimulé pour toujours ses énergies, l'activité d'aujourd'hui après cette longue période établit combien elle fait maintenant partie de l'organisme de la vie médicale canadienne-française[12]. » Le congrès de Québec a incontestablement remis l'AMLFAN sur la voie de la stabilité et du progrès.

12. *UMC*, 49, 10, octobre 1920, p. 483.

CHAPITRE 18

LE CONTEXTE DE L'ENTRE-DEUX-GUERRES. UNE ÉVOLUTION TRANQUILLE

On considère souvent la société québécoise de la première moitié du XXe siècle comme renfermée sur elle-même et réfractaire au progrès. Une étude plus approfondie de la période de l'entre-deux-guerres permet cependant de relever une lente mais constante évolution du système de santé québécois: intervention de l'État, expansion des services hospitaliers, réforme de l'enseignement, développement durable de relations entre les médecins québécois et leurs confrères d'Europe et des États-Unis, etc. Comme nous le démontrerons dans ce chapitre, la société québécoise des années 1920 et 1930 était beaucoup plus dynamique qu'on le prétend généralement.

L'intervention des gouvernements

Le retour des soldats démobilisés et l'épidémie de grippe espagnole obligèrent les gouvernements à s'engager dans le domaine de la santé publique.

Avant les années 1920, l'action du Conseil d'hygiène de la province de Québec s'était essentiellement limitée à encourager les municipalités à former des services de santé. Diverses raisons justifiaient ce choix. Dans un premier temps, la ville était généralement considérée comme un milieu plus insalubre et immoral que la campagne, ce qui était conforme au discours nationaliste et traditionaliste de l'époque, qui faisait du monde rural le foyer véritable du Canadien français[1]. En outre, la plupart des activités des hygiénistes concernaient des domaines de juridiction municipale, comme l'inspection des aqueducs et des égouts, le contrôle de la qualité des aliments, la salubrité des lieux publics et les règlements de la construction.

Le retour des soldats démobilisés et l'épidémie de grippe espagnole obligèrent toutefois les autorités gouvernementales à s'engager dans le domaine de la santé publique. En 1919, le gouvernement fédéral se dotait d'un ministère de la Santé. Au niveau provincial, l'ancien Conseil d'hygiène

1. Guérard, dans Séguin (1998), p. 82.

de la province de Québec devenait en 1922 le Service provincial d'hygiène[2]. Il était dirigé par le Dr Alphonse Lessard de Québec. Durant les années 1920-1930, le secrétaire de la province, Athanase David, et le premier ministre du Québec, Alexandre Taschereau, seront particulièrement réceptifs à l'endroit des directives du Service provincial d'hygiène et des souhaits des hygiénistes, exprimés particulièrement pendant les congrès de l'AMLFAN.

Dr Alphonse Lessard

En 1920, les gouvernements fédéral et provincial octroient des fonds pour l'organisation d'une campagne antivénérienne. L'argent débloqué sert à l'achat de médicaments, à la création de laboratoires pour les examens sérologiques et microscopiques, ainsi qu'à l'installation de dispensaires, lieux de dépistage pour les clientèles à risque et de traitement dans le respect de l'anonymat. Les prisonniers, les pensionnaires des écoles de réforme et autres institutionnalisés auront aussi droit aux traitements requis. Dans leur croisade, les médecins bénéficient de l'appui de l'épiscopat canadien.

Les hygiénistes utilisent la radio et le cinéma pour rejoindre la population, et des infirmières visitent les domiciles.

Après la lutte contre la syphilis et la gonorrhée, c'est au tour de la tuberculose et des maladies infantiles d'être l'objet de programmes de médecine préventive. On crée à l'échelle provinciale des cliniques et des dispensaires qui, outre le dépistage, ont pour but d'éduquer la population. De plus, l'éventail des moyens de communication s'élargit considérablement après la Première Guerre mondiale. Les hygiénistes utilisent la radio et le cinéma pour rejoindre la population, et des infirmières visitent les domiciles[3].

Par ailleurs, les régions rurales ne sont plus laissées de côté. En 1926, le Service provincial d'hygiène implante un réseau d'unités sanitaires dans le but de régler le problème de distribution des services de santé dans les districts ruraux et semi-urbains. Des infirmières offrent des services de consultation et de prescription dans des dispensaires. À partir de 1932, certaines d'entre elles dispenseront un service médical aux colons établis dans les régions éloignées de la province[4]. D'autre part, des médecins sont chargés d'inspecter les grandes entreprises minières, forestières ou autres, afin de s'assurer du respect de la santé et de la sécurité au travail. Ils parcourent également les paroisses et profitent des rassemblements du dimanche dans les églises pour donner des conférences sur l'hygiène.

2. Desrosiers, Gaumer, Hudon et Keel (2001), p. 208-209.
3. *Ibid.*, p. 212-217.
4. Daigle et Rousseau (1998), p. 47-72.

Les souhaits des hygiénistes, lors des premiers congrès de l'AMLFAN, se concrétisent peu à peu grâce à l'ouverture des autorités gouvernementales en place.

Les années 1920 marquent ainsi la naissance d'une politique concertée de santé publique. Les souhaits des hygiénistes, lors des premiers congrès de l'AMLFAN, se concrétisent peu à peu grâce à l'ouverture des autorités gouvernementales en place.

Le développement du système hospitalier

Comme nous l'avons expliqué précédemment, la dernière décennie du XIXe siècle avait marqué la naissance de l'hôpital moderne. Cette mutation s'était manifestée entre autres par l'avènement des procédés aseptiques et antiseptiques, par le développement des premières spécialités médicales (ophtalmologie, oto-rhino-laryngologie, gynécologie, etc.) et par l'aménagement d'un nouveau matériel d'investigation médicale, dont les rayons X[5]. Alors que les hôtels-Dieu de Québec et de Montréal délaissaient leur vocation de refuge pour se médicaliser de plus en plus, de nouveaux établissements, tels l'Hôpital Notre-Dame ou l'Hôpital Sainte-Justine à Montréal étaient érigés dans le but de se conformer aux nouvelles exigences d'enseignement et de soins.

On assiste à une expansion très rapide des infrastructures hospitalières durant les premières décennies du XXe siècle. Alors que le Québec comptait une quarantaine d'hôpitaux en 1901, ce chiffre se situe autour de 80, vingt ans plus tard, et il est de 125 en 1931[6]. Jusqu'à une période récente, il n'y avait cependant pas de politique globale de développement du système hospitalier. L'érection d'un nouvel hôpital, surtout dans des régions éloignées, dépendait beaucoup de l'initiative privée ou de la capacité d'un député à tenir ses promesses électorales.

La plupart des nouveaux hôpitaux francophones étaient la propriété de communautés religieuses. Certaines d'entre elles se retrouveront d'ailleurs à la tête de véritables empires. Ainsi, les Augustines, propriétaires de l'Hôtel-Dieu de Québec depuis 1639, avaient progressivement établi de nouveaux hôtels-Dieu à Chicoutimi (1884), à Lévis (1892), à Roberval (1918), à Gaspé (1926) et à Saint-Georges de Beauce (1945)[7]. En plus de l'Asile Saint-Michel-Archange, les sœurs de la Charité de Québec dirigeaient pour leur part des

5. Goulet, dans Séguin (1998), p. 134.
6. Guérard, dans Séguin (1998), p. 94.
7. Rousseau (1994), p. 22.

hôpitaux généraux ou spécialisés à Plessisville, à Saint-Ferdinand d'Halifax, à Thetford-Mines, à Beauceville, à Rimouski, à Havre-Saint-Pierre, à Chandler et à Cap-aux-Meules. De même, les sœurs de la Charité de la Providence possédaient des centres hospitaliers sur l'île de Montréal (Saint-Jean-de Dieu, Sacré-Cœur de Cartierville, Saint-Joseph de Lachine, Christ-Roi de Verdun, etc.) mais aussi à Hull, à Valleyfield, à Joliette, à Trois-Rivières et à Rivière-du-Loup[8].

Si les communautés religieuses dominèrent le réseau hospitalier québécois, des laïcs furent souvent à l'origine d'hôpitaux francophones importants.

Si les communautés religieuses dominèrent le réseau hospitalier québécois, on a toutefois tendance à oublier que des laïcs furent souvent à l'origine d'hôpitaux francophones importants. À Montréal, les hôpitaux Notre-Dame, Sainte-Justine, Saint-Luc et Sainte-Jeanne-d'Arc étaient tous la propriété de laïcs. Plusieurs médecins francophones qui intervenaient régulièrement dans les congrès de l'AMLFAN avaient d'ailleurs collaboré à la fondation de ces hôpitaux. À titre d'exemple, les frères Adelstan et François de Martigny figurent parmi les fondateurs des hôpitaux Saint-Luc et Sainte-Jeanne-d'Arc. De même, le Dr Joseph-Edmond Dubé joua un rôle important dans l'ouverture de l'Hôpital Sainte-Justine. D'autres médecins créèrent des hôpitaux privés. Ainsi, un membre de l'AMLFAN, le Dr Albert Prévost, fonda en 1919, à Cartierville, une maison de santé pour les névrosés, les toxicomanes et les personnes atteintes de psychoses légères[9]. Cette institution survivra après sa mort et, après la Seconde Guerre mondiale, l'Institut Albert-Prévost sera le principal lieu de formation des neurologues et des psychiatres francophones de Montréal. Par ailleurs, dans certaines villes forestières ou minières de l'Abitibi, de la Côte-Nord ou de la région de l'Amiante, les hôpitaux étaient la propriété des entreprises[10].

Les progrès de la médecine et de la chirurgie provoquèrent un changement dans la clientèle hospitalière. L'utilisation d'appareils de plus en plus perfectionnés et la nécessité de recourir à un personnel de plus en plus qualifié (infirmières, radiologistes, anesthésistes, techniciens de laboratoire, etc.) augmentèrent en effet de façon substantielle les coûts d'hospitalisation. D'une part, la population riche n'hésitait plus à payer des chambres privées ou semi-privées dans les hôpitaux pour y être soignée. D'autre part, la classe moyenne

8. Guérard, dans Séguin (1998), p. 97-98.
9. Goulet et Paradis (1992), p. 149.
10. Guérard, dans Séguin (1998), p. 101.

On adopte, en 1921, la Loi de l'assistance publique, qui donnait aux pauvres l'accès aux soins dans les établissements hospitaliers.

et les défavorisés ne pouvaient plus s'offrir de soins médicaux[11]. En 1921 fut donc adoptée la Loi de l'assistance publique, qui donnait aux pauvres l'accès aux soins dans les établissements hospitaliers. Cette loi sera le premier pas vers l'intervention de l'État québécois dans le financement des hôpitaux.

On profitera des congrès de l'AMLFAN pour inaugurer les nouveaux hôpitaux. Le 6e congrès en 1920 fut l'occasion d'inaugurer un dispensaire antivénérien à Québec, côte du Palais. Au même moment, deux dispensaires semblables étaient ouverts dans la métropole, à l'Hôpital Notre-Dame et au Montreal General Hospital[12]. En 1922, les participants du 7e congrès assistèrent à la pose de la première pierre du nouvel Hôpital Notre-Dame[13]. Après son déménagement rue Sherbrooke, cet hôpital allait connaître un nouvel essor. Au congrès suivant, à Québec en 1924, les congressistes assistèrent à la bénédiction de la pierre angulaire du nouvel Hôpital Saint-Sacrement[14]. Le congrès de 1928 sera par ailleurs l'occasion d'inaugurer l'École La Jemmerais pour l'éducation des enfants anormaux éducables.

La spécialisation de la médecine

Avant les années 1920, le titre de médecin spécialiste n'était pas officiellement reconnu au Canada. Certes, dans le cadre de leur pratique hospitalière, plusieurs médecins s'étaient spécialisés, à partir de la fin du XIXe siècle, dans un domaine particulier de la médecine : chirurgie, ophtalmologie, oto-rhino-laryngologie, gynécologie, obstétrique, etc. Mais, ces médecins continuaient d'exercer la médecine générale dans leur cabinet privé. Malgré un développement important des connaissances, la médecine était encore perçue comme une et indivisible.

Durant les années 1920, le dispositif conduisant à la reconnaissance des spécialités se mettra progressivement en place. En 1927, le CMCPQ rend obligatoire l'internat pour les étudiants de cinquième année de médecine. Cette mesure incite plusieurs jeunes médecins à se spécialiser. Puis, en 1929 est fondé le Collège royal des médecins et des chirurgiens du Canada. Les

11. *Ibid.*, p. 94-95.
12. *Le Soleil*, 2 septembre 1920, p. 12.
13. *7e congrès de l'Association des médecins de langue française de l'Amérique du Nord*, Montréal, Beauchemin, 1923, p. 25.
14. *8e congrès de l'Association des médecins de langue française de l'Amérique du Nord*, Québec, Impr. Laflamme, 1925, p. 25.

premiers titres de *fellow* sont décernés en 1932, mais il faudra attendre l'année 1946 pour que le Collège royal commence à décerner des certificats de qualification[15]. Cela provoquera d'ailleurs un nouveau conflit de juridiction entre Québec et Ottawa, le Québec désirant établir son propre système de qualification, ce qui sera fait en 1949.

Durant les années 1920 et 1930 furent constituées les premières sociétés médicales spécialisées. La Montreal Dermatological Society fut fondée en 1930. Parmi ses fondateurs figuraient les Drs Albéric Marin et Gustave Archambault. Les chirurgiens, les radiologistes, les gastro-entérologues et bien d'autres spécialistes avant la lettre se rassemblèrent également dans des sociétés distinctes au cours de cette période.

Depuis ses débuts, l'AMLFAN privilégiait l'acquisition de connaissances communes pour l'ensemble des médecins, ce qui expliquait la présentation de rapports généraux pendant les séances plénières.

Depuis ses débuts, l'AMLFAN privilégiait l'acquisition de connaissances communes pour l'ensemble des médecins, ce qui expliquait la présentation de rapports généraux pendant les séances plénières. Par contre, les sections de chirurgie et d'hygiène, ainsi que les leçons cliniques dans les hôpitaux, permettaient aux spécialistes de discuter de problèmes et de sujets qui leur étaient propres.

Tout en maintenant sa politique, l'AMLFAN fera preuve d'ouverture, à la fin des années 1920, à l'endroit des nouvelles sociétés de spécialistes. Ainsi, en 1928, le 10e congrès fut l'hôte d'une réunion de la Société canadienne-française d'électrologie et de radiologie médicale, qui venait tout juste de voir le jour. De même, en 1940, à la demande des ophtalmologistes et des oto-rhino-laryngologistes, une section était réservée à ces deux spécialités pour discuter de l'opportunité de fonder une société canadienne-française. Le congrès de 1942 vint confirmer que l'ère de la spécialisation était à jamais enclenchée, alors que des sections d'hygiène, d'oto-rhino-laryngologie et d'ophtalmologie, de radiologie et de phtisiologie s'y déroulèrent en même temps que les séances plénières.

15. Desrosiers, Gaumer et Grenier (1996), p. 22.

Les réformes de l'enseignement médical

Pour les anciens membres de l'École de médecine et de chirurgie de Montréal, la création de la Faculté de médecine de l'Université de Montréal représentait l'aboutissement d'une longue lutte pour leur autonomie.

En raison de sa domination démographique et industrielle, la ville de Montréal put enfin se doter d'une université indépendante après la Première Guerre mondiale. Dès 1917, des démarches avaient été entreprises auprès de Rome pour discuter de l'indépendance de la succursale montréalaise face à l'Université Laval. La requête fut finalement agréée en juillet 1919, dans la mesure où les facultés et les écoles affiliées fusionneraient et s'entendraient pour rédiger une nouvelle charte. Celle-ci fut adoptée en 1920. Au même moment, un appel au peuple et l'appui du gouvernement provincial permettaient de recueillir 4 millions de dollars pour la fondation de la nouvelle Université de Montréal[16].

Pour les anciens membres de l'École de médecine et de chirurgie de Montréal, la création de la Faculté de médecine de l'Université de Montréal représentait l'aboutissement d'une longue lutte pour leur autonomie. De plus, la nouvelle université laissait une grande place aux laïcs, contrairement à l'Université Laval qui était uniquement gérée par le clergé, ce qui offrait des meilleures conditions pour le développement d'un enseignement plus scientifique.

Dr Louis de Lotbinière-Harwood

Dès 1918, un changement de garde s'était opéré à la Faculté de médecine de l'ULM. Le Dr Louis de Lotbinière-Harwood avait succédé au Dr Emmanuel-Persillier Lachapelle, récemment décédé, au poste de doyen. Il s'entoura au Conseil de la faculté des Drs Amédée Marien, Oscar-Félix Mercier, Télesphore Parizeau, Arthur Bernier, Louis-Édouard Fortier, Elphège Adalbert René de Cotret et Albert Lesage, bref du groupe de jeunes médecins qui, au début du siècle, avaient contribué à la relance de la SMM et à la fondation de l'AMLFAN[17].

Sous la direction du Dr Harwood, l'enseignement de la médecine fut complètement réaménagé. Les étudiants en médecine devaient désormais suivre une année prémédicale (dénommée « PCN » pour physique, chimie et histoire naturelle) à la nouvelle Faculté des sciences mise en place par le Dr Joseph-Ernest Gendreau. Ce dernier donnait les cours de physique,

16. Goulet (1993), p. 169-173.
17. *Ibid.*, p. 154.

tandis que le Dr Georges-Hermille Baril était chargé du cours de chimie[18]. Pour donner les cours de biologie et de botanique, la Faculté des sciences engagea un Français, le professeur Louis-Janvier Dalbis, et le frère Marie-Victorin[19].

D'autre part, d'anciennes matières, autrefois réunies dans une seule chaire d'enseignement, furent scindées. À titre d'exemple, l'ophtalmologie et l'oto-rhino-laryngologie constituaient désormais des chaires distinctes. D'autres nouvelles chaires virent également le jour dans les années 1930 : la pathologie générale, l'urologie, la neurologie, etc.[20]

Dr Pierre-Calixte Dagneau

De telles réformes auront aussi lieu à l'Université Laval sous les décanats des Drs Arthur Rousseau et Pierre-Calixte Dagneau. Cependant, l'université de la Vieille Capitale perdra à jamais l'influence qu'elle avait toujours exercée sur la médecine québécoise.

De nouvelles sociétés savantes

Des médecins prirent part à la création de l'Association canadienne-française pour l'avancement des sciences (ACFAS).

Autre signe d'un intérêt accru pour la recherche, de nouvelles sociétés savantes étaient créées dans les années 1920.

En 1921, l'Association médicale canadienne fondait une section québécoise, présidée au début par le Dr Siméon Grondin de Québec. L'année suivante, des professeurs des Facultés de médecine et des sciences de l'Université de Montréal créaient la Société de biologie de Montréal. Parmi ses fondateurs se trouvaient les Drs Harwood, Baril, Eugène Latreille et Léo Pariseau. Cette nouvelle société permettait aux médecins de développer l'étude, la vulgarisation et la recherche des sciences biologiques[21].

Dr Wilfrid Derome

Des médecins prirent également part à la création de l'Association canadienne-française pour l'avancement des sciences (ACFAS)[22]. Le Dr Arthur Bernier élabora ainsi les statuts et règlements de la nouvelle association, en compagnie d'Édouard Montpetit et du frère Marie-Victorin. Le Dr Léo Pariseau en sera le premier président en 1924. D'autres intervenants réguliers de l'AMLFAN, comme les Drs Gustave Archambault, Wilfrid Derome, Élie-Georges Asselin, Antonio Barbeau, Joseph-Ernest Gendreau et Georges-

18. *Ibid.*, p. 190.
19. Chartrand, Duchesne et Gingras (1987), p. 242-243.
20. Goulet (1993), p. 194.
21. Chartrand, Duchesne et Gingras (1987), p. 249-250.
22. Gingras (1994), p. 19-31.

Hermille Baril occuperont les postes de secrétaire général, de vice-président et de président de l'ACFAS durant les années 1920 et 1930.

Ces nouvelles sociétés savantes n'étaient pas des rivales de l'AMLFAN. Bien au contraire, elles offraient des pôles de ralliement complémentaires et elles facilitèrent la création d'une première génération de chercheurs canadiens-français. Parmi ceux-ci, citons le Dr Armand Frappier, un pionnier de la recherche en bactériologie au Québec, et le Dr Antonio Barbeau, l'un des premiers chercheurs en neurologie. Mentionnons aussi les Drs Origène Dufresne et Albert Jutras, auteurs d'importantes recherches en radiologie médicale pendant les années 1930 et pionniers, avec le Dr Joseph-Ernest Gendreau, du traitement du cancer par la radiothérapie. Cette nouvelle élite s'exprimera lors des congrès de l'AMLFAN, particulièrement dans les années 1930, contribuant à donner à ces événements une maturité certaine.

Dr Roma Amyot

À partir de 1920, des bourses des gouvernements français et québécois permirent à de jeunes médecins de compléter leurs études en France.

Le renforcement des liens avec la France

Dès le 2e congrès en 1904, le Dr Samuel Pozzi avait lancé un appel pour que les médecins canadiens-français profitent de séjours de perfectionnement à Paris. Au 7e congrès, en 1922, l'AMLFAN faisait à nouveau le vœu que des relations plus étroites soient entretenues entre l'Université de Paris et ses homologues canadiennes-françaises, cela afin « de perfectionner l'enseignement supérieur dans la Province de Québec[23] ».

À partir de 1920, des bourses des gouvernements français et québécois permirent à de jeunes médecins de compléter leurs études en France. Au cours des années 1920 et 1930, des dizaines de médecins purent ainsi se spécialiser[24]. Plusieurs d'entre eux occuperont par la suite de nouvelles chaires d'enseignement. En 1926 fut inaugurée à Paris la maison canadienne de la cité universitaire. Parmi les premiers résidents figuraient le Dr Roma Amyot, plus tard rédacteur en chef de *L'UMC* et président de l'AMLFC. Le Dr Siméon Grondin, qui était également délégué officiel du gouvernement de la province de Québec en France, fut directeur des études canadiennes à Paris[25].

---

23. *7e congrès…*, p. 360.
24. Parmi ceux-ci, citons les noms des Drs Roma Amyot, Roméo Boucher, Édouard Desjardins, Paul Letondal, Arthur Magnan, Oscar Mercier, Alfred Mousseau et Jean Saucier. E. Desjardins, *UMC*, 104, 10, octobre 1975, p. 1563-1567.
25. *Association des médecins de langue française. XIXe session. Paris 1927. compte rendu officiel et administratif*, Paris, Masson & Cie, s.d., p. 64.

Inversement, des professeurs français furent invités, dans les années 1920, à diriger des chaires d'enseignement dans les universités québécoises. En 1926 était inauguré, grâce à la collaboration des gouvernements français et québécois et de l'Université de Montréal, l'Institut scientifique franco-canadien. Cet institut invitait des maîtres français, dont des médecins, à donner des séries de cours ou de conférences[26]. Plusieurs sommités françaises acceptèrent de présenter des rapports dans les congrès de l'AMLFAN après avoir été invitées par l'entremise de cette association. Certains prolongeront d'ailleurs leur séjour au pays. C'est le cas, par exemple, du Dr Cyrille Jeannin, qui, après le congrès de 1928, dispensera une série de leçons d'obstétrique pendant tout l'automne aux étudiants en médecine de l'Université de Montréal[27], des Drs Raymond Grégoire, Ernest Desmarest, Émile Sergent et de nombreux autres. Peu d'entre eux s'établiront définitivement au Québec, mais parmi les exceptions figurent le Dr Albert Laquerrière, radiologiste, et le Dr Pierre Masson, professeur mondialement reconnu pour ses travaux sur le cancer et fondateur, en 1937, de l'Institut pathologique de Montréal[28].

En 1927, 280 médecins canadiens-français s'inscrivaient comme membres adhérents à l'AMLF (Europe).

Les Drs Albert Lesage et Joseph-Edmond Dubé assistèrent, en 1925, au 7e congrès de l'AMLF (Europe), à Nancy, où ils virent la proposition de créer une section canadienne être acceptée. En 1927, 280 médecins canadiens-français s'y inscrivaient comme membres adhérents. Dans son rapport pour l'exercice 1925-1927, le secrétaire général de l'AMLF (Europe), le Dr Fernand Arloing, note son appréciation de voir que les dirigeants de l'AMLFAN, « les Benoit, les Bruneau, les Chagnon, les Dagneau, les Dubé, les Grondin, les Léger, les Latreille, les de Martigny, les Louis-Philippe Normand, les Rousseau, les Vallée sont déjà des nôtres[29] ». Un remerciement particulier est porté au Dr Albert Lesage, principal responsable de cette adhésion massive. Le Dr Lesage sera membre du Bureau de direction de l'AMLF (Europe) jusqu'en 1933[30].

En 1931, le Dr Joseph-Edmond Dubé fondait une filiale canadienne de l'Association pour le développement des relations médicales entre la France et les pays étrangers. (ADRMM). Les présidents d'honneur de cette association

26. Chartrand, Duchesne et Gingras (1987), p. 253-254.
27. *Ibid.*, p. 254.
28. Goulet (1993), p. 223-226.
29. *Association des médecins de langue française. XIXe session. Paris 1927. compte rendu officiel et administratif,* Paris, Masson & Cie, s.d., p. 64.
30. *Ibid.*, p. 69.

étaient les doyens Rousseau et Harwood, ainsi que leurs confrères des Universités McGill et de Toronto. L'année suivante, le Dr Frank Smithies, de Chicago, fondait une section américaine[31]. C'est en tant que représentant canadien de l'ADRMM que le Dr Dubé amorcera à Paris les négociations en vue d'un congrès conjoint des médecins de langue française d'Europe et d'Amérique du Nord. Ce congrès conjoint aura finalement lieu en 1934 à Québec.

Des contacts avec le reste du continent américain

Parallèlement à ce rapprochement de la médecine française des deux mondes, les médecins francophones amorcèrent des relations avec les autres peuples de langue latine, sans doute pour faire contrepoids à l'influence grandissante de la médecine américaine. Depuis 1914, un enseignement en français se donnait à la Faculté de médecine de l'Université de Santiago, au Chili. Le modèle médical français était d'ailleurs, à l'époque, prépondérant dans l'ensemble des universités sud-américaines. Des médecins canadiens-français rêvaient d'inviter ces francophiles à participer aux activités de l'AMLFAN. Dès le 6e congrès en 1920, le Dr Léo Pariseau soumit le vœu « que l'Association des médecins de langue française de l'Amérique du Nord devienne bientôt l'Association des médecins de langue française des trois Amérique[32] ».

En 1926, les Universités de Buenos Aires et de La Havane étaient officiellement représentées par un délégué au 9e congrès de l'AMLFAN.

En 1926, les Universités de Buenos Aires et de La Havane étaient officiellement représentées par un délégué au 9e congrès de l'AMLFAN. Au cours de celui-ci le Dr Rafaël Gonzalez Alvarez, délégué cubain, invite les membres de l'AMLFAN à participer au congrès de l'enfance prévu pour le mois de février 1927 à La Havane. Il suggère aussi que l'AMLFAN devienne une association panaméricaine composée de trois sections locales : Canada, Amérique du Sud et Amérique centrale-Caraïbes[33], une idée qui ne sera toutefois pas retenue. Plus tard, en 1942, il sera envisagé de réaliser une soirée médicale

31. J.-E. Dubé, « Le professeur Frank Smithies, de Chicago, Chevalier de la Légion d'Honneur », *UMC*, 62, 1, janvier1933, p. 63-64.
32. *UMC*, 49, 10, octobre 1920, p. 504.
33. *9e congrès de l'Association des médecins de langue française de l'Amérique du Nord*, Montréal, Beauchemin, 1927, p. 588-589.

sud-américaine dans le cadre du 17e congrès de l'AMLFAN, en y regroupant quelques médecins latino-américains parlant français. L'entrée en guerre du Brésil empêchera toutefois la réalisation de ce projet[34].

L'influence américaine

Si la France demeurait le pôle d'attraction privilégié des médecins canadiens-français durant l'entre-deux-guerres, ces derniers étaient toutefois soumis à l'attrait exercé par la médecine américaine.

Si la France demeurait le pôle d'attraction privilégié des médecins canadiens-français durant l'entre-deux-guerres, ces derniers étaient toutefois soumis à l'attrait exercé par la médecine américaine. Les organisations américaines étaient prêtes à financer les facultés de médecine du Québec et du Canada, mais dans la mesure où celles-ci se soumettraient à leurs exigences.

Depuis sa fondation en 1901, l'Institut Rockefeller pratiquait une évaluation serrée des diverses écoles médicales nord-américaines. Au niveau des hôpitaux, l'American College of Surgeons visait depuis ses débuts à standardiser le réseau hospitalier en Amérique du Nord. L'enjeu était de taille : une bonne évaluation de la part de ces organismes signifiait la reconnaissance des diplômes et de la qualité des soins hospitaliers à l'échelle du continent. Les jeunes médecins formés dans les universités francophones pourraient pratiquer dans les différents États américains sans se voir imposer des études complémentaires, et occuper des postes dans les grands hôpitaux des États-Unis.

En 1910, le rapport Flexner avait été particulièrement sévère à l'égard des facultés de médecine francophones de Québec et de Montréal. Ce délégué de l'Institut Rockefeller critiquait surtout l'absence d'enseignement scientifique et de recherches dans les laboratoires de ces universités[35]. Une nouvelle enquête, dirigée par le Dr Pearce en 1919, fut par contre assez favorable à la nouvelle Faculté de médecine de l'Université de Montréal. La présence à Montréal d'une classe d'affaires canadienne-française favorable à l'enseignement scientifique, le projet de construction d'un nouvel édifice universitaire, la présence d'un doyen et d'un corps professoral progressistes à la faculté, ainsi que son affiliation à des hôpitaux de qualité étaient autant de facteurs qui permettaient de confirmer tout le potentiel de la nouvelle

34. Une conférence sur « l'asepsie générale », écrite par le Dr Maurice Gudin de la Faculté de médecine de Rio de Janeiro, a par contre été lue au congrès de 1942 par le Dr Pierre Smith. *La Presse*, jeudi 17 septembre 1942, p. 14.
35. R. Desjardins (2001), p. 335.

Université de Montréal. La Faculté de médecine se vit donc accorder une aide financière annuelle de 50000 $ pour le développement de son enseignement prémédical et pour l'amélioration de ses pratiques de laboratoire[36].

L'Université Laval continua toutefois à être jugée sévèrement. En fait, le corps professoral y était beaucoup plus réfractaire à l'américanisation de la médecine. Dans son discours d'ouverture officiel du 6e congrès de l'AMLFAN, en 1920, le Dr Arthur Rousseau disait considérer que «les procédés réalistes auxquels les Américains ont accompli leurs progrès ne répondent qu'imparfaitement à nos tendances et à nos besoins[37]».

Au congrès suivant, à Montréal, le Dr Rousseau avoue que «les grandes institutions américaines nous invitent à nous initier à leur savoir et, plus près de nous, nos compatriotes de langue anglaise mettent gracieusement à notre disposition les vastes ressources de leur organisation universitaire[38]». Bien que disant apprécier ce geste, le nouveau doyen de la Faculté de médecine de l'Université Laval ajoute que «nous ne voulons pas dépendre uniquement d'eux pour notre culture supérieure[39]». Cette résistance s'explique en fait par l'attachement des professeurs de l'Université Laval à l'enseignement clinique français. Pour ces francophiles, le rôle de l'AMLFAN est de servir d'interprète de la pensée française auprès des Anglo-Américains.

C'est dans le domaine de la médecine préventive que l'influence américaine se fera le plus rapidement sentir.

C'est dans le domaine de la médecine préventive que l'influence américaine se fera le plus rapidement sentir. Lors du 7e congrès de l'AMLFAN, en 1922, le Dr Odilon Leclerc présente un plan général contre la tuberculose qui est celui de la commission franco-américaine Rockefeller. Ce médecin de l'Hôpital Laval à Sainte-Foy précise que «nous n'avons rien inventé. Nous n'avons d'original que la façon d'appliquer chez nous ces moyens[40]». Et cette originalité s'exprime plus particulièrement par l'appui du clergé.

Dr Antoine-Hector Desloges

L'influence américaine se manifestera de plus en plus lors des congrès de l'AMLFAN de l'entre-deux-guerres, notamment par l'intermédiaire du Dr Antoine-Hector Desloges, responsable de la campagne antivénérienne de 1920, puis directeur médical des institutions pour aliénés mentaux et

36. Goulet (1993), p. 186-187.
37. *6e congrès…*, p. 39.
38. *7e congrès…*, p. 319.
39. *Ibid.*, p. 319.
40. *7e congrès…*, p. 287.

d'assistance. Les relations amicales qu'entretient le Dr Desloges avec le directeur médical des hôpitaux d'aliénés du Massachusetts, le Dr George Kline, vont permettre à de nombreux diplômés des universités canadiennes-françaises de suivre des stages dans les hôpitaux de cet État américain durant les années 1920 et 1930[41]. En 1928, le Dr Kline et le Dr George Wallace présenteront aux médecins canadiens-français un programme d'hygiène mentale qui est en fait celui du Massachusetts.

Depuis sa fondation, l'AMLFAN se considérait comme le représentant légitime et le porte-étendard de la médecine française en Amérique. La défaite française durant la Seconde Guerre mondiale conduira toutefois les médecins québécois à opter désormais pour les États-Unis. Alors qu'aucun représentant français n'est présent lors du 17e congrès, en 1942, et devant la présence des délégués américains, le président de l'AMLFAN, le Dr Oscar Mercier, déclare que Montréal et Québec pourraient devenir « après cette guerre les centres médicaux où les médecins de langue française et les médecins sud-américains qui avant 1939 traversaient l'océan viendraient puiser le perfectionnement de leurs connaissances médicales[42] ». Avec la rupture temporaire des relations entre l'AMLFAN et l'ancienne mère patrie, c'est en fait la médecine canadienne-française qui s'émancipe et crée sa propre identité. « Celle-ci aura nécessairement les qualités de l'esprit français, qui découleront de nos antécédents, mais elle sera ornée par celles du génie américain, qui s'y ajouteront à cause de nos relations de plus en plus fréquentes avec nos voisins du sud[43] ». Ces propos sont partagés par le président de l'Association médicale canadienne, le Dr Sclater Lewis, selon lequel la guerre pouvait marquer la naissance d'une médecine canadienne[44]. Pour sa part, le délégué américain, le Dr Ralph Pemberton de Philadelphie, se déclare heureux de la collaboration plus étroite entre les médecins canadiens-français et américains.

Avec la rupture temporaire des relations entre l'AMLFAN et l'ancienne mère patrie, c'est en fait la médecine canadienne-française qui s'émancipe et crée sa propre identité.

41. Grenier (1999), p. 264-266.
42. Mercier, « Discours d'ouverture du 17e congrès des médecins de langue française de l'Amérique du Nord », *UMC*, 71, 10, octobre 1942, p. 1032-1033; 1033.
43. *Ibid.*, p. 1032.
44. Amyot, « Ce que fut le XVIIe congrès. Ce qu'il présage », *UMC*, 71, 10, octobre 1942, p. 1023-1027; 1026.

L'année 1942 marque donc l'avènement d'un ordre nouveau. La médecine américaine servira désormais de modèle aux médecins qui seront regroupés, après la Seconde Guerre mondiale, dans une association désormais connue sous le nom d'Association des médecins de langue française du Canada (AMLFC). Si le médecin français est bien reçu après la guerre, il retrouve cependant un «fils émancipé, fort dans sa nouvelle personnalité[45] ».

Conclusion

La période de l'entre-deux-guerres fut donc marquée par d'importantes transformations dans le domaine de l'enseignement et de la pratique médicale au Québec. Ces changements étaient souhaités par l'AMLFAN depuis sa fondation en 1902. Derrière chacune de ces réformes, l'on retrouvait d'ailleurs constamment la présence des Drs Dubé, Lesage et autres médecins qui dirigèrent l'AMLFAN durant les années 1920 et 1930.

Cependant, les congrès de l'AMLFAN seront de moins en moins le lieu de diffusion de la médecine française. Ils deviendront plutôt le lieu où s'exprimera, en français, la médecine nord-américaine.

45. Mercier, «Discours au banquet de clôture du XVIIe congrès», *UMC*, 71, 10, octobre 1942, p. 1083-1084; 1084.

CHAPITRE 19

LES PRINCIPAUX THÈMES DES CONGRÈS (1920-1942)

Si la pathologie et l'approche thérapeutique furent discutées lors des congrès de l'AMLFAN, pendant cette période, certains thèmes furent cependant privilégiés. Ce chapitre portera sur les discussions et les résolutions qui marquèrent les assemblées générales des congrès de l'AMLFAN en matière de tuberculose, de maladies vénériennes, de maladies infantiles, de cancer et d'expertise médicale.

La tuberculose

À partir des années 1920, la croisade antituberculeuse continuera selon les médecins à présenter de sérieuses lacunes, malgré les initiatives prises par le gouvernement Taschereau.

Dans les deux premières décennies du XXe siècle, il n'existait aucune politique concertée pour lutter contre la tuberculose. À partir des années 1920, la croisade antituberculeuse continuera selon les médecins à présenter de sérieuses lacunes, malgré les initiatives prises par le gouvernement Taschereau.

Au 7e congrès, à Montréal en 1922, le Dr Daniel-E. Lecavalier rappelle qu'il a présenté un plan contre la tuberculose lors du premier congrès en 1902. Vingt ans plus tard, ce plan est toujours valable[1]. Dès 1902, ce médecin croyait qu'il valait mieux traiter le tuberculeux près de l'endroit où il vivait. En 1897, il avait projeté de créer un sanatorium à l'ouest du mont Royal, mais les plaintes des résidants ont fait en sorte que «les plans dorment depuis vingt ans dans les cartons des architectes[2]». Les campagnes menées depuis des décennies en Allemagne, en Angleterre, en France, aux États-Unis et au Canada ont permis de prolonger la vie des malades, de les guérir parfois et de diminuer la contamination, «mais on n'a pas réussi à diminuer d'une unité le pourcentage de morbidité[3]».

1. D.-E. Lecavalier, «Vingt ans après», *7e congrès de l'Association des médecins de langue française de l'Amérique du Nord*, Montréal, Beauchemin, 1923, p. 621-626.
2. *Ibid.*, p. 621-622.
3. *Ibid.*, p. 625.

En 1922, le Dr Odilon Leclerc rappelle que l'organisation antituberculeuse est encore assez rudimentaire et que le temps n'est plus aux mémoires et aux rapports.

En 1922, également, le Dr Odilon Leclerc rappelle que l'organisation antituberculeuse est encore assez rudimentaire et que le temps n'est plus aux mémoires et aux rapports[4]. Jusqu'ici, les diverses initiatives ont été trop isolées et trop peu coordonnées. Il n'existe pas encore au Québec de comité national dirigeant les actions des diverses associations privées engagées dans la lutte antituberculeuse. Selon le médecin de Québec, c'est aux sociétés médicales des régions et des districts de lancer le mouvement. Par ailleurs, «en matière de tuberculose, la défensive est une mauvaise tactique et c'est un acte d'imprévoyance que le budget paiera fort cher[5]». Le médecin de l'Hôpital Laval se prononce pour le placement à la campagne des enfants prédisposés à la tuberculose. Tout en permettant de diminuer en une génération plus de la moitié des cas de tuberculose chez les adultes, cette initiative serait en même temps «chez nous la solution du problème du retour à la terre[6]».

Le Dr Knopf, de New York, ajoute qu'il serait nécessaire de fonder au Québec des écoles, au grand air, pour les enfants tuberculeux[7], point de vue partagé par le Dr Gaston Lapierre[8]. Ce médecin de l'Hôpital Sainte-Justine rappelle que de telles écoles existent en Grande-Bretagne, en France, aux États-Unis, en Suisse, en Espagne, en Italie, en Scandinavie et dans quelques pays d'Amérique latine. Au Québec, le dispensaire antituberculeux du Royal Edward, le Children's Memorial et l'Académie du boulevard Saint-Joseph donnent déjà ce type d'enseignement à quelques dizaines d'enfants. Le Dr Joseph-Arthur Jarry présente le travail quotidien livré à l'Institut Bruchési de Montréal[9]. Il s'attarde principalement à l'importance de l'éducation, en rappelant que celle-ci s'adresse aux classes populaires, d'abord et avant tout, mais aussi à la classe dirigeante, à la magistrature et au corps médical.

Le congrès de 1922 se termine par une proposition des Drs Daniel-E. Lecavalier et Séraphin Boucher pour que des établissements pour tuberculeux soient

4. O. Leclerc, «Problèmes que comporte l'organisation de la lutte antituberculeuse dans la province de Québec», *7e congrès...*, p. 281-288.
5. *Ibid.*, p. 285.
6. *Ibid.*, p. 285.
7. *Ibid.*, p. 289.
8. G. Lapierre, «L'école de plein air et l'école au soleil dans la province de Québec», *7e congrès...*, p. 597-602.
9. J.-A. Jarry, «La lutte antituberculeuse à Montréal», *7e congrès...*, p. 672-677.

érigés dans les principales villes de la province. En 1923, le nombre de lits pour tuberculeux est d'environ 300, il passera à plus de 2100 en 1935[10].

En 1926, le 9e congrès demande la formation d'un comité national de défense contre la tuberculose. Il faudra cependant attendre l'année 1938 pour que celui-ci voie le jour.

En 1926, le 9e congrès demande la formation d'un comité national de défense contre la tuberculose. Il faudra cependant attendre l'année 1938 pour que celui-ci voie le jour. Comme le comité de défense contre la tuberculose devait cesser ses activités après trois ans, l'AMLFAN présentera le souhait, en 1940, pour qu'il demeure en fonction.

Pendant les années 1920, les médecins se dotent d'un vaccin efficace contre la tuberculose, mis au point en France par Calmette et Guérin. L'École d'hygiène sociale appliquée, affiliée à l'Université de Montréal, se chargera dès 1926 de la distribution de ce vaccin. Au congrès de 1932, le Dr Joseph-Albert Beaudoin dresse un bilan de la vaccination par le BCG à Montréal. Le vaccin de Calmette et Guérin procure, selon lui, une protection très appréciable contre la tuberculose et mérite d'être davantage utilisé[11].

Outre la prévention, l'aspect clinique de la tuberculose fera maintes fois l'objet de communications lors des différents congrès de l'AMLFAN. En 1924, les Drs Émile Sergent et Léon Binet, de Paris, livrent ainsi une communication sur la calcémie des tuberculeux[12]. En 1932, à Ottawa, le Dr Maurice Chevassu, de Paris, décrit le « diagnostic de la tuberculose rénale[13] ». Cette dernière se guérit très facilement quand on la découvre et la traite à un stade précoce. La présence d'un seul symptôme, une légère pyurie, suffit pour la diagnostiquer ; il suffit de rechercher directement le bacille de Koch dans les urines. Le congrès de 1936 portera, quant à lui, un intérêt particulier à la tuberculose de la hanche.

Du côté de la thérapeutique, le principal progrès sera l'introduction du pneumothorax. À l'Hôtel-Dieu de Québe,c en 1924, le Dr Francis Bordet, de Paris, fait une démonstration de la pratique de cet instrument[14]. Cette forme de

10. Desrosiers, Gaumer, Hudon et Keel (2001), p. 214.
11. J.-A. Beaudoin, « Vaccination contre la tuberculose par le BCG à Montréal », *12e congrès de l'Association des médecins de langue française de l'Amérique du Nord*, Ottawa, Presses du Droit, 1933, p. 485-494.
12. E. Sergent et L. Binet, « Recherches sur la calcémie des tuberculeux et sur la fixation du calcium », *8e congrès de l'Association des médecins de langue française de l'Amérique du Nord*, Québec, Imprimerie Laflamme, 1925, p. 136-140.
13. *12e congrès…*, p. 269-272.
14. F. Bordet, « Valeur sémiologique et pronostique de l'étude des images cavitaires et pseudo-cavitaires au cours du pneumothorax artificiel », *8e congrès…*, p. 297-305.

traitement présente cependant, au dire du Dr Pierre Calixte Dagneau en 1932, des inconvénients[15]. La plèvre réagit en effet à la présence de l'air, ce qui donne lieu à un épanchement qui devient vite purulent.

Les maladies vénériennes

C'est pendant le 6e congrès de l'AMLFAN, en 1920, qu'est officiellement lancée la campagne antivénérienne.

C'est pendant le 6e congrès de l'AMLFAN, en 1920, qu'est officiellement lancée la campagne antivénérienne. Le Dr Hector Palardy, du Service provincial d'hygiène, indique alors que la syphilis est responsable de plusieurs fausses couches et accouchements prématurés. Les enfants qui ne meurent pas dans leur jeune âge fournissent souvent plus tard un important contingent à la population des asiles et des hospices. Quant à la gonorrhée, elle stérilise littéralement la race. Les maladies vénériennes prolifèrent grâce à la complicité de nombreux alliés, dont les charlatans, qui exploitent les victimes, et la population en général qui, jugeant ces maladies guère plus dangereuses qu'un rhume, répand ce mal par le commerce de la prostitution et les relations illégitimes.

Dr Gustave Archambault

Au cours du congrès de 1920, un autre médecin, qui a participé à la Première Guerre mondiale, le major Gustave Archambault, décrit les nouveaux moyens de diagnostic de la syphilis. En 1911, le Dr Archambault a été le premier à présenter la séroréaction de Bordet-Wasserman, technique qu'il avait apprise à Paris, lors d'une réunion de la Société médicale de Montréal. Deux ans plus tard, il a expérimenté, à l'Hôpital Notre-Dame et à Saint-Jean-de-Dieu, la cutiréaction à la Luétine, de Noguchi. Cette technique consiste à injecter dans le derme du patient un liquide composé de tréponèmes stérilisés. En plus de ces nouveaux moyens de diagnostic, le Dr Archambault présente le salvarsan, mieux connu sous le terme de « 606 », premier médicament efficace contre cette maladie transmise sexuellement.

Dr Paul Gastou

En 1922, le Dr Paul Gastou, chef du laboratoire de l'Hôpital Saint-Louis à Paris, signale que le traitement de la syphilis doit d'abord être localisé et tenir compte des possibles associations microbiennes et du terrain individuel (antécédents du patient, âge, genre de vie, etc.)[16]. Son confrère, le Dr Marcel Pinard, s'attarde pour sa part au rôle des dispensaires antisyphilitiques dans

---

15. P.C. Dagneau, « La thoracoplastie dans la tuberculose pulmonaire », *12e congrès…*, p. 332-334.
16. P. Gastou, « Le syphilitique et la syphilis », *7e congrès…*, p. 199-208.

Dr Marcel Pinard

les maternités[17]. Selon lui, 43 % des avortements dans les villes de France sont causés par la syphilis. Le médecin français suggère que le syphilitique ne se marie qu'après la disparition de tous les signes d'affection.

Lors du congrès de 1926, les médecins du dispensaire de l'hôpital Notre-Dame livrent un exposé de la lutte antivénérienne dans la province de Québec[18]. Selon le responsable du dispensaire antivénérien, le Dr Noé Fournier, la campagne a permis de guérir un grand nombre d'indigents et d'abaisser le budget des hôpitaux psychiatriques. D'autre part, le Dr Gustave Archambault a introduit le traitement de la syphilis par le bismuth.

La mortalité infantile

Alors que le Québec vivait l'époque de la revanche des berceaux, il allait de soi que la mortalité infantile demeure l'un des thèmes qui revenaient constamment lors des congrès de l'AMLFAN.

Alors que le Québec vivait l'époque de la revanche des berceaux, il allait de soi que la mortalité infantile demeure l'un des thèmes qui revenaient constamment lors des congrès de l'AMLFAN. C'est particulièrement le cas au 8e congrès, en 1924 à Québec. Le Dr Raoul Masson, de l'Hôpital Sainte-Justine, présente un rapport sur « la mortalité infantile dans la province de Québec[19] », pendant qu'un collègue de Paris, le Dr Louis Ribadeau-Dumas, s'attarde surtout à la mortalité dans les crèches[20].

Parmi les maladies infantiles, la diphtérie sera l'objet de nombreuses communications durant les années 1920. Près de 60 % des décès attribuables à cette maladie touchent alors des enfants de moins de 4 ans. Selon le Dr Daniel Longpré de Montréal, les crèches sont particulièrement touchées par cette maladie pulmonaire[21]. En 1925, on a ainsi enregistré 643 certificats de décès, à la crèche d'Youville. À son arrivée dans l'établissement, au printemps 1926, le Dr Longpré a constaté la présence d'une épidémie multiple, englobant la diphtérie, la scarlatine, la rougeole, la coqueluche et la varicelle. Il a alors entrepris l'immunisation active de tous les enfants de 4 mois et plus. En 1928, le Dr Longpré racontera que la diphtérie classique est pratiquement disparue des crèches québécoises.

17. M. Pinard, « La lutte contre la syphilis héréditaire », *7e congrès…*, p. 215-222.
18. N. Fournier, « Évolution de la campagne antivénérienne à Montréal », *9e congrès de l'Association des médecins de langue française de l'Amérique du Nord*, Montréal, Beauchemin, 1927, p. 387-390.
19. *8e congrès…*, p. 245-271.
20. L. Ribadeau-Dumas, « La mortalité dans les crèches hospitalières », *8e congrès…*, p. 236-244.
21. D. Longpré, « Les crèches », *10e congrès de l'Association des médecins de langue française de l'Amérique du Nord*, Québec, Impr. Laflamme, 1929, p. 130-134.

Selon le Dr Pierre Émile Auguste Lereboullet, de l'Hôpital des enfants malades de Paris, la diphtérie est la maladie qui a le plus bénéficié des découvertes de la biologie depuis la fin du XIXe siècle[22]. Le bacille, la toxine et l'antitoxine diphtériques ont tous été découverts, en moins de dix ans, permettant ainsi la création d'un sérum et d'un vaccin. De tous les anciens fléaux, la diphtérie est maintenant la maladie la plus facilement curable quand elle est reconnue rapidement.

Pour combattre efficacement la diphtérie, le congrès de 1926 demande la distribution gratuite de sérums et de vaccins.

Pour combattre efficacement la diphtérie, le congrès de 1926 demande la distribution gratuite de sérums et de vaccins. La même proposition est reprise au congrès suivant par le Dr Paul Letondal, qui suggère, de plus, qu'un certificat de vaccination antidiphtérique soit exigé à la première admission des enfants à l'école[23].

À partir de janvier 1926, des séances d'immunisation contre la diphtérie sont inaugurées à l'École d'hygiène sociale appliquée de Montréal, où le Dr Gaston Lapierre reçoit des enfants de 1 à 6 ans. À l'automne de 1927 se déclare une épidémie, et seuls une dizaine d'enfants, qui n'ont pas reçu l'injection d'antitoxine de Ramon, contractent la diphtérie. La vaccination antidiphtérique est d'une innocuité absolue. Plus important encore, selon le Dr Lapierre, il n'y a plus, comme à l'époque de Jenner, d'opposition systématique à la vaccination[24].

Le congrès de 1926, à Montréal, émet le vœu que le gouvernement, les écoles et les municipalités considèrent les soins de la petite enfance comme « une œuvre éminemment nationale et sociale[25] ». Il souhaite aussi la fondation de maternelles pour les enfants de moins de 7 ans. Il est par ailleurs suggéré que les médecins des Gouttes de lait limitent leur action à diriger l'alimentation infantile et à en corriger les déficiences, et que l'on confie les enfants malades au médecin de famille.

En 1932, le Dr Albert Charlebois, d'Ottawa, présente ses observations quant à une autre importante maladie infantile, la poliomyélite. En 1928, une épidémie s'était déclarée au Manitoba. Le ministère de la Santé publique de

22. P. Lereboullet, « Le traitement actuel de la diphtérie », *10e congrès…*, texte des rapports, p. 101-111.
23. *10e congrès…*, p. 267.
24. G. Lapierre, « Prophylaxie de la diphtérie », *10e congrès…*, p. 112-117.
25. *9e congrès…*, p. 591.

l'Ontario s'était donc préparé et avait averti les médecins de dresser une liste de donneurs de sérum sanguin. Le premier cas de poliomyélite s'est déclaré en juillet 1929 à Ottawa. Le traitement avec le sérum sanguin a donné de très bons résultats dans les états préparalytiques, mais a eu peu d'effet chez les patients qui commençaient à faire de la paralysie. Cela confirmait à nouveau l'importance d'un diagnostic précoce et la nécessité, pour les bureaux de santé municipaux, de toujours conserver une provision de sérum et une liste de donneurs potentiels[26].

Lors de son congrès de 1938, l'AMLFAN souhaite que les ministères de la Santé des différentes provinces entreprennent une campagne d'éducation en faveur de l'hygiène prénatale, afin d'abaisser le nombre d'éclampsies.

Les séquelles de la paralysie infantile ne peuvent être corrigées que par l'orthopédie. C'est là l'objet de la communication du Dr Robert Ducroquet, de Paris, lors du congrès d'Ottawa. Le grand danger du traitement orthopédique est qu'il corrige certains détails tout en perdant de vue la posture globale, ce qui risque de compromettre l'équilibre[27].

Lors de son congrès de 1938, l'AMLFAN souhaite que les ministères de la Santé des différentes provinces entreprennent une campagne d'éducation en faveur de l'hygiène prénatale, afin d'abaisser le nombre d'éclampsies. Le 15e congrès propose aussi que l'on accorde des allocations aux mères nécessiteuses et que les lois de l'assistance publique soient amendées pour permettre aux mères de recevoir les soins nécessaires en milieu hospitalier ou à domicile.

Le cancer

Grâce à l'hygiène publique et au développement de la vaccinothérapie, plusieurs maladies autrefois très meurtrières perdent du terrain. Comme le soulignera le Dr Albert Lesage, « la typhoïde, la diphtérie, la variole, la malaria disparaissent peu à peu des cadres de la nosologie[28] ». D'autres maladies, cependant, sont prêtes à prendre le relais. Ainsi, le cancer est désormais la troisième cause de mortalité en importance, dans la province de Québec au début des années 1920, selon une étude démographique présentée en

26. A. Charlebois, « Observations pratiques tirées d'une épidémie de poliomyélite à Ottawa en 1929 », *12e congrès...*, p. 91-98.
27. R. Ducroquet, « Traitement des séquelles de la paralysie infantile », *12e congrès...*, p. 234-261.
28. *9e congrès...*, p. 37.

Le cancer est désormais la troisième cause de mortalité en importance, dans la province de Québec au début des années 1920, selon une étude démographique présentée en 1924 par le Dr Pierre Calixte Dagneau.

1924 par le Dr Pierre Calixte Dagneau. De 29 cas pour 100 000 habitants qu'il était en 1894, le taux s'établit à 56,4 pour 100 000 en 1922! Ces chiffres, sans doute conservateurs, résultent de statistiques incomplètes[29].

Le cancer est l'un des thèmes du 8e congrès, en 1924. Le Dr Télesphore Parizeau, de l'Hôpital Notre-Dame, est mandaté pour livrer le rapport sur le diagnostic précoce et la thérapeutique du cancer[30]. Il précise que cette maladie, d'abord localisée à un endroit spécifique, finit par envahir l'entourage immédiat et finalement l'organisme tout entier. Une thérapeutique appropriée peut avoir de bons résultats si elle est appliquée pendant la période où le cancer est encore localisé, d'où toute l'importance d'un diagnostic précoce. L'examen clinique demeure le meilleur moyen d'identifier la présence de néoplasmes, alors que le laboratoire et la radiologie sont utiles pour découvrir des cancers plus profonds. Un fait en apparence insignifiant peut s'avérer le premier signe d'une tumeur cancéreuse. Selon le Dr Parizeau, il est donc primordial d'habituer le patient à s'observer lui-même, « mais quand il vient sous nos yeux, donnons-nous la peine de l'examiner à fond[31] ». La chirurgie et la radiothérapie doivent être combinées dans le traitement. Quant à la chimiothérapie, elle est encore, en 1924, peu efficace, quoique le rapporteur exprime le souhait « que des études plus approfondies de la physiologie cellulaire orientent en ce sens la thérapeutique du cancer[32] ».

Les affections cancéreuses chez la femme sont particulièrement étudiées. Le Dr Louis de Lotbinière-Harwood présente un mémoire sur le cancer de l'appareil génital féminin, ainsi que son traitement par les agents physiques. Un médecin français, le Dr Ernest Desmarest, de la Faculté de médecine de Paris, fait pour sa part une communication sur le traitement chirurgical du cancer du rectum et une autre sur la chirurgie du cancer du sein[33].

Le directeur de l'Institut du radium de Montréal, le Dr Joseph-Ernest Gendreau, décrit la radiothérapie du cancer. En France, cette thérapeutique qui date du début du XXe siècle fait suite aux travaux de Becquerel et des

29. P.C. Dagneau, « État démocratique du cancer dans la province de Québec », *8e congrès*..., p. 114-121.
30. T. Parizeau, « Le diagnostic précoce du cancer et sa thérapeutique », *8e congrès*..., p. 101-113.
31. *Ibid.*, p. 105.
32. *Ibid.*, p. 113.
33. Ces communications ne figurent pas dans le compte rendu du 8e congrès.

Curie. Depuis quelques années, on utilise des aiguilles radifères, que l'on place dans les voies naturelles. Cette technique est particulièrement efficace contre les cancers du col utérin. Les appareils extérieurs à grande puissance servent par ailleurs à vaincre les ganglions cancéreux profonds et résistants. Le Dr Gendreau explique qu'une dose faible mais prolongée de radiation détruit plus complètement les cellules cancéreuses qu'une dose forte mais courte. L'intérêt de ce traitement est que les radiations détruisent les cellules atteintes sans attaquer les cellules saines avoisinantes. La principale autorité en curiethérapie, le Dr Claude Regaud, de Paris, a réussi par ce procédé à stériliser des animaux sans provoquer d'autre lésion que la chute des poils[34].

Un autre médecin français, le Dr Jeanneney de Bordeaux, présente « la lutte contre le cancer en France[35] », où l'on a créé des centres spécialisés régionaux. Le but de ces centres est d'éduquer le grand public, de traiter les cancéreux et de stimuler les recherches scientifiques sur le cancer. Les directeurs des centres régionaux sont regroupés dans une commission supérieure qui se réunit à date fixe.

Malgré le développement des recherches sur le cancer, bien des mystères restent encore à éclaircir et l'on espère toujours découvrir la cure indiscutable.

En 1938, le congrès de l'AMLFAM félicitera le gouvernement de l'Ontario pour avoir créé une telle commission. Le directeur général de l'Association, le Dr E.-Eugène Valin d'Ottawa, sera l'un des membres de cette commission.

Plus tard, en 1941, seront jetées les bases du futur institut du cancer de Montréal par l'entremise du Dr Louis-Charles Simard. Malgré le développement des recherches sur le cancer, bien des mystères restent encore à éclaircir et l'on espère toujours découvrir la cure indiscutable.

L'expertise médicolégale

Le premier ministre du Québec, l'honorable Alexandre Taschereau, est également ministre de la Justice. C'est à ce titre qu'il dit espérer, dans son discours au banquet du 8e congrès en 1924, que les médecins appelés à intervenir devant les tribunaux soient « avant tout l'instrument de la justice qui a besoin de votre science pour s'éclairer et se diriger[36] ».

---

34. J.-E. Gendreau, « La thérapeutique du cancer par les radiations. Les bases physiologiques », *8e congrès…*, p. 122-129.
35. *8e congrès…*, p. 130-135.
36. *8e congrès…*, p. 45.

Les magistrats et les avocats sont souvent incapables, en raison de leur ignorance des faits médicaux, d'interroger correctement le médecin et de lui permettre d'exprimer toute sa pensée.

Trois situations peuvent exiger la présence d'un expert en cour : les accidents de travail, la médecine légale et la maladie mentale. Or, le système britannique favorise l'expertise contradictoire, et n'importe quel médecin peut être appelé à témoigner à titre d'expert. En outre, les magistrats et les avocats sont souvent incapables, en raison de leur ignorance des faits médicaux, d'interroger le médecin correctement et de lui permettre d'exprimer toute sa pensée. Ce système cause donc de graves préjudices à la profession médicale, qui apparaît ainsi divisée sur la scène publique.

Une journée entière est consacrée à la question des accidents de travail lors du congrès de 1922. Un ancien président de l'AMLFAN, le Dr Arthur Simard, et un futur président, le Dr Charles Vézina, proposent des réformes à la Loi des accidents de travail. Les deux professeurs de l'Université Laval soulignent que la loi comporte beaucoup de lacunes. Ainsi, en cas de conflit entre le patron et l'ouvrier, chacune des parties en cause se présente avec ses propres médecins au tribunal.

> Ceux de l'ouvrier trouvent que leur client présente une incapacité de travail qu'ils évaluent à 40 %, ceux du patron ne croient pas que la capacité de travail de l'ouvrier soit diminuée de plus de 20 %. Voilà une situation assez embarrassante pour le juge. À ses yeux, le témoignage des médecins du patron a autant de valeur que celui des médecins de l'ouvrier [...]. Alors, il rendra le plus souvent un jugement de Salomon et accordera à l'ouvrier une incapacité de 30 %. Ce jugement ne satisfait ni le patron, ni l'ouvrier, ni même le juge[37].

Pour corriger cette situation, les Drs Simard et Vézina suggèrent que l'expertise médicale soit obligatoire pour chaque accident de travail et qu'elle soit le fait d'une commission neutre.

Au 7e congrès également, de nombreux neuropsychiatres exposent les difficultés que représente l'expertise psychiatrique telle qu'on la pratique à l'époque. Ainsi, le surintendant médical de l'Hôpital Saint-Jean-de-Dieu, le Dr Francis Devlin, fait remarquer que souvent l'accusé est incarcéré pendant plusieurs mois en attente de son procès, et que ce n'est qu'à l'ouverture de celui-ci que la défense invoque un plaidoyer de non-culpabilité pour cause

37. *7e congrès...*, p. 344.

de maladie mentale. Les psychiatres sont alors obligés d'examiner le plus vite possible l'accusé et de donner un avis sur une question que le tribunal n'a jamais soulevée. Par ailleurs, la folie peut être invoquée à tout moment par la défense, ce qui défavorise nettement les experts de la couronne[38].

Le Dr Alcée Tétrault, professeur de clinique des maladies mentales à l'Université de Montréal, signale, pour sa part, l'existence de certaines formes de «dégénérescence mentale[39]» qui divisent la profession médicale. Ne délirant pas, ces «dégénérés» étaient jugés responsables par certains, irresponsables par d'autres, et se retrouvent souvent devant les tribunaux. Un autre médecin de Saint-Jean-de-Dieu, le Dr Joseph-Adonias Lussier, note que des délits accompagnent souvent le début de la paralysie générale, alors que le Dr Omer Noël précise que certains malades mentaux sont tellement intelligents qu'ils réussissent à camoufler leur délire. Dans la même optique, le Dr Georges-Lefébure de Bellefeuille, professeur et spécialiste des méthodes psychonométriques à l'Université de Montréal, signale l'impossibilité de reconnaître la folie en utilisant le simple bon sens[40]. Les neuropsychiatres se prononcent tous également en faveur d'une commission d'experts neutres.

Le 7e congrès se termine par l'adoption d'un projet de réformes médicolégales en dix points.

Le 7e congrès se termine par l'adoption d'un projet de réformes médicolégales en dix points. Il est présenté par le Dr Wilfrid Derome, professeur de médecine légale à l'Université Laval et fondateur en 1914, à la Morgue de Montréal, du premier laboratoire de recherches médicolégales en Amérique du Nord. Ce projet demande que soient désormais formées trois catégories d'experts devant les tribunaux: une pour apprécier les accidents, une pour les questions de responsabilité légale et une autre pour la recherche des causes de mortalité[41]. Les expertises seraient effectuées par une commission nommée par le président du tribunal à partir d'une liste d'experts dûment qualifiés. Le rapport des experts serait déposé en cour et pourrait être consulté par les parties en présence. Ce projet a été élaboré par le Dr Derome et par Me Rosario Genest, professeur de procédure civile à l'Université de Montréal, dès 1915. Le conseil du Barreau et la SMM se sont alors prononcés en faveur du principe.

---

38. F. Devlin, «Le code criminel et l'aliéné», *7e congrès…*, p. 365-370.
39. *7e congrès…*, p. 370-375.
40. G.L. de Bellefeuille, «Quelques préjugés sur la folie», *7e congrès…*, p. 385-394.
41. *7e congrès…*, p. 357-359.

En 1924, on appuiera les suggestions soumises par le CMCPQ à la commission gouvernementale chargée d'amender la Loi des accidents de travail, c'est-à-dire que l'employeur soit assujetti aux frais médicaux et hospitaliers (comme cela se fait dans les autres provinces et dans les principaux pays d'Europe et d'Amérique) et qu'en cas de litige, le tribunal agisse comme conciliateur entre employeurs et employés. Le tribunal instituera alors une expertise obligatoire[42]. Il est également suggéré que le gouvernement consulte les universités et le CMCPQ quant au choix des experts. L'auteur de la proposition, le Dr Joseph Édouard Bélanger, de Lauzon, sera élu président du CMCPQ deux ans plus tard[43]. Sous sa présidence, le gouvernement mettra sur pied, en 1928, la Commission des accidents de travail.

Il n'y aura toutefois pas de progrès dans la pratique de l'expertise psychiatrique. En 1926, le gouvernement québécois aménagera un asile à l'intérieur de la prison de Bordeaux pour l'internement et le traitement des aliénés criminels et dangereux. Le vœu d'un asile prison a également été exprimé lors du congrès de 1922.

Les autres vœux émis lors des congrès

Outre ces grands thèmes, d'autres questions plus ponctuelles seront l'objet de vœux exprimés au cours des différents congrès de l'AMLFAN pendant l'entre-deux-guerres.

En 1922, le 7e congrès se prononce en faveur d'hôpitaux spéciaux pour les épileptiques et les toxicomanes[44]. On suggère aussi le dénombrement annuel des habitants de Montréal et la tenue de recensements tous les cinq ans, plutôt qu'à chaque décennie, afin d'obtenir de meilleures statistiques vitales.

En 1926, le 9e congrès souhaite que le gouvernement Taschereau crée des unités sanitaires pour l'ensemble du Québec.

En 1926, le 9e congrès souhaite que le gouvernement Taschereau crée des unités sanitaires pour l'ensemble du Québec. Il félicite également l'Université de Montréal pour la fondation de l'École d'hygiène populaire. Des félicitations sont aussi adressées à l'Université Laval pour la fondation de la Clinique

42. *8e congrès...*, p. 540-541.
43. Goulet (1997), p. 103.
44. *7e congrès...*, p. 403.

Roy-Rousseau et l'on souhaite qu'une institution semblable soit créée à Montréal le plus rapidement possible[45].

Au chapitre des intérêts professionnels, on suggère que les autorités hospitalières fassent signer un formulaire à tout individu qui se déclare incapable de payer les frais d'hospitalisation. Les congressistes demandent aussi que le gouvernement fédéral adopte une loi déclarant que seuls les médecins et les pharmaciens peuvent vendre certaines catégories de médicaments et pour que la codéine soit soumise à un contrôle plus sévère, comme les autres opiacés[46].

Au congrès de 1938, à Ottawa, l'AMLFAN félicite le gouvernement de l'Ontario pour avoir mis gratuitement à la disposition des médecins l'insuline, l'anatoxine et autres produits biologiques et souhaite que les autres gouvernements provinciaux fassent de même[47]. Au congrès suivant, à Trois-Rivières, c'est au tour du gouvernement québécois de se voir félicité pour avoir rendu ces mêmes médicaments disponibles aux médecins des unités sanitaires. Les congressistes insistent cependant pour que toute la profession médicale ait un jour accès gratuitement à ces produits.

Le gouvernement ontarien est aussi félicité, en 1938, pour avoir été le premier gouvernement en Amérique du Nord à adopter une loi sur la pasteurisation du lait.

Au même congrès, on recommande encore aux ministères de la Santé d'organiser des campagnes d'éducation populaire en faveur d'un examen de santé périodique.

Au même congrès, on recommande encore aux ministères de la Santé d'organiser des campagnes d'éducation populaire en faveur d'un examen de santé périodique. Lors du congrès suivant, l'AMLFAN récidivera en demandant que les gouvernements provinciaux mettent à la disposition des médecins le formulaire nécessaire pour procéder à un tel examen médical.

Le congrès de 1938 souhaite enfin que les autorités gouvernementales collaborent avec la profession médicale pour faire cesser la publicité à la radio et dans les journaux de produits hypothétiquement médicamenteux[48].

45. *9e congrès...*, p. 589-590.
46. *Ibid.*, p. 591-592.
47. *Le Droit*, vendredi 9 septembre 1938, p. 2.
48. *Ibid.*, p. 2.

Plusieurs vœux présentés aux congrès de 1940 et de 1942 seront reliés à l'effort de guerre. Ainsi, en 1940, les congressistes suggèrent que les universités offrent dans les plus brefs délais un enseignement orienté vers la médecine militaire. L'AMLFAN suggère des leçons sur les gaz de combat, le traitement des plaies de guerre, les procédés de localisation et d'extraction des projectiles, la transfusion sanguine, le fonctionnement des services ambulanciers militaires, les phénomènes de choc, l'histoire de la médecine dans les armées et l'hygiène des camps. En octobre 1940, les représentants des Facultés de médecine des Universités Laval et de Montréal annonceront l'adoption de cette résolution[49].

D'autre part, l'occupation de la France par l'Allemagne a rendu difficile l'accès aux livres de médecine de langue française. L'AMLFAN suggère donc qu'un comité consultatif soit adjoint aux universités, que les deux universités francophones s'entendent pour s'échanger des ouvrages et fassent connaître leur situation aux autorités militaires du pays. Elle suggère aussi qu'au moins un membre de l'Association soit nommé consultant auprès du gouvernement fédéral en vue de l'effort de guerre[50].

Certaines résolutions des congrès de l'AMLFAN de cette époque ont orienté à long terme les décisions des gouvernements provinciaux et fédéral en matière de santé.

En 1940, l'AMLFAN souhaite également que l'allocation que lui accorde le gouvernement québécois soit désormais versée annuellement et non pas seulement lors des années de congrès[51].

Plusieurs de ces vœux tardèrent à être appliqués. Toutefois, certaines résolutions des congrès de l'AMLFAN ont orienté à long terme les décisions des gouvernements provinciaux et fédéral en matière de santé.

49. *UMC*, 69, 11, novembre 1940, p. 1183-1184.
50. *UMC*, 69, 11, novembre 1940, p. 1185.
51. *UMC*, 69, 11, novembre 1940, p. 1186.

CHAPITRE 20

UNE CONSTANTE MATURATION. LES CONGRÈS DE L'AMLFAN DE 1922 À 1928

Après sa relance en 1920, l'AMLFAN présenta des congrès, tous les deux ans, sans interruption jusqu'en 1942. Dans ce chapitre, nous décrirons les caractéristiques des congrès qui eurent lieu entre 1922 et 1928.

Le 7e congrès (Montréal, 1922): le mieux réussi à ce jour

Pour la première fois, en 1922, les rapports généraux sont imprimés d'avance et distribués à l'ouverture.

Présidé par le Dr Joseph-Edmond Dubé, le 7e congrès est consacré à l'étude des ulcères de l'estomac, du goitre exophtalmique, des cholécystites, des pleurésies purulentes et du cancer. Les organisateurs souhaitent en outre «que les praticiens qui vivent loin des grands centres fassent connaître les problèmes difficiles de la pratique de la médecine sans laboratoire, sans rayons X et souvent sans l'appui confraternel du voisin[1] ». Pour la première fois, les rapports généraux sont imprimés d'avance et distribués à l'ouverture, ce qui facilite de beaucoup les discussions. Ces rapports prennent toute la place, les autres travaux étant seulement déposés. Autre élément nouveau, on demande aux médecins qui souhaitent participer à la période de discussion de remettre au secrétaire un court résumé de leur intervention. Par ailleurs, les avant-midis sont consacrés à des leçons cliniques dans les hôpitaux.

Dr Charles Achard

La délégation française est dirigée par le Dr Charles Achard, un ancien maître à Paris du Dr Albert Lesage. Le Dr Achard a été l'un des premiers à découvrir le rôle du sel dans l'élimination rénale. L'Université de Paris a délégué le Dr Paul Gastou, qui est également membre de la Commission de prophylaxie des maladies vénériennes au ministère de l'Hygiène de France. Ce congrès est pour lui l'occasion de renouer avec ses anciens élèves et confrères de guerre, les Drs Gustave Archambault, Jean-Pierre Décarie, Georges Étienne Beauchamp et Robert Mayrand. Ces derniers sont maintenant tous engagés dans la croisade antivénérienne.

1. *UMC*, 51, 5, mai 1922, p. 222.

Au sujet du goitre, le Dr Emmanuel-Persillier Benoit décrit les différences entre le corps thyroïde, le goitre simple et le goitre toxique[2]. Puis, le Dr Eugène Saint-Jacques expose le traitement du dernier[3]. Au cours de la discussion, le Dr Charles Achard rappelle que le goitre toxique, que l'on appelle encore en Europe «maladie de Basedow», n'est pas une maladie proprement dite[4]. Le Dr Marcel Pinard, médecin français, signale pour sa part les liens très fréquents existant entre le goitre toxique et la syphilis[5]. De son côté, le Dr Eugène Latreille porte son attention sur le lien entre le goitre toxique et l'altération pathologique des glandes surrénales[6].

Dr Benjamin-Georges Bourgeois

Le thème consacré au «traitement des pleurésies purulentes» est présenté par le Dr Benjamin-Georges Bourgeois, chirurgien de l'Hôpital Notre-Dame et professeur adjoint de clinique chirurgicale à l'Université de Montréal. Selon ses conclusions, le traitement essentiellement médical des pleurésies n'existe tout simplement pas[7].

La « technique Ferron » de correction du bec-de-lièvre sera décrite en termes très flatteurs dans une publication du Dr Ombredanne à Paris en 1923.

Les séances cliniques dans les hôpitaux permettent de voir à l'œuvre les médecins étrangers. Ainsi, le Dr Louis Marie Arsène Ombredanne livre une leçon clinique et opératoire à l'Hôpital Sainte-Justine en compagnie de ses anciens élèves canadiens. L'un d'eux est le Dr Alphonse Ferron qui, en 1920, a inventé un nouveau procédé chirurgical pour la correction du bec-de-lièvre. La «technique Ferron» sera décrite en termes très flatteurs dans le *Précis de chirurgie infantile* que publiera à Paris le Dr Ombredanne en 1923.

Les Drs Arthur Vallée et Rosario Potvin dressent le bilan des «vaccins en thérapeutique[8]». D'après les deux médecins responsables des laboratoires de l'Université Laval, la vaccinothérapie fait maintenant partie de l'arsenal thérapeutique du médecin. Les résultats les plus concluants à l'époque sont ceux obtenus dans les affections à staphylocoque.

Dr Louis Marie Arsène Ombredanne

Le président du CMCPQ, le Dr Rodolphe Boulet, dirige la section des intérêts professionnels. Celle consacrée à l'hygiène est par ailleurs présidée par le nouveau responsable du Service provincial d'hygiène, le Dr Alphonse Lessard.

2. *7e congrès de l'Association des médecins de langue française de l'Amérique du Nord*, Montréal, Beauchemin, 1923, p. 74-131.
3. *7e congrès...*, p. 133-160.
4. *7e congrès...*, p. 161.
5. *7e congrès...*, p. 164.
6. *7e congrès...*, p. 165.
7. *7e congrès...*, p. 167-180.
8. *7e congrès...*, p. 252-276.

Selon les Drs Arthur Vallée et Rosario Potvin, la vaccinothérapie fait maintenant partie de l'arsenal thérapeutique du médecin.

D'autre part, les Drs Arthur Vallée et Arthur Rousseau, de Québec, Albert Lesage et Alexandre Saint-Pierre, de Montréal, sont chargés de recueillir des souscriptions pour aider à l'élévation d'un monument en mémoire de Pasteur à Strasbourg.

Regroupant plus de 500 médecins, le 7e congrès de l'AMLFAN aura été le mieux réussi de l'histoire de l'Association jusque-là.

Le congrès des grands discours : Québec, 1924

Dr Alexandre Saint-Pierre

Les congrès de l'AMLFAN qui se sont déroulés dans la ville de Québec ont toujours été caractérisés par l'omniprésence de discours à saveur nationaliste. Celui de 1924 ne fera pas exception.

À la séance d'ouverture, le président du 8e congrès, le Dr Arthur Vallée, rappelle :

> Il y fallait l'enthousiasme idéaliste de son fondateur, M. le professeur Brochu, et l'activité téméraire de son premier collaborateur, le professeur Arthur Simard, pour triompher des obstacles, s'accrocher à l'idée et implanter au sol du Canada français, la seule association qui puisse par sa nature unir tous les éléments dispersés de la race sur une terre d'Amérique[9].

Lors du banquet, le Dr Ernest Desmarest déclare aux médecins canadiens-français :

Dr Ernest Desmarest

> Vous êtes à point, mais vous êtes des timides ! Nous vous attendons pour que le Canada-français prenne sa place dans la société intellectuelle, une place beaucoup plus large, plus étendue que celle que vous tenez, celle que vous devez tenir !
>
> Le Canada-français reste pour moi le comptoir intellectuel de la France. C'est par vous, messieurs, que la science française franchira la frontière du grand pays voisin[10].

Le Dr Émile Sergent, de France, note que la langue française parlée en Amérique du Nord est celle « que parlaient chez nous au XVIIIe siècle nos

9. *8e congrès de l'Association des médecins de langue française de l'Amérique du Nord*, Québec, Impr. Laflamme, 1925, p. 92.
10. *8e congrès…*, p. 77.

ancêtres, les normands, les picards, les poitevins, etc.[11] » Les Canadiens français sont, selon lui, des traditionalistes qui ont refusé d'adopter certaines expressions modernes qui défigurent la langue française.

Le Dr Jeanneney, de la Faculté de médecine de Bordeaux, dit avoir été intéressé par la visite des laboratoires de l'Université Laval. Selon lui, la science médicale au Canada français « se tient parfaitement au courant des découvertes modernes[12] ». Le Dr Louis Ribadeau-Dumas partage ce point de vue : « J'ai beaucoup admiré de trouver ici la même science, les mêmes travaux, les mêmes rapports que je trouve dans mon pays[13]. » Il dit avoir été particulièrement ému par le rapport du Dr Raoul Masson sur la mortalité infantile.

Quarante-cinq étudiants ont profité des bourses du gouvernement pour aller se perfectionner à Paris.

Le premier ministre du Québec, l'honorable Alexandre Taschereau, dit craindre de rencontrer un médecin mais adore se « trouver au milieu d'un grand nombre quand ils se réunissent pour travailler pour… les autres[14] ». Il rappelle que son gouvernement a donné 100 000 $ à l'Université de Montréal pour la création de l'Institut du radium. Près de 3 millions de dollars ont de plus été versés aux hôpitaux et un autre demi-million a été consacré à la lutte contre la tuberculose. Enfin, 45 étudiants ont profité des bourses du gouvernement pour se perfectionner à Paris.

Banquet offert par le Dr Ernest Desmarest à Montréal à l'occasion du 8e Congrès de l'AMLFAN. Collection des religieuses hospitalières de Saint-Joseph de Montréal.

11. *8e congrès…*, p. 48.
12. *8e congrès…*, p. 51.
13. *8e congrès…*, p. 75.
14. *8e congrès…*, p. 43.

Le secrétaire de la province, Athanase David, indique pour sa part que les Canadiens français n'aspirent pas à la domination politique. Tout ce qu'ils désirent, « c'est que le cerveau de la France ne se détache jamais des cœurs canadiens-français[15] ».

Les rapports généraux portent sur le cancer, le diabète, la mortalité infantile et la tuberculose. Une journée entière est d'ailleurs consacrée à cette dernière question. Le congrès siège, pour l'occasion, à l'Hôpital Laval. Le Dr Arthur Rousseau présente le rapport sur le diabète[16]. Aussitôt après, le Dr Anselme Léger, chargé du cours de pathologie médicale à l'Université de Montréal, livre un rapport sur l'insuline[17], qui vient à peine d'être découverte à Toronto par Banting et Macleod.

Le titulaire de la Chaire d'histoire à la Faculté de médecine de l'Université de Montréal, le Dr Eugène Saint-Jacques, présente une conférence sur le legs de la Grèce à la civilisation moderne. Des réceptions ont lieu chez le lieutenant-gouverneur ainsi qu'au Château Frontenac, et une excursion sur le fleuve clôture le congrès.

Le Dr Lesage se dit fier de constater que l'Association dont il a vu la naissance est maintenant devenue adulte.

Le nouveau président élu est le Dr Albert Lesage, qui a été, en 1902, l'un des deux premiers secrétaires généraux de l'AMLFAN. Le Dr Lesage se dit fier de constater que l'Association dont il a vu la naissance est maintenant devenue adulte. Il ajoute cependant que la survie de l'AMLFAN dépend de quatre conditions :

> À condition que vous, messieurs les praticiens, vous vous groupiez, à quelque distance que vous habitiez, à quel district auquel vous apparteniez, que vous vous groupiez, dis-je, autour de ce corps impersonnel qui, maintenant, est destiné à tenir sa ligne dans nos vies intérieure et professionnelle.
>
> [...] À la condition que les universités, qui ont l'ambition d'être à la tête, s'efforcent de faire coordonner les efforts des corps professionnels et des autres corps publics, et communiquent à chacune de nos réunions les résultats des observations que font leurs professeurs dans les hôpitaux et aussi les programmes nouveaux qu'elles élaborent dans le but de stabiliser l'élite intellectuelle.

---

15. *8e congrès...*, p. 64.
16. *8e congrès...*, p. 141-162.
17. A. Léger, « Insuline. Étude physiologique, clinique et thérapeutique », *8e congrès...*, p. 163-205.

> [...] À condition que nos rapports se maintiennent d'une manière très étroite avec les gouvernements de la province de Québec et du Canada. [...]
>
> [...] À une condition que je considère essentielle, celle d'établir et de fortifier de plus en plus ses rapports très étroits avec la France[18].

Un congrès à saveur internationale: Montréal, 1926

Présidé par le Dr Lesage, le congrès de 1926 impressionne par la quantité de sujets traités. Les thèmes retenus sont l'insuffisance ventriculaire, le traitement chirurgical des ulcères gastriques et duodénaux, l'interprétation des états vertigineux, l'hôpital et le praticien, la prophylaxie de la syphilis infantile et la prévention sociale de la tuberculose. Plus de 80 communications sont présentées.

Pour la première fois, des médecins français et canadiens présentent des rapports conjoints. Le traitement chirurgical des ulcères est ainsi présenté par les Drs Raymond Grégoire, de Paris, et Charles Vézina, de Québec.

Le 9e congrès se démarque par sa saveur internationale, alors que 8 pays, 12 universités et 18 sociétés savantes ont délégué des représentants.

Le 9e congrès se démarque également par sa saveur internationale, alors que 8 pays, 12 universités et 18 sociétés savantes ont délégué des représentants[19]. La délégation française, dirigée par le Dr Marcel Labbé, est de loin la plus imposante, mais la Suisse et la Belgique ont aussi répondu à l'appel. L'AMLFAN a également l'honneur de recevoir un premier représentant de l'Angleterre, sir Henry Gauvin, phtisiothérapeute renommé. On observe aussi la présence de plusieurs médecins américains et canadiens de langue anglaise, et non les moindres. Walter Brunet représente l'American Social Hygiene Association. Le Dr Leroy Long est doyen de la Faculté de médecine de l'Université de l'Oklahoma. Les Drs Adolpheus Knopf, de New York, Emmanuel Libman, de l'Université de Columbia, et Louis Faugères Bishop, de l'Université de Fordham, figurent aussi parmi les congressistes. Les Drs J.J. McLeod et J.G. Fitzgerald représentent l'Université de Toronto. Les Drs Woodhouse, secrétaire général de la Canadian Tuberculosis Association, et Gordon Bates, secrétaire et délégué de la Canadian Social Hygiene Council, assistent également au congrès. Une autre innovation heureuse est la

18. *8e congrès...*, p. 544-545.
19. *9e congrès de l'Association des médecins de langue française de l'Amérique du Nord*, Montréal, Beauchemin, 1927, p. 41.

présence de délégués des facultés de médecine de La Havane et de Buenos Aires. De plus, les consuls du Brésil, de la Colombie, de Cuba, du Honduras, du Nicaragua et du Pérou sont présents à la séance d'ouverture officielle qui se déroule à l'Hôtel Windsor.

D'autre part, les épouses des médecins prennent aussi une part active à l'événement. Un comité composé de Mmes Lesage, Harwood, Masson, Bourgeois, Aubry, Rhéaume, Lasalle, Baudouin et Boucher est chargé de l'organisation des activités culturelles pour les conjointes pendant que leurs maris se réunissent pour les travaux scientifiques.

Un congrès dominé par les Français et les Américains: Québec, 1928

Respectant le système d'alternance, la ville de Québec est l'hôtesse du congrès suivant, auquel sont inscrits 418 médecins, sous la présidence du Dr Pierre Calixte Dagneau. En 1934, le Dr Dagneau succédera au Dr Arthur Rousseau à titre de doyen de la Faculté de médecine de l'Université Laval.

Au 10e congrès, en 1928, le Dr Pierre Calixte Dagneau assure le premier ministre de la collaboration des médecins dans la préparation des mesures d'ordre public.

Dans son discours d'ouverture en 1928, le Dr Dagneau remercie le premier ministre Taschereau et le secrétaire de la province, Athanase David, de l'intérêt manifesté par eux à l'endroit des vœux exprimés par les médecins lors des congrès de l'AMLFAN. Il leur garantit également la collaboration des médecins dans la préparation de toutes les mesures d'ordre public touchant la santé.

Le 10e congrès est consacré particulièrement à l'étude de l'infection puerpérale et à la diphtérie. «Le traitement chirurgical de l'infection puerpérale[20]» est l'objet d'une communication du Dr Louis E. Phaneuf, professeur de gynécologie à la Tufts College Medical School de Boston. Le Dr Phaneuf explique que, depuis quelques années, les accoucheurs américains recommandent de substituer le toucher rectal au toucher vaginal pour prévenir l'infection. À l'Hôpital Carney, où le Dr Phaneuf est chef du Service de gynécologie et d'obstétrique, il ne se pratique plus aucun toucher vaginal, sauf s'il est nécessaire d'intervenir par un acte opératoire. Depuis quelques années

20. *10e congrès de l'Association des médecins de langue française de l'Amérique du Nord*, Québec, Impr. Laflamme, 1929, p. 43-60.

également, la gynécologie s'abstient de pratiquer l'hystérectomie et autres opérations radicales.

Le Dr François de Martigny signale pour sa part que, sur 1 000 cas d'infection puerpérale, 750 guériront à l'aide d'un traitement quelconque et 200 autres par la sérothérapie. L'hystérectomie vaginale n'est nécessaire que dans 5% des cas, quand l'infection a gagné la cavité abdominale et qu'une péritonite généralisée s'est brusquement installée. L'opération ne doit cependant durer que quelques minutes et requiert un chirurgien très entraîné[21].

Dr Léon Gérin-Lajoie

Le Dr Léo Gérin-Lajoie, assistant à la clinique de gynécologie de l'Hôpital Notre-Dame, décrit les recherches qu'il a entreprises avec le Dr R. Trudeau en vue d'un traitement médical adéquat de l'infection puerpérale[22]. Aux traditionnels régimes, traitements locaux et stimulants, ils ont adjoint la vaccinothérapie et la chimiothérapie. Les taux de guérison auraient été de 73%. Trois médecins de la clinique Roy-Rousseau présentent ensuite les états psychopathiques causés par une infection des voies génitales et que l'on peut rencontrer chez la femme après l'accouchement[23].

Le Dr Joseph Caouette de Québec signale, pour sa part, que l'obstétrique est en fait essentiellement une science prophylactique, qui a pour seul but de faire en sorte que la mère se tire indemne de la grossesse et de l'accouchement. Souvent, la femme s'infecte elle-même par ignorance des lois hygiéniques les plus élémentaires[24]. Ces propos sont partagés par le Dr Louis-Félix Dubé qui précise que l'on accuse, parfois avec raison, le médecin d'être responsable de l'infection, mais que l'on oublie trop souvent d'éduquer la mère, de loin la principale concernée[25]. Le Dr Dubé ajoute que, s'il est facile, en ville, de traiter l'infection puerpérale par des bouillons vaccins, il en va tout autrement en milieu rural, où le médecin de campagne n'est pas en liaison intime avec les laboratoires. On peut cependant assurer un éventuel traitement préventif par l'administration de l'ergot dans les premiers jours qui suivent

21. F. de Martigny, « De l'indication de l'hystérectomie vaginale dans l'infection puerpérale », *10e congrès...*, p. 72-76.
22. L. Gérin-Lajoie, « La vaccination dans la septicémie puerpérale », *10e congrès...*, p. 77-81.
23. A. Brousseau, S. Caron et L. Larue, « Les psychoses liées à l'infection puerpérale », *10e congrès...*, p. 82-87.
24. J. Caouette, « Causes habituelles et prophylaxie de l'infection puerpérale », *10e congrès...*, texte des rapports, p. 80-89.
25. L.-F. Dubé, « L'infection puerpérale dans la pratique courante », *10e congrès...*, texte des rapports, p. 90-100.

l'accouchement. Le Dr Dubé rappelle que ce traitement a été préconisé par son maître, le Dr René de Cotret, il y a de cela vingt-cinq ans.

Une journée entière porte sur l'hygiène mentale et elle est largement dominée par les médecins français et américains. L'un des fondateurs des tests de quotient intellectuel, le Dr Théodore Simon, est à lui seul l'auteur de quatre communications. Il décrit entre autres la mesure du développement par l'échelle Binet-Simon[26]. Il présente également les deux catégories d'écoliers qui peuvent perturber les classes, soit les enfants retardés et ceux qui affichent des troubles de caractère[27]. Selon le Dr Simon, il est mauvais, tant pour les normaux que pour les anormaux, de les réunir dans une même classe. Il importe au contraire de favoriser des classes peu nombreuses et de prévoir des classes spéciales pour les enfants à problème.

Un important psychiatre parisien, le Dr René Charpentier, décrit le rôle de l'alcool comme facteur de délinquance et de criminalité.

Le Dr René Charpentier, un important psychiatre parisien qui participe régulièrement aux congrès de l'AMLFAN dans les années 1920, décrit pour sa part le rôle de l'alcool comme facteur de délinquance et de criminalité[28], « les premiers signes de la paralysie générale[29] », ainsi que le rôle de l'expertise psychiatrique dans la défense contre les « anormaux[30] ».

Un ancien élève du Dr Simon, le Dr Jean-Charles Miller décrit ensuite l'organisation de l'École La Jemmerais pour les enfants anormaux éducables, qu'il dirigera. Le Dr Miller signale que plusieurs des détenus des institutions pénitentiaires, certaines prostituées, presque tous les déserteurs d'armée et de nombreux individus qui abandonnent leur foyer et leurs enfants ont entre 7 et 12 ans d'âge mental[31]. D'ailleurs, « 10 % de nos écoliers sont des enfants des Crèches, de parents inconnus[32] ». Se fiant aux expériences des autres pays, le Dr Miller dit espérer que 10 % des élèves éduqués à l'École La Jemmerais seront en état de gagner convenablement leur vie. Les autres risquent de demeurer plus longtemps dans une quelconque institution, mais

26. T. Simon, « La mesure du développement de l'intelligence par l'échelle B.S. avec démonstrations », *10e congrès...*, p. 288-298.
27. T. Simon, « Écoliers anormaux », *10e congrès...*, p. 308-318.
28. R. Charpentier, « L'alcool, facteur de délinquance et de criminalité », *10e congrès...*, p. 339-363.
29. *10e congrès...*, p. 319-338.
30. R. Charpentier, « L'expertise psychiatrique devant la juridiction criminelle et la défense sociale contre les anormaux », *10e congrès...*, p. 364-387.
31. J.C. Miller, « L'École La Jemmerais pour les enfants anormaux éducables », *10e congrès...*, p. 282-287.
32. *10e congrès...*, p. 286.

leur coût d'entretien sera moindre car ils pourront toujours exercer un travail simple. L'expérience de l'École La Jemmerais se terminera avec l'incendie de l'Hôpital Saint-Michel-Archange en 1940. L'édifice de l'école pour enfants anormaux éducables servira alors à l'hébergement des patients psychiatriques.

Cette journée est l'occasion de lancer un programme d'hygiène mentale directement inspiré de l'expérience américaine. Le Dr George Kline, commissaire du Département des maladies mentales de l'État du Massachusetts, décrit le problème de l'arriération mentale dans cet État américain. C'est au Massachusetts qu'a été fondée la première école pour arriérés mentaux des États-Unis[33]. Le surintendant de cette école, le Dr George Wallace, expose un programme d'ensemble pour une campagne d'hygiène mentale dans la province de Québec. Selon ce médecin américain, un département des maladies mentales devrait être constitué par l'État. Le gouvernement fournirait alors des hôpitaux et des écoles pour les malades et les arriérés mentaux et s'assurerait du dépistage et du traitement des maladies mentales aiguës dans les hôpitaux des grands centres. De plus, des cliniques spéciales devraient être créées dans les grandes villes pour informer le public, tandis que des cliniques mobiles examineraient systématiquement les enfants dans les écoles. Un service social assurerait ensuite la communication avec les classes spéciales des écoles publiques et les écoles pour les arriérés mentaux. Enfin, il serait nécessaire de former une société d'hygiène mentale indépendante du gouvernement[34].

Le Dr George Wallace, du Massachusetts, expose un programme d'ensemble pour une campagne d'hygiène mentale dans la province de Québec.

Le Dr Albert Brousseau expose ensuite le projet d'organisation de l'hygiène et de la prophylaxie mentale dans le district de Québec qui verra le jour l'année suivante[35]. Il indique que des progrès récents ont été accomplis. Ainsi, la Clinique Roy-Rousseau, qu'il dirige depuis 1926, permet le traitement d'une catégorie de malades mentaux qui ne nécessitent pas l'internement et qui ne sont pas socialement dangereux. Cette institution sera le point de départ d'une campagne d'hygiène mentale. Des consultations hebdomadaires sont déjà en place à l'Hôtel-Dieu de Québec et à l'Hôpital du Saint-Sacrement, et

33. G.M. Kline, « Le problème de l'arriération mentale dans le Massachusetts », *10e congrès…*, p. 428-429.
34. G.L. Wallace, « Un programme d'ensemble pour une campagne d'hygiène mentale », *10e congrès…*, p. 430-436.
35. A. Brousseau, « Projet d'organisation générale de l'hygiène et de la prophylaxie mentale dans le district de Québec », *10e congrès…*, p. 387-393.

il sera facile de mettre sur pied des consultations dans les unités sanitaires de comté. Certains points restent cependant à corriger d'urgence. Ainsi, il n'existe pas encore d'institutions pour le traitement des alcooliques et des toxicomanes. On ne peut pas interner ces individus dans des asiles s'ils ne délirent pas et l'emprisonnement ne les guérit pas de leur maladie. Si bien des énergies sont consacrées à la guerre contre le commerce de l'alcool, peu d'actions ont été entreprises pour secourir ses victimes.

Une section provinciale du Comité national d'hygiène mentale sera créée en 1930. Ses activités se résumeront particulièrement à l'inspection des enfants «anormaux» dans les écoles, les crèches et les orphelinats et à la création de classes et d'écoles spéciales pour ces enfants.

Quelques communications du congrès de 1928, portent sur les thérapies de choc. Ainsi, les Drs Antonio Barbeau et Daniel Plouffe, de l'asile de la Prison de Bordeaux, font connaître leur essai de traitement de la schizophrénie par des sels métalliques[36]. Après avoir testé la trimine sur six patients atteints de démence précoce, ils ont noté une rémission sensible et passagère de certains symptômes et même un cas apparent de guérison. Devant la Société de biologie, le Dr Barbeau a administré des doses massives du sulfate de zinc à des lapins et a ainsi montré que ces substances sont inoffensives. Trois médecins de l'Hôpital Saint-Michel-Archange présentent par ailleurs les résultats de leurs travaux sur la démence syphilitique. Ils ont constaté une amélioration chez les patients qu'ils ont traités en associant l'hémothérapie, le vaccin antityphique et des métaux colloïdaux[37].

Tout en offrant un cadre pour la présentation de travaux locaux, ces congrès se caractérisent toutefois par la place de plus en plus importante prise par les médecins étrangers.

Pendant la troisième décennie du XXe siècle, les congrès de l'AMLFAN se sont ainsi déroulés sans interruption alternativement à Québec et Montréal. Tout en offrant un cadre pour la présentation de travaux locaux, ces congrès se caractérisent toutefois par la place de plus en plus importante prise par les médecins étrangers.

36. D. Plouffe et A. Barbeau, «Essai de traitement de la démence précoce par de sels métalliques», *10e congrès…*, p. 411-418.
37. J.C. Miller, M. Samson et C.A. Painchaud, «Contribution à l'étude de la thérapeutique. Traitement des neurophychopathies syphilitiques par les chocs associés», *10e congrès…*, p. 419-427.

CHAPITRE 21

UNE ORGANISATION PERMANENTE

C'est pendant l'entre-deux-guerres que l'AMLFAN se dota progressivement d'une structure permanente. Constituée en société en 1924, l'Association forma ensuite un conseil permanent, un comité exécutif assurant le suivi entre les congrès, puis un Bulletin *qui, après trois ans d'existence, fusionnera avec* L'Union Médicale du Canada.

Constitution en société de l'AMLFAN

Le 9 septembre 1924, l'Association des médecins de langue française de l'Amérique du Nord obtient du gouvernement provincial les lettres patentes qui la constituent en société.

Le 9 septembre 1924, l'Association des médecins de langue française de l'Amérique du Nord obtient du gouvernement provincial les lettres patentes qui la constituent en société. Les signataires sont les Drs Arthur Vallée, Albert Lesage, Georges Racine et Joseph de Varennes, respectivement président, premier vice-président, secrétaire général et trésorier général de l'Association, ainsi que les Drs Emmanuel-Persillier Benoit et Roméo Boucher de Montréal[1].

Les objectifs de l'AMLFAN sont de « rallier les divers groupes de médecins de langue française au moyen d'une organisation régulière et permanente, d'organiser des congrès périodiques, de promouvoir les intérêts matériels et scientifiques de ses membres en publiant un journal médical[2] ». La ville de Québec est alors le siège de l'Association.

Sont membres de l'AMLFAN tous les médecins qui paient leur cotisation et ceux que l'Assemblée générale accepte comme membres honoraires. L'Assemblée générale élit les responsables du congrès à venir, soit le président, trois vice-présidents, le secrétaire général, un secrétaire adjoint et un trésorier. Ces dirigeants déterminent la date du prochain congrès et autorisent toutes les dépenses nécessaires à son organisation.

1. *11e congrès de l'Association des médecins de langue française de l'Amérique du Nord*, comptes rendus et travaux, Montréal, 1930, p. 10.
2. Bulletin de l'Association des médecins de langue française de l'Amérique du Nord, 1, 1, janvier 1935, p. 7.

En se constituant en société, l'AMLFAN obtient du même coup une reconnaissance officielle auprès des autorités gouvernementales.

La création du Conseil général de l'AMLFAN

Sous la présidence du Dr Pierre-Zéphyr Rhéaume, un Conseil général est constitué en 1930.

Dr Pierre-Zéphyr Rhéaume

Sous la présidence du Dr Pierre-Zéphyr Rhéaume, un Conseil général est formé en 1930. Il est composé des officiers du congrès, des anciens présidents de l'AMLFAN et de représentants des différents centres francophones de l'Amérique du Nord selon une base proportionnelle[3]. La ville de Montréal compte huit représentants, contre quatre seulement pour Québec. Le déclin démographique de la Vieille Capitale s'exprime donc de façon manifeste. On retrouve aussi au Conseil onze représentants des États-Unis, dix des différents districts de la province de Québec et trois de l'Ontario. Les provinces du Nouveau-Brunswick et de la Saskatchewan ont chacune deux représentants, alors que la Colombie-Britannique, le Manitoba et l'Alberta sont représentés par un seul membre. Le premier Conseil est présidé par le Dr Pierre-Zéphyr Rhéaume, alors que le Dr Donatien Marion est élu à titre de secrétaire archiviste.

À l'Assemblée générale du 8 septembre 1932, le Dr Albert Paquet propose que le Conseil devienne permanent; la proposition est adoptée. Le Conseil élu à l'issue du congrès de 1932 regroupe onze médecins de Montréal, trois de Québec, onze des autres districts de la province, onze Américains, trois de l'Ontario, deux du Nouveau-Brunswick et de la Saskatchewan et un du Manitoba et de l'Alberta. Le Conseil se réunit une fois à Québec durant l'année 1932 et une fois à Montréal l'année suivante.

3. Voici la liste des membres du premier Conseil général de l'AMLFAN, élus en 1930. Québec: Charles Vézina, Joseph Guérard, Joseph Vaillancourt et Henri Laliberté. Montréal: Gustave Archambault, E.C. Trottier, G. Lapierre, S. Langevin, F.A. Fleury, E. Hurtubise, Oscar Hamel, J.E. Gariépy et François de Martigny. Autres districts de la province de Québec: Edmond Piette (Joliette), Louis-Félix Dubé (Notre-Dame-du-Lac), F. Bertrand (Sherbrooke) Charles de Blois (Trois-Rivières), Eugène Tremblay (Chicoutimi), J.R. Bélisle (Hull), J.L. Pagé (Saint-Hyacinthe), A.-E.-T. Godreau (Saint-Sébastien), Arthur Brassard (Valleyfield) et L. Carpentier (Drummondville). Autres provinces canadiennes: Gustave Lacasse (Tecumseh, Ontario), J.R. Hurtubise (Sudbury, Ontario), R.-Eugène Valin (Ottawa, Ontario), C.-O. Veniot (Bathurst, Nouveau-Brunswick), L.-G. Pinault (Campbellton, Nouveau-Brunswick), O. Desmarais (Coderre, Saskatchewan), L.-A. Roy (Regina, Saskatchewan), J.J. Trudel (Edmonton, Alberta), L.E. Sauriol (Essendale, Colombie-Britannique). États-Unis: G.W. Brazeau (Milwaukee, Wisconsin) F.P. Canac-Marquis (San Francisco, Californie), E. Chaput (Holyocke, Massachusetts), Amédée Granger (Nouvelle-Orléans, Louisiane), J.A. Girouard (Willimatic, Connecticut), R. Larochelle (Biddeford, Maine), J.E. Larochelle (Manchester, New Hampshire) Oswald Mayrand (Nashua, New Hampshire), L. Henri Renaud (Pawtucket, Rhodes Island), J.C.E. Tassé (Worcester, Massachusetts), R.D. Voorhies (Lafayette, Louisiane).

La création des postes de directeur général et de secrétaire-trésorier général

En 1932, l'AMLFAN se dote d'un exécutif formé de six personnes. Y figurent le président, le premier vice-président et le secrétaire du congrès à venir, ainsi que le président sortant. Comme le premier vice-président est généralement élu président par la suite, une certaine continuité est assurée dans l'organisation. De plus, deux nouveaux postes sont créés, ceux de directeur général et de secrétaire-trésorier général. Élus pour une période de six ans, ils sont rééligibles pour d'autres mandats.

À titre de premier directeur général, le Conseil de l'AMLFAN élit le Dr Pierre-Zéphyr Rhéaume.

À titre de premier directeur général, le Conseil élit le Dr Pierre-Zéphyr Rhéaume[4]. Ce diplômé de l'ULM, en 1900, a d'abord été médecin du dispensaire de l'Hôpital Notre-Dame, avant de séjourner deux ans à Paris. En 1902, il a publié dans une revue française un article sur la séparation de l'urine des deux reins. Exerçant ensuite pendant trois ans à Valleyfield, il est devenu en 1907 l'assistant du Dr Amédée Marien à l'Hôtel-Dieu de Montréal, où il exercera jusqu'en 1935. Il a également été membre du Bureau médical de l'Hôpital Sainte-Justine et chirurgien en chef à l'Hôpital Saint-Luc. En 1914, il a été nommé professeur à l'ULM de la nouvelle Chaire de médecine opératoire. Durant la Première Guerre mondiale, il a été lieutenant-colonel et chirurgien en chef à l'Hôpital militaire Laval n° 6. En outre, il a été président de la Société médicale de Montréal en 1921, *fellow* de l'American College of Surgeons, membre de la Canadian Clinical Association of Surgeons et de l'Association médicale de la province de Québec, et directeur de *L'Union Médicale du Canada*.

Depuis 1904, le Dr Rhéaume prenait une part active aux congrès de l'AMLFAN, à titre de conférencier, de rapporteur, de responsable de la section de chirurgie ou de membre de divers comités. Président de la section de chirurgie aux congrès de 1924 et 1926, il a ensuite été premier vice-président du 10e congrès en 1928, puis président du 11e congrès en 1930. À l'issue de ce congrès, le Dr Rhéaume devient donc président du Conseil de l'AMLFAN, dont il est lui-même le fondateur. C'est également lui qui sera à l'origine de la fondation, en 1935, du *Bulletin de l'AMLFAN*. Le Dr Rhéaume, qui rêve de voir un jour l'AMLFAN tenir ses activités aux États-Unis ou même en Amérique

---

4. Blagdon, *UMC*, 64, 10, octobre 1935, p. 1173-1176.

latine, fera en janvier 1935 un voyage à La Nouvelle-Orléans[5] dans le but de vérifier si cette ville de la Louisiane peut être l'hôtesse d'un futur congrès.

Le Dr R.-Eugène Valin, chirurgien à l'Hôpital général d'Ottawa, sera directeur général de l'AMLFAN de 1935 à 1946.

Le Dr Rhéaume décédera le 18 septembre 1935. Pour le remplacer, le Conseil de l'AMLFAN porte son choix sur le Dr R.-Eugène Valin. Ce dernier est chirurgien à l'Hôpital général d'Ottawa depuis l'obtention de son doctorat de l'Université McGill en 1905. Depuis 1932, il est trésorier du Collège royal des médecins et des chirurgiens du Canada. Le Dr Valin a aussi été membre de l'American College of Surgeons et de la Société française de chirurgie, directeur de l'Institut du cancer de l'Ontario, président de l'Académie de médecine d'Ottawa et échevin de cette ville. En 1932, il a dirigé le congrès de l'AMLFAN, qui a eu lieu dans la capitale fédérale. Le Dr Valin sera directeur général jusqu'en 1946. Deux ans plus tard, il sera nommé professeur de chirurgie à la nouvelle Faculté de médecine de l'Université d'Ottawa[6].

Dr Donatien Marion

Le premier secrétaire-trésorier de l'AMLFAN sera le Dr Donatien Marion. Après avoir obtenu son doctorat en médecine en 1920, ce dernier a été interne pendant un an à l'Hôtel-Dieu et à l'Hôpital de la Miséricorde à Montréal. Il fait ensuite des études spécialisées en obstétrique à Paris et, à son retour au pays, est nommé médecin à l'Hôpital de la Miséricorde. Il sera par la suite chef du service d'obstétrique de l'Hôpital Notre-Dame de 1934 à 1956. Il enseignera également l'obstétrique à la Faculté de médecine de l'Université de Montréal, d'abord à titre d'assistant en 1927, puis d'agrégé en 1931, avant de devenir titulaire en 1950. La même année, il deviendra le premier président de la nouvelle Société d'obstétrique de la province de Québec. Le Dr Marion est aussi, depuis son retour au Canada, secrétaire adjoint à la rédaction de *L'UMC*, dont il deviendra le président en 1943[7].

En tant que secrétaire de l'AMLFAN, le Dr Marion donnera son assistance à la création, en octobre 1936, d'une Association médicale franco-américaine. Il participe d'ailleurs, à Providence, à la journée médicale qui aboutira à la fondation de cette association, en compagnie des Drs Joseph-Edmond Dubé, Joseph-Arthur Jarry et Joseph-Avila Vidal, ces deux derniers étant respectivement président et secrétaire du 14e congrès.

---

5. À l'époque, le vice-président de l'AMLFAN était le Dr Amédée Granger, médecin à la Nouvelle-Orléans.
6. Lecours, *UMC*, 93, 12, décembre 1964, p. 1469-1471.
7. Amyot, *UMC*, 100, 6, juin 1971, p. 1197-1198.

L'adresse du Dr Marion, le 326, boulevard Saint-Joseph Est à Montréal, sera celle du premier secrétariat de l'AMLFAN. Après avoir été longtemps la cheville ouvrière de l'AMLFAN, le Dr Marion succèdera en 1946 au Dr Valin à titre de directeur général de l'Association. Le poste de secrétaire-trésorier général sera alors occupé par le Dr Hermille Trudel. Cette date coïncide au moment où l'AMLFAN devient l'Association des médecins de langue française du Canada (AMLFC).

Du *Bulletin de l'AMLFAN* à sa fusion avec *L'Union Médicale du Canada*

Dès 1919, le Dr Arthur Rousseau suggérait que l'AMLFAN se dote d'un bulletin. Celui-ci permettrait d'économiser les dépenses et les délais à la production des rapports des congrès. Il faudra toutefois attendre l'année 1935 pour que le bulletin devienne réalité.

Les noms des auteurs d'articles qu'on retrouve dans le Bulletin de l'AMLFAN *montrent bien l'influence de l'Association et le caractère international de ses congrès.*

Au cours de ses trois années d'existence autonome, le *Bulletin de l'AMLFAN* publiera les rapports et principales communications des 13e et 14e congrès. Les noms qu'on y retrouve montrent bien l'influence de l'Association et le caractère international de ses congrès. On peut ainsi y lire, en 1935, un article du Dr Wilder Penfield, directeur de l'Institut neurologique de Montréal, sur l'épilepsie[8]. Un autre chercheur réputé pour ses travaux sur la respiration, le Dr Edward Archibald de l'Université McGill, est l'auteur, en 1937, d'une « discussion sur les abcès du poumon[9] ». Deux médecins de Philadelphie qui assistent régulièrement aux congrès de l'AMLFAN, les Drs Chevalier Jackson et Chevalier Lawrence Jackson, écrivent sur l'utilité de la bronchoscopie dans le diagnostic et le traitement des abcès pulmonaires[10]. Un autre article est cosigné par les Drs Georges Gervais et Norman Bethune de l'Hôpital Sacré-Cœur[11]. Partisan dès les années 1930 d'une étatisation de la médecine, le Dr Bethune quittera bientôt le pays pour s'engager dans la guerre

8. *Bulletin de l'Association des médecins de langue française de l'Amérique du Nord*, 1, 1, janvier 1935, p. 55-60.
9. *Bulletin de l'Association des médecins de langue française de l'Amérique du Nord*, 3,1, janvier1937, p. 65-67.
10. C. Jackson et C.L. Jackson, « La bronchoscopie comme aide dans le diagnostic et le traitement de l'abcès du poumon », *Bulletin de l'Association des médecins de langue française de l'Amérique du Nord*, 3, 1, janvier 1937, p. 50-57.
11. G. Gervais et N. Bethune, « Abcès du poumon. Traitement chirurgical. Étude de cinquante cas », *Bulletin de l'Association des médecins de langue française de l'Amérique du Nord*, 3, 1, janvier 1937, p. 58-64.

Dr Joseph-Napoléon Roy

civile espagnole, puis dans la grande marche organisée en Chine par Mao Tse-Toung. Parmi les principaux collaborateurs du *Bulletin*, notons aussi le Dr Joseph-Napoléon Roy, titulaire depuis 1930 de la Chaire d'oto-rhino-laryngologie de l'Université de Montréal. Lauréat de l'Académie de médecine de Paris, le Dr Roy a été membre actif de près de 50 sociétés ou revues médicales. Plusieurs de ses travaux ont été publiés à l'étranger, en France, en Italie, en Angleterre, en Roumanie, en Amérique latine, etc.[12]

Le *Bulletin* publie également des critiques d'ouvrages médicaux, un portrait des premiers présidents de l'AMLFAN et courtes notices biographiques de membres de l'Association décédés au cours de l'année.

Très rapidement, le Bulletin de l'AMLFAN *fait face à des problèmes d'ordre financier.*

Très rapidement, cependant, le *Bulletin de l'AMLFAN* fait face à des problèmes d'ordre financier. Dès 1936, les Drs R. Eugène Vallin et Albert Lesage, respectivement directeur général de l'AMLFAN et rédacteur en chef de *L'Union Médicale du Canada*, commencent à négocier en vue de la fusion des deux publications.

L'UMC est constituée en société depuis 1925. Cette année-là, dix-neuf médecins montréalais se sont joints aux Drs Boulet, Dubé, Hardwood, Lesage et Marien (propriétaires de *L'UMC* depuis 1900) à titre de directeurs[13]. *L'UMC* est maintenant dirigée par un conseil d'administration formé d'un président, d'un vice-président, d'un secrétaire-trésorier et d'un rédacteur en chef, tous élus lors d'une assemblée annuelle. Un comité de rédaction a de plus été créé en 1928 pour assister le rédacteur en chef.

Le 8 octobre 1937, les membres du Conseil de l'AMLFAN acceptent à l'unanimité le principe de la fusion. Selon l'entente officialisée en janvier 1938, *L'UMC* devient l'organe officiel de l'AMLFAN et loge désormais au même siège social. Elle conserve cependant son propre bureau de direction. Le directeur général et le secrétaire général de l'AMLFAN en sont membres d'office et l'Association y est représentée officiellement par cinq autres

12. Brault, *UMC*, 88, 8, août 1959, p. 909-911.
13. Il s'agit des Dr Gustave Archambault, Emmanuel-Persillier Benoit, Benjamin-Georges Bourgeois, Théodule Bruneau, Wilfrid Derome, Antoine-Hector Desloges, Albert Lasalle, Eugène Latreille, Joseph-Arthur Leduc, Damien Masson, Raoul Masson, Oscar-Félix Mercier, Léo Pariseau, Télesphore Parizeau, Albert Prévost, E.A. René de Cotret, Pierre-Zéphyr Rhéaume, Joseph-Napoléon Roy et Eugène Saint-Jacques.

membres. De plus, afin d'assurer l'unité de pensée et d'action des divers groupes de médecins francophones du continent, le bureau de direction de *L'UMC* englobe maintenant des médecins des principaux centres du Québec et de l'Ontario, ainsi que des correspondants des provinces maritimes, de l'Ouest canadien, de la Nouvelle-Angleterre et de la Louisiane. Le bureau exécutif de l'AMLFAN s'engage à verser à *L'UMC* un montant annuel (alors de 1 750 $) pour couvrir les frais d'abonnement des membres et la publication des rapports des congrès. Cette somme est sujette à révision en cas de déficit.

Ainsi, la structuration de l'AMLFAN fut à l'image de celle du réseau de la santé québécois de l'entre-deux guerres. L'Association ne s'est pas formée en un seul temps mais par étapes successives.

CHAPITRE 22

LA MATURITÉ (1930-1942)

En même temps que l'AMLFAN se structurait au début des années 1930, ses congrès prennaient de plus en plus un aspect résolument scientifique. Cette innovation devint tout à fait perceptible avec le 11e congrès, en 1930. En outre, l'AMLFAN commença à déborder des frontières québécoises et à donner à ses congrès un caractère international dans les années qui suivirent la crise économique de 1929.

Le congrès de la maturité : Montréal, 1930

En même temps que l'AMLFAN se structurait, au début des années 1930, ses congrès prenaient de plus en plus un aspect résolument scientifique.

Des représentants de 14 pays d'Europe et d'Amérique participent au congrès de 1930, grâce aux initiatives de l'exécutif élu en 1928. Le président et le secrétaire de l'Association, les Drs Pierre-Zéphyr Rhéaume et Oscar Mercier ont en effet représenté officiellement l'AMLFAN au congrès de l'American College of Surgeons à Boston en octobre 1928. L'année suivante, le Dr Léo Pariseau a été nommé délégué de l'AMLFAN au congrès français de médecine de Montpellier. Puis, en août 1930, les médecins anglais, en route pour le congrès de la British Medical Association à Winnipeg, ont été invités à un dîner au Club de golf de Laval[1]. En tout, 180 médecins britanniques ont accepté l'invitation. Lors du 11e congrès de l'AMLFAN, la section londonienne de la British Medical Association est représentée par les Drs H.B. Brackenbury, N.M. Bishop et Arthur Burgess[2], ce qui fait dire au président de l'AMLFAN, le Dr Pierre-Zéphyr Rhéaume :

> Comme groupement, il y a longtemps que nous existions ; comme groupement scientifique, nous sommes désormais reconnus. Nous sommes prêts à dire que le dernier congrès ouvre dans notre histoire médicale une ère nouvelle de science, de progrès et d'union[3].

1. *11e congrès de l'Association des médecins de langue française de l'Amérique du Nord*, vol. 3, Montréal, Beauchemin, 1930, p. 221.
2. *La Presse*, mercredi 17 septembre 1930, p. 17.
3. *11e congrès...*, vol. 3, Montréal, 1930, p. 7.

Le 11e congrès est principalement consacré aux agents physiques (électricité, rayons X, hydrothérapie, etc.), qui prennent de plus en plus de place dans l'arsenal thérapeutique du médecin.

Le 11e congrès est principalement consacré aux agents physiques (électricité, rayons X, hydrothérapie, etc.), qui prennent de plus en plus de place dans l'arsenal thérapeutique du médecin. Une exposition de livres très anciens racontant l'histoire scientifique et médicale de l'électricité est présentée à cette occasion par le Dr Léo Pariseau[4].

Le Dr Charles-Nuna de Blois expose ses considérations générales sur l'hydrothérapie, qu'il utilise depuis 35 ans dans son sanatorium[5]. Selon le médecin de Trois-Rivières, l'hydrothérapie est le meilleur traitement pour « modifier les fonctions circulatoires, nerveuses et chimiques de l'organisme[6] ». Sans être une panacée, l'hydrothérapie offre l'avantage de faciliter l'absorption de certains médicaments. Selon le procédé utilisé, l'hydrothérapie a des effets sédatifs et calmants ou, au contraire, toniques, stimulants ou antiphlogistiques très utiles dans le traitement des maladies nerveuses, circulatoires ou respiratoires. L'hydrothérapie permet aussi de combattre efficacement deux grands symptômes des maladies infectieuses, soit l'hyperthermie et l'adynamie. Lorsqu'elle est associée aux massages et à la gymnastique, elle devient un bon régulateur de la nutrition.

Un médecin de Paris, le Dr Marcel Joly, décrit le rôle de la radiologie dans la maladie de Hodgkin[7]. Par ailleurs, les applications des agents physiques en médecine industrielle, en oto-rhino-laryngologie, en urologie et en médecine infantile sont l'objet de nombreuses communications.

Une séance plénière est consacrée à l'étude des inflammations de la vésicule biliaire. Après la présentation du diagnostic clinique des cholécystites par le Dr Roméo Boucher[8], la biochimie de ces affections est l'objet d'une communication du Dr Maurice Chiray de Paris[9]. Un médecin de la clinique Mayo de Rochester, le Dr A. Desjardins décrit l'exploration radiologique[10].

---

4. *La Presse*, mardi 16 septembre 1930, p. 3.
5. C. de Blois, « Hydrothérapie médicale », *11e congrès…*, vol. 2, p. 115-148.
6. AMLFAN, 11e congrès, vol. 2, Montréal, 1930, p. 128-129.
7. M. Joly, « Considérations sur la roentgenthérapie de la maladie de Hodgkin », *11e congrès…*, vol. 2, p. 92-103.
8. R. Boucher, « Étude clinique des cholécystites », *11e congrès…*, vol. 1, p. 7-94.
9. M. Chiray, « Traitement médical des cholécystites chroniques », *11e congrès…*, vol. 1, p. 169-216.
10. A.U. Desjardins, « L'exploration radiologique dans la cholécystite et la lithiase biliaire », *11e congrès…*, vol. 1, p. 133-168.

La séance se conclut par la présentation du traitement chirurgical par les frères Achille et Albert Paquet, deux chirurgiens de la région de Québec[11].

Comme toujours, des séances cliniques ont lieu en matinée dans les dix hôpitaux francophones de Montréal. Afin de permettre aux congressistes de visiter plusieurs hôpitaux, les spécialités n'offrent pas toutes leurs démonstrations cliniques le même jour. Ainsi, les séances cliniques sur la tuberculose se déroulent le mercredi 17 septembre à l'Hôpital Sacré-Cœur et le lendemain à l'Institut Bruchési. Les séances de neurologie et de psychiatrie ont lieu à l'Asile pour aliénés criminels de la Prison de Bordeaux, puis à l'Hôpital Saint-Jean-de-Dieu. Les médecins intéressés à la pédiatrie doivent se présenter un jour à la Crèche d'Youville et le lendemain à l'Hôpital Sainte-Justine. L'Hôtel-Dieu et l'Hôpital Sainte-Jeanne d'Arc consacrent la journée du 17 septembre aux cliniques médicales et celle du 18 aux cliniques de chirurgie. À l'Hôpital Notre-Dame, l'ordre est inversé. Enfin, l'Hôpital de la Miséricorde est le théâtre de la clinique d'obstétrique et l'Institut du radium, celui de la clinique sur le cancer[12].

C'est également en matinée qu'ont lieu les séances de la section consacrée à l'hygiène. Le thème privilégié est celui de la purification des eaux. Les travaux de cette section se terminent par une visite de l'Aqueduc de Montréal.

Le cinéma prend de plus en plus de place dans les congrès, où l'on projette des films qui illustrent divers aspects de la pratique médicale.

Le cinéma prend de plus en plus de place dans les congrès. En 1930, on projette des films qui montrent l'examen clinique d'un patient, une césarienne, une gastrotomie et une hystérectomie.

Le congrès de 1930 a permis de démontrer l'émergence d'une certaine maturité de la médecine canadienne-française. Les communications que l'on peut lire dans le rapport du 11e congrès sont généralement concises, remplies de graphiques et de données statistiques. Cela prouve que la médecine de l'entre-deux-guerres a pris un tournant véritablement scientifique.

Un premier congrès à l'extérieur du Québec : Ottawa, 1932

Dans son discours d'ouverture, le président du 12e congrès, le Dr R.-Eugène Valin, proclame que « le rêve que formulait le docteur Rhéaume dans son

11. A. et A. Paquet, « Les cholécystites au point de vue chirurgical », *11e congrès...*, vol. 2, p. 217-224.
12. *11e congrès...*, vol. 3, p. 222-227.

Dr R.-Eugène Valin

discours d'ouverture du congrès de 1930 est devenu une réalité[13] », pour la première fois de son histoire, l'AMLFAN tient son congrès hors du Québec. Le Dr Valin ajoute que la capitale fédérale a été récemment le théâtre d'une lutte pour la conservation de la langue et de la culture française en Ontario[14]. Les médecins français, selon le Dr Maurice Chevassu, ont été aussi bien reçus à Ottawa qu'à Strasbourg, quand l'Alsace est redevenue française[15].

En 1932, pour la première fois de son histoire, l'AMLFAN tient son congrès hors du Québec.

Le Dr Rodolphe-E. Chevrier rend hommage aux médecins francophones qui pratiquaient dans la capitale fédérale au début de sa carrière. Avec plus de 40 ans de pratique, le Dr Chevrier est, en 1932, le doyen des médecins francophones d'Ottawa[16].

Autre province, autres mœurs, au lieu de longs rapports sur quelques thèmes, les Ontariens optent pour la tenue de journées médicales, ouvertes à tous les sujets. Cette formule sera reprise lors du congrès de 1938. Plusieurs communications portent sur les maladies rénales et les infections urinaires.

Le congrès de 1932 marque une nouvelle étape dans la croissance de l'AMLFAN. Celle-ci connaîtra cependant un nouveau sommet en 1934, alors qu'elle tiendra un congrès conjoint avec l'Association des médecins de langue française d'Europe.

Le congrès Jacques-Cartier : Québec 1934

Le congrès que l'AMLF (Europe) avait prévu tenir à Montréal en 1916 avait été annulé à cause de la guerre. Au cours de leur présidence à l'AMLFAN, les Drs Joseph-Edmond Dubé, Arthur Vallée et Albert Lesage ont relancé l'invitation à leurs confrères européens de tenir un congrès sur les rives du Saint-Laurent. L'idée a été émise officiellement lors du congrès de 1930 à Montréal, et acceptée par le représentant de la délégation française au 11e congrès, le Dr Gustave Samuel Roussy, doyen de la Faculté de médecine de Paris. À l'issue du congrès suivant, en 1932, l'Assemblée générale de

13. *12e congrès de l'Association des médecins de langue française de l'Amérique du Nord*, Ottawa, Presses du *Droit*, 1933, p. 15.
14. *Le Droit*, mardi 6 septembre 1932, p.10.
15. *12e congrès…*, p. 23.
16. *Ibid.*, p. 17-23.

l'AMLFAN appuie une proposition du Dr Joseph-Edmond Dubé, qui demande «qu'une invitation officielle soit envoyée à l'Association des médecins de langue française d'Europe pour tenir son congrès de 1934 à Québec conjointement avec l'Association des médecins de langue française de l'Amérique du Nord[17]». Le choix de l'année 1934 comme date de ce congrès historique a pour but de marquer le 400e anniversaire du voyage de Jacques Cartier.

Entre temps, cependant, il a fallu négocier afin de respecter les statuts respectifs des deux associations. Les congrès de l'AMLF (Europe) sont purement médicaux, alors que ceux de l'AMLFAN ont toujours eu une section chirurgicale. Il est finalement convenu que la section médicale sera mixte et désignée sous le titre de «treizième session de l'AMLF», alors que la section chirurgicale sera exclusivement canadienne.

Au congrès de la Pan American Medical Association, en 1934, le Dr Albert Paquet expose le programme du congrès de Québec. Cette intervention explique la présence du président de cette association, le Dr Chevalier Jackson de Philadelphie, au congrès de Québec. En 1897, ce francophile avait perfectionné la bronchoscopie.

Plus de 1 000 médecins, dont 250 de l'Ancien Continent, et même de l'Afrique et de l'Asie, participent à l'événement unique qu'est le congrès de 1934.

Plus de 1000 médecins, dont 250 de l'Ancien Continent, participent à cet événement unique. Certains viennent de l'Italie, de l'Espagne, du Portugal, de la Yougoslavie, de la Roumanie; d'autres sont de la Tunisie, du Maroc, de l'Algérie, de la Syrie, voire du Siam (Thaïlande). Les Européens arrivent à bord des vaisseaux *Champlain* et *Empress of Australia*. Avant le congrès, ils s'arrêtent à Gaspé, où ils assistent à la pose de la première pierre de la future cathédrale. Pour l'occasion, la France, la Grande-Bretagne, les États-Unis et le Canada ont des représentants officiels.

La séance d'ouverture a lieu le 27 août. Le président Albert Paquet rend d'abord hommage à deux illustres disparus, les Drs Michel-Delphis Brochu et Arthur Rousseau. Ce dernier devait initialement présider la section médicale du congrès[18]. Le président de l'AMLF (Europe), Émile Sergent, demande une

17. *12e congrès...*, p. 32.
18. *AMLF, Congrès français de médecine, 23e session, Québec 1934, incorporé au 13e congrès de l'Association des médecins de langue française de l'Amérique du Nord. compte rendu officiel et administratif*, Masson & Cie, p. 51-53.

minute de silence à la mémoire des Drs Rousseau et Harwood, décédés à peine quelques jours auparavant. Il propose également que le 12e congrès soit inscrit dans les archives sous le nom de « Congrès Jacques Cartier[19] ». Il déclare enfin que la Nouvelle-France est sa seconde patrie. Son ami Édouard Montpetit l'a d'ailleurs baptisé « Français-canadien[20] ». Le premier congrès de l'AMLFAN auquel le Dr Sergent a participé est celui de 1924. De ce congrès, il disait retenir surtout le discours d'Athanase David qui a alors bien exprimé l'état d'âme des Canadiens français, ainsi que le discours pratique, du Dr Arthur Vallée.

Après la séance d'inauguration, les membres du congrès se rendent au cimetière Belmont se recueillir sur la tombe du Dr Rousseau. Le Dr Émile Sergent souligne, dans un discours que :

> La vieille France conservera pieusement son nom sur la liste de ceux qui l'ont bien comprise et bien servie, comme elle conservera aussi celui du doyen Harwood, de Montréal, qui défendit si noblement la même cause. L'un et l'autre ont passionnément accompli leur tâche et sont restés fidèles aux nobles traditions qui ont assuré la grandeur et la gloire de la médecine française[21].

Le Dr Sergent invite ensuite les médecins francophones et anglophones d'Amérique du Nord à collaborer plus étroitement. En agissant ainsi, le Canada pourrait jouer un rôle similaire à la Suisse ou encore à l'Université de Strasbourg dans la fusion des écoles françaises et allemandes.

Le Dr Sergent invite les médecins francophones et anglophones d'Amérique du Nord à collaborer plus étroitement.

Il n'y aura pas moins de 18 réceptions pendant le 12e congrès, dont 9 spécialement destinées aux médecins et à leurs épouses. Le 28 août, le Dr Albert Paquet invite tous les congressistes à un bal et à un souper. Des déjeuners d'une centaine de couverts sont aussi offerts par les Drs Albert et Achille Paquet et Charles Vézina. Les épouses des Drs Paquet, Vézina et Vaillancourt s'occupent du comité de réception. Des réceptions sont également organisées par le comité France-Amérique, par la Compagnie générale transatlantique et par l'amiral de Pontevès. Elles se déroulent sur les paquebots

19. *Ibid.*, p. 59.
20. *Ibid.*, p. 59.
21. *Bulletin de l'Association des médecins de langue française de l'Amérique du Nord*, 1, 1, 1935, p. 24.

Champlain, *Vauquelin*, *D'Entrecasteaux* et *Ville d'Ys*. Enfin, d'autres réceptions ont lieu à la résidence du lieutenant-gouverneur et à la Citadelle de Québec, cette dernière organisée par le gouverneur général du Canada.

Le banquet de clôture a lieu au Château Frontenac, en présence du gouverneur général du Canada, Son excellence le Très Honorable comte de Bessborough, de l'honorable Louis-Alexandre Taschereau, premier ministre du Québec, du Dr Murray Maclaren, représentant du gouvernement fédéral, de Mgr Camille Roy, de plusieurs ministres provinciaux et du secrétaire provincial, Athanase David.

Dans un français impeccable, le gouverneur général, lord Besseborough, affirme que « Jacques Cartier méritait d'être considéré comme le premier médecin du Canada à cause de son excellente description des symptômes du scorbut dont avait souffert son équipage lors du premier hiver passé au Canada[22] ». Une série de toasts sont ensuite portés à la France, à la Suisse, à la Belgique et aux pays de langues latines.

Des séances cliniques se déroulent à l'Hôtel-Dieu de Québec (urologie), à l'Hôpital du Saint-Sacrement (gastro-entérologie), à l'Hôpital de l'Enfant-Jésus (pédiatrie), à la Clinique Roy-Rousseau (neurologie et psychiatrie), à l'Hôpital Laval (tuberculose) et à l'École La Jemmerais (hygiène mentale). Elles ont lieu en même temps que les travaux des sections de médecine et de chirurgie, sans quoi, le congrès aurait pu facilement durer une semaine complète plutôt que trois jours. Pour la première fois en raison du nombre, les personnes intéressées à assister à ces séances cliniques, qui se déroulent le mardi et le mercredi matin, doivent se procurer des cartes en s'inscrivant à la séance de leur choix.

La section médicale est exclusivement consacrée à la présentation et à la discussion sur les thèmes généraux, qui portent sur les syndromes pancréatiques et leur traitement chirurgical, les états hypoglycémiques et la pyréthothérapie. Les rapports sont présentés par des Canadiens, des Français, des Belges et des Suisses. On observe cependant une grande fluctuation dans l'assistance en raison de l'intérêt suscité par les travaux de la section chirurgicale et des séances cliniques dans les hôpitaux de la ville.

---

22. *Bulletin de l'Association des médecins de langue française de l'Amérique du Nord*, 1,1, janvier 1935, p. 22.

D'autre part, les grandes compagnies pharmaceutiques tiennent une exposition au Château Frontenac, pendant que le Dr Léo Pariseau expose une série d'ouvrages médicaux du XVI au XVIIIe siècle qui font partie de sa bibliothèque dans le réputé hôtel. Par ailleurs, le Dr Arthur Vallée a rédigé le guide de l'exposition des documents et pièces du trésor de l'Hôtel-Dieu de Québec.

Dr Damien Masson

Après le congrès, les Européens empruntent la voie du Saint-Laurent et s'arrêtent à Trois-Rivières, où ils sont de nouveau les invités d'une réception. La ville trifluvienne célèbre au même moment son tricentenaire. À leur arrivée à Montréal, les médecins francophones européens sont accueillis par 300 000 personnes. Reçus par les Drs Pierre-Zéphyr Rhéaume, Benjamin Georges Bourgeois, P.A. Bousquet, Damien Masson et Eugène Saint-Jacques, ainsi que par des Français établis au pays, les Drs Pierre Masson, Albert Laquerrière et William E. Vignal, les congressistes visitent les hôpitaux montréalais. Ils poursuivent ensuite leur croisière jusqu'à Ottawa, Toronto, Niagara et enfin à New York. Ils visitent entre autres les laboratoires de Frederick Banting à Toronto et les cliniques Mayo.

Premier de l'histoire à regrouper les médecins de langue française des deux continents, le congrès de 1934 constitue un grand succès pour le rayonnement de l'école française de médecine.

Premier de l'histoire à regrouper les médecins de langue française des deux mondes, le congrès de 1934 constitue un grand succès pour le rayonnement de l'école française de médecine. Il fait également figure de symbole, celui de « la survivance de la médecine française au Canada[23] ».

Le 14e congrès : Montréal, 1936

Comme le président et le secrétaire du 14e congrès, les Drs Joseph-Arthur Jarry et Joseph-Avila Vidal, sont tous deux pthisiologues, il aurait été tentant, en 1936, de se concentrer exclusivement sur la question de la tuberculose. On a cependant décidé de présenter d'autres thèmes. En plus de la tuberculose de la hanche, le congrès s'attarde ainsi aux ulcères gastro-intestinaux et aux abcès du poumon.

23. *Bulletin de l'Association des médecins de langue française de l'Amérique du Nord*, 1, 1, janvier 1935, p. 20.

Dr Joseph-Arthur Jarry

À côté de la traditionnelle exposition de produits commerciaux (pharmacie, appareils chirurgicaux, équipements d'hôpitaux), une exhibition scientifique est mise en place pour la première fois. Les participants du congrès peuvent ainsi voir des films montrant certaines opérations, des pièces anatomiques et des moulages en cire. Le Dr Georges Manseau est responsable de cette exposition.

En outre, deux soirées spéciales sont organisées pour le grand public[24]. Durant la première, consacrée à l'hygiène sociale, on discute de placement familial et de vaccination contre la tuberculose. Parmi les conférenciers se trouve le Dr Armand Frappier, alors chef des départements de bactériologie de l'Université de Montréal et de l'Hôpital Saint-Luc. La seconde soirée publique est consacrée à l'enseignement de l'hygiène. Des jeunes filles de la Commission des écoles catholiques de Montréal présentent alors une série de sketches ayant pour thème l'hygiène. Les saynètes ont été écrites par le Dr Adrien Plouffe, du Service de santé de Montréal.

Le 14e congrès est sous le patronage du tout premier ministre de la Santé du Québec, le Dr Joseph-Henri-Albini Paquette.

La « section des dames » a comme toujours planifié de nombreuses activités pour les conjointes, de la visite des sites historiques de la métropole aux défilés de mode, en passant par des séances de cinéma.

Dernier élément important, le 14e congrès est sous le patronage du tout premier ministre de la Santé du Québec, le Dr Joseph-Henri-Albini Paquette[25].

Le 15e congrès : Ottawa, 1938

Sous la présidence d'honneur du Dr J. Hector Lapointe, le congrès d'Ottawa, en 1938, regroupe près de 500 médecins. Le Dr Lapointe a été le secrétaire du 12e congrès de l'AMLFAN.

Reprenant la formule préconisée lors du précédent congrès d'Ottawa, en 1932, les responsables du 15e congrès ont favorisé la présentation de communications nombreuses sur tous les sujets. Sur ce point, le Dr Roma Amyot déclara, dans *L'Union Médicale du Canada*, que :

24. *La Presse*, mardi 8 septembre 1936, p. 11.
25. *La Presse*, mardi 8 septembre 1936, p. 11.

> Vu le but didactique de ces congrès, parce qu'ils sont fréquentés en très grande majorité par des médecins praticiens qui désirent s'y instruire facilement et rapidement sur le plus de sujets possibles tout en se distrayant, parce que le nombre de médecins attirés et intéressés est forcément et proportionnellement élevé à la quantité de sujets exposés, d'importance et de portées pratiques, que nos congrès pour de multiples raisons d'ordre supérieur doivent être vivants, achalandés, courus en quelque sorte, nous serions prêts à appuyer la méthode suivie par les organisateurs du congrès d'Ottawa[26].

Le congrès est l'occasion de se faire connaître pour de nouveaux conférenciers, tels les Drs Roma Amyot, Jean Saucier, J.-Avila Denoncourt et Pierre Smith. Ces derniers seront particulièrement engagés dans l'organisation de l'AMLFC et de *L'UMC* après la Seconde Guerre mondiale.

L'exécutif profite du 15e congrès pour remettre à chaque ancien président de l'AMLFAN encore vivant un diplôme d'honneur.

L'exécutif profite du 15e congrès pour remettre à chaque ancien président de l'AMLFAN encore vivant un diplôme d'honneur. Sont ainsi récompensés pour leur engagement passé dans l'Association, les Drs Dubé, Vallée, Lesage, Dagneau, Valin, Paquet et Jarry[27].

Un congrès régional : Trois-Rivières, 1940

Si les congrès de l'AMLFAN ont été interrompus durant la Première Guerre mondiale, les membres de l'AMLFAN décident, en 1939, que cela ne se reproduira pas. Un congrès a donc lieu en 1940, et la ville de Trois-Rivières en est l'hôtesse. Pour le présider, on opte pour un vétéran de l'AMLFAN, le Dr Charles-Nuna de Blois, celui-là même qui a agi à titre de secrétaire lors du 3e congrès en 1906.

La formule des journées médicales, expérimentée lors des congrès d'Ottawa, est reprise à Trois-Rivières. La section d'ophtalmologie et d'oto-rhino-laryngologie a cependant choisi de centrer ses communications sur le strabisme et les sinusites.

Bien que le congrès de 1940 soit celui où l'on présentera le plus de vœux, il se démarque aussi par l'importance des activités sociales qui l'entourent :

26. *UMC*, 67, 10, octobre 1938, p. 1035.
27. *Le Droit*, mardi 6 septembre 1938, p. 6.

visites d'usines, excursion à Shawinigan, soirées à Grand-Mère, etc. Les congressistes participent même à des parties de base-ball. Autre innovation, on invite les médecins qui produisent des œuvres artistiques (peintures, sculptures, photographies, etc.) à les présenter dans le cadre d'une exposition.

Le congrès de 1906, également à Trois-Rivières, a été celui des praticiens; celui de 1940 en sera une parfaite répétition. L'assistance est d'ailleurs supérieure à celle des précédents congrès à Montréal et à Ottawa[28].

Un congrès axé sur la médecine militaire : Montréal, 1942

Le 17e congrès coïncide avec le tricentenaire de Montréal et l'ouverture du nouvel édifice de l'Université de Montréal.

Le dernier congrès de l'AMLFAN a lieu à Montréal, sous la présidence du Dr Oscar Mercier. Ce congrès coïncide avec le tricentenaire de la ville de Montréal et l'ouverture du nouvel édifice de l'Université de Montréal sur son site actuel. Il établit également un record en matière d'assistance pour l'AMLFAN, avec près de 1 000 inscriptions, toutes nord-américaines.

Une séance est consacrée exclusivement à la médecine militaire. Les congressistes prennent connaissance des progrès les plus récents concernant les blessures de guerre. Une autre séance porte sur l'étude du syndrome hémorragique, et le Dr Gaston Gosselin prononce une conférence sur « l'alimentation en temps de guerre[29] ».

En raison de l'occupation, aucun médecin français n'assiste au congrès de Montréal. Les conférenciers vedettes sont donc des Américains. La conférence du Dr Ralph Pemberton de Philadelphie, une autorité en matière de rhumatisme, attire près de 500 congressistes. Pour sa part, le Dr Chevalier Jackson présente une communication sur la bronchoscopie et les affections des bronches.

Des diplômes d'honneur sont remis, lors du 17e congrès, aux secrétaires et trésoriers encore vivants des congrès de l'AMLFAN depuis sa fondation[30]. Un hommage similaire est accordé au président du congrès précédent, le Dr de Blois.

---

28. Amyot, *UMC*, 69, 10, octobre 1940, p. 1029-1031 ; 1029.
29. *La Presse*, mardi 15 septembre 1942, p. 11.
30. *Ibid.*, p. 25.

La date du 18e congrès, prévu pour septembre 1944 à Québec, coïncide malheureusement avec celle de la rencontre Roosevelt-Churchill, et le congrès n'aura pas lieu.

Le prochain congrès est prévu pour septembre 1944 à Québec et doit porter sur la médecine préventive. Malheureusement, la date coïncide avec celle de la rencontre Roosevelt-Churchill qui doit avoir lieu dans la Vieille Capitale. Par ailleurs, une ordonnance fédérale interdit la tenue de congrès ou de réunion regroupant plus de 50 personnes[31]. Malgré la volonté des membres de l'AMLFAN, la guerre aura donc à nouveau mis fin à la tenue de ses congrès. L'Association reprendra cependant ses activités dès 1946, sous une nouvelle dénomination.

Conclusion de la quatrième partie

Pendant longtemps, on a cru qu'avant les années 1960 le Canada français avait été replié sur lui-même et imperméable au savoir venu de l'étranger. Les congrès de l'AMLFAN dans l'entre-deux-guerres ont permis de réfuter cette vision des choses. Durant les années 1920 et 1930, l'Association a renforcé ses contacts avec les médecins francophones d'Europe. Elle a aussi établi des relations fructueuses avec les collègues anglophones et hispanophones des trois Amériques. L'influence américaine deviendra d'ailleurs prédominante au début de la Seconde Guerre mondiale.

Par ailleurs, les dernières innovations engendrées par l'expérience de la guerre ont été appliquées dans les hôpitaux francophones du Québec au cours des années 1920. De plus, les congrès de l'AMLFAN ont été l'occasion d'entreprendre des campagnes nationales contre la tuberculose, les maladies transmissibles sexuellement et la mortalité infantile. Les différents vœux exprimés par l'AMLFAN dans le cadre de ses congrès ont reçu un écho très favorable des autorités gouvernementales dans l'entre-deux-guerres.

Durant cette période, l'AMLFAN s'est également structurée. Grâce à son Conseil, son directeur général et son secrétaire-trésorier général, et par l'entremise de *L'Union Médicale du Canada*, elle peut désormais continuer à intervenir entre chacun de ses congrès sur l'ensemble des questions touchant la profession médicale.

---

31. *UMC*, 75, 2, février 1946, p. 241.

CINQUIÈME PARTIE

L'âge d'or de l'Association (1946-1967)

Après la Seconde Guerre mondiale, le Québec et le Canada connurent une prospérité économique et une stabilité politique sans précédent. Cette période vit également le développement au pays de l'État-providence. Pour l'AMLFAN, devenue en 1946 l'Association des médecins de langue française du Canada (AMLFC), les années 1946 à 1967 furent sans doute celles où elle eut le plus d'influence. Les diverses fédérations médicales n'étaient pas encore actives, et l'Association se dota alors de comités qui lui permettaient d'intervenir douze mois par année, dans toutes les questions d'ordre professionnel, culturel et scientifique susceptibles d'intéresser la médecine francophone à cette époque. Elle renoua des relations avec les médecins de langue française de l'Ancien Monde et organisa désormais des congrès annuels dans les différents centres francophones du Québec et du reste du Canada.

Dans cette cinquième partie, nous dresserons d'abord un portrait des années 1946 à 1967 au Québec et au Canada, puis nous présenterons celui de l'organisation interne de l'AMLFC durant cette période. Ensuite, nous décrirons les activités du Comité d'économie médicale, chargé d'étudier différents dossiers, comme celui-ci de l'assurance-santé, en vue d'éventuelles décisions de l'AMLFC. Puis nous verrons encore les relations avec la France et la défense du français médical, et nous décrirons enfin les activités scientifiques et culturelles des congrès de l'AMLFC entre 1946 et 1966.

CHAPITRE 23

LE CONTEXTE DE L'APRÈS-GUERRE

Après la Seconde Guerre mondiale, la population canadienne vécut une période de prospérité sans précédent: augmentation du niveau de vie, développement technologique, croissance démographique, augmentation de l'espérance de vie, etc. Socialement, par contre, d'importantes inégalités subsistaient. Au Québec, le conservatisme affiché par le gouvernement de Maurice Duplessis ralentit l'évolution sociale, et il fallut attendre la Révolution tranquille du début des années 1960 pour que l'État-providence s'implante enfin dans la province. Tels seront les sujets abordés dans ce chapitre.

Une période de prospérité économique

Après des années de vaches maigres, la population n'hésitait pas à s'acheter de nouveaux biens de luxe. Le Québec et le Canada venaient d'entrer dans la société de consommation.

L'après-guerre fut marqué par une très forte croissance économique au Canada. Le taux de chômage était à son niveau le plus bas et les revenus augmentaient considérablement. Après des années de vaches maigres, la population n'hésitait pas à s'acheter de nouveaux biens de luxe. Le Québec et le Canada venaient d'entrer dans la société de consommation.

Presque tous les foyers possédaient une automobile, et un réseau d'autoroutes reliait les différentes régions du pays. Ce développement du réseau routier entraîna un phénomène nouveau, celui des cités-dortoirs. De plus en plus de personnes résidaient en effet en banlieue, dans des villes nouvellement créées à quelques kilomètres des grands centres[1]. Par ailleurs, certaines régions, comme les Maritimes ou la Nouvelle-Angleterre, devenaient des sites touristiques très visités, entre autres par les Québécois.

La télévision fit son apparition à cette période et modifia complètement le visage culturel. Tout en permettant aux populations urbaines et rurales de découvrir les artistes français et américains, le petit écran offrait un important

1. Linteau *et al.* (1989), p. 288.

débouché pour les comédiens et les auteurs-compositeurs du Canada français. Certains animateurs de la télévision et de la radio devinrent de véritables vedettes pour la population canadienne-française[2].

Ces années de prospérité ne furent toutefois pas sans inégalités. Certaines régions, comme la Gaspésie ou l'Abitibi, demeurèrent nettement défavorisées. Par ailleurs, le revenu moyen des Canadiens français, même au Québec, restait inférieur à celui des anglophones. De même, le niveau de scolarisation des francophones du Canada demeurait inférieur et ils avaient de la difficulté à obtenir des postes de cadre dans les compagnies privées et de la fonction publique fédérale. Les réformes des années 1960 auront pour but de combler le retard des francophones face à leurs compatriotes anglophones du reste du Canada.

Le boom démographique

À cette expansion économique se jumela une importante croissance démographique. Bloquée pendant les années 1930 et lors de la Seconde Guerre mondiale, l'immigration reprit après 1945. Entre 1946 et 1960, le Canada reçut 2 millions de personnes, pour la plupart originaires des pays qui avaient été ravagés par la guerre. Environ 400 000 d'entre elles s'installèrent au Québec[3].

La supériorité numérique des jeunes était telle que la génération née entre 1945 et 1960 allait imposer ses valeurs et ses besoins à l'ensemble de la société.

La principale cause de la croissance démographique réside cependant dans un fort taux de natalité, jumelé à une chute de la mortalité infantile. En 1951, 25 % de la population québécoise était âgée de moins de 10 ans[4]. Dix ans plus tard, 44 % des Québécois avaient moins de 19 ans[5]. Le baby-boom entraîna un rajeunissement considérable de la société, la supériorité numérique des jeunes était telle que la génération née entre 1945 et 1960 allait imposer ses valeurs et ses besoins à l'ensemble de la société[6].

Pour répondre aux naissances nombreuses, des services d'obstétrique et de pédiatrie furent créés dans la plupart des centres hospitaliers. À partir des années 1950, le gouvernement québécois dut multiplier le nombre d'écoles

2. *Ibid.*, p. 392.
3. *Ibid.*, p. 220.
4. *Ibid.*, p. 214.
5. *Ibid.*, p. 438.
6. *Ibid.*, p. 211-218.

primaires, puis d'établissements d'études supérieures : l'Université de Sherbrooke vit le jour en 1954, le réseau de l'Université du Québec, en 1968.

Les institutions traditionnelles étaient débordées et ne pouvaient plus répondre adéquatement aux besoins de la population croissante. Il manquait de personnel religieux pour les faire fonctionner, et l'Église dut laisser de plus en plus de place aux laïcs. Progressivement, ces derniers s'accommodèrent de moins en moins de voir les postes de commande leur échapper[7].

Par ailleurs, grandissant dans une période de prospérité économique et de progrès technologiques, la jeunesse de l'après-guerre était optimiste et revendicatrice. Les émissions de télévision et la publicité visaient particulièrement cette clientèle. Ouverts aux changements, les baby-boomers seront partie prenante des changements que connaîtra la société québécoise au début des années soixante.

L'état de santé des Québécois de 1946 à 1967

De 1941 à 1961, l'espérance de vie passa de 60 à 67 ans chez les hommes et de 63 à 73 ans chez les femmes[8]. Les principaux gains sur la mort furent réalisés dans le domaine des maladies infectieuses, grâce surtout aux antibiotiques. La mortalité infantile chuta aussi de façon importante. De 132 pour 100 000 qu'il était en 1931, le taux de mortalité infantile s'établissait à 32 pour 100 000 trente ans plus tard, en raison des accouchements plus sûrs et de la généralisation des vaccins[9].

Plus abondante et plus diversifiée, l'alimentation contribua à l'augmentation de l'espérance de vie.

Si la médecine curative fut la principale responsable de l'augmentation de l'espérance de vie, d'autres éléments contribuèrent sans doute aussi à ce progrès. Ainsi, l'alimentation était plus abondante et surtout plus diversifiée. Des légumes et des fruits de plus en plus exotiques, que l'on ne s'offrait autrefois qu'au temps des Fêtes, étaient désormais disponibles durant toute l'année. Certains aliments, comme les fromages et le yogourt, devenaient de plus en plus populaires. Les réfrigérateurs et les congélateurs permettaient en outre de garder les aliments aptes à la consommation.

7. *Ibid.*, p. 331-348.
8. Guérard (1986), p. 63.
9. Linteau *et al.* (1989), p. 215.

Certaines causes de mortalité connurent par contre une expansion: le cancer et les maladies cardiovasculaires. Le sédentarisme accru et le tabagisme expliquent en partie la progression de ces maladies après la Seconde Guerre mondiale. Avec l'accroissement du parc automobile, le nombre d'accidents de voitures augmenta aussi de façon considérable[10]. Malgré cela, pour la première fois dans l'histoire de l'humanité, la majorité de la population avait désormais de très bonnes chances d'atteindre un âge respectable.

Au cours de cette période, l'hôpital devint vraiment le principal lieu de la pratique médicale. Plusieurs interventions, autrefois pratiquées à domicile, étaient désormais réalisées en milieu hospitalier. Ainsi, 98 % des accouchements en 1965 eurent lieu dans des hôpitaux, contre à peine 16 % en 1940. En 1941, le Québec comptait 125 hôpitaux; il y en a 186 en 1951 et 275 en 1961. Le nombre de lits passa de 14740, en 1941, à 29700 en 1961[11]. Afin d'agir à titre d'interlocuteur face aux administrations hospitalières, les bureaux médicaux des divers hôpitaux de la province se regroupèrent en 1946 au sein de l'Association des bureaux médicaux des hôpitaux de la province de Québec (ABMHPQ).

L'encadrement médical devenait plus important, et de plus en plus de médecins se spécialisaient.

L'encadrement médical devenait aussi plus important. En 1961, on trouvait un médecin pour 853 personnes, contre un pour 1 054 en 1941[12]. De plus en plus de médecins se spécialisaient: de 23 % qu'ils étaient en 1951, les spécialisés formaient 40 % de la population médicale québécoise en 1961. Ayant besoin d'un équipement perfectionné et d'un personnel paramédical qualifié, ces spécialistes se concentraient dans les grands centres urbains, renforçant ainsi les inégalités entre les régions dans la distribution des soins. De plus, entre les spécialistes et les omnipraticiens commençaient à s'exprimer des intérêts divergents. Il en résultera la création, dans les années 1960, de deux fédérations distinctes[13].

Le développement de la recherche biomédicale au Canada français

La guerre de 1939-1945 marqua une étape très importante dans le domaine de la pratique médicale. La chirurgie plastique, la neurochirurgie, et la chirurgie

---

10. Guérard (1986), p. 63-66.
11. *Ibid.*, p. 68.
12. *Ibid.*, p. 70.
13. *Ibid.*, p. 70-71.

cardiaque et thoracique se développèrent considérablement pendant la Seconde Guerre mondiale. La pharmacie connut aussi un essor phénoménal à cette époque. À partir des travaux de Flemming sur la pénicilline, les premiers antibiotiques firent leur apparition au cours des années 1940. La streptomycine fut utilisée à partir de 1944 avec succès pour le traitement de la tuberculose. Les anticoagulants furent découverts en 1948 et, la même année, on remarqua l'action anti-inflammatoire de la cortisone. Au début des années 1950, on découvrit les premiers médicaments psychotropes, ce qui transformera à jamais l'atmosphère des hôpitaux psychiatriques.

Grâce à la multiplication des hôpitaux et des établissements de recherches, Montréal devint peu à peu un centre de recherche médicale de réputation mondiale.

La médecine entrait dans l'ère de la *big science*. Le chercheur isolé était désormais remplacé par des équipes nombreuses et souvent multidisciplinaires, travaillant dans de vastes laboratoires. Financées par l'État et les sociétés philanthropiques, ces équipes s'intéressaient à des programmes de recherches à long terme. Si le sous-financement des universités dans les années 1950 conduisit à une certaine stagnation de l'enseignement de la médecine dans les universités francophones, la ville de Montréal n'en devint par moins peu à peu un centre de recherche médicale de réputation mondiale, grâce à la multiplication des hôpitaux et des établissements de recherches[14]. Fait important, la recherche n'était plus l'exclusivité de l'Université McGill.

En 1945, la Faculté de médecine de l'Université de Montréal recruta un chercheur, qui depuis 1934, enseignait l'endocrinologie à l'Université McGill, le Dr Hans Selye. Pendant une trentaine d'années, le Dr Selye poursuivra des recherches sur le stress et les réactions de l'organisme au milieu. Sa réputation attira plusieurs jeunes chercheurs à Montréal. Ainsi, un jeune Français du nom de Roger Guillemin mena, de 1948 à 1953, des recherches sous la direction du Dr Selye, recherches qui conduiront à l'isolement des premières hormones du cerveau. En 1977, le Dr Guillemin obtiendra, pour ses travaux, le Prix Nobel de médecine. Un autre jeune chercheur qui œuvra au laboratoire du Dr Selye fut le Dr Claude Fortier, qui sera lui aussi connu pour ses travaux en neuroendocrinologie. En 1960, le Dr Fortier fondera le Laboratoire d'endocrinologie de l'Université Laval[15].

14. Chartrand, Duchesne et Gingras (1987), p. 376-377.
15. *Ibid.*, p. 346-347.

En 1977, le Dr Roger Guillemin obtiendra le Prix Nobel pour ses travaux.

Après la Seconde Guerre mondiale, l'Institut de microbiologie fondée par le Dr Armand Frappier multiplia les projets de recherches, grâce à l'appui des subventions gouvernementales. Au BCG, s'ajoutèrent des expériences sur la poliomyélite dans les années 1950, puis sur la lèpre, le cancer, la rougeole, la rubéole et sur de nombreuses autres maladies[16].

En 1947, le Dr Louis-Charles Simard, chef du service d'anatomie pathologique de l'Hôpital Notre-Dame, fonda l'Institut du cancer de Montréal. Il retint les services du Dr Antonio Cantero pour y diriger la recherche scientifique et les laboratoires. Plusieurs jeunes chercheurs s'y spécialisèrent en cancérologie[17].

Dr Jacques Genest

En 1952, le Dr Jacques Genest fondait, à l'Hôtel-Dieu de Montréal, le premier département de recherches cliniques du Canada français. Plus tard, en 1959, le Dr Genest créera le Club de recherches cliniques du Québec, lieu de rassemblement des chercheurs québécois[18].

Le Dr Paul David fondait pour sa part l'Institut de cardiologie de Montréal en 1954. Les chercheurs de cet institut seront les premiers à tenter des transplantations cardiaques au Canada. La première opération fructueuse sera réussie pendant l'été 1968 par le Dr Pierre Grondin[19].

En 1961, fut fondé le Laboratoire de neurobiologie de l'Université de Montréal par le Dr André Barbeau. Lui-même était le fils de Dr Antonio Barbeau, qui avait été le premier titulaire de la Chaire de neurologie. Durant les années 1960, le Dr Barbeau démontrera le rôle de la dopamine dans la maladie de Parkinson[20].

Les centres hospitaliers furent également le lieu de recherches de pointe. Ainsi, en 1954, la maladie de Parkinson fut traitée selon une nouvelle méthode de chirurgie cérébrale stéréotaxique mise au point par le Dr Claude Bertrand, chef du service de neurochirurgie de l'Hôpital Notre-Dame.

---

16. *Ibid.*, p. 367-369.
17. *Ibid.*, p. 372.
18. *Ibid.*, p. 375.
19. *Ibid.*, p. 375.
20. *Ibid.*, p. 346-347.

La création de l'État-providence

La prospérité économique de l'après-guerre favorisa la stabilité des gouvernements. À Ottawa, le gouvernement libéral demeura au pouvoir jusqu'en 1957. À Québec, l'Union nationale de Maurice Duplessis fut réélue sans interruption de 1944 à 1957. Or, ces deux gouvernements défendaient des politiques opposées, ce qui entraîna d'importants conflits. Alors que le gouvernement fédéral mettait en place les structures de l'État-providence, celui du Québec restait fidèle à des pratiques traditionnelles.

Le gouvernement fédéral s'engageait, en 1948, à subventionner les provinces pour la construction d'hôpitaux et le développement de la recherche médicale.

À l'occasion de la Seconde Guerre mondiale, le gouvernement fédéral avait considérablement accru ses pouvoirs en accaparant certains secteurs d'impôts qui, selon l'Acte de l'Amérique du Nord britannique, étaient de juridiction provinciale. Quelques programmes sociaux, comme l'assurance-chômage et les allocations familiales, avaient ainsi été mis sur pied au début des années 1940 et constituaient les premières manifestations de l'État-providence au Canada. Après la guerre, le parti libéral de Mackenzie King puis de Louis Saint-Laurent tenta de conserver cette position en créant de nouvelles institutions d'État qui allaient intervenir dans des domaines de juridiction provinciale (culture, éducation, santé, etc.). Le fédéral s'engagea ainsi, en 1948, à subventionner les provinces pour la construction d'hôpitaux et le développement de la recherche médicale. L'année suivante, une commission d'enquête proposa que le gouvernement fédéral prenne charge d'une partie du financement universitaire. Par la suite, en 1957, le gouvernement fédéral proposa aux provinces la mise en place d'un programme d'assurance-hospitalisation[21].

Ces mesures furent contestées par le gouvernement de l'Union nationale au nom de l'autonomie provinciale. Or, le régime de Maurice Duplessis était également très conservateur en matière sociale et opposé à toute intervention de l'État dans les domaines assurés depuis toujours par l'Église. En s'opposant aux volontés centralisatrices d'Ottawa, le gouvernement Duplessis retardait du même coup le développement de l'État-providence au Québec, malgré les pressions exercées dans les années 1950 par des intellectuels, des artistes, des syndicalistes et bien des étudiants[22].

21. Collin et Béliveau (1994), p. 263-265.
22. Linteau *et al.* (1989), p. 207-209.

À la mort de Duplessis, en 1959, le Québec était mûr pour un changement de cap. À partir de 1960, année de l'élection du parti libéral de Jean Lesage, le nouveau nationalisme canadien-français cherchera à moderniser la société québécoise et à combler le retard pris par le Québec face aux autres provinces. Dans les années 1960 à 1966, celles de la Révolution tranquille, le Québec logera d'emblée à l'enseigne de l'État-providence ; la santé, l'éducation et les affaires sociales verront alors leurs structures bouleversées en profondeur. Le gouvernement québécois donnera ainsi son accord, en 1961, au projet d'assurance-hospitalisation, première étape à la constitution d'un système complet d'assurance-maladie.

CHAPITRE 24

L'ORGANISATION INTERNE DE L'ASSOCIATION (1946-1967)

En 1946, l'AMLFAN modifie son nom et devient l'Association des médecins de langue française du Canada. Elle procède aussi à la transformation de sa charte et de ses règlements. En créant divers comités, l'Association est désormais active 12 mois par année et s'engage plus que jamais dans les grandes questions d'ordre professionnel et scientifique. Elle multiplie de plus les contacts avec les autres partenaires du réseau de la santé. Enfin, elle instaure la remise de prix visant à récompenser certains de ses membres.

Un nouveau nom pour l'Association

À cause de son nom, qui lui donne un caractère international, l'AMLFAN a été tenue à l'écart des discussions sur l'assurance santé par le gouvernement fédéral.

Durant la Seconde Guerre mondiale, l'AMLFAN a demandé d'être représentée lors des discussions sur l'assurance-santé. À cause de son nom, qui lui donnait un caractère international, elle a été délibérément laissée de côté par le gouvernement d'Ottawa. C'est donc en vue d'obtenir la reconnaissance du gouvernement canadien que, à la suggestion de son directeur général, le Dr R.-Eugène Valin, l'AMLFAN décide de changer son nom en celui d'Association des médecins de langue française du Canada (AMLFC).

Le 15 janvier 1944, la direction de l'AMLFAN adopte la résolution suivante :

> Attendu que le nom de l'Association des Médecins de langue française de l'Amérique du Nord est un obstacle dans la discussion avec les organismes provinciaux et fédéraux sur les problèmes qui intéressent à bon droit les médecins de langue française ;
>
> Attendu que rien, dans l'esprit des fondateurs, ne s'oppose à un tel changement ;
>
> Il est donc résolu que le Comité Exécutif fasse amender la Charte et que, dorénavant, notre Association porte le nom de l'Association des Médecins de Langue française du Canada[1].

1. *Procès-verbal du Conseil général tenu le jeudi 25 octobre 1945.*

Malgré le changement de nom, les médecins de langue française des États-Unis restent bienvenus dans les congrès de l'AMLFAN.

Une consultation est organisée auprès des membres, et la majorité se prononce en faveur du changement de nom. Celui-ci deviendra effectif à l'Assemblée annuelle des membres, lors du congrès de juin 1946 à Québec.

Malgré le changement de nom, toutefois, les médecins de langue française des États-Unis restent bienvenus dans les congrès de l'AMLFC et peuvent toujours être membres de celle-ci à titre individuel. Inversement, l'AMLFC déléguera constamment des délégués et des conférenciers à la réunion annuelle de l'Association médicale franco-américaine[2].

La restructuration de l'AMLFC

Depuis 1924, l'Association a été régie par la Loi des compagnies. Le 28 mars 1947, le gouvernement provincial sanctionne, par un projet de loi privé, la charte de la nouvelle AMLFC. Les devoirs et prérogatives du Conseil général de l'Association se voient ainsi confirmés[3].

Dans les années 1950, un comité spécial est formé dans le but d'étudier la constitution de l'AMLFC. Il est composé des Drs Donatien Marion, René Duberger, Sylvio Leblond, Arthur Powers et Eugène Thibault. En 1957, le Conseil de l'Association prend connaissance de projets d'amendements à sa charte et à ses règlements.

Les lettres patentes de l'AMLFC, amendées en 1959, indiquent que les buts principaux de l'AMLFC sont :

a) de rallier sur un terrain commun, culturel, scientifique et professionnel, les médecins de langue française du Canada ;
b) d'organiser des congrès ;
c) de publier des revues et périodiques médicaux et scientifiques ;
d) de sauvegarder par les moyens légaux à sa disposition les intérêts professionnels de ses membres ;
e) d'encourager, maintenir ou établir d'autres œuvres analogues ;

2. Smith, « Vie de l'Association des médecins de langue française du Canada », *UMC*, 92, 10, octobre 1963, p. 1085.
3. Trudel, « Allocutions prononcées au cours du XIXe congrès de l'A.M.L.F.C. », *UMC*, 77, 11, novembre 1948, p. 1341.

f) d'orienter ses membres dans le perfectionnement de leurs études à l'étranger;
g) d'entretenir des relations avec les autorités civiles et les médecins de langue française de l'étranger[4].

L'AMLFC est maintenant administrée par un Conseil général formé des anciens directeurs généraux, des anciens présidents de congrès et d'au maximum 60 membres.

L'AMLFC est maintenant administrée par un Conseil général formé des anciens directeurs généraux, des anciens présidents de congrès et d'au maximum 60 autres membres. Le Conseil se réunit deux fois par année[5].

En 1964, on discute de l'intégration des étudiants de médecine et de la possibilité d'une cotisation annuelle réduite pour les couples médecins. Selon un amendement aux règlements de l'AMLFC, adopté à la réunion du Conseil du 15 mai 1965, «les membres étudiants sont les élèves des facultés de médecine, qui, après en avoir fait la demande et payé la cotisation fixée par le Conseil, sont inscrits sur la liste officielle de l'Association[6]».

En 1946, le Dr R.-Eugène Valin abandonne son poste de directeur général. En guise de remerciement de ses onze années de services à l'Association, il est invité à siéger au Conseil à titre de directeur général honoraire. Au même moment, le Dr Donatien Marion, qui projetait de quitter le poste de secrétaire-trésorier général qu'il occupait depuis 18 ans, accepte de remplacer le Dr Valin à titre de directeur général. Il occupera ce poste pendant quatre ans. Son successeur en 1950, le Dr Émile Blain, sera membre de la délégation canadienne à l'Organisation mondiale de la santé en 1956.

Au poste de secrétaire-trésorier général, le successeur du Dr Marion est le Dr Hermille Trudel. Il occupera ce poste jusqu'en 1959, puis sera remplacé par le Dr Rolland Blais. Celui-ci a été précédemment, de 1952 à 1958, président de l'ABMHPQ, dont le Dr Trudel deviendra vice-président en 1961.

---

4. Blain, «Rapport des activités de l'Association des médecins de langue française du Canada par le directeur général», *UMC*, 96, 1, janvier 1967, p. 8-11 ; 8.
5. *Ibid.*, p. 8.
6. Smith, «Vie de l'Association des médecins de langue française du Canada», *UMC*, 94, 7, juillet 1965, p. 842-844. 843.

Étant donné que le Dr Trudel ne peut être présent tous les jours au siège social de l'Association, un secrétaire adjoint est nommé en 1951 en la personne du Dr B.-Guy Bégin[7]. En 1959, ce dernier sera remplacé par le Dr Raymond Caron. La même année, le Dr André Leduc sera nommé adjoint au directeur général.

Le directeur général, le secrétaire-trésorier et leurs adjoints reçoivent des honoraires fixés par le Conseil général.

Le directeur général et le secrétaire-trésorier général sont présents au siège social tous les matins, sauf les samedis et les jours fériés, et sont aussi membres de tous les comités de l'AMLFC. Une fois par semaine, ils se réunissent avec leurs adjoints pour expédier les affaires de routine et étudier les problèmes de l'heure. Tous les quatre reçoivent des honoraires qui sont fixés par le Conseil[8].

Le directeur général et le secrétaire-trésorier sont tous deux élus pour une période de quatre ans, alors que leurs adjoints le sont pour deux ans. Tous quatre siègent au bureau de direction de l'AMLFC, en compagnie de cinq autres membres élus par le Conseil général. Le bureau de direction se réunit au moins tous les deux mois.

Les Drs Blain, Blais, Leduc et Caron seront en fonction jusqu'en 1968. Après l'adoption cette année-là d'une nouvelle charte, les postes de directeur général et de secrétaire-trésorier général seront abolis et remplacés par ceux de directeur et secrétaire administratifs.

Depuis 1930, le siège social de l'Association et de *L'Union Médicale du Canada* était le 326, boulevard Saint-Joseph Est à Montréal. En 1957, le Conseil général juge que l'AMLFC a besoin de locaux plus spacieux. En 1961, les membres du bureau de direction de l'AMLFC sont autorisés à partager avec *L'UMC* un étage d'un nouvel édifice situé au 5064, avenue du Parc. Les deux organismes y emménagent le 1er mai 1962. Le bail, d'une durée de cinq ans, sera renouvelé en 1967. On ajoutera alors quatre pièces à celles déjà occupées.

La constitution de comités

À sa relance, après la Seconde Guerre mondiale, l'AMLFC se dote progressivement de comités qui lui permettent d'être active en permanence.

7. *Procès-verbal du comité exécutif tenu le 27 janvier 1951.*
8. *Ibid.*, p. 8.

Ainsi, afin de pouvoir s'attarder en profondeur aux questions d'intérêt professionnel, un Comité d'économie médicale a été fondé en 1943. En plus des Drs Marion et Trudel, le CEM est composé, en 1948, des Drs Richard Gaudet, Roma Amyot, Eugène Gaulin, J.-Avila Denoncourt et Charles-Auguste Gauthier. Tous ces médecins siègent également au bureau de direction de *L'UMC*. Longtemps présidé par le Dr Amyot, le CEM compte dans ses rangs des représentants de toutes les régions et des différentes catégories de médecins. En 1950, afin d'être plus représentatif de la profession médicale, le Comité accueille trois médecins qui ne pratiquent pas dans le milieu hospitalier et ne sont pas des spécialistes. Dans les années suivantes, d'autres médecins s'ajoutent, dont les Drs Roland Décarie et Eugène Thibault, alors présidents de l'Association des bureaux médicaux des hôpitaux de la province de Québec (ABMHPQ) et de la Fédération des sociétés médicales de la province de Québec (FSMPQ), Pierre Jobin, de Québec, Jean-Marie Laframboise, d'Ottawa, et Jean Mercille, de Montréal.

Actif douze mois par année, le Comité d'économie médicale deviendra le véritable cerveau de l'Association.

Actif douze mois par année, le CEM deviendra le véritable cerveau de l'Association. Il présentera chaque année un sujet d'étude et des vœux à formuler lors de chaque congrès. Il collaborera également avec le CMCPQ, l'ABMHPQ et la FSMPQ en vue d'élaborer des positions communes. Ces trois associations compteront d'ailleurs toujours des délégués au sein du CEM[9].

En 1948, un Comité des relations médicales franco-canadiennes est créé grâce à l'action conjointe des Drs Donatien Marion et Raoul Kourilsky à Paris. Le CRMFC a pour but principal de diriger les médecins canadiens-français intéressés à se spécialiser en Europe vers le centre le plus approprié à la discipline choisie[10].

Par ailleurs, pour s'occuper des problèmes qui concernent une province ou des régions particulières du pays, le CEM propose, en 1953, la création de comités provinciaux.

Le Comité provincial du Québec est présidé en 1953 par le Dr Roland Décarie, de Montréal. Le Dr Pierre Turgeon en est le secrétaire, tandis que la vice-présidence est assurée par le Dr Pierre Jobin, de Québec. En 1961, le Dr Jacques Léger assurera la présidence du Comité procincial du Québec.

---

9. Les activités du Comité d'économie médicale seront présentées au chapitre 25.
10. Au chapitre 26, nous décrirons plus à fond les activités du CRMFC, ainsi que la question des relations avec la France.

Au début de 1954, des comités sont en voie de formation dans d'autres provinces[11]. Le Dr Horace Viau, d'Ottawa, préside le comité ontarien, alors qu'un médecin d'Edmonton, le Dr Louis-Philippe Mousseau, est nommé président du comité des provinces de l'Ouest canadien. Au cours de l'année 1955, le Dr Georges Dumont, de Campbellton au Nouveau-Brunswick, est élu président du nouveau Comité provincial de l'AMLFC des Maritimes. Au début des années 1960, le Nouveau-Brunswick et la Nouvelle-Écosse auront chacun leur comité provincial. Alors que celui du Nouveau-Brunswick sera présidé par le Dr Dumont, celui de la Nouvelle-Écosse aura à sa tête le Dr Philippe H. Leblanc. À l'issue du congrès de Jasper, en 1955, on approuvera également la constitution d'un Comité provincial en Colombie-Britannique.

Toujours sur proposition du CEM, un comité de liaison est également formé en 1953 avec l'Association médicale canadienne. Les premiers représentants de l'AMLFC à ce comité sont les Drs René Duberger, Albert Jutras et Émile Pelletier[12].

En 1957, sur proposition du Dr Roger Dufresne, le Conseil général de l'AMLFC se prononce en faveur de la mise sur pied d'un organisme permanent voué à l'organisation et à la promotion du travail scientifique.

En 1957, sur proposition du Dr Roger Dufresne, le Conseil général de l'AMLFC se propose en faveur de la mise sur pied d'un organisme permanent voué à l'organisation et à la promotion du travail scientifique. Officiellement créé en 1959, le Comité scientifique regroupe des représentants des diverses facultés de médecine, des membres des diverses sociétés médicales et des médecins qui se consacrent à la recherche. Ses tâches sont d'observer le mouvement médical mondial et les tendances générales des grands congrès internationaux, et de recenser les diverses compétences locales afin de choisir judicieusement le thème de chaque congrès de l'AMLFC. Le Comité scientifique doit aussi assister les responsables locaux des congrès dans le choix de conférenciers.

En 1967, le Comité scientifique formule certaines suggestions concernant l'organisation des congrès. Il recommande ainsi la tenue de cours postuniversitaires à l'intérieur de ceux-ci, dans la mesure où ils n'empiéteront pas sur le programme des séances générales. Il suggère aussi une séance sur les sciences fondamentales, des symposiums débutant par une discussion entre les participants sur un sujet donné, suivie d'une période de questions ou de commentaires de l'auditoire, des déjeuners de groupes d'une

11. *UMC*, 83, 11, novembre 1954, p. 1275-1276 ; 1276.
12. *Ibid.*, p. 1275.

Le Comité scientifique juge que l'on devrait favoriser le plus possible les interventions de l'auditoire dans les congrès.

vingtaine de congressistes intéressés à la même discipline, et autant de communications libres que possible. Le Comité scientifique juge que l'on devrait accorder la préférence aux communications portant sur des sujets qui n'ont pas été traités depuis au moins trois ans. De plus, étant donné que la majorité de l'auditoire est constituée d'omnipraticiens, il souhaite que les rapporteurs insistent surtout sur les indications, le tableau clinique, le pronostic et les résultats, plutôt que sur les aspects techniques. Il faut aussi favoriser le plus possible les interventions de l'auditoire et tenir les congrès de l'AMLFC dans le plus grand nombre de centres possibles, afin d'attirer les omnipraticiens. Enfin, le Comité scientifique juge que trois jours suffisent pour un congrès[13].

Comme les congrès prennent de l'ampleur chaque année, d'autres comités sont formés pour aider les responsables. En 1963, on met en place un Comité d'organisation des congrès qui verra à toutes les questions matérielles et financières. On crée aussi un Comité permanent de publicité[14]. En outre, les responsables des congrès sont désormais élus longtemps d'avance. Ainsi, le Dr Jacques Léger est nommé dès 1963 à la présidence du congrès qui est prévu se dérouler pendant l'exposition universelle de 1967 à Montréal.

Les relations extérieures de l'AMLFC

Dr Pierre Smith

En 1957, l'AMLFC se nomme un directeur des relations extérieures en la personne du Dr Pierre Smith, qui conservera ce poste jusqu'en 1965. Cette année-là, le Dr Antonio Lecours, d'Ottawa, deviendra le nouveau directeur des relations extérieures.

Le directeur des relations extérieures veille à ce que l'AMLFC soit présente lors des activités des différents partenaires du réseau de la santé. Le Dr Smith représente ainsi l'AMLFC au 1er congrès de l'Association des hôpitaux du Québec en mars 1959. Il est également le représentant officiel de l'AMLFC à la réunion annuelle de l'Association des psychiatres de la province de Québec, la même année. Un an auparavant, l'AMLFC a délégué le Dr Camille

13. *Bulletin de l'AMLFC*, 1, 11, décembre 1967 dans *UMC*, 96, 1967, p. 1580.
14. Smith, « Vie de l'Association des médecins de langue française du Canada », *UMC*, 92, 6, juin 1963, p. 629.

Le directeur des relations extérieures veille à ce que l'AMLFC soit présente lors des activités des différents partenaires du réseau de la santé.

Laurin[15]. Le Dr Smith assiste aussi au 1er congrès régional de l'American College of Surgeons, à Montréal, en avril 1959. En mai, il représente l'AMLFC au congrès général de l'Association des hôpitaux catholiques du Canada, qui se déroule à l'Hôtel-Dieu de Montréal. Puis en juin, il est présent au 5e congrès de l'Association canadienne d'hygiène publique, tenu conjointement avec celui de la Société d'hygiène et de médecine préventive.

Le directeur des relations extérieures assiste aussi à deux journées d'études organisées par la division québécoise de la Société canadienne du cancer et accompagne le Dr Blain à la journée médicale de la Société médicale de Montréal. Le Dr Pierre Jobin, vice-président de l'AMLFC en 1959, est pour sa part mandaté pour représenter l'Association à l'assemblée annuelle de la division québécoise de l'Association médicale canadienne à Chicoutimi. En novembre 1959, l'AMLFC est représentée par le Dr Jean-Marie Laframboise au Comité fédéral de la défense civile. L'AMLFC est également représentée par le Dr Émile Blain lors de la 4e assemblée scientifique du Collège de médecine générale du Canada en 1960.

Au début des années 1960, le Dr Raymond Caron, adjoint au secrétaire-trésorier général, représente l'AMLFC au Comité fédéral pour la prévention des accidents de la route. Le Dr André Leduc est le représentant de l'Association au Comité de travail du Service de santé de la protection civile provinciale. Ce service coordonnera les efforts en cas de cataclysmes. L'AMLFC est également représentée depuis plusieurs années à l'Institut national du cancer. À partir de 1962, son représentant est le Dr Maurice Leclair. En 1962, le Dr Smith représente l'AMLFC au 50e anniversaire du Conseil médical du Canada.

En 1963, le Dr Émile Blain représente l'Association à la première conférence sur l'Action sociale et la santé mentale, organisée par la division québécoise de l'Association canadienne pour la santé mentale[16].

Les Drs Raymond Caron et Jacques Léger représentent l'AMLFC à la conférence internationale sur la médecine générale qui a lieu à Montréal du

15. Smith, « Vie de l'Association des médecins de langue française du Canada », *UMC*, 87, 4, avril 1958, p. 392-393 ; p. 393.
16. P. Smith, « Vie de l'Association des médecins de langue française du Canada », *UMC*, 92, 3, mars 1963, p. 302.

30 mars au 2 avril 1964. En 1964 également, le Dr Roger Dufresne est le délégué de l'AMLFC à l'Association des facultés de médecine du Canada. Il est réélu à ce poste en 1965. Pour sa part, le Dr Antonio Lecours est, en 1965, le représentant de l'AMLFC au Comité consultatif fédéral des services de santé d'urgence, un comité qui a été fondé en 1961.

En 1965-1966, l'Association compte des représentants officiels dans une trentaine de comités consultatifs, organismes gouvernementaux ou associations médicales.

En 1965-1966, l'Association compte des représentants officiels dans une trentaine de comités consultatifs, organismes gouvernementaux ou associations médicales[17].

À la fin des années 1950, l'AMLFC et sa division québécoise organisent une tournée des diverses sociétés médicales régionales. De telles tournées permettent à l'AMLFC de faire connaître ses activités aux médecins des régions éloignées. Elles constituent aussi un excellent moyen de prendre le pouls des praticiens sur l'assurance-hospitalisation et l'assurance-santé. Les informations qu'elle reçoit des divers groupements médicaux lui sont utiles en vue des mémoires qu'elle doit présenter à la Commission Hall.

En mars 1960, les Drs Blain et Décarie sont présents au cinquantenaire de la Société médicale de Trois-Rivières. En mai, le Dr Smith se joint à eux pour rencontrer à Québec la Société médicale de Québec, la Société des médecins des hôpitaux universitaires, l'Association de pratique générale de Québec, la Société médicale de Limoilou, la Société médicale de Saint-Sauveur et la Société médicale du faubourg Saint-Jean-Baptiste[18]. Les représentants de l'AMLFC visitent ensuite les Sociétés médicales de Granby, Nicolet-Yamaska et Trois-Rivières. En février 1962, l'Association visite les médecins du Saguenay et du Lac-Saint-Jean.

L'AMLFC se rend aussi dans les facultés de médecine afin de se faire connaître des étudiants. Ainsi, en 1965, le Dr Émile Blain, directeur général de l'Association, parle de l'AMLFC aux étudiants en médecine de l'Université Laval.

17. « Rapport des activités de l'Association des médecins de langue française du Canada par le directeur général », *UMC*, 96, 1, janvier 1967, p. 9-10.
18. Smith, « Vie de l'Association des médecins de langue française du Canada », *UMC*, 89, 6, juin 1960, p. 678.

L'engagement des diverses associations médicales dans les congrès de l'AMLFC

Entre 1946 et 1967, les congrès de l'AMLFC deviennent peu à peu le lieu où se déroulent les assemblées d'autres associations médicales.

Entre 1946 et 1967, les congrès de l'AMLFC deviennent peu à peu le lieu où se déroulent les assemblées d'autres associations médicales. Plusieurs sont des sociétés de spécialistes qui interviennent exclusivement sur l'aspect scientifique de la médecine. Ainsi, dès 1942, la Société d'hygiène et de médecine préventive participait aux congrès de l'AMLFC à Québec et à Montréal. En 1950, cette société qui regroupe tous les médecins hygiénistes, les infirmières hygiénistes et les auxiliaires des services de santé publique de la province, met sur pied un programme d'hygiène publique dans le cadre du 20e congrès à Montréal. La section consacrée à l'oto-rhino-laryngologie, lors du congrès d'Ottawa en 1948, est organisée conjointement par l'AMLFC et la Société canadienne d'ophtalmo-oto-rhino-laryngologie. La Société d'obstétrique de la province de Québec se réunit pendant le congrès de 1951, à Trois-Rivières. La Société de pédiatrie, la Société canadienne-française d'électro-radiologie, l'Association du diabète, le Club de recherches cliniques, l'Association des chirurgiens et plusieurs autres associations médicales spécialisées profiteront par la suite des congrès de l'AMLFC pour tenir leurs assises. Ainsi, en 1959, pas moins de dix sociétés médicales tiennent leur séance pendant le 29e congrès de l'AMLFC.

D'autres sociétés médicales interviennent surtout sur les questions économiques, professionnelles et sociales. Par exemple, c'est à l'intérieur d'un congrès de l'AMLFC qu'a lieu, le 14 juin 1946, l'assemblée de fondation de l'ABMHPQ, premier nom de l'actuelle Association des conseils des médecins, dentistes et pharmaciens du Québec (ACMDPQ). Ce n'est qu'en 1974 que cette association rompra définitivement le cordon ombilical qui la reliait à l'AMLFC, pour tenir ses congrès à des dates différentes[19]. Une autre association médicale qui profitait des congrès de l'AMLFC pour tenir son assemblée annuelle était la Fédération des sociétés médicales de la province de Québec[20] (FSMPQ). Regroupant les médecins des régions, cette association fusionnera en 1960 avec la filiale québécoise de l'AMLFC.

---

19. Desrosiers, Gaumer et Grenier (1996), p. 28-29.
20. La FSMPQ a été fondée en 1922 par les Drs Desrochers et L.-P. Dorval. Elle regroupait les différentes sociétés médicales régionales. Mercier, *UMC*, 71, 6, août 1942, p. 806.

Le Dr Marc Trudel, président du CMCPQ de 1946 à 1962, sera également un dignitaire régulier lors des congrès de l'AMLFC. L'AMC aura toujours un représentant officiel lors des congrès de l'AMLFC et vice-versa.

Plusieurs médecins occuperont alternativement des postes de direction dans l'une ou l'autre de ces associations, ainsi qu'au bureau de direction de *L'UMC*. À titre d'exemple, le premier président de l'ABMHPQ, le Dr Roland Décarie, sera ensuite président de la filiale québécoise de l'AMLFC. Dans les années 1960, le Dr Jacques Léger occupera lui aussi la présidence de l'AMLFC et de l'ACMDPQ. Pour sa part, le Dr Eugène Thibault, longtemps président de la FSMPQ, sera le représentant de l'AMLFC au Comité canadien d'accréditation des hôpitaux de 1954 à 1968.

Plusieurs médecins occuperont alternativement des postes de direction dans l'une ou l'autre des diverses associations médicales.

Les congrès de l'AMLFC représentent donc un lieu privilégié de rassemblement des diverses catégories de médecins : omnipraticiens et spécialistes, praticiens privés et médecins d'hôpitaux, médecins des grands centres et des régions éloignées, professeurs et chercheurs. Le 27 septembre 1950, l'AMLFC tient ainsi une réunion plénière sur le thème de « la santé publique, rôle prépondérant du médecin praticien ». La réunion est sous la présidence d'honneur des Drs Marc Trudel, Eugène Thibault et Roland Décarie, présidents respectifs du CMCPQ, de la FSMPQ et de l'ABMHPQ. Selon le secrétaire-trésorier de l'époque, le Dr Hermille Trudel, « l'Association est heureuse de recevoir la collaboration de ces trois organismes afin d'établir l'unité dans nos moyens d'action[21] ».

Les liens avec l'AMLFC, l'ABMHPQ et la FSMPQ s'expriment, durant les années 1940 et 1950, par la production de mémoires communs sur les grandes questions qui concernent la profession médicale, telle l'assurance-santé.

Les relations particulières entre l'AMLFC et *L'UMC*

L'AMLFC est également représentée au sein du bureau de direction de *L'UMC*. Une rubrique mensuelle permanente du périodique est d'ailleurs consacrée à « la vie de l'Association » à partir de 1958.

21. *UMC*, 79, 12, décembre 1950, p. 1469.

Le sigle de l'AMLFC disparaît au même moment de la page frontispice de L'UMC. le Bulletin de l'AMLFC, *d'allure journalistique, est composé de courts articles et de communiqués rédigés sur trois colonnes.*

En décembre 1965, cependant, les bureaux de direction de l'AMLFC et de *L'UMC* se réunissent au sujet d'un nouveau projet d'entente entre les deux organisations. Il existe en effet une certaine ambiguïté entre la publication et l'Association. Les deux organisations possèdent des chartes distinctes et un bureau de direction propre. Or, à cause de son identification avec l'AMLFC, *L'UMC* doit payer des tarifs postaux supplémentaires. Le Dr Robert Lachance, membre du Comité de publicité de l'AMLFC, prépare en 1967 un mémoire sur les possibilités publicitaires de l'Association. Il suggère trois possibilités: la fondation d'une nouvelle revue, l'envoi d'une feuille de nouvelles intermittente, la publication d'un bulletin en collaboration avec *L'UMC*[22]. La troisième suggestion est finalement retenue, et le premier numéro est publié en février 1967. Le sigle de l'AMLFC disparaît au même moment de la page frontispice de *L'UMC*. Le *Bulletin de l'AMLFC* d'allure journalistique, est composé de courts articles et de communiqués rédigés sur trois colonnes. À partir de mai 1968, le *Bulletin* adopte une teinte bleutée, afin de mieux le distinguer des pages de *L'UMC*.

Les prix de l'AMLFC

En 1960, l'AMLFC commence à attribuer annuellement des prix aux finissants en médecine des universités francophones de Québec et de Montréal ayant obtenu la meilleure note dans l'ensemble de leurs examens. Les deux premiers bénéficiaires sont les Drs Fernand Ladouceur de l'Université de Montréal et Harry Grantham de l'Université Laval. L'année suivante, un prix similaire est remis au meilleur étudiant de la Faculté de médecine de l'Université d'Ottawa, le Dr André Lafrance.

Dr J.-Avila Vidal

Après la Seconde Guerre mondiale, on avait coutume de rendre hommage aux médecins organisateurs des congrès antérieurs. En 1964, un hommage particulier est rendu au Dr Ernest Couture d'Ottawa pour l'ensemble de sa carrière. Lors du congrès suivant, à Ottawa, le Dr J.-Avila Vidal reçoit une plaque honorifique de l'Association pour son travail passé à l'AMLFC et à *L'UMC*. Ce que l'on appelle alors « l'écusson d'honneur » a pour but de rendre hommage à un membre dont «la carrière professionnelle, les services signalés et la fidélité à l'Association n'auraient pas d'autre occasion d'être

22. *Bulletin de l'AMLFC*, 1, 2, mars 1967, dans *UMC*, 96, 3, 1967, p. 327.

reconnus officiellement[23] ». L'écusson d'honneur est donc un peu l'ancêtre de la Médaille du mérite et des Médecins de cœur et d'action. Il sera décerné tous les deux ans jusqu'en 1977, alternativement avec le prix d'excellence inauguré en 1970.

À partir de 1966, l'AMLFC décerne un prix spécial pour le meilleur travail inédit de recherche fondamentale ou clinique.

En plus, l'AMLFC décerne à partir de 1966 un prix spécial pour le meilleur travail inédit de recherche fondamentale ou clinique. D'un montant de 500 $, ce prix a été suggéré par le Dr Wilfrid Caron, président du congrès de 1966[24]. Les travaux, qui doivent être rédigés en français, sont soumis à un jury formé par les membres du Comité scientifique. Le candidat à ce prix doit obligatoirement être membre de l'AMLFC. Le premier lauréat du Prix de la recherche est le Dr René Boyer, membre du Service de chirurgie de l'Hôpital Saint-Joseph, de Trois-Rivières. Ses recherches ont porté sur « les effets de la vogotomie sur la sécrétion gastrique stimulée par l'histamine[25] ».

Drs Wilfrid Caron
et Antonio Lecours

Entre 1946 et 1967, l'Association fit preuve d'une vivacité débordante. Elle se dota d'une structure dynamique qui lui permit d'être active à l'année longue. Elle commença en outre à récompenser certains de ses membres les plus méritants. De plus, elle était en contact constant avec les autres organisations médicales et officiellement représentée dans plusieurs comités gouvernementaux. Durant cette période, l'AMLFC rédigera d'importants mémoires par l'entremise de son Comité d'économie médicale. Ce sera le sujet de notre prochain chapitre.

23. *UMC*, 102, 11, novembre 1973, p. 2230.
24. Smith, « Vie de L'Association des médecins de langue française du Canada », *UMC*, 95, 4, avril 1966, p. 391.
25. *UMC*, 95, 1966, p. 1375.

CHAPITRE 25

LES ACTIVITÉS DU COMITÉ D'ÉCONOMIE MÉDICALE

Après la Seconde Guerre mondiale, l'AMLFC s'occupa de plus en plus des problèmes sociaux et économiques qui concernaient ses membres, par l'entremise de son Comité d'économie médicale. Composé de représentants des diverses catégories de praticiens, le CEM mettra à l'étude les grandes questions auxquelles était confrontée la profession médicale, en vue de présenter des mémoires devant les diverses commissions d'enquête. Le Comité veillera aussi à la rédaction des différents vœux qui seront adoptés lors des divers congrès de l'AMLFC.

L'assurance-santé-hospitalisation

Dès 1944, lors d'une réunion à Toronto, l'AMLFAN avait été la seule association médicale du pays à prendre position sur le projet fédéral d'assurance-santé.

L'assurance-santé et les plans prépayés de soins médicaux et d'hospitalisation furent les premières grandes questions étudiées en profondeur par le CEM. Dès 1944, lors d'une réunion à Toronto, l'AMLFAN avait été la seule association médicale du pays à prendre position sur le projet fédéral d'assurance-santé. Par l'entremise de son directeur général, le Dr Valin, l'AMLFAN signalait que dans l'éventualité où l'assurance-santé devenait une réalité, son fonctionnement devrait être sous le contrôle des provinces, tel que le stipulait l'Acte de l'Amérique du Nord britannique. L'octroi fourni aux provinces par le gouvernement fédéral devrait par ailleurs être proportionnel à la population de chacune. En outre, l'AMLFAN proposait que l'assurance-santé ne s'applique pas à toute la population mais seulement aux classes de la société qui ne pouvaient s'offrir des assurances privées. Elle se demandait de plus si, « au point de vue économique, l'organisation élaborée d'un système d'assurance-santé ne serait-ce pas un fardeau financier trop lourd à supporter[1] ».

Cette position était également celle du Dr Marc Trudel, alors président du CMCPQ, et d'une forte majorité de membres de la profession médicale québécoise. Les médecins québécois s'opposaient à une médecine d'État et

1. « Allocution du Dr D. Marion », *UMC*, 77, 11, novembre 1948, p. 1344-1347 ; 1347.

accordaient à ce dernier seulement un rôle supplétif. La profession médicale défendait également l'autonomie provinciale.

En 1951, le CEM présente le résultat de ses études sur l'assurance-maladie lors du congrès de Trois-Rivières. On ne vise pas alors à rendre l'assurance-maladie obligatoire, mais on propose plutôt des normes à respecter pour les différentes sociétés d'assurance-hospitalisation[2]. Le mémoire du CEM a été porté à la connaissance du premier ministre du Canada, du ministre fédéral de la Santé et de ses homologues provinciaux, des collèges de médecins de chaque province, des facultés de médecine de tout le pays, de l'Association médicale canadienne, de l'ABMHPQ et de la FSMPQ.

Au même moment, l'AMLFC rédige un factum sur les laboratoires de diagnostic. L'Association est en faveur de l'accessibilité à tous les patients des examens complémentaires de laboratoire et de radiologie, dans le but de faciliter la prévention, le diagnostic et le traitement. En 1952, le CEM suggère que les actes du diagnostic et du traitement demeurent les tâches et privilèges du médecin traitant.

En 1955, le Conseil général se prononce pour la formation d'un Comité d'assurance-santé qui collaborera avec l'Association médicale canadienne pour présenter un front uni en cas de consultations auprès des autorités gouvernementales. Les représentants de l'AMLFC à ce comité mixte sont les Drs Pierre Jobin et Jules-E. Dorion, de Québec, ainsi que le Dr Rolland Blais, de Montréal, qui est également président de l'ABMHPQ[3].

Dans le rapport qu'elle présente au premier ministre Lesage, l'AMLFC préconise la formation d'un comité supérieur de la santé, qui jouerait un rôle consultatif auprès du Ministère.

En 1960, le gouvernement libéral de Jean Lesage crée une Commission sur l'assurance-hospitalisation pour étudier cette question avant de légiférer. Dans le rapport qu'elle présente au premier ministre Lesage, l'AMLFC préconise la formation d'un comité supérieur de la santé, qui jouerait un rôle consultatif auprès du Ministère. Les buts de ce comité sont présentés dans un mémoire rédigé par la filiale québécoise de l'AMLFC. Une vingtaine de médecins de Québec et de Montréal assistent à la présentation de ce mémoire, qui est lu par le Dr Roland Décarie.

2. *UMC*, 80, 11, novembre 1951, p. 1275.
3. Blain, « L'Association des médecins de langue française du Canada et ses activités », *UMC*, 85, 5, mai 1956, p. 495-498; 495.

D'après l'AMLFC, il semble « que l'institution d'un plan d'assurance-hospitalisation et de services diagnostiques dans le Québec rencontrerait l'approbation d'une majorité de la population et l'assentiment du plus grand nombre de médecins[4] ». L'Association exige toutefois que l'assurance-hospitalisation soit administrée par une commission provinciale, afin de respecter la constitution canadienne. Les hôpitaux doivent en outre être suffisamment nombreux et outillés pour répondre adéquatement à la demande. Chaque hôpital doit également disposer d'un personnel médical et paramédical qualifié. Chaque acte médical effectué dans la recherche d'un diagnostic doit être rémunéré. De plus, le médecin doit conserver la liberté d'exercice lui permettant d'établir le diagnostic. Enfin, rien ne doit entraver la relation directe et confidentielle entre le médecin et le malade.

L'AMLFC demande aussi que la profession médicale québécoise soit représentée dans tous les comités ou commissions chargés de dresser l'inventaire du système hospitalier ou d'appliquer un plan d'assurance-hospitalisation.

L'assurance-hospitalisation va bouleverser les habitudes de travail des médecins, qui se demandent ce qu'il adviendra de la médecine et de la recherche clinique dans les hôpitaux.

Le régime québécois d'assurance-hospitalisation est finalement adopté en décembre 1959 par l'Assemblée nationale. L'assurance-hospitalisation va bouleverser les anciennes habitudes de travail des médecins, qui se demandent ce qu'il adviendra de la médecine et de la recherche clinique dans les hôpitaux. Comme l'indiquera, en 1960, le Dr Jean-Marc Bordereau, « jusqu'ici, l'enseignement de la médecine relevait d'une entente tacite entre le malade et le médecin : l'un donnait ses soins gratuitement et l'autre en échange acceptait de participer à une démonstration[5] ». Il n'est pas sûr que les nouveaux patients hospitalisés accepteront cette entente. Les médecins sont en outre effrayés par la rapidité avec laquelle est mis en place le nouveau système.

À sa réunion du 9 avril 1960, le CEM s'interroge sur l'effet que l'assurance-hospitalisation exercera sur l'enseignement dans les hôpitaux. À l'issue de son congrès de Windsor en Ontario, la même année, l'AMLFC adopte un vœu en huit points sur ce sujet. Elle espère que l'enseignement de la médecine ne souffrira pas de l'assurance-hospitalisation et suggère une réduction des groupes de stagiaires et l'instauration d'unités d'enseignement clinique

4. Décarie, *UMC*, 79, 3, mars 1960, p. 340-341 ; 341.
5. Bordeleau, « La force de l'évolution », *UMC*, 90, 1, janvier 1961, p. 2-3 ; 3.

dans les hôpitaux universitaires. L'Association propose aussi que la population soit instruite sur les buts des hôpitaux d'enseignement et qu'une entente soit effectuée entre l'hôpital et le patient dans la perspective de l'enseignement clinique.

Par ailleurs, le régime d'assurance-hospitalisation ne prévoit rien concernant la rémunération des médecins. Aussi, au congrès de 1961 à Québec, la filiale québécoise de l'AMLFC :

1. Suggère que sur recommandation du médecin traitant, les examens de laboratoire et de radiologie, pour les patients ambulants, soient intégrés dans le système d'assurance-hospitalisation, tant à l'hôpital qu'au bureau du médecin certifié dans ces disciplines, afin de limiter le plus possible l'hospitalisation ;

2. Appuie le Bureau provincial de médecine dans le plein exercice des pouvoirs qui lui sont reconnus par la loi ;

3. Recommande que l'accréditation des hôpitaux soit provinciale, en regard de l'assurance-hospitalisation ;

4. Réitère le vœu que les médecins radiologistes soient rémunérés à l'acte médical ;

5. Tout en recommandant que l'État puisse être appelé à jouer un rôle supplétif, la filiale du Québec de l'AMLFC croit cependant que, dans l'intérêt de la santé publique, l'étatisation de la médecine doit être écartée, et recommande que les médecins s'appliquent à fournir, par l'intermédiaire de l'assurance médicale privée appropriée, d'excellents services médicaux, à un coût que la population puisse payer[6].

Dans une lettre adressée le 7 juillet 1961 au quotidien La Presse, *le Dr Rolland Blais indique qu'aucun médecin francophone ne siège à la Commission Hall.*

La mise en place du régime d'assurance-hospitalisation n'est que la première étape dans l'instauration d'un régime universel d'assurance-maladie. En 1961, le gouvernement Diefenbaker crée une Commission d'enquête sur les services de santé au Canada. Dans une lettre adressée le 7 juillet 1961 au quotidien *La Presse*, le Dr Rolland Blais indique qu'aucun médecin francophone ne

6. *UMC*, 90, 7, juillet 1961, p. 679.

siège à la Commission Hall (du nom du président de la Commission)[7]. Par la suite, des membres de l'AMLFC assistent régulièrement aux travaux préparatoires de la Commission.

Le 11 avril 1962, le Dr Émile Blain présente, à la Commission Hall, le mémoire de l'AMLFC. Six jours plus tard, le Dr Jacques Léger livre celui de la filiale québécoise de l'Association. L'AMLFC recommande l'élaboration d'un plan qui répond aux conditions suivantes: tous les citoyens d'une province contribueraient et auraient droit à l'ensemble des soins médicaux; l'État provincial paierait au complet la contribution des indigents et en partie celle des petits salariés; le gouvernement fédéral pourrait y participer financièrement; les personnes qui ne voudraient pas se servir de ce plan pourraient avoir recours à des services de médecins privés, moyennant les honoraires appropriés; de même, les médecins qui désireraient travailler exclusivement en clientèle privée pourraient le faire; l'organisme qui régirait le programme serait provincial et indépendant et soustrait à toute ingérence politique; on devrait respecter le principe de la rémunération à l'acte médical pour tous les médecins participants.

L'AMLFC est consciente que le système de santé coûtera très cher, car il nécessitera l'augmentation des subventions à la recherche, l'agrandissement des facultés de médecine ainsi que des primes compensatoires pour les médecins des régions éloignées.

Sur le problème du manque de médecins en régions, qui rend les services de santé inaccessibles dans certaines localités, l'AMLFC considère qu'aux médecins qui consentiront à s'installer hors des grands centres «il faudra vraisemblablement accorder quelque compensation pécuniaire en reconnaissance de leur dévouement et de leur générosité[8]».

L'Association est consciente que le nouveau système coûtera très cher, car il nécessitera l'augmentation des subventions à la recherche, l'agrandissement des facultés de médecine ainsi que des primes compensatoires pour les médecins des régions éloignées. De plus, la médecine préventive devra être incluse dans le plan pour éviter que celui-ci soit boiteux dès le départ.

L'AMLFC juge donc plus sage de procéder par étapes:

> La qualité des soins médicaux repose d'une part sur la confiance du malade en son médecin et, d'autre part, sur les connaissances et la compréhension du

7. Smith, «Vie de l'Association des médecins de langue française du Canada», *UMC*, 90, 9, septembre 1961, p. 920-921; 920.
8. «Mémoire de l'Association des médecins de langue française du Canada à la Commission royale d'enquête sur les services de santé», *UMC*, 91, 5, mai 1962, p. 484- 489; 487.

> dispensateur. Tout nouveau régime qui détruirait cette relation personnelle aboutirait en définitive en une situation paradoxale dans laquelle le malade deviendrait simplement une fiche impersonnelle et numérotée et le médecin un distributeur anonyme, pas autrement féru d'initiative et de stimulant. Et il est à craindre que l'étatisation de la médecine n'en arrive éventuellement à ce résultat indésirable[9].

Devant la Commission Castonguay-Nepveu, l'AMLFC, le CMCPQ et l'ABMHPQ présentent un mémoire conjoint, recommandant une fois de plus que le nouveau régime de santé soit facultatif.

Le gouvernement fédéral adopte en 1966 une loi sur les soins médicaux, selon laquelle chaque province devra mettre sur pied son propre régime d'assurance-maladie. Le gouvernement fédéral participera au financement de ce régime s'il est administré par un organisme gouvernemental, s'il couvre l'ensemble des services et s'il est accessible à tous les résidants[10]. La même année, pour répondre à ces exigences, le gouvernement québécois instaure la Commission d'enquête sur la santé et le bien-être social, mieux connue sous le nom de Commission Castonguay-Nepveu. Devant cette commission, l'AMLFC, le CMCPQ et l'ABMHPQ présentent un mémoire conjoint, recommandant une fois de plus que le nouveau régime soit facultatif. Les raisons invoquées par les trois associations médicales sont les suivantes :

1. Dans le concept d'une société démocratique telle qu'elle existe ici, il faut conserver aux membres de cette société autant de libertés individuelles que possible, y compris celle de subvenir à leurs obligations personnelles de la façon qu'ils préfèrent ;

2. L'établissement d'un régime obligatoire requiert une législation de caractère coercitif qui restreint sans motif valable les libertés fondamentales de chaque citoyen et qui ouvre la porte à une réglementation susceptible de nuire à la qualité des soins médicaux ;

3. Un contrôle trop absolu de l'État sur la distribution des services médicaux comporte les dangers suivants :

   - Danger que les crédits affectés à la santé ne deviennent concurrents, à l'intérieur du budget gouvernemental total, avec les crédits affectés aux autres sphères de l'activité gouvernementale. Il y aurait alors

9. *Ibid*, p. 487.
10. Collin et Béliveau (1994), p. 266.

danger constant que les contractions ou les limitations budgétaires ne se fassent aux dépens du secteur médical;

- Diminution chez le citoyen du sens de ses responsabilités[11].

Le régime qui sera finalement mis en place en 1970 ne répondra pas aux exigences de l'AMLFC et des autres associations médicales québécoises qui, durant les années 1950 et 1960, craignaient l'étatisation de la médecine. Il semble, cependant, que les médecins aient rapidement endossé ce régime, si l'on se fie à l'absence de débats sur le sujet dans les revues médicales durant les années 1970.

Les autres dossiers étudiés par le CEM

Outre l'épineuse question de l'assurance-santé, le CEM se penche sur de nombreux autres dossiers importants.

En 1949, le Comité d'économie médicale cherche à diriger les jeunes médecins vers les régions du Canada qui sont dépourvues de soins médicaux en français. Le Dr Jean-Marie Laframboise dresse aussi une liste de villes et de villages de l'Ontario qui comptent une population francophone importante.

En 1954, le Dr Eugène Thibault est nommé représentant officiel de l'AMLFC à la Commission canadienne de classification des hôpitaux.

En 1951, on discute de la formation d'un organisme canadien chargé de la classification des hôpitaux du pays. L'AMLFC se montre favorable à cette idée. En 1954, le Dr Eugène Thibault est nommé représentant officiel de l'AMLFC à la Commission canadienne de classification des hôpitaux. Il en sera d'ailleurs le président de 1957 à 1959[12].

Auparavant, en 1947, l'AMLFC a approuvé un plan d'ensemble pour la répartition des hôpitaux. Issu de l'Assemblée annuelle de la FSMPQ, ce plan suggère la création, dans les grands centres, d'hôpitaux de base outillés pour tous les diagnostics, recherches et traitements possibles. Dans chaque région, des hôpitaux généraux desserviraient des soins en médecine, en chirurgie et en obstétrique. Enfin, des hôpitaux de districts seraient destinés aux opérations d'urgence, à la médecine courante et à l'obstétrique. Des hôpitaux spéciaux pour les malades chroniques, les convalescents et les

11. Desrosiers, Gaumer et Grenier (1996), p. 68-69.
12. Amyot, « Sur le Conseil d'accréditation des hôpitaux », *UMC*, 88, 3, mars 1959, p. 245-247.

accouchements sont également proposés pour les grands centres. En 1966, près de vingt ans plus tard, ce plan n'est pas encore adopté de façon satisfaisante, puisque l'Association, pour améliorer la situation qui prévaut dans les hôpitaux, suggère à nouveau, à son congrès :

1. une plus grande utilisation des services externes,
2. la construction d'hôpitaux pour les convalescents,
3. des services à domicile plus développés,
4. des hôpitaux plus nombreux pour les malades chroniques[13].

Pour élever le niveau scientifique des médecins des hôpitaux de la province, l'AMLFC émet, en 1949, le vœu « que les hôpitaux généraux adoptent une réglementation uniforme, quant aux conditions requises pour les nominations aux différents postes hospitaliers[14] ».

En 1953, le CEM choisit comme thème de discussion le médecin face à la clientèle. Il propose la création d'un comité de médiation au regard des plaintes que formulent certains patients contre leur médecin. Cette question des plaintes refera surface en janvier 1959.

Le CEM s'oppose également, dans les années 1950 et 1960, à la reconnaissance légale d'une certaine catégorie de « charlatans », les chiropraticiens. En 1963, les Drs Roma Amyot, Albert Jutras et Claude Bertrand présentent d'ailleurs un mémoire de l'AMLFC à la Commission Lacroix sur la chiropratique[15].

Pour les médecins des années 1950, l'étatisation de la médecine est préjudiciable au rapport de confidentialité qui doit exister entre le médecin et son patient.

En 1954, le CEM prend connaissance du résultat de l'enquête de l'Institut de droit comparé de l'Université de Paris sur le secret médical. La même année, cette question est l'objet d'une séance publique lors du congrès de l'AMLFC à Ottawa. Les conférenciers sont le Dr Rolland Blais, alors président de l'ABMHPQ, Léon Loranger, professeur de déontologie à la Faculté de médecine de l'Université d'Ottawa, et le Juge Taschereau de la Cour suprême du Canada[16]. Pour les médecins des années 1950, l'étatisation de la médecine

13. Smith, « Vie de l'Association des médecins de langue française du Canada », *UMC*, 95, 12, décembre 1966, p. 1374-1376 ; 1374.
14. *UMC*, 78, 7, juillet 1949, p. 779.
15. Smith, « Vie de l'Association des médecins de langue française du Canada », *UMC*, 92, 8, août 1963, p. 846.
16. Trudel, « Réflexions sur le XXIVe congrès », *UMC*, 83, 10, octobre 1954, p. 1207-1209 ; 1207.

est préjudiciable au rapport de confidentialité qui doit exister entre le médecin et son patient. La même année, le CEM discute du projet de règlement des bureaux médicaux rédigé par l'ABMHPQ.

La sécurité routière est à l'ordre du jour en 1957. Cette année-là, le congrès de l'AMLFC suggère que les pouvoirs publics portent attention aux épileptiques au volant. Il exprime également le vœu «que tout individu qui, à la conduite d'un véhicule-moteur et en état d'intoxication alcoolique, a été la cause d'accidents répétés sur la voie publique, devrait être soumis à une expertise psychiatrique[17]». Le congrès propose aussi que l'hôpital psychiatrique soit le centre autour duquel graviteront toutes les autres activités psychiatriques de la communauté.

Revenant sur le sujet en janvier 1959, le CEM suggère qu'une campagne soit organisée auprès de ceux qui sont inaptes à la conduite automobile, afin d'éviter les accidents de la route. Lors du congrès, à Montréal, cinq vœux sont adoptés par le Conseil général. Celui-ci suggère d'abord que toute personne qui veut obtenir un permis de conduire pour un véhicule de transport en commun subisse un examen cardiovasculaire. Le congrès propose aussi qu'un rôle soit maintenant dévolu à l'ophtalmologie et à l'otologie dans le domaine de la sécurité routière. Concernant l'alcool au volant, le congrès propose que le taux d'alcoolémie soit fixé à 0,05 et que l'analyse chimique du sang ou de l'haleine soit obligatoire pour tout individu soupçonné de conduire sous l'influence de l'alcool ou de la drogue. Les congressistes recommandent également que les diabétiques qui conduisent aient toujours à portée de la main des biscuits ou autres produits contenant du sucre. Enfin, le congrès propose la formation de comités provinciaux, formés d'internistes, de neurologues, de psychiatres et de psychologues, pour examiner les récidivistes d'accidents routiers[18].

En 1959, le Comité d'économie médicale étudie la question des réclamations et des poursuites intentées contre les médecins dans l'exercice de leur profession.

En 1959 également, le CEM étudie la question des réclamations et des poursuites intentées contre les médecins dans l'exercice de leur profession. Pour se défendre, le médecin doit tout mettre en œuvre pour obtenir un règlement en dehors des cours de justice. Le meilleur moyen est de se protéger par l'entremise d'une compagnie d'assurance intéressée à ce genre d'affaire

17. *UMC*, 86, 11, novembre 1957, p. 1163.
18. *UMC*, 88, 10, octobre 1959, p. 1254-1255.

ou par la participation à une association de médecins organisée dans ce but, comme la Canadian Medical Protective Association[19]. Un comité de médiation patronné par le Collège des médecins pourrait également jouer un rôle semblable[20].

À sa séance du 22 mai 1958, le CEM prend connaissance d'un travail présenté par le Dr André Leduc, alors président de la FSMPQ, sur l'admission de l'omnipraticien à la pratique hospitalière. Le congrès de Saint-André-sur-Mer, en 1958, se prononcera en faveur de l'adoption par les praticiens et les administrateurs d'un plan d'intégration des praticiens généraux à l'hôpital[21]. L'admission des omnipraticiens dans les services hospitaliers sera encore discutée en 1962-1963.

Toujours en 1958, l'AMLFC émet le vœu «que le titulaire des ministères de la Santé soit de préférence un membre de la profession médicale[22]».

La question de la fiscalité pour les médecins et les autres membres des professions libérales reviendra périodiquement à la surface au tournant des années 1950.

Le congrès de 1958 est également favorable à ce que «tout gouvernement provincial percevant un impôt sur le revenu accorde aux médecins et à tous les contribuables travaillant à leur compte des déductions similaires et sur la même base que le gouvernement fédéral[23]». La question de la fiscalité pour les médecins et les autres membres des professions libérales reviendra périodiquement à la surface au tournant des années 1950. En 1963, l'AMLFC forme un comité particulier chargé de préparer un mémoire qui sera soumis à la Commission Carter sur la fiscalité. L'Association signale un chevauchement et un manque de cohérence, dans le domaine de la taxation, qui s'explique par le fait que le contribuable doit payer des taxes à trois organismes différents. Elle suggère que les exemptions soient calculées sur une base qui corresponde au minimum vital et soient révisées de temps à autre selon la fluctuation du coût de la vie. Le médecin qui prouve qu'il a besoin d'une auto pour exercer sa profession devrait pouvoir déduire en totalité les frais d'assurances. Les dépenses d'essence et de pneus pourraient être également déductibles selon un prorata. Étant donné que le revenu du médecin peut varier d'un an à l'autre, l'AMLFC suggère par ailleurs que l'impôt soit

19. Denoncourt, «Les réclamations médico-légales», *UMC*, 88, 4, avril 1959, p. 448-453.
20. «Résolution adoptée par le Comité d'économie médicale de l'A.M.L.F.C. à sa séance du 14 mars 1959 concernant les réclamations médico-légales», *UMC*, 88, 4, avril 1959, p. 375-376.
21. *UMC*, 87, 10, octobre 1958, p. 1124.
22. *Ibid.*, p. 1124.
23. *UMC*, 87, 10, octobre 1958, p. 1124.

calculé selon une moyenne basée sur trois ou quatre périodes de vie. Elle propose aussi que les médecins puissent déduire de leur revenu imposable les primes payées pour la partie de leur assurance-chômage concernant les risques. Pour compenser les pertes de revenus pour l'État, l'AMLFC suggère le recours à des taxes directes plus nombreuses. Il serait bon également que les gouvernements pensent à diminuer leurs dépenses[24].

Le congrès de 1949 se dit en faveur d'une réorganisation du département de médecine industrielle des facultés de médecine.

Plusieurs vœux exprimés lors des congrès de l'AMLFC portent sur une réforme de l'enseignement. Ainsi, en 1949, il est souhaité «que l'on donne plus d'expansion à l'enseignement de la médecine industrielle dans nos universités[25]». Le même congrès se dit en faveur d'une réorganisation du département de médecine industrielle et demande également que «les autorités universitaires du Canada organisent un enseignement médico-social qui répond aux besoins de l'heure[26]». En 1960, le congrès de Windsor favorise un accroissement des cours d'économie médicale (comprenant les intérêts professionnels), aux étudiants, selon les circonstances et les besoins. Le même congrès suggère que «les facultés de médecine expriment au Conseil médical canadien le désir qu'une entente intervienne pour qu'un seul examen combiné serve, auprès des élèves finissants de nos facultés ou écoles canadiennes, aux fins du doctorat et des licences provinciale et fédérale[27]». Déplorant encore, en 1966, que les finissants des facultés de médecine soient obligés de passer deux examens pour obtenir la licence fédérale, l'AMLFC appuie le vœu que «les examens exigés par le Conseil médical du Canada pour l'obtention de la licence fédérale soient passés conjointement avec ceux des universités et des collèges provinciaux[28]».

En 1961, le congrès propose que «les universités canadiennes françaises voient, dans le plus bref délai possible, à la création et à l'organisation de départements de génétique clinique en collaboration avec les Facultés de médecine, de sciences sociales et de sciences[29]».

---

24. Smith, «Vie de l'Association des médecins de langue française du Canada», *UMC*, 92, 10, octobre 1963, p. 1085.
25. *UMC*, 78, 7, juillet 1949, p. 779.
26. *Ibid.*, p. 779.
27. *UMC*, 79, 12, décembre 1960, p. 1569.
28. Lecours, «Vie de l'Association des médecins de langue française du Canada», *UMC*, 95, 12, décembre 1966, p. 1374-1376; 1375.
29. *UMC*, 90, 7, juillet 1961, p. 679.

À la Conférence canadienne sur les effets du tabac sur la santé, à Ottawa en novembre 1963, l'AMLFC présente un mémoire, où elle se dit en faveur de la prophylaxie. L'AMLFC signale qu'il faut montrer que la nocivité de la cigarette réside dans l'inhalation de la fumée. Il serait préférable de fumer la pipe ou le cigare, qui ont une teneur moindre en goudron.

Le congrès de 1965 suggère que les autorités rendent plus salubres les milieux de vie des Canadiens, en s'occupant particulièrement de la pollution de l'air et de l'eau.

Le congrès de 1965, à Ottawa, propose que des moyens soient pris pour faire face à la sérieuse pénurie d'omnipraticiens dans les régions rurales. Il suggère aussi que les autorités rendent plus salubres les milieux de vie des Canadiens, en s'occupant particulièrement de la pollution de l'air et de l'eau.

En 1966, l'AMLFC délègue le Dr Jacques Baillargeon pour présenter aux membres d'un comité de la Chambre des communes un mémoire sur la planification familiale. L'Association se prononce en faveur de l'adoption du projet de loi C-71, qui modifie l'article 150 du Code pénal concernant la contraception[30]. Par cette décriminalisation, la contraception relève cependant exclusivement du domaine de la santé et est donc de juridiction provinciale. L'AMLFC demande par ailleurs que soit maintenue une distinction nette entre les procédés contraceptifs et l'avortement.

La création des fédérations et le domaine de l'AMLFC

À partir de 1946, l'AMLFC, par l'entremise de son CEM, se penchait donc comme jamais auparavant sur de grandes questions d'intérêt professionnel. En 1966, un sondage de l'Association indiquait que ses membres voulaient que l'AMLFC s'occupe encore davantage de questions économiques ou sociales. La création des fédérations médicales, au milieu des années 1960, obligera cependant l'AMLFC et les autres associations médicales à redéfinir leur place comme organismes représentatifs des médecins.

Dans un éditorial en 1968, le Dr Antonio Lecours, directeur des relations extérieures, signalera que le domaine économique est désormais la raison d'être des syndicats médicaux :

30. « Mémoire de l'Association des médecins de langue française du Canada concernant la planification familiale et la limitation des naissances présenté au comité permanent de la santé et du bien-être social », *UMC*, 95, 9, septembre 1966, p. 1069-1071.

> Pour une association comme la nôtre, la tentation est parfois forte de descendre dans l'arène des revendications et de prendre part à la bagarre. Mais les intérêts de chaque groupe sont si divers que même le syndicalisme peut difficilement parler au nom de tous, surtout sur le plan national où l'Association se situe.
>
> Il semble donc difficile, pour le moment, de faire par là l'union de la profession médicale; et si l'Association, cédant aux pressions de groupes particuliers, prenait parti dans ce domaine, elle perdrait du coup la moitié de ses membres de l'opinion contraire[31].

Selon le Dr Lecours, il n'est donc plus possible de rallier les médecins de langue française sur un terrain professionnel commun. L'union des médecins ne peut plus se réaliser que dans les domaines culturels et scientifiques. C'est dans ces domaines que l'AMLFC concentrera toute son activité dans les années à venir.

31. Lecours, « Nos oignons », *Bulletin de l'AMLFC*, 2, 4, mai 1968 dans *UMC*, 97, 5, mai 1968, p. 645.

CHAPITRE 26

LES RELATIONS AVEC LA FRANCE ET LA DÉFENSE DU FRANÇAIS

Le déclenchement de la Seconde Guerre mondiale avait provoqué une rupture des relations entre les médecins francophones des deux mondes. À la fin des années 1940, l'AMLFC renouait cependant les contacts avec les médecins français par l'entremise du Comité des relations médicales franco-canadiennes. Elle organisa aussi, dans les années 1960, deux congrès conjoints avec l'Association des médecins de langue française d'Europe. L'Association s'intéressait également, entre 1946 et 1967, à la promotion des publications médicales de langue française, à la francisation des termes médicaux et à la promotion du bilinguisme et du biculturalisme. Tels seront les sujets de ce chapitre.

Le Comité des relations médicales franco-canadiennes

Le congrès de 1946 est l'occasion de renouer des liens avec les médecins de langue française d'Europe après cinq ans de rupture.

Le congrès de 1946 est l'occasion de renouer des liens avec les médecins de langue française d'Europe après cinq ans de rupture. Une importante délégation française est alors présente. Le plus connu est le Dr Raoul Kourilsky, médecin des hôpitaux de Paris. Cette année-là, lors du passage à Montréal du Dr Louis Justin Besançon, on soulève l'idée d'un comité médical conjoint entre les médecins de la France et ceux du Canada.

En 1948, les Drs Marion et Kourilsky fondent à Paris le Comité des relations médicales franco-canadiennes. En 1950, le Dr Besançon dirige la section française du CRMFC; la section canadienne est présidée par le Dr Émile Blain. Cette dernière se compose également des Drs Donatien Marion, Hermille Trudel, Jean-Marie Laframboise, J.-Avila Denoncourt, Eugène Thibault, Charles-Auguste Gauthier, Pierre Jobin, Jean Audet-Lapointe, Albert Jutras et Armand Frappier[1].

1. *UMC*, 79, 4, avril 1950, p. 370-371.

Le CRMFC a pour principal but de diriger les médecins canadiens-français intéressés à se spécialiser en Europe vers le centre le plus approprié à leur discipline. Outre Paris, le jeune médecin est ainsi dirigé à Bordeaux s'il est intéressé à la neurologie, à Lyon pour la physiologie, l'endocrinologie et la pédiatrie, à Montpellier pour la cardiologie et à Nantes pour l'ophtalmologie. Les médecins n'ont qu'à présenter une copie de leur curriculum vitæ au secrétariat de l'AMLFC pour obtenir de celle-ci une lettre de recommandation.

Les Drs Kourilsky et Besançon obtiennent, en 1949, la constitution d'une commission d'orientation des études des médecins canadiens-français.

Les Drs Kourilsky et Besançon obtiennent, en 1949, la constitution d'une commission d'orientation des études des médecins canadiens-français. Il faudra cependant quelques années pour que le système hospitalier français se réorganise pour satisfaire les exigences du Collège royal des médecins et des chirurgiens du Canada. Après une entente, le 28 juillet 1956, vingt postes de médecins résidents étrangers sont réservés à des médecins canadiens-français[2]. Ces derniers occupent en France des fonctions avec rémunération se comparant à celles des internes de 3e et de 4e année dans les hôpitaux québécois. La Maison Poulenc du Canada offre depuis 1956 des bourses substantielles pour ces résidents étrangers. Des postes d'assistants étrangers, sorte d'auditeurs libres, non rémunérés et sans responsabilité définie, sont également offerts.

Inversement, de jeunes internes français viennent faire des stages dans les hôpitaux québécois. Une entente conclue en 1962 permet ainsi l'échange de résidents entre les hôpitaux affiliés à l'Université Laval et à l'Université de Montréal et le centre hospitalier et universitaire de Bordeaux[3].

Comme le nombre d'étudiants canadiens-français en France augmente constamment, le Conseil de l'AMLFC envisage en 1963 de créer un secrétariat permanent à Paris, en collaboration avec les Facultés de médecine des universités Laval et de Montréal[4]. Ce secrétariat est formé la même année et installe son siège dans les locaux de la délégation générale du Québec à Paris.

Par ailleurs, à partir de 1950, le chef de la délégation française au congrès de l'AMLFC visite les centres provinciaux pour y donner des conférences. À titre

2. « Allocution du docteur Jacques Bousser, délégué de la France », *UMC*, 85, 11, novembre 1956, p. 1291-1293.
3. *UMC*, 91, 8, août 1962, p. 822-823.
4. Smith, « La vie de l'Association des médecins de langue française du Canada », *UMC*, 92, 6, juin 1963, p. 630.

d'exemple, après avoir participé au congrès de Trois-Rivières, le Dr Pierre Hildemand se rend en 1951, à Québec, à Montréal, à Sherbrooke, à Chicoutimi, à Ottawa et à Boston, où il a assisté au congrès de l'Association médicale franco-américaine[5].

En septembre 1957, le professeur Jean Cheynol, de Paris, dépose au siège social de l'AMLFC une série de films médicaux. En 1960, 25 films médicaux en français sont à la disposition des médecins. L'Association dispose également d'un ensemble de productions des laboratoires Poulenc, Vinant et Ciba, qui sont en dépôt permanent au Canada. Les médecins qui désirent emprunter l'un de ces films n'ont qu'à s'adresser au secrétaire adjoint, le Dr Raymond Caron, au siège social de l'AMLFC[6]. En 1966, 17 nouveaux films, en couleurs pour la plupart, sont mis à la disposition des membres de l'Association par l'ambassade française à Ottawa[7].

En 1958, le délégué français au congrès de Saint-André-sur-Mer livre un autre exemple des échanges entre les médecins des deux mondes: le Dr Albert Jutras, de Montréal, a publié un livre de radiologie en France, en collaboration avec le Dr Hermann Fischgold, de Paris[8].

Dans les années 1960, l'AMLFC offre des tarifs avantageux aux médecins qui vont assister aux congrès français de médecine, tels ceux de l'AMLFC (Europe) qui se déroulent tous les deux ans.

Dans les années 1960, l'AMLFC offre des tarifs avantageux aux médecins qui vont assister aux congrès français de médecine, tels ceux de l'AMLF (Europe) qui se déroulent tous les deux ans. En septembre 1965, plus de 200 médecins membres de l'Association participent ainsi au congrès français de médecine à Paris.

Les congrès conjoints de 1961 et de 1967

Le congrès de 1934 a été l'un des moments forts de l'histoire de l'AMLFAN. À la fin des années 1950, le Conseil de l'AMLFC veut répéter l'expérience d'un congrès conjoint avec son association sœur de l'Europe.

Le Dr Albert Lesage a longtemps été représentant du Canada au bureau de direction de l'AMLF (Europe). En 1961, le Canada est représenté par les

5. H. Trudel, «XIIIe congrès de l'Association médicale franco-américaine», *UMC*, 80, 12, décembre 1951, p. 1478-1481.
6. Smith, «Vie de l'Association des médecins de langue française du Canada», *UMC*, 89, 9, septembre 1960, p. 1082.
7. Smith, «Vie de l'Association des médecins de langue française du Canada», *UMC*, 95, 4, avril 1966, p. 391.
8. *UMC*, 87, 12, décembre 1958, p. 1550.

Drs Donatien Marion, Wilbrod Bonin et Jean-Baptiste Jobin. De plus, les Drs Roger Dufresne et Georges-Albert Bergeron sont membres du comité de rédaction du *Bulletin de l'AMLF (Europe)*.

En 1961, l'AMLFC et L'AMLFC (Europe) s'entendent pour la tenue d'un congrès conjoint en deux parties.

En 1961, les deux associations s'entendent pour la tenue d'un congrès en deux parties. Le congrès annuel de l'AMLFC se déroule à Québec en juin. Les congressistes sont ensuite invités à se rendre à Paris en septembre pour la conclusion de ce congrès conjoint. Le Dr Pierre Jobin préside la session de Québec, alors que le Dr Pasteur Vallery-Radot dirigera la session de Paris.

Le comité scientifique dirigé par le Dr Roger Dufresne affronte une situation inusitée : il doit s'organiser pour qu'il n'y ait pas chevauchement des thèmes choisis. Il est finalement décidé que la session de Paris sera consacrée à l'étude de l'artériosclérose, de la réanimation et du rein des diabétiques. Une dizaine de rapporteurs canadiens présenteront des communications sur l'un de ces thèmes à Paris.

Par ailleurs, l'attrait d'une session à l'étranger ne doit pas faire concurrence à la séance qui se déroule dans la Vieille Capitale. Cela incite les membres organisateurs du congrès de Québec à innover sur de nombreux aspects. Dans un premier temps, on assiste à l'utilisation systématique de la télévision en couleurs et des écrans géants pour présenter les différents sujets à l'étude (gastrectomie, goitre et mastédomie). Ces séances de télévision sont sous la responsabilité du Dr Wilfrid Caron, assisté par le Dr Jean Couture. L'utilisation de l'audiovisuel permet un dialogue ininterrompu entre le conférencier et les auditeurs.

La première séance télévisée porte sur la gastrectomie et réunit les Drs André Lambling de Paris, Rocke Robinson de l'Université McGill et deux médecins québécois. Ce panel représente bien la situation de la médecine canadienne-française qui, depuis toujours, tente de se nourrir des influences françaises et anglo-saxonnes. Le président du congrès, le Dr Jobin signale dans son discours de clôture, que

> notre devoir est de vivre en paix, en harmonie, en parallèle avec nos compatriotes. Je dis bien « en parallèle », car s'il fallait par malheur que les deux

grandes races viennent à se fondre en une seule, à se confondre, ce serait au détriment de la civilisation canadienne[9].

Un colloque, sur la génétique, consacré aux maladies familiales des Canadiens français a également beaucoup de répercussion. Les congressistes proposent en effet que des départements de génétique soient créés dans les universités francophones, avec la collaboration des facultés de médecine, de sciences et de sciences sociales. La principale innovation reste cependant les cours de médecine et de chirurgie qui sont alors institués.

Selon le président du congrès de Québec, le Dr Pierre Jobin, «plus de 160 médecins ont pris une part active à cet enseignement devant un auditoire toujours nombreux, parfois trop[10]». C'est sous le signe de l'enseignement qu'a été placé tout le congrès de 1961 à Québec. De plus, la majorité des rapporteurs sont de jeunes médecins.

Dr Paul David

La session de Paris, à l'automne, attire 300 médecins du Canada français. Les Drs Paul David, Louis Lamoureux, Marcel Longtin, Jean Mathieu, Jacques Turcot et Fernand Hudon figurent parmi les rapporteurs du congrès de Paris, qui se déroule quelques jours à peine après l'inauguration de la délégation générale du Québec dans cette ville. Cette séance est une occasion privilégiée de discuter de l'édition de livres médicaux rédigés par des médecins des deux continents.

Le congrès de Paris, quelques jours à peine après l'inauguration de la délégation générale du Québec dans la capitale française, est l'occasion de discuter de la publication de livres rédigés par des médecins des deux continents.

À l'issue du congrès de 1961, le directeur général de l'AMLFC, le Dr Émile Blain, dit espérer que les échanges se poursuivront entre les deux associations. L'année suivante, l'AMLFC lance donc l'idée d'un nouveau congrès international des médecins de langue française à Montréal. Un an plus tard, les médecins canadiens-français qui assistent au congrès de l'AMLF (Europe), à Lyon, discutent du projet avec leurs confrères européens, qui adhèrent aussitôt. Lors du congrès suivant de l'AMLF (Europe), à Paris en 1965, le Dr Blain annonce que l'année 1967 a été retenue pour le congrès international.

Dès 1963, le Dr Jacques Léger est officiellement nommé pour présider le futur congrès international. Devant la lourdeur de la tâche, un président

9. *UMC*, 90, 7, juillet 1961, p. 728.
10. *Ibid.*, p. 728.

conjoint est nommé en 1965, soit le Dr Charles Lépine, lui aussi de Montréal[11]. Un secrétariat local est créé à Paris en vue d'expédier un feuillet publicitaire annonçant le congrès de 1967 aux 53 000 médecins d'expression française qui résident hors du continent nord-américain. Les 6 000 médecins francophones du Canada et des États-Unis sont également contactés. En octobre 1966, les responsables du congrès reçoivent leurs homologues européens, les Drs Paul Milliez et Didier Fritel. Ceux-ci leur annoncent que déjà près de 1 000 demandes d'information, provenant d'Europe, d'Afrique ou du Proche-Orient, ont été reçues au secrétariat de Paris. En avril 1967, on indique que 17 pays d'Afrique et d'Asie ont confirmé la présence de délégués au congrès de Montréal[12].

L'année 1967 marque le centenaire de la Confédération canadienne, mais aussi le centième anniversaire du premier congrès mondial de médecine, qui avait eu lieu en 1867 à Bruxelles.

L'année 1967 marque le centenaire de la Confédération canadienne, mais aussi le centième anniversaire du premier congrès mondial de médecine, qui avait eu lieu en 1867 à Bruxelles[13]. Le congrès se tiendra en même temps que l'exposition universelle de Montréal, dont l'une des attractions les plus fascinantes est un modèle animé du cerveau humain, conçu par le Dr Jules Hardy[14]. Dès 1965, l'AMLFC a été nommée membre du Bureau médical consultatif de l'exposition. Elle est aussi représentée au comité consultation du pavillon thématique « L'Homme et la santé[15] ».

Diverses sociétés internationales se sont intégrées au congrès, tel le 7e congrès du Collège international de podologie, qui se déroule du 25 au 27 septembre à l'intérieur du congrès international. La Société d'endocrinologie, quant à elle, tient ses assises le 26 septembre. L'Association médicale franco-américaine et la Société médicale Antilles-Guyane y tiennent aussi leurs assises annuelles[16]. Enfin, on compte aussi une conférence internationale sur l'enseignement médical.

L'évolution de la pharmacologie, la psychiatrie communautaire, les syndromes du système extra-pyramidal, la nutrition, les maladies par aberrations

11. Lecours, « Vie de l'Association des médecins de langue française du Canada », *UMC*, 95, 1, janvier 1969, p. 5.
12. *Bulletin de l'AMLFC*, 1, 4, avril 1967, dans *UMC*, 96, 5, mai 1967, p. 581.
13. *Bulletin de l'AMLFC*, 1, 2, mars 1967, dans *UMC*, 96, 3, mars 1967, p. 327.
14. *Bulletin de l'AMLFC*, 1, 4, avril 1967, dans *UMC*, 96, 5, mai 1967, p. 583.
15. *Bulletin de l'AMLFC*, 1, 3, avril 1967, dans *UMC*, 96, 5, mai 1967, p. 457.
16. *Bulletin de l'AMLFC*, 1, 4, mai 1967, dans *UMC*, 96, 5, mai 1967, p. 582.

Le congrès de 1967, à Montréal, peut être considéré comme l'apogée de l'Association des médecins de langue française du Canada.

chromosomiques, la médecine aéronautique, l'artériosclérose, les fœtopathies sont les sujets des divers symposiums[17].

Le congrès de 1967, à Montréal, peut être considéré comme l'apogée de l'Association des médecins de langue française du Canada. Durant l'année, 418 nouveaux membres ont adhéré à l'AMLFC. Cette importante augmentation s'explique par l'adhésion de la majorité des nouveaux diplômés en médecine et par le retour de nombreux médecins qui ont déserté l'Association pendant quelques années.

La campagne pour le livre médical français

En raison de la Seconde Guerre mondiale, les facultés de médecine francophones ont été privées de livres de médecine français. La rupture des relations avec la France a provoqué un resserrement des liens avec les États-Unis, et les livres en anglais sont de plus en plus utilisés, ce qui semble avoir entraîné, chez les étudiants en médecine et les internes, une difficulté croissante à s'exprimer correctement dans leur langue maternelle. Ce manque d'aisance se manifeste surtout dans la rédaction d'articles médicaux.

Si l'utilisation massive d'ouvrages de langue anglaise était justifiée durant les années 1940, elle l'est moins dans les années 1960, alors que la question de la survie de la langue française préoccupe de plus en plus la société québécoise.

En 1960-1961, l'AMLFC, par l'intermédiaire de son Comité d'économie médicale, lance une campagne en faveur de l'utilisation du livre médical français. Pendant l'année 1961, la Faculté de médecine de l'Université de Montréal organise une exposition du livre médical de langue française, où l'on peut voir plus de 900 ouvrages et périodiques. Cette exposition est ensuite présentée à Sherbrooke et à Québec. Le congrès de 1961 émet le vœu « que les manuels de médecine imposés ou recommandés aux étudiants des facultés de médecine de langue française soient des ouvrages rédigés en langue française[18] ». Il recommande donc l'usage de manuels écrits par des francophones ou, sinon, des traductions françaises de livres en langue étrangère.

17. *Bulletin de l'AMLFC*, 1, 4, mai 1967 dans *UMC*, 96, 5, mai 1967, p. 580-581.
18. *UMC*, 90, 7, juillet 1961, p. 679.

L'AMLFC privilégie la rédaction de manuels par les professeurs des facultés canadiennes-françaises.

En 1962, la Faculté de médecine de l'Université de Montréal se dote d'une nouvelle bibliothèque. Elle est placée sous la présidence conjointe des Drs Wilbrod Bonin (doyen de la faculté), Jacques Gélinas (président de la Société médicale de Montréal) et Émile Blain, directeur général de l'AMLFC.

Une nouvelle exposition du livre médical français est présentée en 1965 lors du congrès d'Ottawa. Les centaines de livres et de revues feront ensuite l'objet d'une exposition itinérante dans les Facultés de médecine d'Ottawa, Québec, Montréal et Sherbrooke[19]. Ils seront par la suite répartis parmi les différentes bibliothèques médicales.

La francisation des termes médicaux

L'AMLFC entreprend des démarches auprès de l'Office de la langue française pour amorcer un travail d'épuration et d'enrichissement de la terminologie médicale française.

Par ailleurs, l'AMLFC entreprend des démarches auprès de l'Office de la langue française pour amorcer un travail d'épuration et d'enrichissement de la terminologie médicale française.

En 1962, un Comité d'étude des termes de médecine est constitué, au sein de l'Association des omnipraticiens de Montréal, par le Dr Georges Desrosiers, qui en sera le président jusqu'en 1970. L'un de ses plus fidèles collaborateurs sera le Dr Jacques Boulay. L'objectif du Comité d'étude des termes de médecine est de « restaurer la langue et la pensée médicale dans le milieu médical et hospitalier[20] ». Très rapidement, le Comité établit des contacts avec l'Office de la langue française et, en mars 1963, le directeur de l'Office accepte d'en faire partie. Le Comité noue aussi des liens avec l'Association internationale des hôpitaux et avec des organismes français s'occupant de linguistique.

Le 11 mars 1963, le Dr Pierre Smith représente l'AMLFC à une réunion du Comité d'étude des termes de médecine. Le but de cette rencontre est la préparation d'un lexique des principaux termes du langage médico-hospitalier. L'année suivante, l'AMLFC accepte d'assurer le patronage du

19. Smith, « Vie de l'Association des médecins de langue française du Canada », *UMC*, 94, 12, décembre 1965, p. 1589.
20. Boulay, « Le comité d'étude des termes de médecine du Québec », Communication présentée durant la deuxième Biennale de la langue française, Québec, septembre 1967.

comité. Au congrès de 1964, on organise un forum sur la langue médicale, précédé d'une réunion d'information et d'une conférence donnée par un linguiste.

Le Comité d'étude des termes de médecine publie d'abord une série de fiches sur le «nursing». Selon le contexte, ce mot doit être remplacé par les expressions «soins hospitaliers» ou «sciences infirmières». Le Comité se prononce aussi pour le remplacement du terme «bureaux médicaux» par celui de «conseil des médecins».

Plus tard, en 1966, le Comité d'étude des termes de médecine publiera un *Glossaire des termes médico-hospitaliers,* qui sera tiré à plus de 7000 exemplaires et dont l'utilité auprès des médecins et des administrateurs hospitaliers ne s'est jamais démentie depuis[21]. Il est également à l'origine d'un vocabulaire de la langue des assurances sociales et des assemblées délibérantes.

Le Comité d'étude des termes de médecine a fait naître, au cours des années 1960-1970, un intérêt salutaire pour la qualité de la langue utilisée au sein de la profession médicale.

Le Comité d'étude des termes de médecine a fait naître, au cours des années 1960-1970, un intérêt salutaire pour la qualité de la langue utilisée au sein de la profession médicale. Après une dizaine d'années d'inactivité, le Comité d'étude des termes de la médecine du Québec (CETMQ) a été relancé le 24 octobre 2000. Le Dr Serge Quérin dirige ce comité auquel collabore toujours le Dr Jacques Boulay[22]. L'AMLFC et le groupe *L'Actualité Médicale* ont d'ailleurs décerné, en octobre 2000, le Prix des médecins de cœur et d'action (prix spécial) au Dr Boulay pour sa contribution à la promotion du français médical au Québec.

La Commission Laurendeau-Dunton sur le bilinguisme et le biculturalisme

Un comité comprenant les Drs Albert Jutras, Roma Amyot, Édouard Desjardins, André Barbeau et Antonio Lecours présente en 1965, à la demande de l'AMLFC, un mémoire sur le bilinguisme et le biculturalisme. Selon l'Association, pour que le Canada survive, il faut que s'implante au pays «une unité politique et nationale solide en respectant le principe de la dualité de culture et de langue[23]». Les raisons qui militent en faveur du

21. *L'infirmière canadienne*, 8, 6, juin 1966, p. 4.
22. *Bulletin de l'AMLFC*, 34, 4, avril 2001, p. 10.
23. «Mémoire de l'Association des médecins de langue française du Canada sur le bilinguisme et le biculturalisme», *UMC*, 94, 5, mai 1965, p. 552-559 ; 555

bilinguisme et du biculturalisme au Canada prévalent aussi en médecine. Les médecins canadiens-français appliquent une synthèse des écoles française, anglaise et américaine. L'AMLFC demande que les facilités de diffusion du savoir médical soient égales pour les deux langues partout au Canada. Une langue hybride fait perdre son identité et n'a pas sa raison d'être.

L'AMLFC, qui ne veut pas devenir une association bilingue, recommande à tous les médecins canadiens d'adhérer à des sociétés médicales de l'autre langue officielle.

L'AMLFC ne veut pas devenir une association bilingue. Mais elle indique que les facultés de médecine peuvent donner à leurs élèves un minimum de connaissance de la langue seconde, par l'enseignement de l'histoire de la médecine ou par la présentation de films médicaux. Elle recommande à tous les médecins canadiens, anglophones et francophones, d'adhérer à des sociétés médicales de l'autre langue officielle. Les anglophones peuvent ainsi assister à ses congrès et se familiariser avec la langue française. En 1965, le comité local du congrès d'Ottawa-Hull a pensé à utiliser la traduction simultanée en anglais. L'idée est rejetée, car elle représente une entorse à la tradition et à l'esprit de l'Association. Elle priverait aussi les médecins de langue anglaise de l'occasion de se familiariser avec la terminologie française.

L'AMLFC recommande la reconnaissance des droits des deux peuples fondateurs et l'institution obligatoire du bilinguisme dans tous les organismes de juridiction fédérale, plus particulièrement les organismes qui s'occupent de la santé et du bien-être social. L'Association appuie la multiplication des échanges entre médecins, professeurs et conférenciers des deux groupes ethniques[24]. Elle invite à l'adhésion de tous les médecins canadiens à des sociétés médicales de l'autre langue officielle. Elle est en faveur de la reconnaissance officielle d'un hymne et d'un drapeau national canadien et d'une meilleure connaissance pour tous de l'histoire du pays.

Concernant la médecine, elle recommande l'adoption d'un règlement qui oblige à la connaissance des deux langues pour l'obtention d'un diplôme en médecine, et ce, dans toutes les provinces. Elle demande aussi des facilités égales pour la diffusion des livres et des périodiques[25].

L'AMLFC souhaite donc la création d'un climat de libre-échange intellectuel entre les deux groupes ethniques et l'abandon par chacun d'eux des complexes respectifs.

24. *Ibid.*, p. 559.
25. *Ibid.*, p. 559.

CHAPITRE 27

LES CONTRIBUTIONS SCIENTIFIQUES ET CULTURELLES DES CONGRÈS DE L'AMLFC (1946-1967)

À partir de 1946, les congrès de l'AMLFC ont lieu chaque année, sans interruption. L'Association innove également en tenant son activité principale non seulement dans les grands centres universitaires mais aussi dans des chefs-lieux régionaux. Elle décide également de visiter les diverses régions du Canada. Entre 1946 et 1967, l'AMLFC favorisera la formule des forums, des colloques et des symposiums et innovera en offrant dans ses congrès des cours de perfectionnement en médecine et en chirurgie.

Le congrès de la relance: Québec, 1946

L'Association innove en tenant son activité principale non seulement dans les grands centres universitaires mais aussi dans des chefs-lieux régionaux et dans les diverses régions du Canada.

En juin 1946, l'Association reprend ses activités lors d'un congrès, tenu à l'Académie commerciale de Québec, qui regroupe plus de 1 200 participants[1].

À la séance d'ouverture, un doctorat d'honneur est présenté au Dr F.S. Patch, président du Collège royal des médecins et des chirurgiens du Canada. Un diplôme d'honneur est aussi remis aux Drs Albert Lesage, Charles-Nuna de Blois et Albert Jobin[2], trois des derniers fondateurs de l'Association encore vivants.

Le congrès de 1946, présidé par le Dr Charles Vézina, porte surtout sur la médecine sociale et préventive. Les thèmes privilégiés sont l'examen médical périodique, la nutrition et l'habitation. En outre, on retrouve des sections de médecine, de chirurgie, d'hygiène, de phtisiologie, d'anesthésie, de radiologie, de pédiatrie, d'oto-rhino-laryngologie et d'urologie. Un comité scientifique, composé d'un spécialiste de chacune de ces disciplines, a été constitué en vue d'élaborer le programme des diverses sections.

1. «Propos sur le XVIIIe congrès de l'Association des médecins de langue française du Canada», *UMC*, 75, 7, juillet 1946, p. 759-761; 759.
2. Le Dr Albert Jobin a été le père de deux présidents de l'AMLFC, les Drs Jean-Baptiste et Pierre Jobin.

Dans le cadre d'un dîner-causerie, le Dr Wilfrid Leblond livre une conférence sur la compagne du médecin, spécialement à l'intention des conjointes. En plus des expositions scientifiques et de films médicaux, des expositions de peintures et de photographies sont présentées à l'Université Laval, au musée provincial et au Château Frontenac. Le comité des stands scientifiques est présidé par le Dr Georges Manseau de Montréal.

Les congrès régionaux

Alors qu'un congrès national de grande importance a lieu tous les deux ans dans un centre universitaire francophone (Montréal, Québec ou Ottawa), un congrès plus modeste, s'adressant surtout aux praticiens locaux, se déroule dans une ville des autres régions du Québec ou même du Canada.

Pendant toute la période de l'AMLFAN, les congrès avaient lieu tous les deux ans. Après la Seconde Guerre mondiale, l'AMLFC décide de tenir des congrès annuels. De 1946 à 1967, ces événements sont organisés selon un système d'alternance. Alors qu'un congrès national de grande importance a lieu tous les deux ans dans un centre universitaire francophone (Montréal, Québec ou Ottawa), un congrès plus restreint, s'adressant surtout aux praticiens locaux, se déroule dans une ville des autres régions du Québec ou même du Canada.

En 1947, la ville de Sherbrooke est l'hôtesse du premier « congrès régional ». Présidé par le Dr Richard Gaudet, le congrès regroupe 250 médecins, si l'on compte ceux qui assistent exclusivement aux assemblées de la FSMPQ et de l'ABMHPQ, qui se déroulent dans le cadre de l'activité. La section de chirurgie se réunit à l'Hôpital général Saint-Vincent-de-Paul et celle de médecine, à l'Hôtel-Dieu de Sherbrooke. Le sanatorium Saint-François accueille pour sa part les communications en phtisiothérapie[3].

En 1949, l'expérience se répète à Chicoutimi, une ville alors en plein essor. Les congressistes sont reçus par le président du congrès de Chicoutimi, le Dr Edmond Potvin, qui est également, à l'époque, vice-président de l'ABMHPQ. Les séances cliniques se déroulent à l'Hôtel-Dieu Saint-Vallier, dont on vient juste de combler les services manquants. Les épouses visitent Jonquière, Kénogami et les usines de Shipshaw[4].

3. H. Trudel, « Le congrès régional de Sherbrooke », *UMC*, 76, 7, juillet 1947, p. 796-798.
4. H. Trudel, « Le deuxième congrès régional à Chicoutimi », *UMC*, 78, 7, juillet 1949, p. 776-778.

On a pensé un instant à tenir le «21e congrès[5]», en 1951, à Rimouski, mais c'est finalement la ville de Trois-Rivières qui en est l'hôtesse. Il est présidé par le Dr J.-Avila Denoncourt, chirurgien de l'Hôpital Saint-Joseph. Au cours de l'événement, les Drs J.-Avila Vidal et Pierre Smith, président et secrétaire du congrès précédent, reçoivent un parchemin. Cette coutume se répétera dans les congrès suivants.

L'obstétrique, la cardiologie et l'ophtalmo-oto-rhino-laryngologie sont les spécialités auxquelles sont consacrées des séances particulières. Les trois salles du Palais de l'industrie où se déroule le congrès sont pour l'occasion baptisées des noms de Brochu, Normand et de Blois, en l'honneur du fondateur de l'AMLFAN et des présidents des congrès de 1906 et 1940 à Trois-Rivières. Le Dr Joseph Normand, secrétaire du congrès, est d'ailleurs le fils de Louis-Philippe, troisième président de l'AMLFAN[6].

Au congrès de Sherbrooke, en 1953, la Clinique Lahey tient deux stands, l'un sur la pathologie de l'estomac, l'autre sur la pathologie de la rate.

En 1953, les praticiens sont de nouveau invités à Sherbrooke à un congrès présidé par le Dr René Duberger. Les thèmes privilégiés sont le diagnostic et le traitement des principaux cancers, les syndromes hémorragiques et la pathologie de la thyroïde. Un médecin local, le Dr Clovis Dagneau, est responsable de l'exposition scientifique. La Clinique Lahey de Boston tient pour l'occasion deux stands, l'un sur la pathologie de l'estomac, l'autre sur la pathologie de la rate.

Ces congrès régionaux sont l'occasion d'honorer certains doyens de la profession médicale. Les organisateurs du congrès de 1953 ont ainsi dressé une liste des médecins des promotions de 1903 et 1928.

Une tournée pancanadienne

Par la suite, l'AMLFC décide de présenter des congrès dans les diverses régions du Canada. En 1956, c'est à Jasper que se tient le congrès annuel. Pour l'occasion, un convoi particulier de 19 wagons quitte la Gare centrale de Montréal et, après des arrêts à Ottawa et dans d'autres villes du nord de l'Ontario, fait une halte à Winnipeg, où les congressistes sont alors reçus par leurs confrères de Saint-Boniface.

---

5. Les congrès de 1948 et 1950 ont été appelés «19e congrès» et «20e congrès». Ceux de 1947 et de 1949 ont été connus sous le nom de 1er et 2e «congrès régional». En 1972, l'AMLFC comptabilisera les congrès de 1947 et 1949, mais aussi un congrès qui n'a jamais eu lieu, en 1912. Le congrès de 1972 a donc été appelé à tort, «45e congrès», alors qu'il était en fait le 44e. Depuis 1983, la situation a cependant été corrigée. Voir en annexe la liste des congrès de l'AMLFC.
6. H. Trudel, «Éloges méritées», *UMC*, 80, 11, novembre 1951, p. 1273-1277.

Le but du congrès de Jasper est de prouver que l'AMLFC est une organisation vraiment pancanadienne et que la solidarité des médecins de l'est du Canada avec leurs confrères francophones de l'Ouest canadien est bien réelle.

Le congrès de Jasper est présidé par le Dr Louis-Philippe Mousseau, chirurgien en chef de l'Edmonton General Hospital et membre du Bureau des gouverneurs de l'Université de l'Alberta[7]. Le Dr Mousseau rappelle que le but de ce congrès est de prouver que l'AMLFC est une organisation vraiment pancanadienne et que la solidarité des médecins de l'est du Canada avec leurs confrères francophones de l'Ouest canadien est bien réelle.

Le programme scientifique est composé de quatre forums, respectivement sur l'enseignement de la médecine au Canada français, l'arthrite et la cortisone, la cardiologie, et enfin l'insomnie, la fatigue, la céphalée et le vertige. Des communications individuelles sont également présentées. Le forum sur l'enseignement de la médecine a comme panélistes les doyens des Facultés de médecine des Universités Laval, de Montréal et d'Ottawa, soit les Drs Jean-Baptiste Jobin, Wilfrid Bonin et Arthur Richard, ainsi que le Dr Mousseau. Ce dernier souligne que dix des quatorze médecins francophones de la ville d'Edmonton enseignent à l'Université de l'Alberta.

Après le congrès de Jasper, les congressistes traversent en train les Rocheuses pour visiter le lac Louise, Banff et Vancouver, où ils assistent à une réunion à l'Hôpital Saint-Paul, organisée par la Vancouver Medical Association[8].

Après l'Ouest canadien, c'est au tour des Maritimes d'accueillir le congrès de l'AMLFC. Le « congrès de l'Atlantique », en 1958, a lieu au Nouveau-Brunswick, à Saint-André-sur-Mer. L'île Sainte-Croix, où Champlain avait hiverné en 1604, est située à 10 km de ce petit centre touristique[9]. Le congrès est présidé par le Dr Georges L. Dumont de Campbellton. Les thèmes retenus pour les forums sont les stéroïdes, l'ulcère digestif et la pédiatrie.

En 1960, la tournée canadienne se termine par un congrès à Windsor, en Ontario, à proximité de la ville de Détroit. Dès 1958, le Dr Pierre Smith, directeur des relations extérieures de l'AMLFC, s'est rendu dans cette ville pour y rencontrer les membres de la communauté médicale francophone.

7. En 1963, a été inaugurée à Edmonton la Conférence Mousseau. Elle avait pour but de présenter un conférencier d'élite aux étudiants en médecine de l'Université de l'Alberta. Le premier conférencier Mousseau a été le Dr Hans Selye. *UMC*, 92, 12, décembre 1963, p. 1445.
8. Blain, « Jasper », *UMC*, 85, 11, novembre 1956, p. 1233-1236.
9. *UMC*, 87, 4, avril 1958, p. 391.

Les congrès de Jasper, Saint-André-sur-Mer et Windsor auront montré que l'AMLFC était vraiment une association pancanadienne.

Windson est pour la première fois l'hôtesse d'un congrès médical pancanadien. L'alcoolisme, la surdité, l'obstétrique et les régimes d'assurance-maladie prépayés sont l'objet de colloques[10].

Le congrès de Windsor marque la fin d'un cycle. Ce congrès ainsi que ceux de Jasper et Saint-André-sur-Mer, auront été autant d'hommages rendus aux médecins francophones des autres provinces pour leur fidélité à l'AMLFC. Ils auront aussi montré que l'AMLFC était vraiment une association pancanadienne.

Les congrès dans les centres universitaires

Entre 1946 et 1967, la capitale fédérale accueillera trois congrès de l'AMLFC. Celui de 1948 est présidé par le Dr Arthur L. Richard[11]. Deux thèmes sont alors privilégiés : la lutte contre le cancer et les maladies cardiovasculaires. Le symposium sur le cancer est présidé par l'un des derniers fondateurs de l'AMLFAN encore vivants, le Dr Albert Jobin de Québec. Parmi les intervenants se trouve le Dr Louis-Charles Simard. La chirurgie, l'urologie, la pédiatrie, l'oto-rhino-laryngologie, l'anesthésie, la radiologie, l'arthrite, l'orthopédie et la phtisiologie sont toutes l'objet de sections particulières.

Le congrès de 1948 coïncide avec la fondation de la Faculté de médecine de l'Université d'Ottawa, qui profite de l'occasion pour décerner un doctorat *honoris causa* aux Drs Donatien Marion et Charles Vézina. L'ancien directeur-général, le Dr R.-Eugène Valin reçoit pour sa part un insigne d'office pour toutes ses années de services à l'AMLFAN. Lors du banquet de clôture, le ministre fédéral de la Santé et du Bien-être social, Paul Martin, présente le plan de son gouvernement en santé publique. Trente millions de dollars seront accordés aux provinces pour la tenue d'enquêtes sur les services d'hygiène, pour le traitement du cancer, de la tuberculose, des maladies mentales et des maladies vénériennes, ainsi que pour la construction d'hôpitaux[12].

De nouveau, une exposition artistique est organisée lors de ce congrès, et pour la première fois, des prix sont accordés aux meilleurs artistes. Ainsi, les

---

10. Smith, « Le XXXe congrès de l'Association des médecins de langue française du Canada, à Windsor… et ses lendemains », *UMC*, 89, 12, décembre 1960, p. 1567-1568.
11. Deux ans plus tard, le Dr Richard sera nommé doyen de la Faculté de médecine d'Ottawa.
12. « Allocution de l'honorable Paul Martin », *UMC*, 77, 11, novembre 1948, p. 1358-1361.

Drs Oscar Hamel et Gilbert Brisebois, de Montréal, se voient décerner respectivement le premier prix en peinture et en photographie, tandis qu'un médecin de Trois-Rivières, le Dr Joseph Lamoureux, reçoit le même honneur en sculpture.

Ottawa sera ensuite l'hôtesse du congrès de 1954, présidé par le Dr Jean-Marie Laframboise. Le programme scientifique, élaboré par le comité dirigé par le Dr Antonio Lecours, comprend une section sur l'anesthésie et un symposium sur la pathologie pulmonaire. Plus tard, en 1965, le Dr Lecours présidera un autre congrès, dans la capitale fédérale.

Cinq congrès de l'AMLFC auront lieu à Montréal. En 1950, le congrès est présidé par le Dr J.-Avila Vidal, médecin de l'Hôpital Sacré-Cœur, président du Comité consultatif de la tuberculose et directeur des services antituberculeux de la province de Québec. Victime d'un accident, le Dr Vidal a été hospitalisé pendant presque toute l'année précédant le congrès et a dû organiser l'événement de son lit d'hôpital. Les séances plénières portent sur l'emploi et les indications des antibiotiques, la gastro-entérologie, le diagnostic et le traitement de l'arthrite et du rhumatisme, la neurochirurgie, l'obstétrique, et la tuberculose. L'ophtalmo-oto-rhino-laryngologie, l'anesthésie et la radiologie sont les spécialités qui font l'objet de séances particulières.

Le congrès de 1950, à Montréal, marque le cinquantenaire de la convention de Québec où a été lancé le projet de fondation de l'AMLFAN.

Le programme offert aux conjointes est de plus en plus scientifique. Elles sont ainsi invitées à une conférence du Dr Sylvio Leblond sur l'histoire de l'Hôpital de la marine et des émigrants de Québec, à celle du Dr Gérard Hébert sur l'éléphantiasis du membre inférieur, ainsi qu'à celle du Dr Gustave Gingras sur la réhabilitation médicale et sociale du paraplégique[13]. Le congrès de 1950 marque aussi le cinquantenaire de la réunion de Québec où a été lancé le projet de fondation de l'AMLFAN. On profite de l'occasion pour rendre à nouveau hommage aux Drs Albert Jobin et Albert Lesage.

En 1955, le congrès est présidé par le Dr Roma Amyot, chef du Service de neurologie de l'Hôpital Notre-Dame et rédacteur en chef de *L'UMC*. Au cours des quatre années précédentes, le Dr Amyot a été président du Comité d'économie médicale de l'AMLFC. Le prurit ano-vulvaire, les abus de cortisone, d'antibiotiques et d'hormones, ainsi que la pathologie thoracique sont

13. *UMC*, 79, 8, août 1960, p. 871-872.

les grands sujets de discussion du congrès de 1955. Il y a également six symposiums, qui portent sur le goitre, la psychiatrie, la stérilité, l'ictère, l'occlusion et la pédiatrie. Chaque séance scientifique débute par la présentation de films médicaux. Ce congrès est particulièrement axé sur la recherche médicale dans les centres hospitaliers et universitaires. Les Drs Armand Frappier, Antonio Cantero, Paul David, Jean-Marie Delage, Léo Gauvreau, Georges-Albert Bergeron, Jacques Genest, Fernand Grégoire et Pierre Masson présentent l'objet de leurs recherches aux congressistes[14].

Montréal est à nouveau l'hôtesse du congrès de l'AMLFC en 1959. À l'ordre du jour figurent des symposiums sur la prévention des maladies contagieuses, l'urgence en pathologie abdominale, la gériatrie, la médecine psychosomatique et la promotion de la santé. Il y a aussi des colloques en rhumatologie, en cancérologie, en neurologie et en pathologie cardiovasculaire.

En 1962, le congrès est placé « sous le signe de la recherche au Canada français », et sollicite les médecins qui œuvrent dans les laboratoires.

En 1962, le congrès est placé « sous le signe de la recherche au Canada français », et sollicite les médecins qui œuvrent dans les laboratoires. Selon son président, le Dr Édouard Desjardins, ce congrès doit démontrer la symbiose entre la recherche et l'application pratique.

Ce quatrième congrès à Montréal est aussi l'occasion de célébrer le soixantième anniversaire de l'Association. Selon le Dr Édouard Desjardins, les buts des congrès sont demeurés les mêmes depuis 1902 :

> Instruire d'une part, apprendre de l'autre, mettre en relief les progrès accomplis et faire le point sur les découvertes récentes, favoriser le dialogue entre professeur et élève, rappeler le passé pour s'en inspirer, définir les problèmes présents et élargir l'horizon des données futures, susciter les colloques, affirmer la solidarité professionnelle, permettre les contacts personnels et plaire au cœur et à l'esprit[15].

Une ovation est accordée au Dr Henri Duhaime de Chicoutimi, qui a assisté au congrès de fondation de l'AMLFAN, soixante ans auparavant[16].

---

14. F. Archambault, « Le XXVe congrès de l'AMLFC à Montréal du 21 au 24 septembre 1955 », *UMC*, 84, 4, avril 1955, p. 380-381.
15. *UMC*, 91, 7, juillet 1962, p. 717.
16. *UMC*, 92, 1, janvier 1963, p. 123.

Le congrès de 1962 affiche dix colloques sur des sujets les plus divers. Un symposium sur les glandes surrénales regroupe les Drs Hans Selye, André Barbeau, Jacques Brunet, Guy Saucier et de nombreux autres. Parmi les délégués étrangers, nous retrouvons les Drs Jean Hamburger, néphrologue réputé pour ses travaux sur la transplantation rénale, René Dubos, de l'Institut Rockefeller de New York, autorité mondiale en microbiologie, et René Fauvert de Paris, auteur d'importantes recherches sur le foie. À la clôture du congrès, le Dr Desjardins indique que l'étude en profondeur des diverses questions soumises «est la preuve, la meilleure, que nous n'avons pas sous-estimé le quotient de maturité de notre profession[17]».

En 1964, le congrès de l'AMLFC est sous la présidence du Dr Roger Dufresne. Avec son thème «La médecine dans la cité[18]», il fait une large place aux sociologues, aux anthropologues, aux démographes et aux autres spécialistes des sciences humaines et sociales. Les sujets privilégiés sont la démographie du cancer, les médicaments nouveaux, la régulation des naissances et «la sociologie et la médecine».

Outre les congrès de 1946 et de 1961, dont nous avons parlé antérieurement, quatre autres congrès de l'AMLFC ont lieu à Québec entre 1946 et 1967.

Le congrès de 1952 est l'occasion de célébrer le centenaire de la Faculté de médecine de l'Université Laval et le cinquantenaire du premier congrès de l'Association.

Le congrès de 1952 est l'occasion de célébrer le centenaire de la Faculté de médecine de l'Université Laval et le cinquantenaire du premier congrès de l'Association. Dans l'assistance se trouvent d'ailleurs deux des participants de ce congrès de fondation, les Drs Albert Lesage et Charles-Nuna de Blois. La Société d'histoire de la médecine de Québec présente une série de conférences sur la pratique médicale dans les années 1850. Le congrès est présidé par le Dr Jean-Baptiste Jobin, professeur de clinique médicale à l'Hôtel-Dieu de Québec. Deux ans plus tard, le Dr Jobin succédera au Dr Charles Vézina à titre de doyen de la Faculté de médecine de l'Université Laval. Il sera également président du CMCPQ de 1962 à 1966.

Pendant le congrès, l'Université Laval remet un doctorat *honoris causa* aux Drs Charles Vézina, Émile Blain, Marc Trudel et Jean-Baptiste Jobin. Les

17. *UMC*, 92, 1, janvier 1963, p. 123.
18. E. Desjardins, «La médecine au tribunal de la cité», *UMC*, 93, 12, décembre 1964, p. 1472-1473.

principaux sujets du programme scientifique sont la biologie des glandes surrénales, les maladies du thorax et la pathologie vasculaire des membres. Parmi les intervenants au symposium sur les glandes surrénales se trouve le Dr J.B. Collip, qui a collaboré à la découverte de l'insuline[19]. Une séance médico-chirurgicale est consacrée plus particulièrement à l'épilepsie.

En 1957, le congrès se déroule dans le nouvel immeuble de la Faculté de médecine de l'Université Laval à Sainte-Foy. Présidé par le Dr Lucien Larue, surintendant médical de Saint-Michel-Archange, le congrès est consacré surtout à la psychiatrie et à l'alcoolisme. Parmi les intervenants, on retrouve le Dr Pierre Deniker, qui présente «les chimiothérapies en psychiatrie[20]». Le Dr Deniker a collaboré avec Jean Delay lors des premières recherches cliniques sur les neuroleptiques. Des sections sont également prévues pour l'hématologie, les radio-isotopes et la médecine expérimentale, tandis que des symposiums portent sur les antibiotiques et le diabète.

Lors du congrès de 1963, à Québec, une séance complète est consacrée aux problèmes des internes et des résidents d'hôpitaux.

En 1963, toujours à Québec, le thème du congrès est «L'éducation médicale continue[21]». Les organisateurs favorisent la formule du colloque. Le dépistage et le diagnostic du cancer du col utérin, les adénopathies non tumorales, les tumeurs pigmentaires de la peau, les retards de croissance et les problèmes d'identification du sexe, et la médecine morale et l'euthanasie sont parmi les principaux sujets discutés. Une séance complète est consacrée aux problèmes des internes et des résidents d'hôpitaux[22]. Ce congrès marque également l'inauguration de la «Conférence Brochu», en hommage au fondateur de l'AMLFAN. Le premier conférencier est le doyen de la Faculté de médecine de l'Université de Montréal, le Dr Lucien L. Coutu, qui entretient l'auditoire de l'éducation médicale graduée[23].

Québec est enfin l'hôtesse du congrès de 1966. Les algies cranio-faciales, la fibrose kystique, les hernies hiatales, les maladies vénériennes et l'éducation médicale sont les cinq sujets qui font l'objet de symposiums.

19. *UMC*, 81, 11, novembre 1952, p. 1326-1327.
20. *UMC*, 86, 8, août 1957, p. 831.
21. Smith, «La vie de l'Association des médecins de langue française du Canada», *UMC*, 92, 3, mars 1963, p. 302.
22. *UMC*, 92, 10, octobre 1963, p. 1081.
23. «Vie de l'Association des médecins de langue française du Canada», *UMC*, 92, 12, décembre 1963, p. 1371.

Les cours de perfectionnement postuniversitaires lors des congrès

En 1961, l'AMLFC inaugure une série de cours spéciaux de médecine et de chirurgie à l'intérieur de son congrès.

En 1961, l'AMLFC inaugure une série de cours spéciaux de médecine et de chirurgie à l'intérieur de son congrès. Afin de favoriser une dynamique de groupe, le nombre d'inscrits est limité à cinquante.

Lors du congrès de 1961, à Québec, le cours de chirurgie est sous la responsabilité du Dr Jacques Turcot. Les questions choisies sont les vaisseaux périphériques, le foie, les voies biliaires et le pancréas, et les soins pré- et postopératoires. Le Dr Jean-Marie Delage est responsable du cours de médecine consacré aux entérovirus, aux actualités en endocrinologie et aux progrès récents dans les anticoagulants.

Selon le Dr Amyot, ces cours sont une expérience nouvelle et très heureuse.

> Placer une forme d'enseignement médical post-universitaire – même si cette forme est restreinte dans le temps – sous l'égide de l'Association des médecins de langue française du Canada, et de ses congrès, répond à un besoin actuel et cette initiative ne demeurera certainement pas sans lendemain[24].

L'initiative est effectivement reprise dans les congrès subséquents. Ainsi, en 1962, les cours de médecine portent sur la diétothérapie, la thérapeutique neurologique, les œdèmes et la pédiatrie. Ceux de chirurgie sont consacrés au cancer du sein, aux traumatismes du thorax, à l'ulcère peptique et aux risques gériatriques. Selon *L'UMC*, « la discussion avec les rapporteurs, la communion entre l'enseigneur et l'enseigné priment sur le verbalisme des communications magistrales[25] ».

Les cours sont comptés comme six heures d'enseignement par la Fédération des omnipraticiens du Québec et le Collège de médecine générale du Canada.

---

24. Smith, « Vie de l'Association des médecins de langue française du Canada », *UMC*, 90, 7, juillet 1961, p. 676-678 ; 676.
25. *UMC*, 91, 9, septembre 1962, p. 919.

Conclusion de la cinquième partie

La période s'étendant de 1946 à 1967 fut particulièrement glorieuse pour l'Association, désormais connue sous le nom d'AMLFC. Elle intervint plus que jamais dans les discussions concernant l'assurance-santé et les autres grandes questions qui touchaient alors l'enseignement et la pratique de la médecine. Elle renoua contact avec les médecins francophones d'Europe, organisant à deux occasions des congrès conjoints avec eux. Elle s'engagea dans la promotion de la langue française en médecine. Elle prouva qu'elle était véritablement une association pancanadienne en tenant des congrès dans les diverses régions du pays. Enfin, elle fit l'essai de nouvelles formules, comme les cours de perfectionnement, dans ses congrès, pour favoriser la formation scientifique de ses membres.

SIXIÈME PARTIE

Le besoin de s'exprimer (1968-1980)

Après 1967, le Québec et le Canada, comme les autres sociétés occidentales, furent touchés par de nouvelles idéologies qui véhiculaient un changement radical des valeurs (féminisme, pacifisme, écologisme, etc.). C'est aussi à cette époque que l'on commença à reconnaître le talent et la compétence des francophones d'Amérique du Nord sur la scène internationale.

Dans cette sixième partie, nous brosserons d'abord un portrait global des années 1968 à 1980. Le chapitre suivant portera sur l'organisation interne de l'AMLFC. Nous présenterons ensuite les contributions de l'Association dans le domaine de l'enseignement médical continu. Les relations de l'AMLFC avec la francophonie internationale, ainsi que la question de la défense du français médical seront l'objet du chapitre suivant. Enfin, nous décrirons les prises de position de l'AMLFC sur la déontologie médicale.

CHAPITRE 28

LE CONTEXTE GLOBAL

Après 1967, un vaste mouvement de contestation culturelle, sociale et politique touche le Québec et le Canada. Nous assistons à une montée du nationalisme québécois ainsi qu'à l'émergence au pays de nouvelles idéologies prônant un changement radical des valeurs (féminisme, écologisme et pacifisme, marxisme, etc.). Au chapitre de la santé, l'adoption du régime d'assurance-maladie permet l'accès de tous les Québécois à la gratuité des soins. Cependant, les médecins se sentent dépossédés des instances de décision.

La démographie

L'une des principales caractéristiques de l'époque est la chute draconienne du taux de natalité. Ce phénomène se manifeste partout en Occident, mais il a des conséquences importantes pour les francophones d'Amérique du Nord, reconnus jusqu'alors pour leurs familles nombreuses. Après 1970, le nombre d'enfants par foyer au Québec tombe sous la moyenne de 2,1, considérée comme le minimum permettant le renouvellement de la population[1]. Cette chute du taux de natalité ne sera pas sans provoquer des inquiétudes chez les dirigeants politiques face à l'avenir de l'élément francophone en Amérique du Nord.

La chute du taux de natalité ne sera pas sans provoquer des inquiétudes chez les dirigeants politiques face à l'avenir de l'élément francophone en Amérique du Nord.

Dans ce contexte, l'intégration des immigrants au fait francophone devient un enjeu majeur. Or, l'immigration est de plus en plus diversifiée. Avec la décolonisation des années 1960, le pays reçoit maintenant surtout des immigrants venant d'Afrique et d'Asie.

La montée du nationalisme québécois

Sur le plan politique également, le pays est en pleine mutation. Le consensus de la Révolution tranquille s'est brisé. Certains nationalistes veulent un

1. Linteau *et al.*, (1989) p. 434.

État fédéral fort et bilingue. D'autres, de plus en plus nombreux, sont partisans d'un Québec indépendant, une petite minorité étant même prête à recourir au terrorisme pour atteindre ce but.

Plusieurs groupes financiers et industriels canadiens-français prennent une envergure internationale : Power Corporation, Bombardier, SNC-Lavalin, Quebecor, Provigo, La Laurentienne, la Banque Nationale du Canada, etc. De même, plusieurs artistes et écrivains du Canada français se signalent maintenant sur la scène mondiale. Le terme « Canadien français » disparaît progressivement, au profit de « Québécois ».

Bien que les francophones occupent des postes de prestige sur la scène fédérale, particulièrement après l'élection au poste de premier ministre de Pierre Elliot Trudeau, qui prône le bilinguisme et le biculturalisme, les conflits entre Ottawa et les provinces sont exacerbés. Avec l'élection, en 1976, du Parti québécois, le démembrement de la fédération canadienne devient une possibilité.

Un plus grand accès aux études supérieures

Les principales bénéficiaires de la démocratisation de l'enseignement sont les femmes qui, peu à peu, prennent leur place dans des professions jusque-là presque exclusivement masculines.

La création en 1967 des collèges d'enseignement général et professionnel (CÉGEP) provoque la disparition du collège classique et garantit la gratuité et l'accessibilité de tous les étudiants aux études collégiales[2]. Cette plus grande accessibilité entraîne un accroissement considérable des demandes d'admission dans les universités. La création du réseau de l'Université du Québec rend l'enseignement universitaire accessible à Trois-Rivières, à Hull, à Chicoutimi, à Rimouski et à Rouyn-Noranda[3]. Les principales bénéficiaires de cette démocratisation de l'enseignement sont les femmes qui, peu à peu, prennent leur place dans des professions jusque-là presque exclusivement masculines.

L'avènement du féminisme et de nouvelles idéologies radicales

L'avènement de la pilule anticonceptionnelle, au début des années 1960, a donné le coup d'envoi à une véritable révolution sexuelle. Les couples

2. *Ibid.*, p. 667.
3. *Ibid.*, p. 667.

utilisent de plus en plus la contraception, rejetant du coup l'autorité morale de l'Église catholique. Les divorces deviennent plus fréquents, tout comme la cohabitation avant le mariage. Tous ces éléments, jumelés à un accès accru des femmes à l'éducation et au marché du travail, provoqueront en Occident l'apparition du « Mouvement de libération de la femme[4] ». Le mouvement féministe naissant fait de la lutte pour l'avortement libre et gratuit son principal cheval de bataille[5].

La jeunesse issue du baby-boom de l'après-guerre véhicule de nouvelles valeurs. Un mouvement écologiste naissant manifeste contre l'énergie nucléaire et la pollution alors que des pacifistes se mobilisent contre la guerre du Viêt-Nam et manifestent leur solidarité avec certains peuples du Tiers-Monde.

Sur le plan social, les organisations syndicales prennent des positions de plus en plus radicales sur l'influence de divers groupes de gauche (marxistes, anarchistes) qui prolifèrent à ce moment-là. Les travailleurs de l'État se syndicalisent, ce qui entraîne la multiplication des conflits dans les institutions de soins et d'éducation.

La réforme Castonguay

Avec la mise sur pied de l'assurance maladie, en 1971, chaque citoyen a désormais accès aux soins de santé.

Par ailleurs, l'État québécois continue de multiplier ses interventions dans les domaines de la santé et des services sociaux. La création, en 1966, de la Commission Castonguay-Nepveu est le prélude d'une série de réformes audacieuses. Avec la mise sur pied de l'assurance-maladie, en 1971, chaque citoyen a désormais accès aux soins de santé.

Les anciennes unités sanitaires de comté ainsi que les services de santé municipaux disparaissent. À leur place, à partir de 1972, de nouveaux organismes publics de santé voient le jour : les conseils régionaux de la santé et des services sociaux (CRSSS), les départements de santé communautaire (DSC) et les centres locaux de services communautaires (CLSC). Leurs fonctions sont multiples :

4. Desmarais (1999), p. 24-25.
5. Nous développerons ce point dans notre chapitre 32.

> On compte sur ces organismes pour qu'ils développent les ressources communautaires; qu'ils encouragent la population à participer à la définition de ses besoins sanitaires et à la résolution des problèmes soulevés; qu'ils obtiennent la collaboration de tous les intervenants, et ce, dans une perspective de complémentarité des compétences; qu'ils sensibilisent les médecins à une approche «globale» de la personne, intégrant les préoccupations curatives et préventives aussi bien que sociales et sanitaires, et qu'ils leur fournissent des lieux d'interaction avec les travailleurs sociaux et les organismes communautaires; qu'ils assurent la réalisation de l'un des principaux objectifs de la réforme, soit le passage à une médecine axée sur la prévention plutôt que sur le traitement curatif[6].

Le réseau hospitalier connaît également d'importantes transformations durant cette époque. La direction des centres hospitaliers publics doit maintenant se conformer à des règles fixées par le ministère de la Santé, dont l'autorisation est nécessaire pour mettre sur pied de nouveaux services[7].

Les objectifs de la réforme Castonguay sont nobles, mais la structure mise en place pour les appliquer est très lourde.

Les objectifs de la réforme sont nobles, mais la structure mise en place pour les appliquer est très lourde. Les médecins se sentent dépossédés du pouvoir de décision au profit d'une nouvelle couche de professionnels, les technocrates. La réforme modifie en effet de manière radicale les conditions d'exercice de la médecine. À titre d'exemple, au début, les médecins qui exercent dans les CLSC sont salariés et soumis aux mêmes conventions collectives que les autres professionnels. Il faudra attendre 1977 pour que ces médecins soient rémunérés comme leurs confrères par la Régie de l'assurance-maladie[8].

Après la fondation de la Fédération des médecins omnipraticiens du Québec (FMOQ) et de la Fédération des médecins spécialistes du Québec (FMSQ), les associations médicales préexistantes doivent redéfinir leur position pour survivre, tout en répondant aux nouveaux défis. La promotion de la culture scientifique et générale des médecins deviendra le principal champ d'intervention de l'AMLFC.

6. Guérard (1996), p. 84.
7. *Ibid.*, p. 85.
8. Desrosiers, Gaumer et Grenier (1996), p. 94-95.

CHAPITRE 29

L'ORGANISATION INTERNE

En 1968, l'AMLFC se dote d'une nouvelle structure, en adoptant une nouvelle charte et de nouveaux règlements. La direction de l'Association est maintenant confiée à un conseil d'administration. Les comités formés auparavant demeurent, alors que d'autres sont constitués, comme le Comité des finances. L'AMLFC décerne aussi de nouveaux prix et se dote d'un nouvel emblème. Elle continue également à envoyer des représentants dans divers comités gouvernementaux. Enfin, elle se porte acquéreur, à la fin des années 1970, de L'Union Médicale du Canada, *permettant ainsi la survie de la plus ancienne revue médicale francophone d'Amérique du Nord.*

La restructuration de 1968

À la fin des années 1970, l'AMLFC se porte acquéreur de L'Union Médicale du Canada, *assurant ainsi la survie de la plus ancienne revue médicale francophone d'Amérique du Nord.*

Avec la sanction, le 5 juillet 1968, d'une nouvelle charte provinciale, l'AMLFC se dote d'un mode légal d'administration plus moderne.

En vertu de la nouvelle structure, la direction de l'Association est désormais confiée à un conseil d'administration de onze membres[1]. À l'exception du président sortant qui est membre d'office, les membres du conseil d'administration sont élus lors de l'assemblée annuelle des membres du Conseil général. Le conseil d'administration veille à la direction générale de l'Association, décide des lieux et des dates des congrès, ainsi que des sujets qui y seront étudiés, et a le pouvoir de former des comités chargés d'étudier toute question touchant l'AMLFC et la médecine en général[2]. Le conseil d'administration élit ensuite en son sein un bureau de direction, formé du président, du vice-président, du secrétaire, du trésorier et de deux autres

1. Le premier conseil d'administration élu, en 1968, est composé des Drs Raymond Caron, Paul David, André Leduc et Charles Lépine, de Montréal, Pierre Jobin, Richard Lessard et Raoul Roberge, de Québec, Henri de Saint-Victor et Jean-Marie Laframboise, d'Ottawa, J.-Avila Denoncourt, de Trois-Rivières et Roger Dufresne, de Sherbrooke.
2. *Bulletin de l'AMLFC*, 2, 10, novembre 1968 dans *UMC*, 97, 11, novembre 1968, p. 1661.

membres. Ce bureau se réunit toutes les trois semaines. En vertu d'un amendement adopté le 15 novembre 1975, le vice-président succède désormais automatiquement au président.

Par ailleurs, le Conseil général se compose maintenant de 75 membres, élus pour une période de deux ans. Chaque année, la moitié des postes sont ouverts pour des élections. À l'Assemblée générale tenue lors du congrès d'octobre 1969, un tirage au sort détermine les 38 membres du Conseil général qui seront élus pour un mandat de deux ans. Les 37 autres élus devront se représenter l'an prochain pour demeurer membres du Conseil général[3].

L'AMLFC a pour but «de rallier sur un terrain commun, culturel et professionnel les médecins de langue française[4]». Elle vise à promouvoir l'avancement de la science médicale, notamment par l'organisation de congrès et la publication ou la participation à des revues, des livres, des brochures ou des périodiques scientifiques. Elle doit aussi mettre à la disposition de ses membres les services dont ils ont besoin.

Les nouveaux règlements de l'AMLFC sont adoptés, en octobre 1968, avant l'ouverture du congrès, qui se déroule à Ottawa-Hull.

Parallèlement, on procède à une révision complète des règlements. Les nouveaux règlements de l'AMLFC sont adoptés en octobre 1968, avant l'ouverture du congrès, qui se déroule cette année-là à Ottawa-Hull. De nouvelles catégories de membres sont créées. Six membres actifs de l'AMLFC peuvent ainsi suggérer au conseil d'administration la nomination, à titre de membre émérite, d'une personne «qui a apporté une contribution notoire au développement de la médecine ou qui s'est distinguée par son action en faveur du bien commun[5]». De plus, tout étudiant qui fait la preuve qu'il poursuit des stages d'études prédoctorales dans une faculté de médecine reconnue peut participer aux activités de l'Association, prendre part aux assemblées du Conseil général, sans droit de vote, et devenir membre en faisant une demande écrite.

3. Procès-verbal de l'Assemblée générale des membres de l'Association des médecins de langue française du Canada, tenue lors du 39e congrès, le vendredi 10 octobre 1969, au Château Frontenac de Québec, p. 17.
4. Loi refondant la charte de l'Association des médecins de langue française du Canada, Bill privé 235.
5. *Association des médecins de langue française du Canada. Règlements généraux,* 1988, p. 5.

Par ailleurs, tout membre actif ayant atteint 70 ans et qui a payé pendant au moins 15 ans sa cotisation peut, sur demande écrite, devenir membre honoraire de l'Association. Ces membres n'ont pas droit de vote, mais peuvent continuer à participer aux délibérations et à bénéficier des services de l'AMLFC sans avoir à payer leur cotisation annuelle[6]. Dès 1969, un amendement abaisse à 65 ans, ce qui correspond à l'âge de la retraite, le moment où un membre de l'AMLFC peut devenir membre à vie et ne plus avoir à payer de cotisation annuelle. En 1969, une quarantaine de médecins deviennent ainsi membres à vie de l'Association.

On désigne également, en 1970, des membres correspondants, qui résident dans des pays entièrement ou partiellement francophones : France, Guadeloupe, Sénégal, Côte-d'Ivoire, Roumanie, Martinique et Liban.

L'adoption, la modification ou la révocation de règlements nécessitent désormais l'approbation des deux tiers des membres du Conseil général, présents à une assemblée extraordinaire convoquée à cette fin[7]. Un Comité des règlements, formé en décembre 1968, est chargé d'étudier les structures de l'Association, de recueillir les suggestions des membres et de proposer d'éventuels amendements.

La dissolution de l'AMLFC n'est possible que sur adoption d'une proposition en ce sens par les trois quarts des membres du Conseil général.

La dissolution de l'AMLFC n'est possible que sur adoption d'une proposition en ce sens par les trois quarts des membres du Conseil général. Dans une telle éventualité, les biens de l'Association seraient dévolus à un organisme sans but lucratif poursuivant des objectifs identiques.

La création des postes de directeur et de secrétaire administratifs

Par ailleurs, les postes de directeur général et de secrétaire-trésorier général, et ceux d'adjoints sont supprimés en 1968 et remplacés par les postes de directeur et de secrétaire administratifs.

Le premier directeur administratif selon la nouvelle structure est le Dr Antonio Lecours, d'Ottawa. Celui-ci a précédemment présidé le congrès de l'AMLFC tenu en 1965 dans la capitale fédérale. Par la suite, il a occupé le poste de directeur des relations publiques. Le Dr Lecours a été le fondateur,

6. *Bulletin de l'AMLFC*, 2,1, février 1968, dans *UMC*, 97, 2, février 1968, p. 204.
7. *Bulletin de l'AMLFC*, 2, 10, novembre 1968, dans *UMC*, 97, 11, novembre 1968, p. 1661.

en 1967, du *Bulletin de l'AMLFC* et son rédacteur jusqu'en 1973. À titre de directeur administratif, le Dr Lecours a contribué à l'organisation des prix de recherche de l'AMLFC. Il a aussi participé à la présentation de mémoires sur le bilinguisme et le biculturalisme, et sur le tabagisme et la santé[8]. le Dr Lecours est décédé en 1978.

Dr Henri-R. de Saint-Victor

Son successeur, en 1972, est le Dr Henri-R. de Saint-Victor. Professeur d'obstétrique à la Faculté de médecine de l'Université d'Ottawa depuis sa fondation en 1949, le Dr Saint-Victor a été l'un des pionniers du cinéma scientifique québécois et l'auteur de onze films médicaux consacrés à l'obstétrique et à la gynécologie[9]. Il a également eu l'honneur de réaliser à quatorze occasions le premier accouchement de l'année, dont celui du centenaire de la Confédération en 1967. Membre du Conseil général depuis plus de quinze ans au moment de sa nomination, le Dr Saint-Victor a présidé le congrès de 1968 à Ottawa. Il occupera le poste de directeur administratif jusqu'en 1979.

En 1979-1980, le directeur administratif de l'AMLFC est le Dr Jean Mailhot. Ce dernier a auparavant présidé le Comité des assurances de l'Association pendant deux ans et il a été trésorier de l'AMLFC pendant un an[10]. Il a aussi été collaborateur à *L'Actualité médicale*. Le Dr Mailhot abandonne cependant son poste après seulement un an. L'arrivée du Dr Raymond Robillard au poste de directeur administratif en 1980 marquera le début d'une nouvelle période de maturation pour l'AMLFC.

L'arrivée du Dr Raymond Robillard au poste de directeur administratif en 1980 marquera le début d'une nouvelle période de maturation pour l'AMLFC.

Les comités

Également en 1968, certains comités créés auparavant deviennent permanents. Selon l'expression du Dr Lecours, les comités sont « les cellules où s'élabore la vie de l'Association[11] ». Ils offrent l'occasion aux membres de se familiariser avec les rouages de l'AMLFC.

Depuis 1960, l'AMLFC offre à ses membres un régime d'assurances qui leur permet de profiter de tarifs spéciaux. En 1968, le conseil d'administration forme un Comité des assurances dont le mandat est d'étudier les régimes

8. *Bulletin de l'AMLFC*, 12, 2, mars 1978, p. 2.
9. *Bulletin de l'AMLFC*, 23, 10, octobre 1990, p. 6-8.
10. *Bulletin de l'AMLFC*, 14, 5, automne 1980, p. 16.
11. *Bulletin de l'AMLFC*, 3, 4, mai 1969 dans *UMC*, 98, 5, mai 1969, p. 811.

offerts par les diverses compagnies d'assurances afin que les membres de l'Association puissent en profiter[12]. Le Comité retient le service d'actuaires-conseils pour l'aider à faire une étude comparée des régimes offerts.

Le Comité des voyages continue d'organiser des déplacements de groupes pour participer à des congrès à l'étranger. Cette initiative permet aux membres de bénéficier de tarifs réduits, mais aide aussi à promouvoir les échanges scientifiques et culturels puisque les médecins canadiens profitent de tels voyages pour présenter des communications. Par l'entremise de sondages, le Comité s'informe de l'intérêt des membres à l'égard de certains congrès. À titre d'exemple, en 1972, l'AMLFC retient quatre congrès dont les dates, assez rapprochées, permettent de noliser un avion Montréal-Paris du 10 au 30 septembre. Par la suite, les voyageurs peuvent, à leur guise, se rendre à Nice, à Tunis, à Grenoble ou à Nancy. Par l'entremise de l'agence Malavoy, l'Association organise régulièrement des voyages de groupes dans les Antilles françaises pour le congrès de langue française de l'hémisphère américain.

En 1969, le conseil d'administration approuve la constitution d'un Comité des finances qui sera chargé d'analyser toutes les dépenses de l'Association et de lui suggérer des placements.

La nouvelle charte permet à l'AMLFC de posséder et d'administrer des biens, meubles et immeubles pour une valeur qui ne doit pas excéder 500 000 $. En 1968, l'AMLFC dispose d'un fonds de réserve de 261 035 $. Bien que sa situation financière soit bonne, l'Association est de plus en plus sollicitée. En 1969, le conseil d'administration approuve la constitution d'un Comité des finances qui sera chargé d'analyser toutes les dépenses de l'Association et de lui suggérer des placements[13]. Ce comité propose, en 1970, de garder intact le fonds de réserve de l'Association et de l'augmenter annuellement de manière à ce qu'il équivaille à environ un budget opérationnel de trois ans. Le Comité propose aussi que 10 % de la réserve soit placée à court terme et que les valeurs achetées le soient pour des échéances inférieures à 10 ans. Enfin, il demande d'éviter tout déficit opérationnel. L'année suivante, le Comité recommande de retenir de façon permanente les services d'un conseiller en placements pour la gestion du portefeuille de l'Association.

D'autres comités demeureront et prendront même de l'expansion au cours des années suivantes. Il s'agit du Comité scientifique, du Comité de la

12. *Bulletin de l'AMLFC*, 3, 2, mars 1969, dans *UMC* 98, 3, mars 1969, p. 452.
13. *Bulletin de l'AMLFC*, 3, 5, juin 1969 *dans UMC*, 98, 6, juin 1969, p. 1007.

francophonie internationale et du Comité de la déontologie et de la distribution des soins. Leurs activités seront présentées dans les chapitres suivants.

Les prix scientifiques

En 1968, l'AMLFC accepte la recommandation du Comité scientifique de créer un Prix pour un travail inédit et personnel consacré à la recherche clinique[14]. Jusqu'en 1970, ce prix est remis tous les deux ans en alternance avec celui consacré à la recherche fondamentale. Le conseil d'administration décide ensuite d'attribuer deux nouveaux Prix de recherche, l'un pour les sciences fondamentales et l'autre pour la recherche clinique. Ces prix sont annoncés dans les facultés de médecine, les institutions hospitalières du Québec, de l'Ontario et du Nouveau-Brunswick, et dans les diverses revues médicales[15]. Ils sont accompagnés d'une bourse de 500 $.

Le premier lauréat du Prix de l'œuvre scientifique de l'AMLFC, en 1970, est le Dr Frappier.

En 1970 également, l'AMLFC inaugure, à la recommandation de son Comité scientifique, le Prix de l'œuvre scientifique, dont le premier lauréat est le Dr Armand Frappier[16]. Ce prix est accordé tous les deux ans, alternativement avec l'Écusson d'honneur puis, à partir 1987, avec la Médaille du mérite.

À l'initiative des Drs Arthur et Annie Powers d'Ottawa, un Prix de recherche est également créé en novembre 1973 pour récompenser l'interne ou le résident auteur du meilleur travail de recherche fondamentale ou clinique. Une bourse de 400 $ accompagne ce prix.

Un nouveau symbole pour l'AMLFC

En 1969, l'AMLFC décide de se doter d'un nouveau logo, plus moderne. Un concours est organisé auprès des membres, et le 1er octobre, à la conclusion du concours, 33 ébauches de projet ont été reçues. Affichées lors du congrès de 1969 à Québec, aucune d'elles ne fait cependant l'unanimité. Trente-sept autres projets seront présentés avant que le choix ne s'arrête finalement en octobre 1971, sur l'emblème actuel, où sont superposés le caducée, la fleur

14. *Bulletin de l'AMLFC*, 2, 4, mai 1968, dans *UMC*, 97, 5, mai 1969, p. 646.
15. *Bulletin de l'AMLFC*, 2, 2, mars 1968, dans *UMC*, 2, 2, mars 1968, p. 340.
16. *UMC*, 99, 10, octobre 1970, p. 1745.

Sur le nouvel emblème sont superposés le caducée, la fleur de lys et la feuille d'érable, qui représentent bien les trois caractères de l'AMLFC, soit la profession médicale, la langue française et le Canada. L'auteur du nouvel emblème est le Dr Gilbert Valin, de l'Université de Montréal.

de lys et la feuille d'érable, qui représentent bien les trois caractères de l'AMLFC, soit la profession médicale, la langue française et le Canada. L'auteur du nouvel emblème est le Dr Gilbert Valin, de l'Université de Montréal.

La représentation de l'AMLFC dans les autres organismes

Bien que l'AMLFC s'attarde désormais surtout aux aspects scientifiques et culturels de la profession médicale, elle maintient sa représentation dans de nombreux comités, commissions et associations.

Elle collabore ainsi, en 1968, à la formation d'un «conseil des normes des représentants médicaux[17]» de l'Association des manufacturiers de produits pharmaceutiques du Canada. La même année, l'AMLFC a un représentant à l'intérieur d'un comité qui prépare une enquête sur l'alimentation et l'état nutritionnel des Canadiens pour le ministère de la Santé nationale et du Bien-être social[18].

En 1969, l'AMLFC présente un mémoire sur «l'usage de la cigarette et la santé» devant le Comité de la santé nationale à Ottawa. L'Association préconise alors des campagnes d'information, l'interdiction de toute réclame directe en faveur de la cigarette et la création de cliniques de dépistage et de soins pour les fumeurs.

Plus tard, en 1971-1972, l'AMLFC est représentée à un comité fédéral chargé d'enrayer l'abus des amphétamines et de certaines autres drogues. Un comité spécial de l'Association est chargé de présenter des recommandations sur le sujet au ministère de la Santé nationale à Ottawa.

L'Institut national du cancer, le Conseil d'accréditation des hôpitaux, l'Association d'hospitalisation du Québec et de nombreuses autres organisations compteront par ailleurs un représentant régulier de l'AMLFC lors de leurs réunions durant les années 1970.

---

17. *Bulletin de l'AMLFC*, 2, 7, août 1968 dans *UMC*, 97, août 1968, p. 1125.
18. Il s'agit du Dr Jean Prud'homme de Montréal. *Bulletin de l'AMLFC*, 2, 11, décembre 1969 dans *UMC*, 97, 12, décembre 1968, p. 1823.

Le représentant de l'AMLFC dans un comité ou une commission est en fait l'ambassadeur de l'Association. Au début de ses interventions, il doit signaler qu'il est présent à titre de délégué de l'AMLFC et qu'il ne parle pas en son nom personnel. Par la suite, il doit présenter au conseil d'administration et au Conseil général de l'AMLFC un compte rendu de ses interventions lors des discussions en comité ou en commission, dire ce que l'on attend de l'AMLFC et ce qu'elle-même peut retirer de sa participation aux réunions.

Le *Bulletin de l'AMLFC* et *L'Union Médicale du Canada*

En 1972, L'AMLFC célèbre le centenaire de la revue L'Union Médicale du Canada.

L'AMLFC continue également à collaborer étroitement avec la revue scientifique qu'est *L'Union Médicale du Canada*. Un comité mixte formé de directeurs de *L'UMC* et de représentants de l'AMLFC est constitué pour étudier les rapports entre les deux parties. Les représentants de l'AMLFC à ce comité, en 1969, sont les Drs Raymond Caron, André Leduc, Bernard Lefebvre et Laurent Potvin[19]. Le centenaire de *L'UMC* est célébré lors du congrès de 1972[20].

À partir de 1975, cependant, *L'UMC* se trouve en sérieuse difficulté financière. Cette revue mensuelle qui produit des numéros de plus de 150 pages a en effet de plus en plus de difficultés à trouver des annonceurs. Les compagnies, principalement pharmaceutiques, préfèrent financer les revues de format tabloïd. En juin 1975, le président de *L'UMC* informe le conseil d'administration de l'AMLFC d'une possible disparition à brève échéance de la plus ancienne revue médicale de langue française en Amérique du Nord. L'Association se donne alors pour objectif, afin de sauver *L'UMC*, d'en faire l'acquisition, et des négociations sont entreprises entre les deux organismes. On s'entend d'abord sur la sauvegarde de l'autonomie rédactionnelle et le maintien en fonction de l'actuel rédacteur en chef. De plus, on suggère que le bureau de direction de la revue soit choisi par un comité consultatif composé des membres de la société de *L'UMC*. L'AMLFC administrera la partie financière de la revue et consent à investir 75 000 $ annuellement. Les avoirs de *L'UMC* seraient en outre versés dans un compte en fiducie et ne serviraient qu'aux fins de la revue.

19. *Bulletin de l'AMLFC*, 3, 3, avril 1969 dans *UMC*, 98, 4, avril 1969, p. 633.
20. *UMC*, 101, 8, août 1972, p. 1471.

Les négociations entre les deux organismes dureront quelques années[21]. L'une des pierres d'achoppement est le dossier des privilèges postaux. En effet, un périodique considéré comme le journal officiel d'une association ne peut bénéficier de la tarification de deuxième classe. Concrètement, cela signifie que l'acquisition de *L'UMC* par l'AMLFC provoquerait un accroissement de 150% des frais de poste[22]. Paradoxalement, certaines revues d'associations américaines, comme le *New England Journal of Medicine*, ne sont pas victimes d'une telle discrimination. Mais les demandes de *L'UMC* et de l'AMLFC au ministre des Postes restent vaines.

L'Association s'engage à donner au rédacteur en chef de L'UMC *et à ses collaborateurs l'autonomie rédactionnelle nécessaire et à intégrer les personnes-ressources les plus aptes à favoriser l'essor de la revue.*

Finalement, à l'été 1978, grâce au président de *L'UMC*, le Dr Michel Dupuis, et au Dr Paul David, alors président de l'AMLFC, *L'UMC* «devient l'organe officiel de l'Association des médecins de langue française du Canada, ce qu'elle n'aurait jamais dû cesser d'être[23]». *L'UMC* dissout sa société et cède tous ses biens et avoirs à l'Association. Cette dernière par contre, s'engage à conserver le nom de la revue.

Les grandes politiques éditoriales de *L'UMC* sont sous la responsabilité du comité de rédaction. L'Association s'engage à donner au rédacteur en chef et à ses collaborateurs l'autonomie rédactionnelle nécessaire et à intégrer les personnes-ressources les plus aptes à favoriser l'essor de la revue. Elle s'engage aussi à poursuivre les deux objectifs essentiels de la revue: «un enseignement médical de qualité et le rayonnement de la culture médicale québécoise et canadienne de langue française dans les milieux francophones du monde[24]». Le président du conseil de rédaction de la revue siège au conseil d'administration de l'AMLFC, et un membre du conseil d'administration de l'AMLFC siège au conseil de rédaction. Un nouveau rédacteur en chef est choisi en la personne du Dr André Arsenault, qui succède au Dr Édouard Desjardins. *L'UMC* déménage au même moment, comme l'AMLFC, au 1440, rue Sainte-Catherine Ouest, bureau 510, à Montréal.

---

21. Le comité de liaison qui a été mené à bonne fin les négociations était composé des Drs Michel Dupuis, Jean-Louis Léger et Forent Thibert pour *L'UMC* et des Drs André Arsenault, Paul David et Léo-Paul Landry pour l'AMLFC. P. David, « Survie… définitive », *UMC*, 107, 8, août 1978, p. 707.
22. A. Arsenault, « Lettre ouverte au ministre des postes », *UMC*, 107, 12, décembre 1978, p. 1122-1123.
23. *Bulletin de l'AMLFC*, 13, 1, janvier-février 1979, p. 2.
24. P. David, « Survie… définitive », *UMC*, 107, 8, août 1978, p. 707.

Dans l'optique du Dr David, *L'UMC* doit «devenir le moyen de communication principal de notre élite scientifique et l'agence privilégiée de diffusion de nos réalisations[25]». *L'UMC* est en fait une revue connue mondialement. Le Dr Paul Letondal raconte ainsi, qu'en 1923, alors qu'il préparait à Lausanne une bibliographie sur la maladie de Hirschprung, il a constaté grâce à l'«Index Medicus» que deux de ses anciens professeurs de l'Université de Montréal, les Drs Eugène Latreille et Benjamin-Georges Bourgeois, avaient tous deux publié un travail sur le sujet dans *L'UMC*[26].

BULLETIN

Mai 1968, numéro 4

Le *Bulletin* demeure par ailleurs, pour l'AMLFC le moyen privilégié pour communiquer avec ses membres. À partir de l'été 1969, le *Bulletin de l'AMLFC* est publié tous les deux mois et posté individuellement à tous les médecins francophones du pays. Cette publication à part a pour objectif d'éviter la hausse des tarifs postaux que pourrait provoquer l'identification de *L'UMC* à l'Association. Se bornant d'abord aux actualités, le *Bulletin* se dote progressivement de nouvelles rubriques. On privilégie ainsi, à la fin des années 1970, les entrevues avec des membres de l'Association, qui en profitent pour présenter leur spécialité, leur sujet de recherche privilégié ou encore leur lieu de travail.

bulletin

Pneumologie à l'*air* de l'an 2000

Décembre 2000, numéro 1

25. *Bulletin de l'AMLFC*, 13, 1, janvier-février 1979, p. 4.
26. *Bulletin de l'AMLFC*, 13, 1, janvier-février 1979, p. 2.

CHAPITRE 30

LES CONTRIBUTIONS DE L'AMLFC À L'ENSEIGNEMENT MÉDICAL CONTINU ET À LA PROMOTION DE LA RECHERCHE BIOMÉDICALE

En raison de l'évolution rapide de la technologie médicale, de la participation massive de l'État dans les domaines de la santé et de l'éducation, et de l'augmentation massive de la clientèle étudiante, la nécessité d'une éducation médicale continue devient l'une des principales préoccupations du CMCPQ, des facultés de médecine et des autres associations médicales à partir du milieu des années 1960. Dans ce chapitre, nous présenterons les principales contributions de l'Association dans ce domaine entre 1968 et 1980.

Les cours télévisés

Le 13 novembre 1967, la Commission interuniversitaire des cours télévisés et radiodiffusés invite l'AMLFC à participer aux activités d'un sous-comité formé en vue de l'établissement d'un programme d'enseignement médical. Le Comité scientifique de l'Association suggère alors le Dr Paul David comme représentant de l'AMLFC au sein de ce sous-comité[1].

Les Drs Victor Godbloom, Charles Plamondon, Roger Brault, Jacques Genest et Bernard Perey seront les premiers conférenciers à donner, à l'hiver et au printemps de 1968, un enseignement médical continu à la télévision d'État.

À sa réunion du 19 janvier 1968, le bureau de direction de l'AMLFC se prononce en faveur d'une contribution de 1 500 $ au programme annuel de ce sous-comité. En échange, l'Association verra son nom figurer au générique de chaque émission. L'AMLFC renouvelle sa contribution l'année suivante. Les Drs Victor Godbloom, Charles Plamondon, Roger Brault, Jacques Genest et Bernard Perey seront les premiers conférenciers à donner, à l'hiver et au printemps de 1968, un enseignement médical continu à la télévision d'État[2]. En tout, 26 émissions seront présentées le dimanche matin, de 9 h à 9 h 35. Les dix meilleures sont diffusées en reprise le mercredi à minuit. Sur demande, les rubans des émissions peuvent être prêtés ou achetés. Plusieurs des films de cette émission sont présentés durant le congrès de 1970[3]. L'émission *Médecine d'aujourd'hui* cessera d'être diffusée en 1971.

1. *Bulletin de l'AMLFC*, 1, 12, janvier 1968, dans *UMC*, 97, 1, janvier 1968, p. 76.
2. *Bulletin de l'AMLFC*, 2, 1, février 1968, dans *UMC*, 97, 2, févier 1968, p. 203.
3. *UMC*, 99, 10, octobre 1970, p. 1765.

Sonomed

En 1971, le Comité scientifique de l'AMLFC étudie la possibilité de produire une série de conférences médicales sur cassettes. Un sondage auprès des membres indique que ceux-ci sont nettement favorables à la mise sur pied d'un tel service, qui est très populaire chez les anglophones. Le 5 mai 1972, l'AMLFC organise une rencontre avec des représentants des différents groupes intéressés par le projet, soit les facultés de médecine, le CMCPQ et la Fédération des omnipraticiens du Québec. Un comité mixte d'enseignement médical, formé du directeur administratif et d'un autre représentant de l'Association, ainsi que d'un représentant de la FMOQ, du CMCPQ et des quatre universités francophones est constitué en vue d'établir le programme, de déterminer le mode de présentation des sujets et de choisir les conférenciers.

L'AMLFC est chargée de la production et de la diffusion des cassettes. Chacune d'entre elles abordera cinq ou six sujets. Le lancement officiel de *Sonomed* a lieu le 27 février 1973[4]. Le premier numéro porte sur l'infarctus du myocarde, la ménopause, les infections des voies respiratoires chez l'enfant, les brûlures et les états dépressifs. On s'attend à produire environ dix cassettes par année, qui seront vendues à 6 $ l'unité. Un abonnement annuel coûte 50 $ pour les médecins et 25 $ pour les internes et les résidents.

L'un des principaux collaborateurs de Sonomed, *qui constitue une première dans le monde francophone, sera Fernand Seguin.*

L'un des principaux collaborateurs de *Sonomed* sera Fernand Seguin. À partir de la 4e série, plusieurs cassettes reprendront des extraits de la série « La science et vous », diffusée à Radio-Canada et animée par ce grand vulgarisateur scientifique.

Sonomed constitue une première dans le monde médical francophone. En 1976, on envisage d'étendre le service en Europe et en Afrique francophone. Les cassettes sont acheminées aux maisons du Québec à l'étranger et aux universités de langue française[5]. Durant la décennie 1970, l'Association ne produira pas moins de 80 cassettes[6].

4. *UMC*, 102, mars 1973, p. 479.
5. *Bulletin de l'AMLFC*, 11, 1, janvier-févier 1977, p. 4.
6. Voir en annexe, les sujets des diverses cassettes de *Sonomed*.

La tournée de conférenciers réputés

En 1969, on relance la tournée, dans les diverses régions du pays, de conférenciers francophones de réputation internationale. Le Dr Paul Sadoul, pneumologue de Nancy, donne ainsi des conférences à Québec, à Chicoutimi et à Trois-Rivières. Plusieurs résidents canadiens ont œuvré en France sous sa direction[7]. La tournée des conférenciers cessera à la fin des années 1970.

L'enseignement médical lors des congrès

Les congrès de l'AMLFC restent la principale façon, pour les médecins francophones, de se familiariser avec les principales innovations médicales.

Les congrès de l'AMLFC restent cependant la principale façon pour les médecins francophones de se familiariser avec les diverses innovations médicales.

Lors du congrès de 1968, à Ottawa, des cours en médecine interne, en obstétrique et en pédiatrie sont offerts[8] en deux séances de deux heures. Les participants, au maximum 25 par cours, participent ensuite, dans le cadre du congrès, à un symposium interdisciplinaire portant sur un problème d'intérêt commun à ces trois spécialités, soit le diabète et la grossesse[9].

Au cours du même congrès est inaugurée une nouvelle forme de colloque, soit des déjeuners par groupes de six à huit convives pour discuter d'un problème médical spécifique. Cette formule permet des échanges de vue rapides et une participation accrue[10]. Le succès de ces « Entretiens des petits-déjeuners », est tel que la formule sera reprise dans les congrès suivants, mais le midi ou en soirée pour permettre aux séances régulières de débuter plus tôt.

Une autre façon de donner un enseignement continu pendant les congrès consiste à développer et à valoriser les expositions scientifiques. Avec l'aide financière des universités francophones, un prix de 500 $ est aussi remis, à partir de 1968, à l'auteur de l'exposition scientifique la mieux réussie au cours du congrès annuel[11].

---

7. *Bulletin de l'AMLFC*, 3, 4, mai 1969, dans *UMC*, 98, 5, mai 1969, p. 810.
8. *Bulletin de l'AMLFC*, 2, 5, juin 1968, dans *UMC*, 97, 6, juin 1968, p. 800-801.
9. *Bulletin de l'AMLFC*, 2, 3, avril 1968, dans UMC, 97, 4, avril 1968, p. 497.
10. *Bulletin de l'AMLFC*, 2, 4, mai 1968, dans *UMC*, 97, mai 1968, p. 643.
11. *Bulletin de l'AMLFC*, 2, 9, octobre 1968, dans *UMC*, 97, 10, octobre 1968, p. 1469.

Le congrès de 1969, à Québec, placé sous le signe de l'informatique, permet aux congressistes de constater les bienfaits de l'ordinateur, de l'automatisation et des télécommunications pour l'avancement des sciences de la santé[12]. Les communications présentées lors de ce congrès seront publiées par l'Association en 1970 sous forme de volume. Il s'agit, pour l'AMLFC, de la première publication d'un ouvrage portant sur un sujet à la fine pointe du progrès scientifique[13].

L'année suivante, en février 1971, l'AMLFC publie un ouvrage sur la médecine communautaire, groupant les travaux présentés lors du congrès précédent. Édité à 5000 exemplaires, le volume est rapidement épuisé[14]. On projette également la production d'un ouvrage sur *Le diagnostic bactériologique de la tuberculose et des mycabactérioses* pour la fin de novembre 1971, puis la publication d'une monographie sur la maladie de Parkinson et enfin celle d'un traité de médecine en français, comparable au Harrison.

Lors du congrès de 1972, portant sur le cancer, sont organisés à chaque matin des cours de perfectionnement. Les Entretiens du petit-déjeuner sont alors remplacés par un «Tumor Board», une consultation d'oncologie permettant de voir à l'œuvre des équipes multidiscisciplinaires, sous la responsabilité du Dr Bernard Hazel. Deux émissions d'une heure sur la cancérologie sont prévues cette année-là au programme de l'émission *Femme d'aujourd'hui* à Radio-Canada. Le livre *Cancer: Horizons nouveaux* sera officiellement lancé le 6 juin1973[15]. Une cinquantaine de spécialistes collaboreront à la publication de cet ouvrage.

Au congrès de 1974, le Dr Gilles Cormier surprend l'auditoire en déclarant que la supériorité de l'ordinateur sur le cerveau humain dans l'élaboration du diagnostic s'impose de plus en plus comme une réalité.

Au congrès de 1974, à Québec, est organisé un colloque sur l'éducation médicale qui regroupe plus de 150 spécialistes, omnipraticiens, étudiants et éducateurs. À l'occasion de son exposé, le directeur de la section de pédagogie médicale à l'Université Laval, le Dr Gilles Cormier, surprend l'auditoire en déclarant que la supériorité de l'ordinateur sur le cerveau humain dans l'élaboration du diagnostic s'impose de plus en plus comme une réalité.

---

12. *Bulletin de l'AMLFC*, 3, 5, juin 1969 dans *UMC*, 98, 5, juin 1969, p. 1005.
13. *Procès-verbal de l'Assemblée annuelle tenue le 4 décembre 1970*, p. 4.
14. *Procès-verbal de l'Assemblée annuelle tenue le 15 octobre 1971*, p. 2.
15. *UMC*, 102, 7, juillet 1973, p. 1434.

Le Comité scientifique de l'AMLFC et la recherche biomédicale

En plus de l'élaboration du programme scientifique des congrès annuels et de la nomination des membres du jury qui décernera les prix à la recherche, le Comité scientifique étudie également la participation de l'AMLFC à l'enseignement médical continu et conseille l'organisation sur les moyens de diffuser et de promouvoir la médecine d'expression française au pays. Peu à peu, le Comité scientifique se voit donner le mandat d'étudier la politique de recherche au Québec et au Canada, les moyens d'aider la lutte anticancéreuse et tout autre sujet qui intéresse la vie médicale dans la province.

Dr Michel Chrétien

En 1971, le Comité scientifique étudie les questions du recyclage des médecins généralistes et de la nécessité d'une résidence spécifique en médecine générale, les politiques du Conseil médical de la recherche fédérale, et la représentation de l'AMLFC aux comités et commissions de l'Institut national de la recherche scientifique. Grâce à lui, l'AMLFC est représentée au comité de liaison pour le projet de l'INRS sur l'écologie du travail. Son représentant est le Dr Michel Chrétien, alors président du Comité scientifique.

Le Comité recommande également que l'AMLFC fasse des représentations auprès du CMCPQ «afin que soit mise sur pied une résidence spéciale en médecine familiale». Un sous-comité *ad hoc* est constitué en 1971 en vue d'étudier les nouveaux programmes de certification de médecine familiale[16].

La question de la recherche biomédicale au Québec intéresse particulièrement l'AMLFC au début des années 1970.

La question de la recherche biomédicale au Québec intéresse particulièrement l'AMLFC au début des années 1970. Après un rattrapage intéressant dans les années 1960, la recherche biomédicale se trouve désormais menacée par le manque de financement, alors que le Conseil de la recherche médicale du Canada a plafonné ses crédits destinés aux chercheurs. Celui du Québec se limite à attribuer des bourses pour les étudiants et des fonds de départ pour l'installation de nouveaux laboratoires[17], et n'est donc pas en mesure de financer à long terme les travaux des chercheurs professionnels. D'ailleurs, le statut de chercheur médical, n'est pas vraiment reconnu au Québec.

16. *Procès-verbal de la réunion annuelle du Conseil Général de l'Association des médecins de langue française du Canada tenue le samedi 27 novembre 1971 à l'Auberge des Gouverneurs de Québec*, p. 4.
17. J. Genest, « Le Conseil de la Recherche Médicale du Québec », *UMC*, 103, 2, février 1974, p. 231.

Dans un mémoire qu'elle présente en mai 1974 au ministre des Affaires sociales, Claude Forget, l'AMLFC recommande:

> Que le ministère des Affaires sociales, par l'intermédiaire du Conseil de la Recherche Médicale du Québec, mette à la disposition des différentes universités du Québec des fonds qui permettront de soutenir financièrement d'ici à deux ans au moins vingt (20) postes de recherche biomédicale rémunérés à plein temps, de même que les crédits nécessaires au fonctionnement des laboratoires spécialisés dans cette recherche[18].

L'AMLFC suggère également que les crédits demandés représentent un pourcentage fixe du budget de l'assurance-santé et que les postes soient attribués par voie de concours avec révision tous les cinq ans. Présent lors du congrès de 1974, le ministre Forget annoncera la création de dix postes, sans toutefois augmenter le budget.

18. *Bulletin de l'AMLFC*, 8, 4, juillet-août 1974, p. 3.

CHAPITRE 31

LES RELATIONS AVEC LA FRANCOPHONIE INTERNATIONALE

Après le congrès conjoint de 1967, la participation scientifique de l'AMLFC à diverses journées médicales partout dans le monde devient de plus en plus significative. La médecine canadienne-française n'est plus à la remorque de la science étrangère. Désormais, des médecins québécois diffusent leur savoir partout à l'étranger.

Le Comité canadien de la francophonie internationale

Le médecin canadien-français n'est plus à la remorque de la science étrangère, et des médecins francophones nord-américains diffusent désormais leur savoir à l'étranger.

En décembre 1968 est créé le Comité canadien de la francophonie internationale. Remplaçant l'ancien Comité France-Canada, il voit son mandat s'étendre désormais à l'ensemble du monde médical francophone. Il coopère avec l'Agence internationale de la francophonie fondée en Niamey. Il collabore aussi avec les autres provinces à l'échange de résidents, de professeurs, de conférenciers et de collaborateurs pour la rédaction d'ouvrages de médecine. Il veille à la participation de l'AMLFC dans les congrès à l'étranger et il s'assure de la venue de conférenciers étrangers à des réunions régionales[1]. La même année, quelques médecins participent à la création d'une école de médecine dans un pays étranger.

En janvier 1969, les Drs André Leduc et Jacques Léger dirigent une délégation de médecins canadiens-français aux Journées médicales de Dakar au Sénégal. Le Dr Leduc invoque les avantages réciproques que les médecins des deux continents retirent de tels échanges. Les médecins africains possèdent une riche expérience dans les maladies infectieuses et tropicales, en nutrition et en alimentation. En retour, la médecine canadienne-française leur offre les fruits de ses recherches «en cancérologie, en cardiologie, en greffes d'organes et en génétique, ainsi que dans le perfectionnement des techniques par l'automation et l'informatique[2]».

1. *Bulletin de l'AMLFC*, 3, 4, mai 1969, *dans UMC*, 98, 5, mai 1969, p. 809. En 1969, le comité était formé des Drs Jacques Boulay, de Québec, Jean-E. Dupuy, d'Ottawa, et Jean Fontaine, Jacques Léger et Charles Lépine, tous trois de Montréal.
2. *Bulletin de l'AMLFC*, 3, 2, mars 1969 dans *UMC*, 98, 3, mars 1969, p. 451.

Dans les années 1970, l'AMLFC est également une participante régulière des semaines de l'Union médicale balkanique. En septembre 1970, elle délègue deux représentants rapporteurs à Belgrade, les Drs Lise Frappier-Davignon et Serge Carrière[3].

En 1971, l'AMLFC est pour la première fois sollicitée à collaborer à l'élaboration du programme scientifique du congrès français de la médecine, prévu cette année-là à Beyrouth au Liban. Plusieurs médecins canadiens-français participent, à cette occasion, à une table ronde sur la maladie de Parkinson. En outre, le Dr Pierre Jobin représente officiellement l'Association lors du colloque sur l'enseignement médical continu. Selon le président de l'AMLFC, le Dr Jacques Léger: «C'est la première fois, à notre connaissance, que l'Association s'intègre de façon aussi importante à un congrès étranger[4].»

Pour intensifier ces échanges internationaux, l'AMLFC demande à ses dix membres correspondants à l'étranger de l'informer de tout congrès mondial susceptible d'intéresser les membres et de permettre l'échange de conférenciers.

En 1979 aura lieu à Québec un congrès tripartite réunissant l'AMLC, l'Association mondiale des médecins francophones et l'Association médicale des Antilles et de la Guyane française.

L'AMLFC maintient et renforce les liens établis précédemment avec les médecins francophones d'Haïti, des Antilles et de la Guyane française. La table ronde sur la santé communautaire lors du 15e congrès des médecins de langue française de l'hémisphère américain, à Port-au-Prince en 1973, est ainsi sous son entière responsabilité. En 1976, à Cayenne, en Guyane française, est proposée l'idée d'un congrès conjoint de l'AMLFC, de l'Association mondiale des médecins francophones et de l'Association médicale des Antilles et de la Guyane française. Ce congrès tripartite aura finalement lieu en 1979 à Québec. L'un des thèmes de ce congrès portera sur les maladies tropicales qui peuvent toucher les touristes en voyage dans les pays du sud[5]. L'assistance sera si nombreuse que l'on devra refuser des personnes.

Le Comité canadien de la francophonie internationale cherche également à diffuser les productions des médecins canadiens français à l'étranger. Les films des émissions *Médecine d'aujourd'hui,* auxquelles a participé l'Association, sont offerts en 1971 comme service audiovisuel aux médecins des

3. *UMC*, 99, 10, octobre 1970, p. 1762.
4. *Procès-verbal de l'Assemblée annuelle tenue le 15 octobre 1971*, p. 5.
5. *Bulletin de l'AMLFC*, 13, 3, mai-juin 1979, p. 9.

Antilles françaises. Les cassettes *Sonomed* seront également diffusées à l'étranger.

L'Association mondiale des médecins francophones

À l'issue du congrès de 1973, à Ottawa, les médecins de l'AMLFC participent à une assemblée extraordinaire en vue de la création d'une Association mondiale des médecins francophones. Les membres présents s'accordent sur le principe d'une formule polymorphe, permettant l'adhésion tant d'associations structurées que d'individus. Le secrétaire général de l'AMMF est le Dr Jacques Joubert[6].

Les conférences Jacques-Léger

Le principal promoteur des échanges accrus entre l'AMLFC et le reste de la communauté francophone dans le monde a été le Dr Jacques Léger.

Le principal promoteur de ces échanges accrus entre l'AMLFC et le reste de la communauté francophone dans le monde a été le Dr Jacques Léger[7]. Après avoir occupé la présidence de l'AMLFC lors du congrès de 1967, le Dr Léger a ensuite présidé le Comité de la francophonie internationale. En 1971-1972, il devient le premier médecin à détenir pour un second mandat consécutif la présidence de l'AMLFC. Il décédera toutefois subitement à la fin du congrès de 1972 à Montréal.

Cette année-là, un cardiologue, le Dr Yves Morin, a été invité à donner une série de conférences dans divers hôpitaux et institutions du Liban. En l'honneur du défunt président, on donnera, en 1973, le nom de «Conférences Jacques-Léger» à ces conférences annuelles de médecins canadiens-français à l'étranger[8].

---

6. *Bulletin de l'AMFLC*, 8, 1, janvier-février 1974, p. 1.
7. Le Dr Jacques Léger a obtenu un doctorat en médecine expérimentale en 1948, après un stage au département du Dr Hans Seyle à l'Université de Montréal. Spécialiste en médecine interne, particulièrement en allergologie, il a fait partie du personnel médical de l'Hôpital Notre-Dame et a été professeur agrégé à la Faculté de médecine de l'Université de Montréal. En 1972, il a été nommé conseiller spécial auprès du sous-ministre adjoint à la protection de la santé. *UMC*, 101, 3, mars 1972, p. 376. L'un de ses frères, le Dr Jean-Louis Léger, a également été président de l'AMLFC. Un autre de ses frères, le Dr Anselme Léger a été radiologiste à l'Hôpital Notre-Dame.
8. *UMC*, 102, 6, juin 1973, p.1201.

En l'honneur de son ancien président, l'AMLFC donne, en 1973, le nom de « Conférences Jacques-Léger » aux conférences annuelles des médecins canadiens-français à l'étranger.

Après le Liban, c'est au tour de l'Afrique francophone d'accueillir les conférences Jacques-Léger. En 1976, le Dr Jean de L. Mignault, doyen de 1970 à 1971 de la Faculté de médecine de l'Université de Sherbrooke[9], inaugure ce cycle à Dakar au Sénégal. En 1980, les conférenciers Jacques-Léger parcourront les Antilles françaises. Le premier à donner des conférences à la Martinique, en 1980, est le Dr Marcel Rheault, chirurgien à l'Hôtel-Dieu de Montréal. Précédemment, le Dr Rheault a aussi donné des conférences au Sénégal.

La crise financière que connaîtra l'AMLFC en 1980 mettra fin aux conférences Jacques-Léger. Il faudra attendre les années 1990 pour que des professeurs québécois recommencent à donner des séries de conférences dans les pays en développement.

L'aide au Tiers-Monde

En 1973, l'AMLFC crée un Comité d'aide au Tiers-Monde[10], qui invite les membres à faire part des domaines d'activités nécessitant une action immédiate. L'aide peut prendre la forme de dons ou de la participation active de volontaires sur le terrain. En 1975, le Dr Suzanne Gervais, pédiatre et spécialiste en hygiène publique tropicale, se rend ainsi au Ruanda en tant que déléguée de l'AMLFC. Le Dr Gervais fait partie d'un groupe chargé de voir à la mise sur pied d'hôpitaux en milieu rural. En plus de l'AMLFC, l'Agence canadienne de développement international (ACDI), l'Association des hôpitaux de la province de Québec (AHPQ) et le gouvernement ruandais patronne le projet.

La francisation de la médecine et la qualité du français médical

L'AMLFC, par l'intermédiaire de son Comité de la francophonie, s'intéresse également à la francisation des termes médicaux. En 1967, une consultation auprès des membres de l'Association révèle qu'un seul d'entre eux a suggéré de laisser tomber la question de la langue.

9. *UMC*, 101, 3, mars 1972, p. 376.
10. *UMC*, 103, 3, mars 1974, p. 370. Ce comité était présidé par le Dr André Gattereau et composé des Drs Bernard Lefebvre, Eugène Allard et Raymond-Marie Guay.

En 1967, une consultation auprès des membres de l'Association révèle qu'un seul d'entre eux a suggéré de laisser tomber la question de la langue.

Le Comité de la francophonie resserre ses liens avec le Comité d'étude des termes de médecine et suggère, en 1970, la traduction du *Harrison*, le livre de chevet des résidents. Le Dr Jacques Boulay, secrétaire du comité d'étude des termes de médecine, tient une chronique régulière à l'intérieur du *Bulletin de l'AMLFC*. Selon le *Bulletin*,

> Le Canadien français a la bouche molle! Il nous semble fondamental que la médecine canadienne-française s'exprime dans le meilleur français possible. La parole véhicule d'autant mieux la pensée, que ce soit sur le plan culturel ou scientifique, qu'elle s'exprime dans un français pur, souple, clair[11].

Plus tard, en 1977, le Dr Charles Lépine dénoncera, dans le *Bulletin de l'AMLFC*, la vogue récente qui consiste à transformer le français parlé ici en une espèce de créole. Selon lui, la langue française demeure la racine de l'identité des médecins francophones du pays,

> Et adopter ce langage bariolé, et sa réciproque obligée, un esprit et des idées étriquées, imprécis et incompréhensibles à travers le monde où l'on parle français, c'est déchoir, renoncer à notre identité propre sur le continent nord-américain. C'est manifester peu de respect pour nous-mêmes et nous soustraire au respect des autres[12].

Cette exigence, l'AMLFC l'adresse également aux différents ministères. En 1969, par exemple, elle fait parvenir une requête au premier ministre du Québec et à son ministre de la Santé, à la demande du Comité d'étude des termes de la médecine, leur demandant de réviser le texte français des règlements découlant de la Loi des hôpitaux du Québec. Le premier ministre Jean-Jacques Bertrand répond favorablement à cette demande et l'année suivante, une lettre est adressée à tous les responsables des organismes de santé pour les inviter à relever les principales erreurs de français que l'on retrouve dans les textes médicaux. Ce travail permettra la préparation d'un fascicule par le Comité d'étude des termes de la médecine que l'AMLFC éditera et distribuera gratuitement.

11. *Bulletin de l'AMLFC*, 6, 6, novembre-décembre 1972, p. 5.
12. *Bulletin de l'AMLFC*, 11, 1, janvier-février 1977, p. 2.

CHAPITRE 32

LA DÉONTOLOGIE MÉDICALE

À partir de la fin des années 1960, un mouvement de contestation de la médecine commence à s'exprimer dans la population. La disparition progressive des maladies contagieuses a eu pour effets secondaires le vieillissement de la population et l'augmentation des maladies chroniques. Plusieurs questions délicates sont maintenant à l'ordre du jour, comme l'avortement, l'euthanasie et la stérilisation des déficients intellectuels. Par ailleurs, la médecine est divisée entre les partisans de la technologie médicale et de la surspécialisation et les tenants d'une médecine globale qui demandent que l'on tienne compte des aspects sociaux, environnementaux et familiaux de la maladie. Dans ce chapitre, nous présenterons les contributions de l'AMLFC dans les débats concernant la déontologie médicale.

La création du Comité de déontologie et de distribution des soins

Plusieurs questions délicates sont maintenant à l'ordre du jour, comme l'avortement, l'euthanasie et la stérilisation des déficients intellectuels.

Après la restructuration, de 1968, le Comité provincial de l'AMLFC demeure. Son mandat est d'étudier les relations que doit entretenir l'AMLFC avec les autres associations médicales québécoises, d'informer les membres des initiatives prises par les autorités provinciales en matière de santé et de rechercher les meilleurs moyens de recrutement au Québec. En 1970, plusieurs sujets sont discutés lors des réunions du Comité provincial. On traite ainsi de la rédaction en bon français de la Loi de l'assurance-maladie, du droit pour un patient d'être traité en français dans les hôpitaux québécois, du recyclage des médecins œuvrant au sein du nouveau Régime d'assurance-maladie, de l'étude des subventions de recherche au Québec, du statut du chercheur et de l'avenir des subventions sous le Régime d'assurance-maladie. Le comité propose aussi d'établir des liens avec les dirigeants de la Fédération des médecins résidents du Québec (FMRQ).

En 1971, le Comité provincial est remplacé par le Comité de la déontologie et de la distribution des soins. Formé de huit membres provenant des trois principaux groupes de la profession (omnipraticiens, spécialistes et résidents), il a pour mandat de se pencher sur le problème de la médecine globale au Québec et au Canada. Parmi les sujets proposés pour étude figurent l'avortement, l'euthanasie et la stérilisation des déficients intellectuels.

La question de l'avortement

Pendant longtemps, l'avortement a été considéré comme un crime. Cela n'empêcha pas, cependant, certaines femmes de s'avorter elles-mêmes en utilisant des aiguilles à tricoter ou en consommant certains produits présumés abortifs. Par ailleurs, des sages-femmes et des médecins pratiquaient également, à l'occasion, des avortements illégaux.

En adoptant la loi C-150, en 1969, le Parlement fédéral « décriminalise » l'avortement si celui-ci est pratiqué dans un hôpital accrédité, par un médecin qualifié.

En 1967, Pierre Elliot Trudeau, alors ministre fédéral de la Justice, présente son fameux « bill omnibus », qui propose plusieurs amendements au code criminel. L'un d'eux légalise l'avortement dans les cas où la continuation de la grossesse risque de mettre en danger la santé de la mère. Avec l'adoption de la loi C-150, en 1969, le Parlement fédéral « décrimininalise » donc l'avortement si celui-ci est pratiqué dans un hôpital accrédité, par un médecin qualifié et avec l'autorisation d'un comité d'avortement thérapeutique.

Trois tendances s'expriment alors dans la population. Certains groupes croient que la vie humaine débute dès la conception et considèrent tout arrêt de grossesse comme un meurtre. Inversement, d'autres organismes désirent que l'avortement soit autorisé sur simple demande de la femme. Entre ces deux extrêmes, diverses associations souhaitent que l'avortement reste une mesure d'exception destinée à préserver la vie ou la santé de la femme, certaines acceptant également la cessation de la grossesse dans les cas de viol ou quand il existe de fortes probabilités que l'enfant naisse avec un handicap sérieux[1].

En 1972, l'AMLFC, par l'entremise de son Comité de déontologie et de distribution des soins, procède à une enquête auprès des médecins sur les implications de l'avortement thérapeutique et de l'avortement sur commande.

1. Desmarais (1999), p. 24-30.

Confiée au Dr Paul-André Meilleur, de Hull, cette enquête est une première au Canada. Quatre tendances bien définies ressortent chez les médecins francophones :

> Un groupe est favorable à toutes formes d'avortement et, dans une proportion comparable, un second groupe est contre toutes formes d'avortement, que ce soit thérapeutique ou sur demande. Entre ces deux extrêmes se situent une majorité qui est favorable à l'avortement thérapeutique et, dans une proportion comparable, une majorité qui est contre l'avortement sur demande[2].

La question n'est donc pas simple et l'AMLFC devra tenir compte de ces diverses tendances quand viendra le temps de s'exprimer. Toutefois, il est clair pour elle que l'avortement « n'est pas une solution adéquate au problème de natalité non désirée et il ne doit pas non plus être une panacée aux problèmes sociaux de l'heure[3] ».

Bien que l'avortement thérapeutique ait été autorisé en 1969, une importante résistance à la création de comités d'avortement thérapeutique se fait jour dans les hôpitaux, entre autres québécois. Au début des années 1970, presque tous les avortements thérapeutiques sont pratiqués dans les hôpitaux anglophones de Montréal. Encore en 1976, seulement 19 hôpitaux francophones disposent d'un comité d'avortement thérapeutique[4]. Il faudra attendre la création en 1977 des « cliniques Lazure », du nom du ministre de la Santé, pour que s'implantent des cliniques spécialisées offrant des services d'avortement dans une vingtaine de centres hospitaliers.

Encore de nos jours, le débat reste vif entre les partisans et les adversaires de l'avortement, y compris à l'intérieur de la profession médicale.

Encore de nos jours, le débat reste vif entre les partisans et les adversaires de l'avortement, y compris à l'intérieur de la profession médicale. Ce problème est finalement celui d'une société en pleine mutation.

L'euthanasie

Une autre question qui sera très discutée à partir des années 1970 est celle de l'euthanasie. Est-il nécessaire de prolonger le traitement dans le cas d'un patient en phase terminale malgré le consentement de ce dernier à mourir ?

---

2. *Bulletin de l'AMLFC*, 6, 4, juillet-août 1972, p. 3
3. *Bulletin de l'AMLFC*, 6, 4, juillet-août 1972, p. 3.
4. Desmarais (1999), p. 74.

L'AMLFC rappelle qu'il est contraire à la loi et à l'éthique professionnelle d'administrer à une personne une dose létale d'un médicament dans l'intention de provoquer la mort.

En 1974, le Comité de déontologie forme un sous-comité chargé de la préparation d'une déclaration sur l'euthanasie médicale. Approuvée à l'unanimité par le conseil d'administration, cette déclaration définit comme « l'abstention ou l'interruption de la prolongation thérapeutique d'une fonction vitale[5] ». L'AMLFC rappelle qu'il est contraire à la loi et à l'éthique professionnelle d'administrer à une personne une dose létale d'un médicament dans l'intention de provoquer la mort. Elle juge cependant conforme à cette même éthique professionnelle le fait de ne pas entreprendre ou de suspendre un traitement de soutien ou de prescrire des médicaments à dose suffisante pour supprimer la souffrance dans les cas de maladie mortelle en phase terminale ou d'anoxie cérébrale irréversible. Le médecin doit cependant recueillir l'opinion des proches du patient avant d'exprimer un avis. Il est aussi clair que seul l'intérêt de la personne soignée doit guider la décision du médecin.

La stérilisation des déficients intellectuels

Pendant tout le XXe siècle, la question du contrôle de la fertilité de certains groupes d'individus a suscité des discussions passionnées en Occident. Dans certains pays, les personnes atteintes de déficience mentale ont ainsi été stérilisées de façon systématique, particulièrement durant les années 1930 et 1940.

À la fin des années 1970, la question de la stérilisation des déficients intellectuels refait surface. Au congrès de 1978, à Montréal, on propose « que le comité de déontologie étudie tous les aspects de ce problème afin que l'AMLFC puisse prendre position au colloque prévu sur ce sujet au printemps 1979[6] ». L'année suivante, l'Association organise un symposium sur l'euthanasie, en collaboration avec l'Association des centres d'accueil du Québec, le Centre de bioéthique et la Commission de réforme du droit[7] et réunissant des médecins, des théologiens et des juristes. Les intervenants soulignent que les déficients moyens et profonds ont rarement un degré d'autonomie suffisant pour créer une relation de couple. Par contre, ils sont

5. « Position de l'AMLFC en regard de l'euthanasie médicale », *Bulletin de l'AMLFC*, 11, 4, juillet-août 1977.
6. *Bulletin de l'AMLFC*, 13, 1, janvier-février 1979, p. 15.
7. « Stérilisation et déficience mentale : mise au point d'une solution », *Bulletin de l'AMLFC*, 13, 4, automne 1979.

souvent victimes d'abus et d'exploitation sexuelle. Le risque de transmission de tares héréditaires s'accroît si les deux parents sont déficients. Il est par ailleurs très difficile de contrôler la fertilité par les moyens contraceptifs courants. La vasectomie pour l'homme et l'hystérectomie pour la femme constituent donc les meilleures approches.

En 1981, l'AMLFC juge que la stérilisation chirurgicale peut être une méthode légitime de contraception, tant pour la personne handicapée mentalement que pour les non-handicapés.

Au début de 1981, l'AMLFC présentera la position prise par son Comité de déontologie. La stérilisation chirurgicale peut être une méthode légitime de contraception, tant pour la personne handicapée mentalement que pour les non-handicapés. Elle n'est cependant justifiée que si elle est pratiquée pour le bien exclusif de la personne déficiente. L'accès à la stérilisation doit en outre être soumis à un ensemble de règles et toute demande doit être présentée à un tribunal compétent, chargé de déterminer si la personne est capable de donner un consentement libre et éclairé. Dans la négative, le tribunal doit s'entourer d'experts afin de juger de la requête et de vérifier si elle est dans le meilleur intérêt de la personne handicapée mentalement. Toute décision de stérilisation doit être soumise à une commission de surveillance sous l'autorité de la Commission des droits de la personne. Enfin, il faut prévoir un délai raisonnable entre la décision de procéder à une stérilisation et son exécution afin de permettre l'exercice d'un droit d'appel[8].

Le diagnostic prénatal

En 1982, le Comité de déontologie de l'AMLFC s'attarde au diagnostic prénatal, qui permet d'évaluer les familles à risque génétique élevé de maladies héréditaires, d'anomalies chromosomiques, de malformations graves ou de pertes fœtales. Il permet la correction précoce d'anomalies et facilite les mesures entourant l'accouchement. Margré ces conséquences positives, le diagnostic prénatal suscite de la controverse dans la société.

Le Comité de déontologie fait part de ses réflexions sur le sujet lors du Conseil général d'octobre 1982 et recommande que le diagnostic prénatal soit précédé, accompagné et suivi de conseils génétiques aux parents. Il

8. « La stérilisation des déficients mentaux : position du comité de déontologie de l'A.M.L.F.C. », *UMC*, 110, 3, mars 1981, p. 280-281. Le Comité de déontologie était alors constitué des Drs Maurice de Wachter, Serge Melançon, Paul Landry, Bernard Gélinas, Jacques Brière, Jean-Paul Dechêne, Rodrigue Johnson, David Roy et de Me Jean-Louis Beaudoin.

Malgré les conséquences positives du diagnostic prénatal, celui-ci suscite de la controverse dans la société.

suggère aussi que les médecins reçoivent une formation adéquate pour offrir un tel service et il recommande que l'accessibilité soit liée à des indications médicales conformes aux données acquises de la science. Le Comité de déontologie croit enfin que la patiente doit rester libre d'entreprendre ou de refuser les procédures de diagnostic prénatal[9].

La médecine globale

La médecine communautaire est le thème principal du congrès de 1970 à Montréal[10]. On décrit alors le fonctionnement de la Clinique de la Pointe Saint-Charles qui, depuis sa fondation en 1968, est gérée par les citoyens eux-mêmes. Selon les défenseurs de la médecine communautaire, celle-ci ne fait pas que traiter des maladies, mais « s'occupe de l'homme globalement, à toutes les étapes de sa vie[11] ». Les CLSC peuvent combler les lacunes existant dans les milieux défavorisés et prévenir de nombreuses hospitalisations.

Pourtant, de nombreux médecins expriment des réserves. Plusieurs médecins ne souhaitent pas travailler dans ces cliniques ou dans les CLSC parce qu'on ne veut pas les payer. En favorisant la médecine communautaire, on risque aussi d'aboutir à la situation prévalant en URSS, où l'on mise tout sur le traitement et rien sur la recherche. Selon les partisans de la recherche biomédicale et de l'ultraspécialisation, ce qu'un patient exige d'un chirurgien, c'est qu'il puisse lui enlever un organe malade pour ensuite retourner chez lui vivant au bout de quelques semaines[12].

La question refait surface lors du congrès de 1978, à Montréal, portant sur l'environnement et la santé. Dans son allocution, le président, Paul David, signale que la multiplication spectaculaire de la technologie médicale a fait en sorte que l'attention du médecin se concentre davantage sur le traitement d'une maladie en oubliant l'environnement social, familial ou psychologique du malade. « L'inconvénient de cette tendance est une perte subtile de confiance du médecin dans son jugement, ainsi qu'une orientation inconsciente vers cette voie de facilité qui confie à la technique le soin de

9. *Bulletin de l'AMLFC*, 16, 10, octobre 1982, dans *UMC*, 111, 10, octobre 1982, p. 937.
10. *UMC*, 99, 8, août 1970, p. 1369.
11. *UMC*, 100, 2, février 1971, p. 207.
12. *Ibid.*, p. 207-208.

Les progrès de la civilisation sont la cause d'états morbides nouveaux dont on commence à peine à discerner les conséquences : pollution, bruit, radioactivité, abus de médicaments, etc.

suggérer les orientations diagnostiques[13].» De plus, les découvertes de la médecine curative et palliative, tout en entraînant une augmentation extraordinaire des coûts, ont sans doute indirectement «retardé nos efforts dans les domaines de la médecine préventive, sociale et de réadaptation[14]». Or, les progrès de la civilisation sont la cause d'états morbides nouveaux dont on commence à peine à discerner les conséquences : pollution, bruit, radioactivité, abus de médicaments, etc.

Le congrès de 1978 se conclut sur diverses suggestions. On propose ainsi d'instituer dans *L'Union Médicale du Canada* une chronique régulière qui traiterait de sujets reliés à la santé et à l'environnement. Il est également suggéré que *L'UMC* et les médecins en général collaborent avec les agronomes, les vétérinaires et les autres professions paramédicales pour qu'une information plus exacte soit fournie à la population. Concernant le milieu rural, il est proposé que soit institué un contrôle plus sévère sur la production, la vente et l'utilisation de médicaments servant à la croissance des bovins, des poulets et des porcs, ainsi que sur les pesticides. Pour le milieu urbain, les rapporteurs recommandent que les médecins exercent un contrôle plus sévère des drogues qu'ils prescrivent, particulièrement aux adolescents[15].

Conclusion de la sixième partie

Entre 1968 et 1980, l'AMLFC se dota d'une nouvelle constitution plus démocratique. Elle s'engagea plus à fond dans le domaine de l'enseignement médical continu et multiplia les contacts avec la francophonie internationale. De même, elle prit position, par l'entremise de son Comité de déontologie médicale, sur des questions d'actualité très controversées. Malgré ces développements, l'Association connaîtra une importante crise interne au début des années 1980, mais elle en sortira renforcée. C'est ce que nous verrons dans la prochaine et dernière partie.

13. *Bulletin de l'AMLFC*, 13, 1, janvier-février 1979, p. 3.
14. *Ibid.*, p. 3.
15. *Bulletin de l'AMLFC*, 13, 1, janvier-février 1979, p. 15.

SEPTIÈME PARTIE

Un nouveau tournant (1980-2000)

Les années 1980 marquent l'avènement d'une nouvelle époque. D'une part, la lutte au déficit devient la priorité des gouvernements occidentaux. D'autre part, on parle de plus en plus de mondialisation, surtout à partir de la création du réseau Internet et de la multiplication d'ententes économiques, politiques et culturelles entre les États. Pour l'AMLFC, le début des années 1980 est une période très difficile. Faisant face à un déficit important et à une baisse de ses effectifs, l'Association est obligée de se redéfinir, ce qu'elle fera avec succès.

Cette dernière partie commencera, comme toujours, par une présentation du contexte global et de l'organisation interne de l'Association. Le développement de l'exposition scientifique, ouverte au grand public, lors des congrès de l'AMLFC fera l'objet du chapitre suivant. Puis nous étudierons ensuite les diverses tentatives de l'AMLFC pour sauver L'Union Médicale du Canada, *la plus ancienne revue médicale francophone d'Amérique du Nord. Un chapitre sera ensuite consacré aux activités de l'Association dans le domaine de l'éducation médicale continue. Enfin, nous décrirons les principales activités et les différents services mis sur pied par l'Association.*

CHAPITRE 33

LE CONTEXTE GLOBAL

Le début des années 1980 marque une certaine rupture avec les décennies précédentes. Le monde devient de plus en plus un « village global ». L'apparition du sida rappelle à tous que malgré les progrès de la médecine nous ne sommes pas à l'abri des épidémies. La question nationale au Québec n'est toujours pas résolue. L'endettement massif des gouvernements les oblige à entreprendre d'importantes compressions, en particulier dans le domaine de la santé. Enfin, les thèmes qui ont passionné les intellectuels, les étudiants et les militants durant les décennies précédentes (féminisme, écologie, pacifisme, etc.) semblent s'essouffler et font place à un certain individualisme. Tels sont les sujets de ce chapitre.

La mondialisation

Un phénomène prend de plus en plus d'importance depuis le début des années 1980, celui de la mondialisation. Les frontières entre les différents pays disparaissent peu à peu, permettant la libre circulation du commerce et des informations. Les États-Unis et le Canada signent en 1984 un accord de libre-échange. Par la suite, la zone de libre-échange s'étendra au Mexique, et l'on parle maintenant de l'ensemble des Amériques. De même, en Europe, l'Union européenne voit le jour. Enfin, la création du réseau Internet permet un accès plus rapide aux informations, services, produits et événements de toutes sortes offerts partout dans le monde.

L'anglais s'impose de plus en plus comme la langue universelle dans les divers domaines, y compris celui des écrits scientifiques.

Par la mondialisation, les nations tendent à s'uniformiser sur les plans tant économique que politique et culturel. En dépit de points positifs indéniables, la mondialisation obligera cependant certaines minorités linguistiques à plus de vigilance quant à leur avenir. En effet, l'anglais s'impose de plus en plus comme la langue universelle dans les divers domaines, y compris celui des écrits scientifiques.

Une nouvelle épidémie : le sida

Il n'y a pas que les capitaux, les personnes et les informations qui circulent plus rapidement et librement sur la planète. Les agents pathogènes aussi profitent de cette mondialisation pour s'infiltrer dans des territoires qui leur étaient jusqu'alors inconnus.

Avec le développement des antibiotiques et la pratique systématique de la vaccination, les maladies infectieuses avaient semblé régresser et paraissaient même vaincues dans les années 1940. Pourtant, au début de l'année 1980, presque au moment même où l'on annonce l'éradication de la variole, des médecins de New York, de Los Angeles et de San Francisco constatent quelques cas d'une curieuse immunodéficience acquise. Les personnes atteintes, toutes des homosexuels, succombent rapidement du sarcome de Kaposi ou de diverses infections habituellement bénignes (mononucléose, pneumonie, candidose, etc.). Deux cas semblables sont diagnostiqués au Danemark en septembre, également chez des homosexuels, qui ont séjourné auparavant à New York. Puis les premiers cas de sida se manifestent chez des hétérosexuels toxicomanes, toujours à New York. On découvre ensuite, en 1981, que la mystérieuse maladie est très fréquente en Haïti, résultat des contacts entre les prostituées et les touristes. Les premiers hémophiles succombent aussi en 1981, après avoir contracté le virus du sida lors de transfusion sanguine. Quand, en 1983, le terme « sida » est définitivement adopté pour désigner le syndrome d'immunodéficience acquise, la maladie s'est déjà étendue de façon exponentielle sur l'ensemble de la planète, frappant non seulement les premiers groupes à risque mais aussi les hétérosexuels[1].

Le sida réveille les peurs ancestrales d'épidémies dans la population, et les sidéens, pendant les premières années, sont perçus comme les pestiférés d'autrefois.

En attaquant le système immunitaire, le sida contribue à la recrudescence de certaines maladies, comme la tuberculose, que l'on croyait vaincues. Il réveille en outre les peurs ancestrales d'épidémies dans la population. Durant les premières années, les sidéens sont perçus de la même façon que les pestiférés d'autrefois. L'épidémie du sida remet finalement en question la révolution sexuelle qui a caractérisé les années 1960 et 1970. Au même moment, on constate par ailleurs que d'autres maladies transmises

1. Grmek (1990), p. 24-85.

sexuellement résistent de plus en plus aux antibiotiques[2]. Par des campagnes d'information, les médecins tenteront de promouvoir des comportements sécuritaires.

Le sida n'est sans doute pas une maladie nouvelle[3], mais le virus qui en est responsable a profité pleinement des nouvelles conditions sociales (libéralisation des mœurs, consommation de drogues intraveineuses, tourisme, etc.) et des progrès de la technologie (utilisation répandue de la transfusion sanguine) pour sortir de son foyer initial et s'étendre à toute la planète.

Au Canada, l'impasse constitutionnelle et la lutte au déficit

Si les accords internationaux deviennent la norme à partir des années 1980, au Canada par contre, les tentatives de réforme du fédéralisme canadien se soldent par une impasse toujours non résolue.

Après l'échec du référendum de 1980 et le rapatriement de la constitution canadienne sans le consentement du Québec, le nationalisme québécois sombre dans la morosité. Alors que le Parti conservateur, élu à Ottawa, exprime une volonté de décentralisation, le Parti québécois tente le «beau risque». À sa suite, le Parti libéral, sous la direction de Robert Bourassa, essaiera d'obtenir des gains pour le Québec, sans succès toutefois. Avec l'échec de l'accord du lac Meech, puis la signature de l'accord de Charlottetown, suivis de la défaite du oui au second référendum sur la souveraineté en 1995, la situation politique canadienne reste nébuleuse.

Partout en Occident, on parle désormais d'équilibre budgétaire, de diminution de la dette, de coupures dans les programmes sociaux, de privatisation et d'allégement du rôle de l'État.

L'État-providence est par ailleurs de plus en plus remis en question, surtout à partir de la crise économique de 1981-1982. Partout en Occident, on parle désormais d'équilibre budgétaire, de diminution de la dette, de coupures dans les programmes sociaux, de privatisation et d'allégement de l'État[4].

Les milieux des affaires et les institutions financières s'en prennent de plus en plus à l'alourdissement de la dette publique. Un nouveau courant, que l'on désigne sous le nom de néo-libéralisme, considère que l'État représente

2. Guérard (1996), p. 101.
3. Une étude des dossiers médicaux permet en effet de soupçonner qu'il y eut quelques cas probables de sida dès les années 1950. Grmek (1990), p. 206-210.
4. Linteau *et al.* (1989), p. 688.

un frein au développement économique. Dans le but de conserver une cote avantageuse auprès des grandes institutions de crédit, les divers paliers de gouvernement doivent procéder à d'importantes coupures dans les différents programmes, surtout sociaux.

D'abord limitées à la Grande-Bretagne et aux États-Unis, les politiques néolibérales s'étendent progressivement à l'ensemble des pays occidentaux. Le Canada emboîtera le pas à la fin des années 1980, ce qui contribuera à exacerber les conflits entre le gouvernement fédéral et les provinces. En effet, le gouvernement fédéral procédera alors à une coupure des transferts aux provinces.

La réforme du système de santé

L'implantation dans les années 1960 et 1970 des régimes d'assurance-hospitalisation et d'assurance-maladie a été la principale cause de l'augmentation des dépenses gouvernementales.

L'implantation dans les années 1960 et 1970 des régimes d'assurance-hospitalisation et d'assurance-maladie a été la principale cause de l'augmentation des dépenses gouvernementales. En 1988, par exemple, plus de 30% des dépenses du gouvernement québécois étaient destinées à la santé[5]. Dans ce contexte, il est donc normal que le secteur de la santé soit particulièrement visé par la remise en question, à partir des années 1980, de l'État-providence.

Divers procédés seront utilisés par les gouvernements provinciaux pour limiter les dépenses. Le gros des dépenses de l'État pour la santé étant affecté à la rémunération du personnel, c'est là que les compressions budgétaires seront, dans un premier temps, exercées : incitation à la retraite anticipée, gel des salaires, augmentation des emplois occasionnels ou à temps partiel, etc. On procède aussi à la privatisation de certains services, on a recours à la sous-traitance, on restreint l'accès à certains services, on désinstitutionnalise certaines clientèles et on réduit le temps de séjour à l'hôpital ou on ferme des lits[6].

Après un retard de quelques années par rapport aux autres provinces, le Québec procédera également, au début des années 1990, à une réforme complète de son système de santé. L'heure est maintenant au virage ambulatoire et à la chirurgie d'un jour. On cherche aussi à favoriser les soins à

5. Guérard (1996), p. 102.
6. *Ibid.*, p. 101-105.

Après un retard de quelques années par rapport aux autres provinces, le Québec procédera également, au début des années 1990, à une réforme complète de son système de santé.

domicile pour les personnes âgées. Les anciens CRSSS sont remplacés par des régies régionales. Plusieurs hôpitaux sont fermés ou convertis en établissements de soins prolongés. On modifie la vocation de certains établissements. Beaucoup sont fusionnés, par exemble l'Hôpital Notre-Dame, l'Hôtel-Dieu de Montréal et l'Hôpital Saint-Luc, qui deviennent le Centre hospitalier de l'Université de Montréal (CHUM).

Ce traitement de choc, si nécessaire dans un contexte de mondialisation, ne pouvait cependant pas s'accomplir sans provoquer de remous. À partir des années 1980, l'engorgement des urgences fait régulièrement la manchette des médias. La détérioration des conditions de travail (alourdissement des tâches, horaires imprévisibles, perte d'autonomie, etc.) incite plusieurs professionnels de la santé à gagner l'étranger. La désinstitutionnalisation des malades mentaux contribue à augmenter le nombre de sans-abris[7].

L'individualisme et ses effets sur la santé de la population

Certains auteurs considèrent que les années 1980 sont celles de « la fin des idéologies ». En fait, ce sont les idéologies collectives qui sont de plus en plus rejetées, plus particulièrement à partir de la chute du système communiste en 1989. On ne remet plus en question la société, la primauté étant maintenant accordée à la vie privée et au bien-être corporel et psychologique de l'individu[8]. La mode est désormais à la « croissance personnelle », au culte de la forme physique et de l'équilibre émotif.

Ce nouveau courant de pensée suscitera de nouvelles attitudes, parfois positives, parfois douteuses, au regard de la santé des populations. De plus en plus d'individus surveillent maintenant leur alimentation, évitant toute nourriture contenant trop de cholestérol, de sucre ou de sel. Le tabagisme est en décroissance et différents sports (jogging, aérobie, etc.) deviennent plus populaires. Par contre, cette volonté d'être éternellement jeune, svelte et actif conduit parfois à privilégier l'apparence ou la performance au détriment de la santé : recours de plus en plus fréquent à la chirurgie esthétique,

7. *Ibid.*, p. 101-105.
8. Linteau *et al.* (1989), p. 687.

recherche du régime miracle, utilisation de stéroïdes dans le milieu sportif, consommation parfois abusive de certaines substances, illégales ou non, pour se détendre, dormir ou au contraire rester éveillés, etc.

Cela amène également la multiplication de médecines dites « alternatives » ou « douces » qui pour la plupart ne sont pas reconnues[9], ainsi que la vente libre de produits naturels qui peuvent à l'occasion être nocifs ou contrecarrer certaines médications.

Globalement, les deux dernières décennies ont donc été caractérisées par une remise en question des acquis des décennies précédentes. Comment ces changements ont-ils affecté l'AMLFC et comment y a-t-elle fait face, tels seront les sujets des prochains chapitres.

9. La chiropraxie a toutefois été reconnue en 1973 et l'acupuncture, en 1986. Guérard (1996) p. 114.

CHAPITRE 34

L'ORGANISATION INTERNE

Les années 1980 marquent un nouveau tournant pour l'AMLFC. Faisant face, au début de cette décennie, à une importante baisse de ses effectifs et à une situation financière difficile, l'Association se voit dans l'obligation de préciser ses objectifs et de modifier ses structures. Pour s'assurer une relève, elle multiplie les rencontres auprès des étudiants en médecine. Le poste de directeur administratif est désormais ouvert aux non-médecins. Le retour d'une importante somme d'argent, découlant d'une réorganisation financière, permet un redressement de la situation financière de l'AMLFC. Enfin, l'Association devient propriétaire de l'immeuble où réside désormais son siège social et économise d'importantes sommes sur la location d'espaces.

La crise du début des années 1980

Au début des années 1980, l'AMLFC fait face à une crise qui l'oblige à se remettre en question.

Au début des années 1980, l'AMLFC fait face à une crise qui l'oblige à se remettre en question. On assiste à la diminution des assistances d'un congrès à l'autre, et le nombre de membres actifs est en baisse constante depuis quelques années. Ainsi, 1 586 médecins n'ont pas renouvelé leur cotisation au cours de l'année 1979[1]. Plus de la moitié des membres qui n'ont pas renouvelé ont moins de 34 ans. Après avoir atteint un plafond en 1976 avec 5 738 membres, l'AMLFC n'en compte plus que 4 537 en 1980, puis 4 120 en 1981.

Cette baisse des effectifs n'est pas sans affecter les finances de l'Association. L'exercice financier 1980-1981 se solde par un déficit, causé particulièrement par une baisse des revenus. Pour remédier à la situation, l'AMLFC doit procéder à des coupures. Le personnel est alors réduit à quatre personnes. Divers services devenus déficitaires comme *Sonomed*, sont délaissés. Seul le Comité du budget et des finances est maintenu comme comité statutaire.

1. *Procès-verbal de l'Assemblée semi-annuelle du Conseil Général tenue les 9-10 mai 1980 à l'Hôtel Loew's Le Concorde de Québec*, p. 10.

L'Association se retire aussi provisoirement de certains organismes, en prenant toutefois, à l'aube de la mondialisation, la décision de maintenir sa participation aux congrès à l'étranger.

Au début des années 1980, on assiste à une véritable concurrence entre les diverses associations médicales, qui offrent souvent des services similaires.

La récession économique que connaît le pays au début des années 1980 est bien sûr en partie responsable de la baisse du nombre d'adhérents. Mais de plus, on assiste alors à une véritable concurrence entre les diverses associations médicales, qui souvent offrent des services similaires aux médecins. Le président de l'AMLFC en 1984, le Dr Hugues Lavallée, affirme ainsi :

> Je pense qu'on ne peut plus compter sur une adhésion à l'Association, ni nationaliste, ni coutumière, ni répétitive d'un geste familier. Aujourd'hui cette adhésion est devenue discriminatoire et seule la qualité des objectifs et des réalisations de notre Association est et sera un critère d'adhésion des membres[2].

L'AMLFC se voit donc dans l'obligation de se définir une nouvelle vocation. En juin 1982, les membres du conseil d'administration se réunissent à North Hatley afin de redéfinir les objectifs de l'Association[3]. Tous s'entendent pour dire que l'AMLFC doit devenir une interlocutrice valable sur tous les sujets touchant les problèmes de santé au Québec, mais en évitant tout engagement politique ou syndical. L'AMLFC doit aussi s'approcher du grand public en rendant accessibles les divers aspects de la médecine. De plus, les membres du conseil d'administration s'entendent sur la nécessité d'offrir des services adaptés aux besoins des diverses catégories de membres. Il est ainsi suggéré de rejoindre les étudiants en médecine dès le début de leurs études en présentant des conférences sur des sujets qui les touchent.

En octobre 1982, le congrès annuel est remplacé par un colloque sur la prévention, organisé conjointement avec le Centre hospitalier de la région de l'Outaouais à Hull, auquel participe le Dr Jean-H. Dussault, un chercheur dont les travaux sur l'hypothyroïdie en ont fait un candidat au prix Nobel de médecine[4]. Au cours de l'Assemblée annuelle du Conseil général, la

2. *Procès-verbal de la réunion semi-annuelle du Conseil Général tenue le samedi 24 avril 1984 à l'Hôtel Loew's Le Concorde de Québec*, p. 5.
3. *Procès-verbal de la réunion du Conseil d'administration de l'AMLFC tenue à l'Auberge Hartley Inn, à North Hatley, les 18-20 juin 1982.*
4. *Bulletin de l'AMLFC*, 16, 11, novembre 1982, dans *UMC*, 111, 11, novembre 1982, p. 1033.

présidente sortante, le Dr Monique Boivin, présente les grandes lignes d'un projet de restructuration. Tout en demeurant un organisme social et culturel axé sur la promotion de la médecine d'expression française au Canada et à l'étranger, l'AMLFC s'intéressera aussi désormais à toutes mesures susceptibles de compromettre la qualité de médecine québécoise et canadienne, sans se prononcer sur les questions d'intérêt économique, qui relèvent des fédérations[5]. Elle tentera principalement d'améliorer l'image des médecins auprès du grand public en analysant les postulats de l'anti-médecine, en transmettant au public des informations sur la détection et la prévention des maladies, et en rendant accessibles les notions véhiculées par la médecine scientifique.

Une modification des structures

L'Association est désormais composée de quatre catégories de membres : les membres actifs, les membres associés, les membres honoraires et les membres étudiants.

Tout en précisant ses objectifs, l'AMLFC, sous la présidence du Dr Hugues Lavallée, adopte un ensemble de politiques-cadres en 1983. Plusieurs changements sont apportés aux règlements durant les années 1980, dont deux refontes en profondeur en 1982 et 1988. L'Association est désormais composée de quatre catégories de membres : les membres actifs, les membres associés, les membres honoraires et les membres étudiants. Les étudiants membres peuvent maintenant faire partie du Conseil général et être élus membres du conseil d'administration. Le Conseil général élit le vice-président de l'AMLFC et huit administrateurs, qui formeront le conseil d'administration en compagnie du président en fonction et du président sortant. Étant donné qu'il devient automatiquement président dans le mandat suivant, le vice-président n'a pas besoin d'être membre du Conseil général au moment de son accès à la présidence[6].

À partir de 1988, le nouveau président de l'AMLFC est élu pour une période de deux ans et le vice-président devient automatiquement président. Exceptionnellement, on a permis au Dr Wilhelm B. Pellemans de se représenter au poste de président à la fin de son premier mandat, qui a duré un an, pour un total de trois ans (1987-1990). Il assumera plus tard un second mandat de deux ans de 1994 à 1996.

5. *Bulletin de l'AMLFC*, 16, 11, novembre 1982, dans *UMC*, 111, 11, novembre 1982, p. 1028-1029.
6. *Bulletin de l'AMLFC*, 16, 7, juin 1982, dans *UMC*, 111, 7, juillet 1982, p. 667.

Rallier les jeunes médecins

Une des causes importantes de la baisse des effectifs de l'AMLFC à la fin des années 1970 résidait dans son incapacité d'attirer et de retenir les jeunes médecins. Ainsi, la majeure partie des membres qui n'avaient pas renouvelé leur cotisation en 1979 étaient des médecins de moins de 34 ans. Pour survivre, l'Association dut s'assurer d'une relève en faisant des démarches auprès des étudiants en médecine.

En 1981, l'AMLFC contribue au financement du Festival social et sportif de la Fédération des étudiants en médecine du Québec. C'est l'occasion, pour les Drs Paul Duchastel, André Boyer et Monique Boivin, délégués officiels de l'AMLFC, d'établir un dialogue avec les représentants des étudiants. Les étudiants expriment le souhait que des rencontres aient lieu dans les différentes universités, au cours desquelles des médecins leur présenteraient des thèmes qui n'y sont pas enseignés et qui les préoccupent.

Répondant aux vœux des étudiants, le Dr Monique Boivin présente en mars 1981 une conférence devant les étudiants de première année de l'Université de Sherbrooke sur la médecine vue par une femme médecin[7]. La vice-présidente en profite pour mettre en garde les étudiantes contre la tendance qu'elles ont à délaisser totalement les loisirs pour se consacrer exclusivement à l'étude. Un mois plus tard, l'AMLFC délègue Me André Provost pour entretenir les étudiants de l'Université de Montréal sur la médecine et le droit[8]. La pratique médicale en cabinet privé est l'objet d'une autre conférence organisée en février 1982 par l'AMLFC, cette fois devant les étudiants en médecine de l'Université Laval.

Répondant aux vœux des étudiants, le Dr Monique Boivin présente en mars 1981 une conférence devant les étudiants de première année de l'Université de Sherbrooke sur la médecine vue par une femme médecin.

Ces rencontres avec les étudiants dans les universités sont une excellente occasion de présenter les différents services qu'offre l'Association. Après quelques années, on constate qu'il est préférable que ces rencontres aient lieu au début des sessions scolaires.

Le recrutement des futurs médecins est l'une des priorités de l'AMLFC sous la présidence du Dr Bernard Leduc en 1985-1986. L'Association organise ainsi, en 1986, un stage d'été en journalisme scientifique pour les étudiants

7. *Bulletin de l'AMLFC*, 15, 2, mars 1981, p. 5.
8. *Bulletin de l'AMLFC*, 15, 3, avril 1981, p. 5.

en médecine. Dans son numéro de mars 1986, le *Bulletin de l'AMLFC* signale que 346 étudiants ont adhéré à l'Association au cours des trois derniers mois. Un comité étudiant est aussi créé en 1985. Grâce aux Drs Omer Gagnon, Monique Landry et Louise Vanasse plus particulièrement, ce comité fait preuve de beaucoup de dynamisme jusqu'au milieu des années 1990. Il propose ainsi, en 1992, la création d'un nouveau prix, décerné par les étudiants en médecine eux-mêmes à l'un de leurs camarades pour son engagement.

La création du fonds Michel-Delphis-Brochu

La situation financière de l'AMLFC se rétablit en 1987 après que l'Association eut récupéré une importante somme d'une firme d'assurance américaine.

La situation financière de l'AMLFC se rétablit en 1987 après que l'Association eut récupéré une importante somme d'une firme d'assurance américaine. À l'automne 1986, l'Union mutuelle (UNUM), compagnie d'assurance-vie servant plus de 900 médecins par l'entremise de l'ALMLFC, informe l'Association qu'elle s'est transformée en société de capital-actions sous le nom d'UNUM. L'AMLFC devient du coup propriétaire de 84358 actions d'une valeur approximative de 3 millions de dollars canadiens.

Il faudra plus de deux ans pour régler ce dossier. L'Association doit dans un premier temps retrouver tous les membres qui s'étaient assurés auprès de l'Union mutuelle depuis 1974. Elle retient également les services d'une firme juridique et d'une firme comptable pour régler tous les problèmes juridiques et fiscaux découlant de ce dossier[9]. Le 5 février 1988, le conseil d'administration se prononce en faveur d'une vente en bloc des actions. L'AMLFC peut alors redistribuer les sommes récupérées aux membres assurés auprès de l'Union mutuelle en appliquant la même base de calcul que la compagnie d'assurance.

Lors de l'Assemblée générale d'octobre 1989, les membres approuvent la création du fonds Michel-Delphis-Brochu avec le solde des sommes reçues de l'UNUM, après redistribution. Ce fonds devra servir au financement des activités scientifiques[10].

9. Me André Paquette a été chargé de l'étude du dossier au point de vue juridique, alors que M. Réjean Desjardins s'est occupé de l'aspect fiscal.
10. *Bulletin de l'AMLFC*, 22, 12, décembre 1989, p. 12.

L'AMLFC acquiert également, à la suite de l'adoption d'une loi spéciale en 1991, les biens de la défunte Société médicale de Montréal. Ceux-ci incluent entre autres un certificat d'actions émis par la compagnie d'assurance-vie UNUN. Les actifs sont déposés dans un second fonds qui doit servir à des activités scientifiques et de formation médicale continue.

Les directeurs administratifs

Dans les années 1980, il devient de plus en plus difficile, étant donné la lourdeur de la tâche, de trouver un médecin ayant le temps et l'expérience nécessaires pour combler le poste de directeur général.

Depuis la création en 1928 du poste de directeur général, seuls des médecins peuvent servir à ce titre, tel que le stipulaient les règlements de l'Association. Il devient cependant évident, dans les années 1980, qu'il sera de plus en plus difficile de trouver un médecin ayant le temps et l'expérience nécessaires pour combler le poste de directeur général. Dès septembre 1980, le Dr Paul David présente un avis de motion pour amender les règlements de l'AMLFC afin d'ouvrir le poste de directeur administratif à d'autres candidats que les médecins, tout en précisant qu'à compétence administrative égale, le candidat médecin doit avoir priorité[11]. La motion est cependant rejetée lors de la réunion semi-annuelle du Conseil général de 1982.

À la fin de l'année 1980, l'AMLFC est à la recherche d'un nouveau directeur administratif. Étant donné l'alourdissement des tâches administratives, elle demande à une firme d'experts en recrutement de cadres de rechercher le médecin le plus apte à remplir cette fonction[12]. Le candidat retenu est le Dr Raymond Robillard.

Docteur en médecine de l'Université de Montréal en 1953, le Dr Robillard a été le premier résident du département de recherche clinique que dirigeait le Dr Jacques Genest à l'Hôtel-Dieu de Montréal. Après s'être spécialisé en médecine interne et en neurologie à Boston et à Londres, il a ensuite été nommé chef du nouveau service de neurologie de l'Hôpital Maisonneuve. Au moment de la mise sur pied du régime d'assurance-maladie, le Dr Robillard a fondé la Fédération des médecins spécialistes du Québec (FMSQ), dont il a été le président et le directeur jusqu'en 1978.

11. *Procès-verbal de la réunion semi-annuelle du Conseil Général qui s'est tenue le 23 mai 1981 à l'Auberge des Gouverneurs à Sainte-Foy*, p. 1.
12. «Communiqué», dans *Bulletin de l'AMLFC*, 15, 3, avril 1981.

Les présidents de l'Association des médecins de langue française du Canada depuis 1969

Dr André Leduc, 1969

Dr Charles Lépine, 1970

Dr Jacques Léger, 1971-1972

Dr Bernard Lefebvre, 1973

Dr Jean-Louis Léger, 1974

Dr Paul-André Meilleur, 1975-1976

Dr Omer Gagnon, 1977

Dr Paul David, 1978

Dr Léo-Paul Landry, 1979

Dr Michel Copti, 1980

Dr Paul Duchastel, 1981

Dr Monique Boivin-Lesage, 1982

Dr André Boyer, 1983

Dr Hughes Lavallée, 1984

Dr Bernard Leduc, 1986

Dr François Lamoureux, 1985-1987

Dr Wilhelm B. Pellemans,
1988-1990 et 1995-1996

Dr Victor Bardagi, 1990-1992

Dr Claude Thibeault, 1992-1993

Dr Jacques Lambert, 1997-1998

Dr André H. Dandavino, 1999-2000

Dr Jean Léveillé, 2000-2002

Photo : Pierre Roussel

M. André de Sève, directeur général

Photo : Pierre Roussel

M. Gilles Lapierre, directeur des finances

Directeur général de l'AMLFC de 1981 à 1985, le Dr Robillard sera l'auteur de deux manuscrits rédigés au nom de l'Association[13], soit *De la loi 65 à la loi 27 – Vers une médecine d'État* et *Analyse du projet de règlement de la Loi 27*. Il participera aussi à l'organisation des congrès-expositions de 1983 et 1984.

Après son départ de l'AMLFC, en 1985, le Dr Robillard travaillera à la mise sur pied d'une équipe médicale de secours pour les pays sous-développés[14].

C'est en 1985 que l'AMLFC accepte enfin que le poste de directeur administratif de l'Association soit comblé par une personne n'ayant pas obligatoirement un doctorat en médecine.

C'est en 1985 que l'AMLFC accepte enfin que le poste de directeur administratif de l'Association soit comblé par une personne n'ayant pas obligatoirement un doctorat en médecine. Le nouveau directeur administratif, M. André de Sève, a auparavant œuvré dans les domaines de la communication plus précisément en radio et télévision. Reconnu comme un gestionnaire efficace, M. De Sève est aussi apprécié pour sa diplomatie et sa discrétion[15].

Avec l'adoption des nouveaux règlements en 1988, le terme de «directeur administratif» est remplacé par celui de «directeur général».

Le déménagement de l'AMLFC

En août 1978, l'AMLFC et *L'UMC* ont quitté leurs bureaux de l'avenue du Parc pour s'installer au 1440, Sainte-Catherine Ouest, où loge la Corporation professionnelle des médecins du Québec[16] (CPMQ) depuis 1969.

Le bail se termine en mars 1994 et l'on étudie la possibilité d'un nouveau déménagement. Au début de l'année 1993, un immeuble de deux étages, avec un locataire au second, situé au 8355, boulevard Saint-Laurent, représente une occasion intéressante, d'autant qu'il serait possible de s'en porter acquéreur pour la somme de 475 000 $. Un amendement à la charte est adopté lors d'une assemblée extraordinaire des membres du Conseil général, augmentant à 5 millions de dollars la valeur totale des immeubles que

13. Le Comité de législation de l'AMLFC, composé des Drs Laurent Aubé, Omer Gagnon, Yves Lefebvre, Paul-André Meilleur et de Me Raymond Lachapelle, a collaboré à la préparation de ces deux ouvrages.
14. *Bulletin de l'AMLFC*, 18, 5, mai 1985, p. 4.
15. *Bulletin de l'AMLFC*, 18, 6, juin 1985, p. 5.
16. Nom porté par le Collège des médecins du Québec de 1974 à 1994. Goulet (1997), p. 159.

peut acquérir, posséder et administrer l'AMLFC. En outre, un montant de 275 000 $ est prévu pour la rénovation de l'édifice. Par cet achat, l'AMLFC double sa superficie pour sensiblement le même coût.

Après quelques années difficiles, l'AMLFC connaît à la fin de la décennie 1980 une nouvelle expansion. Ses effectifs, qui étaient de 4 000 au début des années 1980, atteignent plus de 5 000 dix ans plus tard. Sa situation économique est stabilisée, *L'Union Médicale du Canada* demeurant la seule source de déficit importante[17]. L'Association s'est de plus donné un nouvel objectif, celui de rendre accessible au public la médecine scientifique, qui s'exprimera par le développement du volet exposition lors de ses congrès. Tel sera l'objet de notre prochain chapitre.

17. La question de *L'UMC* fera l'objet du chapitre 36.

CHAPITRE 35

SE RAPPROCHER DE LA POPULATION. LE VOLET EXPOSITION LORS DES CONGRÈS DE L'AMLFC

Dès 1902, des stands et des expositions agrémentaient les congrès de l'AMLFC. Les plus récentes innovations susceptibles de faciliter le diagnostic ou le traitement étaient exposées. L'anniversaire de certaines institutions était prétexte à la présentation de livres et d'instruments chirurgicaux anciens. Les plus récents ouvrages médicaux de langue française étaient également montrés. Puis, dans les années 1960, les médecins ont été invités à exposer leurs travaux dans le cadre d'un stand. Ces expositions diverses étaient réservées aux médecins et considérées comme un complément aux communications scientifiques des congrès.

À partir de 1983, le volet exposition prend cependant de plus en plus d'importance dans les congrès, au point de faire de l'événement un congrès-exposition. Par ailleurs, c'est désormais au grand public que s'adressent les expositions. Dans ce chapitre, nous présenterons l'objectif visé par le volet exposition, son origine ainsi que son organisation. Nous donnerons également un résumé des divers thèmes ayant fait l'objet des expositions depuis 1983.

Les médecins ont constaté qu'un écart de plus en plus important s'est creusé entre eux et la population au fil des années, et le langage médical devient de plus en plus hermétique et incompréhensible pour les non-initiés.

L'objectif visé

Parmi les scientifiques, les médecins occupent une place privilégiée dans leurs relations avec les citoyens. Or, comme nous l'avons indiqué dans les chapitres précédents, les médecins ont constaté qu'un écart de plus en plus important s'est creusé entre eux et la population au fil des années, et le langage médical devient de plus en plus hermétique et incompréhensible pour les non-initiés. De plus, l'hyperspécialisation et le développement de la technologie médicale ont, selon certains courants de pensée, «déshumanisé» la médecine. Il en résulte une contestation de la médecine officielle qui peut expliquer en partie la popularité accrue des médecines dites «alternatives» sous toutes leurs formes (sages-femmes, chiropraticiens, etc.).

Durant les premières années de la décennie 1980, alors qu'elle est en période de réflexion, l'AMLFC constate que la médecine doit être expliquée à la population et sous une forme qui lui convienne davantage. C'est pour rétablir ce contact avec les citoyens qu'à partir de 1983, le volet exposition prend une place de plus en plus importante lors des congrès.

Les congrès-expositions comblent une énorme lacune. Comme le dit en 1991 le Dr Jean Léveillé, coordonnateur du volet exposition,

> Il n'existe pas de musée des sciences et de la technologie, pas plus que l'on ne diffuse à la télévision pendant les heures de grande écoute d'émissions scientifiques. Nous créons donc ici, le temps de l'exposition, un endroit où l'on peut s'informer et se renseigner afin de prendre de meilleures décisions[1].

L'exposition est devenue une marque distinctive et unique de l'Association en raison de l'originalité et souvent de l'audace des thèmes débattus avec le public.

L'exposition est devenue une marque distinctive et unique de l'Association en raison de l'originalité et souvent de l'audace des thèmes débattus avec le public. Elle fait l'objet de nombreux reportages dans les médias, autant électroniques qu'écrits, et acquiert une grande réputation auprès d'organismes internationaux, surtout lors de congrès conjoints avec des organismes médicaux étrangers.

L'exposition n'a qu'un but éducatif. Le congrès-exposition de 1983, sur l'imagerie mentale, a ainsi pour but de démythifier la technologie de pointe et de prouver que celle-ci non seulement n'est pas dangereuse mais représente un progrès important dans la connaissance des sciences de la santé. L'année suivante, on vise à faire prendre conscience de la surconsommation de médicaments en vente libre et des torts que peut causer un remède si l'on ne respecte pas le mode d'emploi. Le congrès-exposition de 1988 sur la sexualité permet au public de mieux comprendre le mode de transmission du sida et des autres maladies sexuelles et d'approfondir ses connaissances du développement sexuel de l'enfance au troisième âge[2]. Enfin, l'exposition de 1992 est l'occasion de présenter un sondage sur la manière dont les Québécois perçoivent la maladie mentale, et de faire tomber certains préjugés à l'égard de celle-ci[3]. Le public peut voir des vidéos ou des diaporamas.

1. *Bulletin de l'AMLFC*, 24, 6, juin 1991, p. 4.
2. *Bulletin de l'AMLFC*, 21, 2, février 1988, p. 1.
3. *Bulletin de l'AMLFC*, 25, 12, décembre 1992, p. 13.

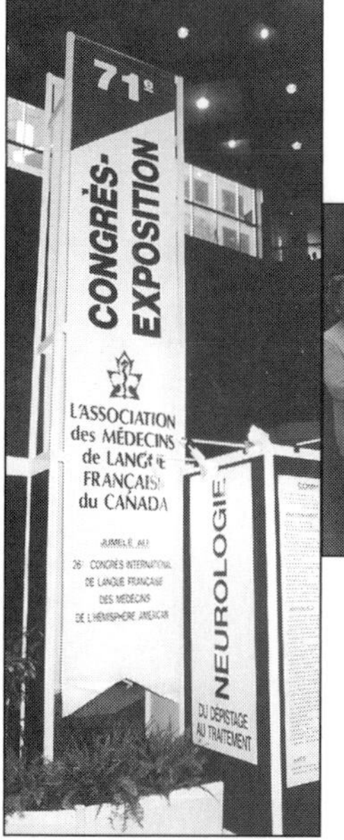

LES CONGRÈS-EXPOSITIONS DE L'AMLFC, UNE OCCASION DE PRENDRE CONTACT AVEC LA POPULATION DEPUIS 1983

VIEILLIR EN SANTÉ
du 16 au 18 octobre au Complexe Desjardins
La Presse

LA NEUROLOGIE VOYAGE

CENTRE DE MÉDECINE DE VOYAGE DU

3
LES FONCTIONS DU CERVEAU:
MÉMOIRE, LANGAGE, PENSÉES, ÉMOTIONS...

AMLFC
ASSOCIATION DES MÉDECINS
DE LANGUE FRANCAISE DU CANADA
L'UNION MÉDICALE

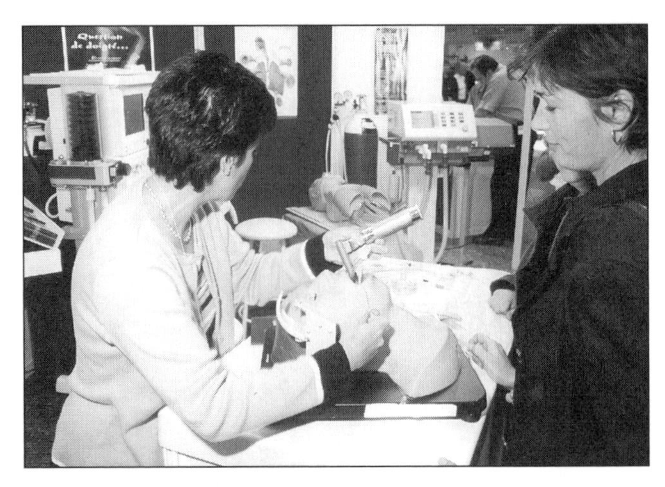

NEUROLOGIE : DU DÉPISTAGE AU TRAITEMENT
Alzheimer, épilepsie, migraine, Parkinson, sommeil, stress...
Exposition gratuite organisée par l'Association des médecins de langue française du Canada
du 14 au 16 octobre au Complexe Desjardins
CANAL VIE

Le public peut épondre à des jeux-questionnaires, prendre des dépliants ou consulter des banques de données, mais il est interpellé sans jamais être soumis à quelque promotion ou sollicitation que ce soit.

Le congrès-exposition fait contrepoids aux salons de médecine de type « alternatif » où parfois la vulgarisation se fait plus racoleuse et fantaisiste que scientifique.

Le congrès-exposition fait ici contrepoids aux salons de médecine de type «alternatif», où parfois la vulgarisation se fait plus racoleuse et fantaisiste que scientifique.

L'origine du concept de congrès-exposition

Qui a eu l'idée des congrès-expositions? Le mérite en revient au Dr Victor Bardagi, plus tard président de l'AMLFC de 1990 à 1992, qui a lancé l'idée en 1980: «Le Dr Paul Duchastel, le président de l'époque, voulait redonner du dynamisme à l'association. Contacté, j'ai proposé d'ajouter une partie exposition au congrès que nous organisions annuellement[4].»

Par contre, l'organisateur du premier congrès-exposition, en 1983, a été le Dr François Lamoureux. Par la suite, la tâche de coordonner le congrès-exposition a été confiée en 1984 au Dr Raymond Robillard puis, en 1985 et en 1986, au Dr Pierre Duplessis. De 1987 à 2002 inclusivement, le Dr Jean Léveillé a assuré sans interruption le succès de ce volet hautement apprécié par les visiteurs, dont le nombre oscille entre 50 000 et 75 000 durant les trois jours que dure l'exposition.

Une expérience réussie : le congrès-exposition de 1983

Lors du congrès de 1983, à Montréal, le grand public est invité à visiter une exposition sur la technologie médicale de l'imagerie. C'est une grande première: même en Europe ou aux États-Unis, jamais autant d'appareils n'ont été présentés à titre éducatif sur la place publique[5]. On y retrouve des appareils de médecine nucléaire, de scanographie, d'ultrasonographie, une caméra à positrons, un microscope électronique, des appareils d'endoscopie, etc. Grâce à la magie des images engendrées par ces équipements, le public peut lui-même voyager à l'intérieur du corps humain. Des films vidéo expliquent les caractéristiques de chacune des techniques. Des personnes-

4. *Bulletin de l'AMLFC*, 23, 12, 1990, p.13.
5. *Bulletin de l'AMLFC*, 27, 10, octobre 1983 dans *UMC*, 112, 10, octobre 1983, p. 985.

ressources sont toujours présentes afin de répondre aux questions des visiteurs. En tout, plus de 350 000 personnes auraient assisté à l'exposition qui se déroule au complexe Desjardins[6].

Devant le succès de ce premier congrès-exposition, l'AMLFC décide de présenter désormais une exposition à chacun de ses congrès.

L'organisation des expositions

À partir de 1983, Montréal devient l'hôtesse exclusive des congrès de l'AMLFC, l'exposition étant présentée à la place centrale du complexe Desjardins.

Le développement du volet exposition entraînera des changements importants à l'intérieur des congrès. À partir de 1983, Montréal devient l'hôtesse exclusive des congrès de l'AMLFC, l'exposition étant présentée à la place centrale du complexe Desjardins. Pour maintenir un contact avec les médecins des régions éloignées, des colloques et des journées scientifiques régionales sont organisés.

L'un des principaux défis que représente chacun des congrès-expositions est celui du financement. La recherche de commanditaires devient une partie majeure du travail du comité d'organisation. À certaines occasions, l'AMLFC privilégiera la formule du commanditaire unique. À titre d'exemple, en 1993, elle sollicitera le Bureau laitier du Canada et le groupe Jean Coutu pour être les commanditaires principaux de son 65e congrès-exposition. En 1995, l'AMLFC décide au contraire de présenter quatre thèmes différents lors de son congrès-exposition annuel, soit la cardiologie, la dermatologie, la gastro-entérologie et la microbiologie, dans l'espoir d'intéresser un plus grand nombre de commanditaires.

Chaque congrès-exposition nécessite en outre la participation de plus de 200 bénévoles qui, pendant les trois jours que dure l'événement, sont responsables de l'animation des divers stands à titre de personnes-ressources. La confirmation de la présence des sociétés médicales et des fondations travaillant sur un thème particulier est donc indispensable pour que celui-ci puisse faire l'objet d'une exposition.

6. *Bulletin de l'AMLFC*, 27, 10, octobre 1983, dans *UMC*, 112, 10, octobre 1983, p. 985.

Il faut également annoncer et promouvoir l'exposition pour s'assurer de son succès populaire. Des contacts sont établis avec les diverses commissions scolaires, dont la CECM, pour les inciter à intégrer le congrès-exposition de l'AMLFC dans les visites parascolaires. Des centaines d'étudiants de tous les niveaux prennent chaque année connaissance des miracles de la médecine moderne grâce à ces congrès-expositions. Les fédérations de l'âge d'or sont également invitées à participer en grand nombre. Les médias sont par ailleurs invités à envoyer des reporters, les expositions offrant des sujets passionnants d'articles et de reportages télévisés de vulgarisation scientifique.

L'Association souligne le caractère multidisciplinaire des interventions dans le domaine de la santé moderne en invitant les autres professionnels à prendre part à ses congrès-expositions.

Les congrès-expositions sont également formateurs pour les étudiants des diverses facultés de médecine. Ceux de Montréal sont particulièrement encouragés à y participer et à s'occuper de sujets adoptés à leur âge et à leur condition. L'Association souhaite également souligner le caractère multidisciplinaire des interventions dans le domaine de la santé moderne en invitant les autres professionnels ou intervenants à prendre part à ces activités.

Les thèmes des diverses expositions de 1984 à 1999

Les expositions sont autant d'occasions offertes au public de se familiariser avec les progrès du diagnostic et de la thérapeutique médicale, mais aussi d'obtenir des réponses aux questions qu'il se pose quotidiennement. Qu'il s'agisse du combat contre les maladies qui, comme le cancer et les affictions cardiovasculaires, sont les principales causes de mortalité, actuellement ou contre les divers troubles chroniques susceptibles d'atteindre les gens âgés, les principaux sujets d'intérêt font tous l'objet d'une exposition lors des congrès de l'AMLFC depuis 1983.

Le thème retenu pour le congrès-exposition de 1984 est celui de la nouvelle pharmacologie. L'exposition présente entre autres les diverses étapes conduisant à la réalisation d'un nouveau médicament, la présentation des dernières découvertes dans le traitement des troubles psychiques, la chimiothérapie des cancers, etc.[7]

L'année suivante, l'AMLFC voit plus grand et organise un congrès-exposition d'envergure internationale portant sur les prothèses internes et les

7. *Bulletin de l'AMLFC*, 17, 7, août 1984, p. 1.

transplantations d'organes[8]. Les plus récents progrès dans ce domaine laissent entrevoir l'avènement de l'homme bionique.

L'exposition sur le cerveau, en 1986, sera l'une des plus populaires. À cette occasion, des joueurs d'échec de calibre mondial se livrent à des parties simultanées à l'aveugle. Parmi ceux-ci se trouve Alexandre Lesiège, le plus jeune joueur d'échec canadien à obtenir le titre de maître.

La nutrition fait l'objet de deux congrès-expositions, soit ceux 1987 et 1998. Si ce thème est moins populaire auprès de la communauté médicale, il est toutefois fort apprécié du grand public et attire de nombreux diététistes au congrès de l'AMLFC. En septembre 1987, le magazine *Allure*, du groupe Quebecor, consacre à ce thème un numéro spécial et du même coup annonce la tenue du 59e congrès. La chaîne d'alimentation Provigo fait également la publicité du congrès-exposition de 1987 dans ses circulaires hebdomadaires et par des affiches installées à l'intérieur de ses magasins.

En 1993, sous le thème « 150 ans de médecine francophone », le congrès-exposition est organisé conjointement avec la Faculté de médecine de l'Université de Montréal. À cette occasion, chacun des vingt-deux départements de la Faculté est représenté par un stand[9].

La sexualité, les maladies cardiaques, l'arthrite et les rhumatismes, les néoplasies, le cancer, les endocrinopathies, l'appareil locomoteur, la gériatrie et la neurologie ont été également abordés, et d'autres thèmes ont fait l'objet d'expositions durant les années 1980-1990.

Source importante de diffusion du savoir médical auprès des non-initiés, les expositions sont rapidement devenues l'une des principales marques de commerce de l'Association.

L'AMLFC a été la première association médicale en Amérique du Nord à présenter de telles expositions. Source importante de diffusion du savoir médical auprès des non-initiés, les expositions sont rapidement devenues l'une des principales marques de commerce de l'Association. Tout en stimulant l'intérêt des médecins francophones et en les incitant à participer aux congrès et à s'y engager activement, elles sont la preuve éclatante que l'AMLFC a réussi l'un des objectifs qu'elle s'était fixés au début des années 1980, rapprocher de la population les professionnels de la santé, en particulier les médecins.

8. *Bulletin de l'AMLFC*, 18, 10, octobre 1985, p. 1.
9. *Bulletin de l'AMLFC*, 26, 8, août 1993, p. 3.

CHAPITRE 36

LES DERNIÈRES ANNÉES DE *L'UNION MÉDICALE DU CANADA*

Au milieu des années 1980, l'AMLFC est parvenue à rétablir sa situation financière. Les déficits annuels qu'entraîne la publication de L'Union Médicale du Canada *obligent cependant ses dirigeants à s'interroger sur la pertinence de poursuivre la publication de la plus ancienne revue médicale française du continent américain. Après de nombreuses tentatives de relance, sous un format et un contenu différents,* L'UMC *disparaît finalement au début de 1996 après 124 ans d'existence. Dans ce chapitre, nous parlerons des principales causes du déficit financier de* L'UMC. *Nous exposerons les différentes tentatives faites par l'AMLFC pour sauver ce joyau de la médecine canadienne-française, jusqu'à sa disparition finale en 1996. Cette disparition, non désirée par les membres de l'Association, nous oblige à nous interroger sur la place et l'avenir des revues scientifiques de langue française à une époque où l'anglais devient la langue scientifique mondiale.*

La disparition de L'UMC, *non désirée par les membres de l'Association, nous oblige à nous interroger sur la place et l'avenir des revues scientifiques de langue française à une époque où l'anglais devient la langue scientifique mondiale.*

Un vent d'optimisme au début des années 1980

Après son acquisition par l'AMLFC en 1978, *L'Union Médicale du Canada* a le vent dans les voiles pendant quelques années. La page couverture est produite à des coûts plus modestes, mais la qualité scientifique du contenu n'est pas diminuée. *L'UMC* jouit d'une bonne banque d'articles, qui lui permet de faire une sélection.

En 1981, la revue tient des cliniques externes dans les différents hôpitaux de la province. La tenue d'un symposium ou l'anniversaire d'un centre hospitalier sont des occasions idéales pour faire connaître les travaux des membres. Les communications présentées font ensuite l'objet de numéros spéciaux de la revue. Ainsi, en 1983, un symposium est organisé à Montréal sur la revascularisation neurochirurgicale du cerveau. À cette occasion, un pionnier dans ce domaine, le Dr Peardon Donaghy de l'Université du

Le travail primé sera publié en français dans L'UMC. L'Union Médicale du Canada *encourage aussi la reproduction ou la traduction de ses articles par d'autres revues scientifiques.*

Vermont, crée un prix destiné à récompenser le meilleur travail scientifique réalisé par un résident inscrit à un programme de neurochirurgie ou de neurologie dans une université du Québec ou de la Nouvelle-Angleterre[1]. Le travail primé sera publié en français dans *L'UMC*.

L'Union Médicale du Canada encourage la reproduction ou la traduction de ses articles par d'autres revues scientifiques. Ainsi, l'article primé en 1982 à titre de meilleur travail de recherche clinique, écrit par des membres du centre de recherche de l'Hôpital Sainte-Justine, est traduit en russe et reproduit dans une revue médicale française[2].

Les problèmes financiers

Dr Marcel Cadotte

Malgré les efforts du rédacteur en chef de l'époque, le Dr Marcel Cadotte, et des membres du conseil de rédaction de *L'UMC*, la revue demeure très déficitaire. Le problème réside dans l'absence de publicitaires, ces derniers préférant les revues de format tabloïd, de lecture plus facile, à l'intention des omnipraticiens, clientèle cible des compagnies pharmaceutiques. Les grandes revues médicales du Canada anglais et des États-Unis affrontent une situation similaire. Seule la vente accrue d'annonces peut augmenter les revenus.

Le rédacteur en chef réussit, en 1982, à décrocher une subvention de 1 500 $ pour la publication du rapport d'un groupe de travail du Nouveau-Brunswick sur les relations possibles entre les vaporisations contre la tordeuse du bourgeon de l'épinette et la fréquence du syndrome de Reye chez les enfants[3]. Il obtient aussi une subvention de 7 500 $ pour la publication du second rapport Walton sur le dépistage du cancer utérin[4]. Ces quelques subsides parviennent à financer certains numéros spéciaux, mais *L'UMC* ne peut survivre à long terme sans le soutien financier d'un commanditaire régulier.

1. *Bulletin de l'AMLFC*, 17, 4, avril 1984, p. 2.
2. Cadotte, « Sur trois modes différents de rayonnement de *L'Union médicale du Canada* », *UMC*, 113, 1, janvier 1984, p. 7-8. Le Dr Cadotte parle ici de l'article des Drs Louis Dallaire, Serge B. Melançon, Michel Potier, Marc Gagnon, Jacques Boisvert et Gilles Lortie, « Le diagnostic prénatal des maladies génétiques. Partie I : Les indications », *UMC*, 111, 3, mars 1982, p. 189-201 ; « Partie II : Les résultants », *UMC*, 111, 4, avril 1982, p. 299-309.
3. Ce rapport figure dans *UMC*, 111, 8, août 1982, p. 702-714.
4. *UMC*, 111, 10, octobre 1982, p. 856-867.

L'UMC peut, modestement, se comparer à l'Orchestre symphonique de Montréal qui, malgré son excellence, ne peut survivre sans contributions, ce qui n'est pas le cas des revues plus populaires.

Une revue ultra-spécialisée pour spécialistes ?

On étudie, en 1982, la possibilité de vendre la revue en kiosque, mais le projet est rejeté étant donné le coût excessif additionnel d'une telle production.

Un autre élément joue contre *L'UMC* : le caractère souvent ultra-spécialisé de ses articles. L'un des objectifs prioritaires de l'AMLFC, au moment de racheter *L'UMC*, était d'en accroître la diffusion. On étudie ainsi, en 1982, la possibilité de vendre la revue en kiosque. Le projet est cependant rejeté étant donné le coût excessif additionnel que représenterait cette production. De plus, le contenu scientifique de la revue fait en sorte que la clientèle capable de se procurer *L'UMC* en kiosque serait très restreinte. Malgré la volonté du conseil de rédaction d'inclure dans la revue des articles susceptibles d'intéresser un plus grand nombre d'omnipraticiens, *L'UMC* est toujours perçue comme une publication destinée avant tout aux chercheurs.

L'UMC peut alors compter sur une bonne banque d'articles, mais les problèmes financiers ont pour effet d'allonger les délais entre la soumission d'un texte et sa parution[5], ce qui incite certains auteurs à publier dans d'autres revues médicales. Il devient donc de plus en plus difficile de dénicher des articles de fond, nécessaires pour que *L'UMC* continue à être répertoriée parmi les grandes revues par des organismes comme l'Index Medicus et le Currents Contents.

Par ailleurs, de nombreuses associations médicales préfèrent maintenant publier des articles scientifiques dans *L'Actualité médicale*. Les responsables de la formation médicale continue de l'Université de Montréal ont également choisi de privilégier cette revue paramédicale. La situation, aux dires du Dr Cadotte, est particulièrement navrante :

> Un individu est libre de publier de son propre chef un article qui se veut scientifique dans des magazines paramédicaux. Toutefois, lorsqu'une université ou des associations cautionnent officiellement ces articles dans de telles revues, leur rayonnement scientifique se situe à un palier très bas et déclenche la risée des vrais scientifiques[6].

5. Cadotte, « Devant l'impatience de nos auteurs », *UMC*, 113, 3, mars 1984, p. 153.
6. *Procès-verbal de la réunion du Conseil général 1983-84 tenue le 24 octobre 1984*, p. 5-6.

En 1985, le contact est rétabli entre *L'UMC* et les universitaires et l'on voit l'avenir avec optimisme. Le dossier sur la cancérologie, réalisé par le Centre de recherche en cancérologie de l'Université Laval et publié dans le numéro de septembre 1985, s'attire des félicitations. Celui sur l'insulinothérapie dans le numéro suivant, en octobre 1985, amène la compagnie Bell à acheter 40 exemplaires pour les distribuer dans ses différents services médicaux à travers le Canada[7]. Puis, en décembre, est publié un dossier sur la recherche réalisée au Centre de recherches neurologiques de l'Université de Montréal, à l'occasion de son 25e anniversaire.

L'UMC obtient aussi en 1985, conjointement avec la revue *Québec-Pharmacie*, l'exclusivité de la publication des *Bulletins* du Conseil consultatif du Québec, concernant certains médicaments en usage, pour une durée de trois ans. Cette entente est le fruit de plusieurs rencontres avec *Québec-Pharmacie*, et les ministères des Affaires sociales et des Communications. Il aura cependant fallu un an de négociations.

Par la suite est préparé un cahier de formation continue. Des ententes de principe sont conclues avec la Faculté de médecine de l'Université de Montréal pour la publication des textes de ce cahier, dont les pages sont détachables[8].

En 1986, l'AMLFC se rend finalement à l'évidence qu'en raison de son format et de la nature de son contenu, purement scientifique, L'UMC *ne sera jamais rentable.*

Pourtant, les difficultés financières demeurent, en raison de la baisse du nombre de pages de publicité. Il faut encore une fois diminuer le nombre de pages total et le nombre de parutions annuelles. En 1986, l'AMLFC se rend finalement à l'évidence qu'en raison de son format et de la nature de son contenu, purement scientifique, *L'UMC* ne sera jamais rentable. Elle fait alors face à trois possibilités : mettre la clé dans la porte, modifier la vocation scientifique de la revue ou en faire un magazine d'actualités.

Diverses tentatives de relance

Le 3 février 1987, l'AMLFC lance *Presse-Médic*, un tabloïd bimensuel distribué aux 16 000 médecins québécois. Le rédacteur en chef médical est le Dr Jean

7. *Procès-verbal de la réunion du Conseil Général tenue le 7 novembre 1985 au Palais des congrès de Montréal*, p. 6.
8. *Bulletin de l'AMLFC*, 20, 1, janvier 1987, p. 4.

Mailhot, tandis que le Dr Michel Chrétien est nommé président du conseil de rédaction[9].

Presse-Médic se veut un « journal fait par les médecins pour les médecins[10] ». Tout en favorisant la diffusion des travaux scientifiques des professeurs et des médecins, ce journal publie aussi des informations sur le réseau de la santé au Québec, les politiques gouvernementales et les prises de position des diverses associations médicales. Y sont également présentées des chroniques juridiques, d'information économique et de loisirs.

Le 1er mai 1987, Presse-Médic *cesse définitivement de paraître et l'on suspend la publication de* L'UMC.

Les profits engendrés par *Presse-Médic* doivent servir à assurer la survie de *L'UMC*. Malheureusement, *Presse-Médic* n'obtient pas les résultats escomptés et l'AMLFC se retrouve subitement avec deux publications qui grugent une part substantielle de son budget. Le 1er mai 1987, *Presse-Médic* cesse définitivement de paraître et l'on suspend la publication de *L'UMC*.

Malgré son échec, *Presse-Médic* a été un élément de négociation primordiale pour éviter la disparition de *L'UMC*. Le 31 juillet 1987, une entente est conclue entre l'AMLFC et le groupe Maclean Hunter Ltée, qui publie *L'Actualité médicale*. Cette entreprise d'édition publiera désormais *L'UMC* à raison de quatre numéros par année[11]. Par ailleurs, l'AMLFC collaborera à la réalisation du cahier d'éducation médicale de *L'Actualité médicale*. L'Association reste cependant propriétaire de *L'UMC* et seule responsable, par l'entremise du conseil de rédaction, de son contenu scientifique et éditorial. La présidence du conseil de rédaction de *L'UMC* est à ce moment confiée au Dr François Lamoureux, alors qu'un nouveau rédacteur en chef est choisi en la personne du Dr Fernand Taras[12]. Ce dernier quittera son poste en 1992 et sera remplacé par le Dr Henri Ménard.

Pendant ses dernières années, *L'UMC* tente de promouvoir la culture artistique tout autant que la culture médicale. La couverture de chaque numéro reproduit une peinture ayant trait à la médecine et produite par un grand maître. Celle d'octobre 1987, par exemple, montre la leçon d'anatomie de Rembrandt. Une chronique brosse le tableau médical de certaines personnalités connues (Marcel Proust, Chopin, Verlaine, etc.). Une autre rubrique

9. *Bulletin de l'AMLFC*, 20, 1, janvier 1987, p. 1.
10. *Ibid.*, p. 1.
11. J. Lafontaine, « Le mot de l'éditeur. Un héritage », *UMC*, 116, 5, octobre 1987, p. 255.
12. F. Lamoureux, « La nouvelle *Union Médicale de Canada* », *UMC*, 116, 5, octobre 1987, p. 258.

expose l'origine de certains termes utilisés en médecine. On privilégie aussi les tables rondes sur un sujet particulier.

Le nouveau contenu de *L'UMC* ne répond pas, pour autant, aux attentes des lecteurs. Revue élitiste, elle n'atteint pas les cotes de lecture désirées de la part des omnipraticiens. *L'UMC* affronte en outre de nouveaux concurrents. Le groupe Thompson publie ainsi, à partir d'avril 1993, un tabloïd d'éducation continue, *L'Omnipraticien*. Puis, en septembre 1993, apparaît *Médecine sciences*, une revue scientifique mensuelle francophone. Cette nouvelle concurrence nuit à la vente de publicité dans *L'UMC*. Après de nombreuses discussions, l'AMLFC estime finalement qu'il est préférable que *L'UMC* devienne une revue de formation médicale continue.

En juillet 1994, le groupe Maclean Hunter Ltée avise qu'il cessera de publier *L'UMC*. Le conseil d'administration de l'AMLFC discute alors des possibilités qui s'offrent à elle. On parle du rachat de la revue par l'Association médicale canadienne, mais celle-ci dit préférer collaborer à la publication de *L'UMC* plutôt que d'en devenir propriétaire. Des négociations sont alors entamées avec le *Canadian Medical Association Journal,* mais sans succès. Il faut dire qu'en s'affiliant avec un autre éditeur, l'AMLFC risquerait de perdre la participation financière de *L'Actualité médicale* dans plusieurs de ses activités (dîner-gala, cahier de formation continue, Prix des médecins de cœur et d'action, etc.)[13]. On décide finalement de continuer la publication de *L'UMC* sous forme de cahier mensuel dans *L'Actualité médicale*. Intitulé *Le point médical de L'Union Médicale du Canada,* ce cahier comprend seize pages, neuf de texte et sept d'annonces[14].

L'UMC *cessera finalement de paraître sous le format magazine en novembre 1995.*

Cette dernière formule n'obtient pas, elle non plus, le succès escompté. En 1995, *L'UMC* reparaît brièvement sous sa forme traditionnelle, mais sa publication mensuelle coûterait 500 000 $ par année. Des suggestions sont faites, telles la fusion avec d'autres publications déficitaires, comme le *Médecin du Québec* ou *Médecine sciences,* ou la collaboration d'autres organismes médicaux s'engageant à la maintenir en vie. *L'UMC* cessera finalement de paraître sous le format magazine en novembre 1995[15]. *Le Point médical de L'Union Médicale du Canada*, pour sa part, ne sera plus publié à partir du mois

13. *Procès-verbal de la 20e réunion du Bureau Exécutif 1992-1004 tenue le jeudi 18 août 1994*, p. 14.
14. *Procès-verbal de la 21e réunion du Bureau Exécutif 1992-1994 tenu le mardi 20 septembre 1994*, p. 3
15. *Procès-verbal de la 7e réunion du Conseil d'administration 1994-1996 tenue le lundi 11 décembre 1995*, p. 18.

d'avril 1996. Un numéro spécial prévu pour le 125e anniversaire de la revue en automne 1996 ne pourra être réalisé.

Au-delà des problèmes financiers, la disparition de L'UMC exprime bien la difficulté de maintenir en vie une revue scientifique de langue française à un moment où l'anglais devient de plus en plus la seule langue internationale.

Au-delà des problèmes financiers, la disparition de *L'UMC* exprime bien la difficulté de maintenir en vie une revue scientifique de langue française à un moment où l'anglais devient de plus en plus la seule langue internationale. Une étude produite en 1981 démontrait que près de 71 % des publications des chercheurs de 50 organismes de recherche des Universités Laval, de Montréal et du Québec étaient rédigées dans la langue de Shakespeare[16]. En 1983, le Dr Fernand Labrie du CHUL signalait que 72 % des publications médicales produites par les chercheurs de ce centre hospitalier universitaire depuis 10 ans avaient été rédigées en anglais. Pourtant, 95 % des auteurs étaient francophones[17].

La disparition de *L'UMC* démontre par ailleurs que de moins en moins de médecins sont portés sur l'écriture et la lecture. Déjà en 1985, le Dr Bernard Leduc, alors président du conseil de rédaction de *L'UMC*, déplorait le fait que les revues médicales délaissaient de plus en plus l'analyse et livraient désormais les nouvelles sous forme de capsules de lecture facile et surtout rapide. Or, selon lui, « l'écriture et la lecture scientifique exigent davantage[18] ». Plus tard, dans le numéro de janvier-février 1992, l'éditorialiste de *L'UMC* se désolait que :

> La science biomédicale québécoise est portée à bout de bras par une petite élite (10 % ?) qui fait de la recherche subventionnée par la société et qui publie à 90 % en anglais. Où sont publiés les 10 autres pour cent de leurs manuscrits ? Où sont publiés les travaux originaux des 90 autres pour cent du milieu académique, celui qui fait de la recherche non subventionnée[19] ?

Bien que les médecins continuent de livrer des communications orales lors des congrès, un nombre de plus en plus restreint se donnent la peine, par la suite, de publier leurs travaux sous forme d'article dans une revue comme *L'UMC*.

16. A.J. Drapeau, P. Demers et J.-C. Pechère, « Le français scientifique en chute libre », *UMC*, 110, 10, octobre 1981, p. 927-931.
17. L. Desjardins, « Le français scientifique. Une question d'appartenance », *Bulletin de l'AMLFC*, 17, 8, août 1983, p. 749.
18. *Bulletin de l'AMLFC*, 18, 2, février 1985, p. 3.
19. H.A. Ménard, « La double allégeance », *UMC*, 121, 1, janvier-février 1992, p. 1.

La disparition de *L'UMC* montre ainsi que, de nos jours, un médecin francophone est désormais placé entre deux possibilités : écrire en anglais pour ne pas se retirer du monde scientifique ; écrire en français, mais en visant un public plus large et moins spécialisé.

Au cours de ses 124 ans d'existence, *L'UMC* a servi de véhicule de communication et contribué à la promotion de bien des carrières. Elle demeurera également une source indispensable pour connaître l'histoire de la science et de la profession médicale canadienne-française.

Malgré la disparition de la revue, l'idée de sa renaissance sous une forme ou une autre a été soulevée à l'occasion, depuis 1995, par les membres de l'AMLFC. Le réseau Internet serait peut-être un moyen de faire revivre *L'UMC* ou du moins de maintenir intact son souvenir.

Novembre 1978, numéro 11

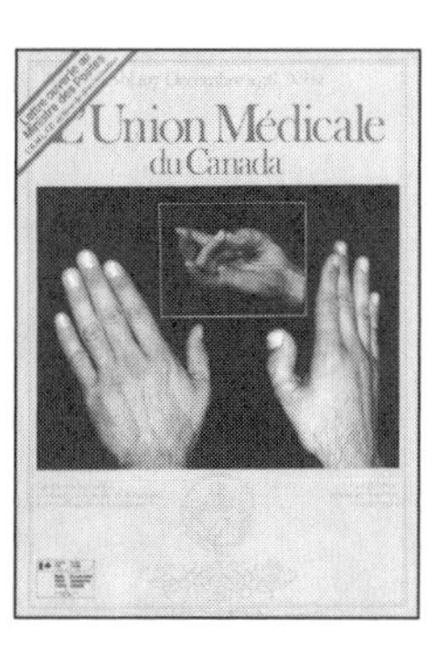

Décembre 1978, numéro 12

Janvier 1979, numéro 1

Mai 1979, numéro 5

Juillet 1979, numéro 7

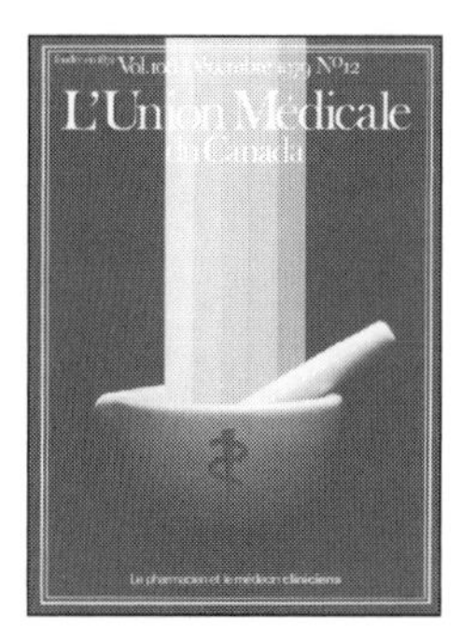

Décembre 1979, numéro 12

Janvier 1980, numéro 1

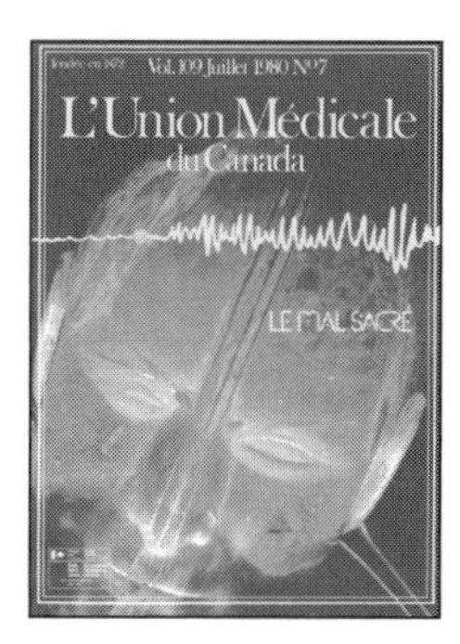

Juillet 1980, numéro 7

Janvier 1981, numéro 1

Février 1981, numéro 2

Septembre 1981, numéro 9

Novembre 1981, numéro 11

Juillet 1982, numéro 7

Novembre 1982, numéro 11

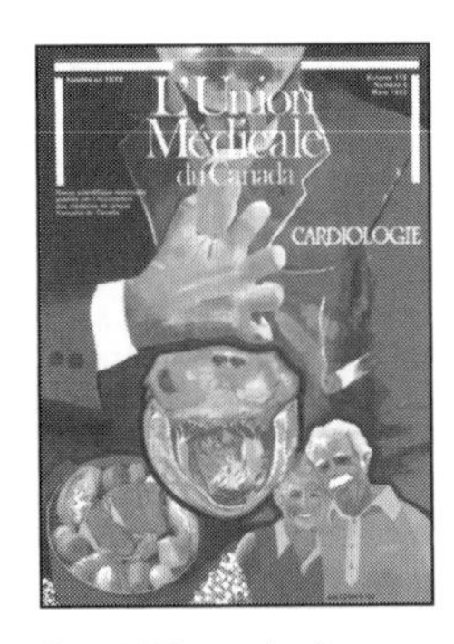

Mars 1983, numéro 3

Avril 1983, numéro 4

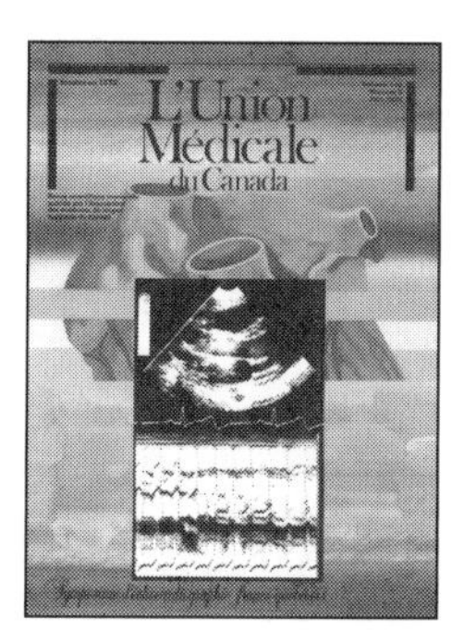

Juin 1983, numéro 6

Août 1983, numéro 8

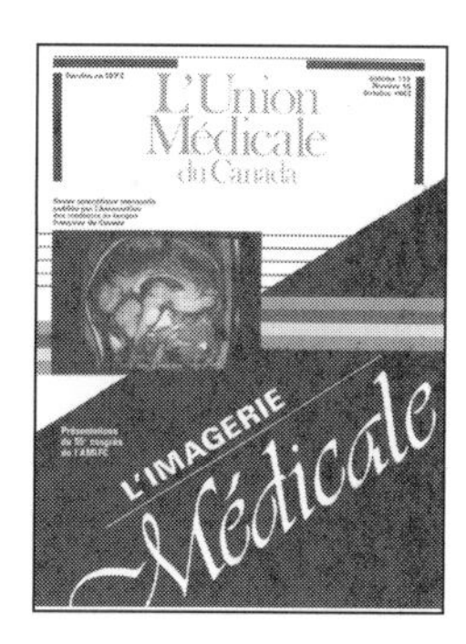

Octobre 1983, numéro 10

Novembre 1983, numéro 11

Décembre 1983, numéro 12

Février 1984, numéro 2

Août 1984, numéro 8

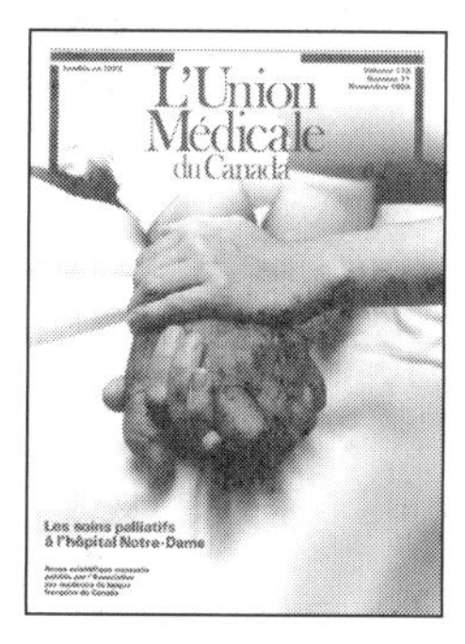

Novembre 1984, numéro 11

Mai 1985, numéro 5

Juin1985, numéro 6

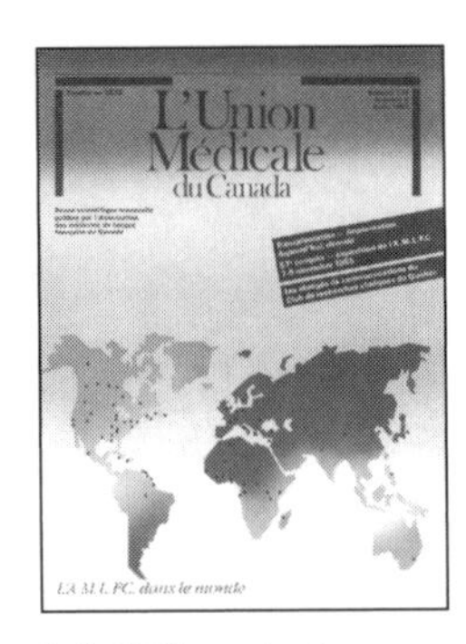

Août 1985, numéro 8

Octobre 1985, numéro 10

Février 1986, numéro 2

Mai 1986, numéro 5

Octobre 1986, numéro 10

Février 1987, numéro 2

CHAPITRE 37

L'AMLFC ET L'ÉDUCATION MÉDICALE CONTINUE

L'AMLFC, dont les assises reposent sur la formation médicale des médecins, s'est toujours préoccupée de cet aspect fondamental de la pratique, lors de ses congrès et de ses colloques, ainsi que dans les pages de L'Union Médicale du Canada. *Au cours des années 1990, l'Association s'engage plus que jamais dans ce domaine en passant à une vision plus scientifique en matière de méthodes pédagogiques, d'étude des besoins et objectifs, et d'évaluation de ses activités.*

En vertu du Code des professions, la CPMQ s'est vue confier en 1974 de nouveaux pouvoirs. L'un d'eux est d'organiser des cours et des stages de formation continue pour les médecins et de s'assurer de la qualité de telles activités offertes par les facultés de médecine, les centres hospitaliers et les sociétés médicales. Pour cela, la Corporation visite les organismes engagés dans la formation médicale continue et se dote d'un processus d'agrément. D'abord limitées aux facultés de médecine, ces visites s'étendent ensuite aux fédérations médicales et à l'AMLFC[1].

En 1992, le Comité scientifique de l'AMLFC présente une recommandation au conseil d'administration pour que l'Association s'engage davantage dans le dossier de l'éducation médicale continue.

En 1992, le Comité scientifique de l'AMLFC présente une recommandation au conseil d'administration pour que l'Association s'engage davantage dans le dossier de l'éducation médicale continue. Un projet de quatre ans est déposé par le Dr Wilhem B. Pellemans, président du Comité scientifique depuis 1989 et qui devient en 1992 président du Comité de formation médicale continue. Selon le Dr Pellemans, qui préside ce comité depuis, le rôle de l'AMLFC en serait un d'information et de coordination. Propriétaire de *L'UMC* et collaborant depuis 1990 à la réalisation du Cahier d'éducation médicale continue de *L'Actualité médicale*[2], l'AMLFC devrait apparaître

1. Goulet (1997), p. 180-185.
2. Le Conseil de rédaction du « Cahier d'éducation médicale » continue de *L'Actualité Médicale* était présidé par le Dr André Jacques. Ce dernier a également été président du Conseil d'éducation médicale continue de la CPMQ.

comme l'organisme-ressource à consulter sur ce sujet. Pour cela, l'Association doit obtenir l'appui du CMCPQ et des facultés de médecine[3].

Un Comité de formation médicale continue est donc constitué. Le Comité scientifique y est intégré, tout en continuant de s'occuper des dossiers (congrès, colloques, nomination, etc.) dont il a déjà la responsabilité. Un sous-comité est chargé de mettre en place et d'appliquer une grille systématique d'évaluation du congrès, des colloques et des événements auxquels l'AMLFC participe en collaboration avec d'autres organismes. Un autre sous-comité se penche sur les sujets à présenter lors des activités d'éducation médicale continue et délimite les objectifs d'apprentissage en fonction des participants. Enfin, un dernier sous-comité évalue les besoins actuels et à venir des membres.

Des rencontres sont organisées en 1992 avec les présidents des fédérations des médecins omnipraticiens et des médecins spécialistes du Québec en vue d'une possible collaboration, mais ces dernières ne se montrent pas intéressées[4]. La FMOQ est déjà propriétaire d'un journal d'éducation continue, le *Médecin du Québec*, et la FMSQ s'engage moins dans ce domaine. Malgré tout, l'AMLFC décide d'aller de l'avant avec son projet.

En octobre 1997, l'AMLFC embauche à titre de consultant en formation médicale continue, le Dr Jacques Étienne Des Marchais, reconnu comme expert et figure de proue dans ce domaine.

En février 1994, les médecins accréditeurs de la CPMQ visitent l'Association, dont l'ensemble des activités répond presque parfaitement aux normes d'accréditation. Les premiers agréments sont d'une durée de deux ans.

En octobre 1997, l'AMLFC embauche, à titre de consultant en formation médicale continue, le Dr Jacques Étienne Des Marchais, reconnu comme expert et figure de proue dans ce domaine[5]. Depuis 1997, l'AMLFC organise des séminaires où se réunissent ses formateurs en éducation médicale continue. On y privilégie une démarche en trois temps. Dans une première étape, les formateurs acquièrent de nouvelles données. Ensuite, un travail en

---

3. *Procès-verbal de la 3e réunion du Conseil d'administration 1992-94 tenue le 9 février 1993*, p. 26.
4. *Procès-verbal de la 4e réunion du Conseil d'administration 1992-94 tenue le 14 mai 1993*, p. 26.
5. Le Dr Des Marchais a fondé en 1976 le Club de pédagogie médicale du Québec, qu'il a dirigé pendant plus de dix ans. Il a ensuite créé à l'Université de Montréal, au début des années 1980, l'Unité de recherche et de développement en éducation médicale. En 1986, il a été élu premier président de l'Association canadienne pour l'éducation médicale continue. Nommé vice-doyen chargé de l'éducation à l'Université de Sherbrooke, il a fait adopter un programme d'études prédoctorales fondé sur un enseignement par problèmes transmis par petits groupes d'étudiants.

petits groupes permet d'appliquer les nouvelles connaissances acquises au programme de formation médicale continue. Enfin, les participants dégagent des consensus permettant d'établir des liens de continuité avec les séminaires précédents et à venir[6]. Des personnes-ressources interviennent pendant ces séminaires.

En préparation à une prochaine visite d'agrément, prévue pour le printemps 1999, l'AMLFC procède à une révision de l'organisation, de la mission et des orientations de son « unité de formation médicale ». Lors de séminaires en janvier puis en juin 1998, les participants élaborent les orientations suivantes :

1. Diffuser la connaissance médicale en français par tous les moyens disponibles et ceux jugés les plus appropriés en fonction des besoins d'apprentissage des populations cibles.

2. Mettre en œuvre un programme de développement des formateurs et des organisateurs en formation médicale continue afin d'assurer une plus grande cohérence entre besoins, objectifs, activités et évaluation et de favoriser l'intégration d'une pédagogie cognitive et de participation au sein des activités.

3. Lancer un volet de recherche en FMC, en particulier par des projets ciblant des créneaux spécifiques et par la collaboration avec d'autres organismes.

4. Organiser des activités de FMC qui favorisent une plus grande interaction participative des clientèles.

5. Favoriser et reconnaître publiquement le développement de l'excellence en pratique et en recherche médicale, dans la Francophonie, comme outil particulier de FMC[7].

En 1998, le Comité scientifique de l'AMLFC est rebaptisé Unité de formation médicale continue afin de se conformer aux usages en cette matière sur la scène québécoise.

Il est également décidé de constituer un Comité consultatif des régions qui regroupe des représentants des provinces et des zones d'influence de l'AMLFC. Par ailleurs, le Comité scientifique est rebaptisé « Unité de formation médicale continue[8] », afin de se conformer aux usages de la FMC sur la scène

6. *Bulletin de l'AMLFC*, 34, 6, juin 2001, p. 9.
7. *Bulletin de l'AMLFC*, 31, 11, novembre 1998, p. 7.
8. *Ibid.*, p. 6-7.

Les activités d'éducation médicale continue de l'AMLFC se sont adaptées aux exigences et aux besoins nouveaux en formation dans les années 1990.

québécoise, et voit son mandat révisé. Il a maintenant pour tâche entre autres de faciliter certaines activités de recherche en FMC, et d'étudier et de faire des recommandations sur tout dossier confié par le conseil d'administration dans le cadre de sa mission en formation médicale continue. Un groupe de recherche en formation médicale continue voit le jour en 1999 à l'intérieur du sous-comité des besoins. On projette aussi de constituer une bibliothèque d'ouvrages de référence dans le domaine. Durant l'exercice 1998-1999, l'AMLFC reçoit du Collège des médecins un agrément d'une durée de cinq ans.

La principale activité scientifique de l'Association demeure son congrès annuel. Membre à partir de 1998 de l'Association des médecins de langue française de l'hémisphère américain, l'AMLFC sera maintenant l'hôtesse du congrès de cette association tous les cinq ans[9]. La tenue simultanée des deux congrès donnera ainsi accès à l'expertise étrangère. Par ailleurs, l'AMLFC organise aussi chaque année deux colloques régionaux qui sont fort appréciés.

Les activités d'éducation médicale continue de l'AMLFC se sont donc adaptées aux exigences et aux besoins nouveaux en formation dans les années 1990.

9. Le 71e congrès de l'AMLFC, en 1999, a ainsi été jumelé au 26e congrès international de l'Association des médecins de langue française de l'hémisphère américain. *Bulletin de l'AMLFC*, 32, 12, décembre 1999, p. 1.

CHAPITRE 38

LES PRINCIPALES ACTIVITÉS DE L'AMLFC (1980-2000)

Après la remise en question du début des années 1980, l'AMLFC s'engage à nouveau dans certains dossiers qu'elle a dû délaisser auparavant. Grâce à la Chaire AMLFC des médecins visiteurs, l'Association envoie de nouveau des conférenciers dans des pays étrangers, renouant ainsi avec l'esprit qui a été à l'origine des conférences Jacques-Léger. L'Association est également à l'origine de certains projets, tels le Programme d'aide aux médecins du Québec et le Comité des femmes médecins de la CPMQ qui, depuis, sont devenus autonomes.

L'AMLFC crée aussi de nouveaux prix, remis lors du dîner-gala de son congrès annuel, facilite la publication de livres de médecine en français, encourage la formation des médecins dans le domaine de l'informatique et dote ses membres d'un nouveau service, l'Offre sur mesure de la Banque Nationale du Canada. Ce dernier chapitre présente donc l'AMLFC sous les facettes que nous connaissons aujourd'hui.

La Chaire AMLFC des médecins visiteurs

Les conférences Jacques-Léger ont été abandonnées au début des années 1980. Lors de la présidence du Dr Claude Thibeault, en 1994, l'AMLFC juge pertinent de reprendre cette tournée de professeurs-conférenciers en Afrique ou autres parties du monde francophone. Des rencontres sont organisées avec les facultés de médecine pour connaître leur intérêt sur la question ; les doyens se montrent enthousiastes. Un comité sera donc formé où siégeront un représentant de l'AMLFC et un représentant de chacune des quatre Facultés de médecine québécoises.

Lors de la présidence du Dr Claude Thibault, en 1994, l'AMLFC juge pertinent de reprendre la tournée de professeurs-conférenciers en Afrique et dans les autres parties du monde francophone.

Les facultés sont chargées de trouver les professeurs, l'AMLFC, d'assurer la logistique du déplacement des conférenciers et les pays hôtes, de leur hébergement.

En 1995, un premier professeur donne une série de conférences dans un pays étranger[1]. Cet automne-là, le Dr Yves Lefebvre est au Bénin pour y transmettre un enseignement en gynécologie. Devant la réussite de cette première expérience, d'autres médecins visiteurs seront envoyés au Bénin au cours des années subséquentes. À partir de 1999, le Gabon et le Sénégal seront les pays hôtes des professeurs visiteurs.

Les publications de l'AMLFC

L'AMLFC a toujours encouragé la production de livres médicaux en français. Nous présenterons ici quelques ouvrages que l'Association a contribué récemment à publier.

Le Sida : un nouveau défi médical

Peu d'ouvrages médicaux ont suscité autant d'intérêt médiatique à leur sortie que le livre sur le sida des Drs Clément Olivier et Réjean Thomas.

Peu d'ouvrages médicaux ont suscité autant d'intérêt médiatique à leur sortie que le livre sur le sida des Drs Clément Olivier et Réjean Thomas. Contenant à l'origine une centaine de pages, ainsi qu'une préface écrite par le Pr Luc Montagnier de l'Institut Pasteur de Paris, découvreur du VIH, ce livre a vu son contenu complètement révisé et augmenté lors d'éditions successives, au fur et à mesure que se développaient les connaissances sur la pandémie du sida.

Le lancement officiel du livre *Le Sida: un nouveau défi médical* a lieu le 11 mai 1989 au siège social de l'AMLFC. Un exemplaire est expédié à 4389 membres de l'AMLFC, et le CMCPQ se montre intéressé à acheter 1200 exemplaires du livre des Drs Olivier et Thomas. Une maison d'édition de Bologne contacte l'AMLFC en vue d'une traduction italienne.

L'année suivante, une deuxième version, révisée, est éditée sous la responsabilité de l'AMLFC. Enrichie de l'apport de seize collaborateurs, cette nouvelle édition aborde la question du sida sous plusieurs angles : aspects psychosociaux et juridiques, toxicomanie, éthique, santé publique, etc.[2] On parle de la possibilité d'une traduction en japonais.

1. *Procès-verbal de la 6e réunion du conseil d'administration 1994-1996 tenue le mercredi 11 octobre 1995*, p. 3.
2. *Bulletin de l'AMLFC*, 24, 2, février 1991, p. 6-8.

Une troisième version, publiée en 1995, montre comment la connaissance du sida a considérablement progressé depuis une décennie. Cette nouvelle édition comprend 847 pages, regroupées en 41 chapitres, et aborde six thèmes : l'histoire naturelle de l'infection par le VIH, les manifestations cliniques, les traitements, les aspects communautaires, les soins et la société. Ce sont maintenant 51 auteurs québécois (médecins, infirmières, pharmaciens, dentistes, psychologues, etc.) qui partagent leur savoir et leur expérience sur le sida avec les autres professionnels de la santé.

Ce qui distingue le livre des Drs Oliver et Thomas des autres publications sur le sida, c'est qu'il donne des conseils pratiques aux médecins. Plutôt que de se limiter à l'aspect épidémiologique ou à l'analyse du virus, les auteurs cherchent à aider le praticien qui doit répondre à un patient demandant un test de dépistage du VIH et qui doit assurer un suivi clinique des séropositifs et des sidéens[3]. Pour leur engagement dans le domaine du sida, les Drs Olivier et Thomas reçoivent en 1992 le Prix médecins de cœur et d'action de l'AMLFC.

Pour leur engagement dans le domaine du sida, les Drs Olivier et Thomas reçoivent en 1992 le Prix médecins de cœur et d'action de l'AMLFC.

Le Guide familial des symptômes et des maladies

Depuis le début des années 1980, l'AMLFC tente de rapprocher les médecins du grand public. Le développement du volet exposition lors de ses congrès répondait à cet objectif de sensibilisation du public aux débats et aux sujets concernant la santé. Une autre expression de cette volonté de s'adresser à la population dans un langage accessible sera la publication, à la fin des années 1990, du *Guide familial des symptômes et des maladies.*

Le Dr André-H. Dandavino a travaillé sur ce projet pendant plus de deux ans, en collaboration avec le groupe de *L'Actualité médicale* et la maison d'édition Fides. L'AMLFC a recommandé des médecins, qui ont été interviewés à propos d'une maladie spécifique. Les textes ont ensuite été soumis à l'approbation d'un comité scientifique, formé des Drs Jacques Des Marchais, Wilhem B. Pellemans et André Trahan. Les rédacteurs ont évité la terminologie scientifico-médicale, qui aurait été trop ardue pour le public. Chaque fois qu'un terme complexe a été employé, une définition simple l'accompagnait[4].

---

3. *Bulletin de l'AMLFC*, 22, 2, février 1989, p. 1-2.
4. *Bulletin de l'AMLFC*, 3, 1, janvier 2000, p. 1-2.

Le *Guide familial* sera publié en deux tomes. Le premier, intitulé *Guide familial des symptômes,* est lancé officiellement au Musée des Hospitalières de l'Hôtel-Dieu de Montréal en novembre 1999. Il présente 125 symptômes relativement courants (l'acouphène, la constipation, la diarrhée, l'insomnie, etc.), leurs causes probables, les traitements que l'on peut appliquer soi-même, et indique l'étape où il devient utile de consulter un médecin. Un millier d'exemplaires du *Guide* sont vendus en France.

Le lancement officiel du second tome a lieu le 25 avril 2001. Le *Guide familial des maladies,* lui, présente 100 maladies des plus courantes (allergie, anémie, anorexie mentale, etc.) en signalant à nouveau les moyens de les prévenir et de les traiter. Une centaine de médecins ont contribué à la rédaction de l'ouvrage[5].

Le *Guide* constitue une première au pays. Jamais auparavant un ouvrage de ce genre n'a été produit au Québec par des médecins québécois sans collaboration extérieure.

D'autres ouvrages que l'AMLFC a contribué à publier

En 1981, l'AMLFC décerne des prix aux auteurs d'œuvres médicales didactiques publiées en français.

En 1981, l'AMLFC décerne des prix aux auteurs d'œuvres médicales didactiques publiées en français[6]. Les récipiendaires sont les Drs F. Cabanne et Jean-Louis Bonenfant pour *Anatomie pathologique,* J.P. Cachera et Martial G. Bourassa pour *La Maladie coronarienne,* André Roch Lecours et F. L'Hermitte pour *L'aphasie* et Robert Duguay et Henri Ellenberger pour *Précis pratique de psychiatrie.*

Lancé le 14 septembre 1981 sous l'égide de l'AMLFC, l'ouvrage des Drs Duguay et Ellenberger est consacré surtout aux omnipraticiens qui doivent souvent intervenir dans le domaine de la psychothérapie[7].

L'AMLFC contribue aussi financièrement à la traduction française, en 1983, du livre *Advance Trauma Life Support* de l'American College of Surgeons. L'Association discutera de la possibilité de tenir des sessions d'ATLS lors de ses congrès-expositions et dans le cadre des conférences internationales auxquelles elle participe.

---

5. *Bulletin de l'AMLFC,* 34, 9, septembre 2001, p. 9.
6. *Bulletin de l'AMLFC,* 16, 1, janvier 1982, p.1.
7. *Bulletin de l'AMLFC,* 14, 9, octobre 1981, p. 1.

L'Association contribue aussi financièrement à la seconde édition du *Précis pratique de gériatrie* des Drs Marcel Arcand et Réjean Hébert, de l'Institut universitaire de gériatrie de Sherbrooke.

L'AMLFC à l'origine de nouveaux services

Même au cours de ses années les plus difficiles, l'AMLFC n'a pas hésité à lancer des projets qui, par la suite, ont volé de leurs propres ailes et ont été appuyés par d'autres organismes médicaux.

Même lors de ses années les plus difficiles, l'AMLFC n'a pas hésité à lancer des projets qui, par la suite, ont volé de leurs propres ailes et ont été appuyés par d'autres organismes médicaux. Nous en présenterons ici quelques-uns.

L'aide aux médecins en difficulté d'ordre psychologique

Lors du congrès de 1978, un psychiatre, le Dr Jean-François Saucier a sensibilisé les participants à « la vulnérabilité psychologique du médecin ». Peu après, le Conseil général recommandait la création d'un groupe de travail sur cette question. Composé des Drs Monique Boivin, Paul Duchastel, Jacques Duquette et André Arsenault, ce groupe de travail définit comme prioritaire les difficultés d'ordre psychologique, l'alcoolisme et la toxicomanie. Il s'adresse à l'Association des psychiatres et à l'Association des internistes pour mesurer la possibilité d'implanter un réseau de consultation[8]. Il en résultera la création, en 1979, de Réseau-Med.

Réseau-Med est un service confidentiel offert par l'Association aux médecins souffrant de problèmes d'alcoolisme, de toxicomanie ou de divers troubles psychologiques. On ne tient aucun registre du nom ni du lieu d'exercice des médecins qui ont recours à Réseau-Med. Seul le nombre d'appel est comptabilisé. Pour avoir de l'aide, le médecin n'a qu'à communiquer pendant les heures de bureau. Il reçoit alors la liste des médecins membres de Réseau-Med qui œuvrent dans la région où il souhaite consulter. S'il le faut, on peut procéder à une hospitalisation d'urgence. L'équipe de base est constituée d'au moins un psychiatre et un interniste, et on compte former autant d'équipes de base que nécessaire dans chacune des régions du Québec. Dès 1979, quatre équipes fonctionnent à Montréal, deux à Québec et une à Sherbrooke et à Drummondville[9].

---

8. *Bulletin de l'AMLFC*, 13, 3, mai-juin 1979, p. 21.
9. *Bulletin de l'AMLFC*, 13, 3, mai-juin 1979, p. 21.

Réseau-Med a rendu de précieux services à certains membres de l'AMLFC, mais en 1988, l'AMLFC ne se sent plus apte à assumer seule les frais de ce réseau d'aide.

Réseau-Med a rendu de précieux services à certains membres de l'AMLFC, mais en 1988, l'AMLFC ne se sent plus apte à assumer seule les frais de ce réseau d'aide. Le Dr Claude Thibeault est alors chargé de communiquer avec les représentants de la CPMQ et des deux fédérations médicales pour étudier un projet de programme d'aide financé conjointement pour les médecins aux prises avec des problèmes d'alcoolisme et de toxicomanie.

En juillet 1989, le Dr Thibeault présente les résultats des rencontres. Les coûts de la mise en place du programme seront partagés à part égale par l'AMLFC, la CPMQ, la FMOQ et la FMSQ. La Fédération des médecins résidents du Québec (FMRQ) se joindra par la suite aux quatre autres organisations. Les frais de chaque organisme participant sont évalués à 35 000 $. Les objectifs du Programme d'aide aux médecins du Québec (PAMQ) ayant des problèmes d'alcoolisme, de toxicomanie ou de santé mentale sont la prévention, le dépistage précoce, le traitement approprié et l'assistance aux médecins durant leur réinsertion professionnelle. Le programme s'étend aussi aux étudiants en médecine. Par son conseil d'administration, l'AMLFC accepte de participer au projet, qui débutera en 1990[10]. Le Dr Thibeault sera le premier président du PAMQ qui, durant ses premières années, loge dans les locaux de la CPMQ.

Selon le Dr André Lapierre, secrétaire général de la CPMQ et directeur du PAMQ, 33 médecins ont fait appel au Programme en 1990 et environ une quarantaine l'année suivante[11]. La présence d'un stand sur la santé mentale lors du congrès-exposition de 1992, contribuera à promouvoir ce programme encore peu connu des médecins.

En 1993, le PAMQ prépare à l'intention des médecins des vidéos sur la maladie mentale et la toxicomanie. Satisfaite des résultats, l'AMLFC n'hésite pas à renouveler, la même année, son soutien financier au PAMQ pour une nouvelle période de quatre ans.

En 1996-1997, le PAMQ vient en aide à 49 omnipraticiens, 22 spécialistes et 27 résidents. Même des médecins retraités n'hésitent pas à recourir à ce service. Les demandes vont croissant et se manifestent de plus en plus sur une

10. *Procès-verbal de la 5e réunion du Conseil d'administration 1988-1990 tenue le samedi 5 août 1989*, p. 7.
11. *Bulletin de l'AMLFC*, 25, 4, avril 1992, p. 1-2.

base volontaire. L'AMLFC et les autres organismes médicaux qui appuient financièrement le PAMQ acceptent de renouveler leur contribution en 1997[12].

Pour mieux venir en aide au PAMQ, une fondation est créée en 1999.

Malgré les services qu'il offre aux médecins en difficulté, le PAMQ connaîtra certains problèmes financiers. Un budget d'environ 250 000$ serait nécessaire pour assurer son fonctionnement. Pour mieux venir en aide au PAMQ, une fondation est créée en 1999.

Le Comité des femmes médecins

L'une des principales transformations survenues dans la société québécoise est certainement la place de plus en plus grande qu'occupe la femme au sein de professions traditionnellement masculines. Bien que la médecine soit de moins en moins une exclusivité masculine, les femmes tardent à occuper des postes clés à l'intérieur des associations médicales. D'autre part, elles doivent toujours concilier carrière et vie familiale.

À l'automne 1981, le Dr Monique Boivin devient la première femme à être élue à la présidence de l'AMLFC. Précédemment, le 3 mars 1981, le Dr Boivin a livré une conférence à l'intention des étudiants en médecine de l'Université de Sherbrooke sur la médecine vue par une femme. Elle met en garde les étudiantes contre « la drogue des études », signalant par là la tendance qu'ont les femmes de se consacrer entièrement à cette activité en oubliant complètement la détente et les loisirs[13].

Le Dr Boivin est à l'origine de la création, en 1983, d'un comité des femmes médecins. Le 16 avril de cette année-là, en collaboration avec le Dr Naomi Lowi, elle invite ses consœurs à une rencontre sous l'égide de l'AMLFC[14]. Plus de 200 femmes médecins participent à ce symposium portant sur la situation des femmes en médecine et les problèmes de santé spécifiques aux femmes (avortement, ménopause, mastectomie, etc.).

---

12. *Procès-verbal de l'Assemblée générale annuelle des membres 1996-1997, de l'Assemblée générale annuelle du conseil général 1996-97 et de la première assemblée du Conseil général 1997-1998 (conjointes) tenues le samedi 17 octobre 1997, au salon Alfred-Rouleau de l'hôtel Complexe Desjardins, à Montréal,* p. 12.
13. Trois autres conférences portant sur le thème de la femme médecin ont été organisées par l'AMLFC en 1981-1982. *Bulletin de l'AMFC,* 16, 12, décembre 1982, dans *UMC,* 111, 12, décembre 1987, p. 1142.
14. *Bulletin de l'AMLFC,* 16, 5, mai 1983. dans *UMC,* 112, 5, mai 1983, p. 496-497.

Nommé en l'honneur des premières femmes diplômées des Universités McGill, de Montréal et Laval, le Prix Abbott-Pelland-Brissette est remis conjointement par l'AMLFC et la CPMQ depuis 1995.

Après cette rencontre, le Dr Boivin se rend à la CPMQ pour proposer la création d'un comité des femmes médecins. Celui-ci sera fondé en octobre 1983[15]. Le Comité des femmes discutera, dans les années subséquentes, de l'accouchement et de la ménopause. Il s'intéressera aussi à la féminisation des termes médicaux. Le Dr Boivin présidera ce comité de 1983 à 1986.

Le Comité des femmes de la CPMQ est à l'origine du Prix Abbott-Pelland-Brisette, remis à un médecin qui, par ses recherches, son travail clinique ou son engagement dans la communauté, a contribué à la promotion de la santé des femmes. Les premiers récipiendaires sont les Drs Lise Fortier et Yves Lefebvre, deux pionniers de la contraception au Québec[16]. Nommé en l'honneur des premières femmes diplômées des Universités McGill, de Montréal et Laval, le Prix Abbott-Pelland-Brissette est remis conjointement par l'AMLFC et la CPMQ depuis 1995.

Les prix de l'AMLFC

M. Jacques Lafontaine

Au début des années 1990, l'AMLFC décide de créer de nouveaux prix et de recommencer à en décerner d'autres, délaissés depuis plusieurs années.

Le Prix médecins de cœur et d'action naît ainsi lors d'une rencontre entre le président de *L'Actualité médicale*, M. Jacques Lafontaine, et le directeur de l'AMLFC, M. André de Sève. Il vise à honorer des médecins dont la carrière a été discrète mais admirable[17]. Les lauréats de ce prix créé conjointement par l'AMLFC et *L'Actualité médicale*, et remis pour la première fois lors du congrès-exposition de 1990, représentent diverses catégories de l'activité médicale (omnipraticien en milieu urbain et rural, chirurgien, spécialiste, médecin de CLSC, etc.). Le comité de sélection est présidé depuis sa création par le Dr Wilhelm B. Pellemans.

L'Actualité médicale et L'AMLFC s'unissent également en 1990 pour décerner une bourse de 2000$ à l'auteur du meilleur article publié dans le «Cahier d'éducation médicale» de *L'Actualité médicale*. Le premier récipiendaire de ce prix est le Dr Rafik Habib pour son article sur l'hypercholestérolémie[18].

15. *Bulletin de l'AMLFC*, 17, 9, octobre 1984, p. 2.
16. *Procès-verbal de la 7e réunion du conseil d'administration 1994-1996 tenue le lundi 11 décembre 1995*, p. 3.
17. *Bulletin de l'AMLFC*, 24, 8, août 1991, p. 10.
18. *Bulletin de l'AMLFC*, 23, 12, décembre 1990, p. 6.

Depuis l'an 2000, un prix est décerné aux résidents qui se sont distingués par la qualité de leur engagement professionnel et social et par l'influence et le leadership qu'ils exercent dans leur milieu.

Depuis l'an 2000, un prix est décerné aux résidents qui se sont distingués par la qualité de leur engagement professionnel et social et par l'influence et le leadership qu'ils exercent dans leur milieu. Une bourse de 1 000$ offerte par la Banque Nationale du Canada, accompagne ce prix.

Il faut en outre rappeler l'important Prix de l'œuvre scientifique et la Médaille du mérite[19], qui sont remis en alternance et sont accompagnés d'une bourse de 5 000 $. Depuis 1986, la remise de ces deux distinctions est précédée d'une présentation vidéo décrivant la vie et l'œuvre du lauréat.

Les certificats Hommages et Reconnaissance récompensent, pour leur part, des médecins pour leur engagement dans l'AMLFC.

L'informatique

À la fois évolution et révolution, l'informatique s'est très rapidement développée, au point que dans les années 1990, surtout après le développement du réseau Internet, les médecins sentent le besoin pressant de s'y intéresser. L'AMLFC perçoit rapidement les bienfaits que représente l'ordinateur pour l'avancement des sciences de la santé. D'ailleurs, déjà en 1969, son congrès a été placé sous le signe de l'informatique. Nous présentons ici les initiatives prises par l'Association depuis les années 1980 pour familiariser ses membres à la révolution informatique.

Le 18 juin 1981, l'AMLFC et l'Institut de recherches cliniques de Montréal organisent conjointement une session d'informatique. À cette occasion, le Dr Michel Bourque présente un programme dont il est le concepteur et qui permet aux patients des salles d'attente d'obtenir de façon autonome des informations au sujet de leur maladie[20].

En 1982 est fondé un club informatique dirigé par le Dr Jacques Lamoureux, de l'Hôpital Notre-Dame. L'objectif de ce club est de familiariser les médecins à la micro-informatique et aux ordinateurs personnels. Il vise également à faire profiter les membres des achats de groupe et à promouvoir l'usage du français en informatique[21].

---

19. La Médaille du mérite est remise depuis 1987 à un médecin francophone pour sa brillante carrière au service de la cause médicale. Son premier titulaire a été le Dr Augustin Roy.
20. *Bulletin de l'AMLFC*, 15, 6, juillet 1981, p. 3.
21. J. Lamoureux, « La révolution informatique est à nos portes », *Bulletin de l'AMLFC*, 16, 12, dans *UMC*, 111, 12, décembre 1982, p. 1143.

L'AMLFC perçoit rapidement les bienfaits que représente l'ordinateur pour l'avancement des sciences de la santé.

En 1983, l'AMLFC fonde aussi des clubs informatiques dans la région 04 (Mauricie)[22]. Le 28 mai, une quarantaine de médecins s'inscrivent à un cours d'une quinzaine d'heures à l'UQTR. L'année suivante, ce sont 65 médecins de la Mauricie qui suivent ce cours d'introduction. Beaucoup d'entre eux s'inscrivent ensuite à un programme plus avancé de 30 heures. En outre, plusieurs se regroupent pour l'achat d'ordinateurs. Des médecins de Drummondville et de Victoriaville souhaitent également fonder des clubs dans leurs régions respectives.

Des cours d'initiation à l'informatique sont offerts au Cégep Édouard-Montpetit, pour les médecins de la Montérégie, et au Cégep Montmorency de Laval, pour ceux de la région de Montréal. Un cours est également donné en 1984 dans la ville de Québec[23].

L'AMLFC procède par ailleurs à l'informatisation de ses bureaux. En 1983 et 1984, l'Association fait l'acquisition de deux micro-ordinateurs. Le premier est destiné au secrétariat pour le traitement de texte, et le second est réservé à la comptabilité. Jusqu'en 1988, l'Association doit faire appel à des services externes pour la gestion des listes de membres et d'abonnés. À la suggestion du directeur des finances, M. Gilles Lapiere, la direction décide de procéder à l'implantation d'un système informatique. En plus d'éviter d'avoir recours à des services externes, ce système permettra à tous les membres du personnel d'avoir accès en temps réel au fichier des membres.

En 1996, l'AMLFC se dote d'un site Internet (www.amlfc.com, devenu par la suite www.amlfc.org). On y décrit les activités de l'Association et les services qu'elle offre. Le site Internet facilite également les contacts avec des médecins francophones résidant à l'autre bout de la planète.

Sous la présidence du Dr Jacques Lambert, un Comité d'informatique travaille, à partir de 1996, à l'élaboration de sessions d'initiation à Internet. Organisées par le Dr Ramses Wassef, ces sessions connaissent beaucoup de succès à la fin des années 1990. Le Comité d'informatique a pu bénéficier de l'apport du groupe Cybermédic, formé d'étudiants en médecine de l'Université de Montréal[24]. La création du Comité d'informatique a ainsi

22. *Bulletin de l'AMLFC*, 17, 4, avril 1983, dans *UMC*, 112, 4 avril 1983, p. 397.
23. *Bulletin de l'AMLFC*, 18, 2, février 1984, p. 4.
24. *Bulletin de l'AMLFC*, 32, 5, mai 1999, p. 9.

Le site Internet de l'AMLFC facilite entre autres les contacts avec des médecins francophones de toute la planète.

favorisé l'arrivée de plusieurs jeunes membres qui apportent une énergie nouvelle à l'Association.

L'Offre sur mesure de la Banque Nationale du Canada

Depuis 1987, les membres de l'AMLFC bénéficient d'un programme de produits et de services financiers préférentiels, spécialement conçus pour eux. Cet ensemble de services bancaires est issu de rencontres entre le président de la Banque Nationale, M. Michel Bélanger, et le Dr François Lamoureux, président de l'AMLFC. L'Offre sur mesure de la Banque Nationale du Canada est le premier programme du genre créé par cette institution financière pour une association[25]. De nouveaux services enrichissent ce programme à la suite de négociations subséquentes entre l'AMFC et la Banque Nationale. Ainsi, en 1991, la marge de crédit est portée de 5 000 à 10 000 $, alors que les frais d'adhésion annuels ne sont pas exigés la première année.

D'autres services sont également offerts par l'AMLFC à ses membres. Depuis 1993, le nom et les coordonnées des différents partenaires de l'AMLFC (banque, courtiers d'assurance, agence de voyage, etc.) sont inscrits au dos de la carte de membre.

Le *Bulletin de l'AMLFC*

À partir de 1982, le *Bulletin de l'AMLFC* est à nouveau intégré dans *L'Union Médicale du Canada*, une insertion qui suscite des commentaires positifs. De quatre qu'il était auparavant, le nombre de pages du *Bulletin* est porté à huit en juin 1985, puis à douze en 1990.

S'il véhicule toujours de l'information sur les activités et les services de l'AMLFC, le *Bulletin* est aussi devenu un lieu d'échange d'information pour les membres. Depuis la fin des années 1980 plus particulièrement, on présente dans ses pages certains médecins qui exercent leur art dans des milieux inédits ou qui s'intéressent à divers passe-temps (activités sportives, voyages, etc.). Le *Bulletin* compte sur la collaboration des médecins pour le renseigner sur les nominations, les prix, les bourses, etc. obtenus par les membres de l'AMLFC.

---

25. *Bulletin de l'AMLFC*, 24, 2, février 1991, p. 3.

RETENIR LES ENSEIGNEMENTS DU PASSÉ, VIVRE AU PRÉSENT ET PRÉPARER L'AVENIR

À la fin du XIXe siècle, une soixantaine de médecins canadiens-français perfectionnent leurs études en France, où ils se familiarisent avec les travaux de Louis Pasteur et de Claude Bernard. À leur retour, ces jeunes médecins créent de nouvelles chaires d'enseignement dans les facultés de médecine et implantent la pratique de l'asepsie et de l'antisepsie dans les hôpitaux de Québec et de Montréal. Ils fondent également des revues et des sociétés médicales pour diffuser les nouveaux savoirs et les nouvelles pratiques.

Il existe à l'époque d'autres associations médicales au Canada et aux États-Unis, mais la barrière linguistique empêche plusieurs francophones de pleinement profiter des activités scientifiques de telles organisations. La présence francophone à ces congrès est donc limitée, ce qui donne l'impression d'un désintérêt des médecins canadiens-français face à l'avancement de leur science. En créant une association qui regrouperait l'ensemble des médecins francophones, ceux-ci pourraient se présenter comme les égaux de leurs confrères de langue anglaise, sans pour autant renoncer à leur identité.

L'idée est lancée en 1900, par le Dr Michel-Delphis Brochu, lors d'une réunion de médecins organisée par la Société médicale de Québec. Après un séjour de formation en Europe, le Dr Brochu, médecin à l'Hôtel-Dieu de Québec, a été engagé comme professeur d'hygiène à l'Université Laval, puis comme titulaire de la Chaire de pathologie interne. Après le premier congrès de l'AMLFAN, il sera également nommé titulaire de la Chaire des maladies nerveuses et mentales, élu vice-président du Collège des médecins et nommé surintendant médical de l'Asile Saint-Michel-Archange, poste qu'il occupera jusqu'en 1923.

On retient la date de juin 1902 pour la tenue du congrès de fondation de l'Association des médecins de langue française de l'Amérique du Nord, ce qui coïncide avec le cinquantenaire de l'Université Laval et le soixantième anniversaire de la Société Saint-Jean-Baptiste de Québec. Nous retrouvons ici l'autre élément caractéristique de l'Association, soit la défense et la promotion de la langue française en médecine, non seulement au Canada mais aussi dans tout le continent nord-américain. Il n'est pas superflu de rappeler qu'au début du XXe siècle plus de 500 000 Canadiens français se sont établis aux États-Unis et que des centaines de médecins francophones les ont accompagnés.

La nouvelle association a pour objectif premier d'organiser un congrès scientifique tous les deux dans les principales villes du Québec et du Canada. Accessoirement, les communications des congrès alimenteront les revues médicales francophones et les sociétés médicales, qui se multiplient alors dans les diverses régions du Québec et du Canada.

De 1902 à 1910, l'activité de l'AMLFAN se limite à la tenue d'un congrès tous les deux ans. Les premiers congrès de l'AMLFAN sont l'occasion de faire connaître les diverses innovations venues de l'étranger. Ils constituent aussi un terrain idéal pour faire connaître les vœux des médecins en vue d'éventuelles réformes du système de santé.

La Première Guerre mondiale va obliger l'Association à mettre ses activités en veilleuse. Elle projetait ainsi d'organiser en 1916 à Montréal un congrès conjoint avec l'Association des médecins de langue française d'Europe, mais ce n'est qu'en 1934 que cette idée deviendra une réalité.

En 1920, l'AMLFAN reprend vie après une longue période de léthargie. Ses congrès permettent de rendre publiques les campagnes nationales de lutte contre la tuberculose, les maladies transmises sexuellement, la mortalité infantile et les maladies mentales. Ces campagnes sont lancées dans les années 1920 par les autorités provinciales et fédérales, alors ouvertes aux vœux exprimés par les médecins francophones.

C'est aussi durant l'entre-deux-guerres que l'Association se dote de structures permanentes. Elle se constitue en société en 1924, forme un Conseil général en 1928 et fait de *L'Union Médicale du Canada*, la plus ancienne revue médicale francophone d'Amérique du Nord, sa publication scientifique. Elle organise également ses premiers congrès à l'extérieur du Québec.

Durant les premières décennies de son existence, l'AMLFAN se fait le promoteur de la médecine française. Une perte de contact avec l'ancienne métropole, durant la Seconde Guerre mondiale, provoque cependant un plus grand rapprochement avec nos voisins du sud. Il en résultera une fusion des écoles française et américaine qui caractérisent bien la médecine canadienne-française depuis 1945.

C'est également pendant la Seconde Guerre mondiale que commenceront les discussions entourant la création d'un système d'assurance-santé. Pour obtenir la reconnaissance officielle du gouvernement canadien, l'AMLFAN devient en 1946 l'Association des médecins de langue française du Canada (AMLFC). Toutefois, ce changement de nom ne modifie en rien les objectifs premiers de l'Association. Les médecins francophones exerçant aux États-Unis peuvent toujours être membres de l'Association, sur une base individuelle, et participer à ses activités.

À partir de 1946, l'AMLFC est représentée officiellement au sein de nombreux comités gouvernementaux. Elle présente plusieurs mémoires sur l'assurance-santé et l'assurance-hospitalisation, dans lesquels elle expose des positions partagées par le Collège des Médecins du Québec et les autres organisations médicales canadiennes-françaises de l'époque. Elle prend aussi position sur plusieurs autres questions concernant l'enseignement, la recherche et la pratique médicale au pays (sécurité routière, tabagisme, planification familiale, etc.). Elle favorise de plus la publication de volumes médicaux en langue française et la francisation des termes médicaux.

À partir de 1946, les congrès de l'AMLFC ont lieu chaque année, non seulement à Québec, à Montréal et à Ottawa, mais aussi dans de petites municipalités québécoises et même en Alberta, au Nouveau-Brunswick et en Ontario. L'Association tiendra aussi deux congrès conjoints avec les médecins francophones d'Europe.

La création des syndicats médicaux, à la fin des années 1960, donne un dur coup à l'AMLFC qui, depuis sa fondation, cherche à regrouper l'ensemble de la profession médicale francophone (étudiants, internes et résidents, médecins d'hôpitaux et de campagne, omnipraticiens et spécialistes). Délaissant progressivement l'étude des grandes questions d'ordre professionnel, l'Association concentre alors ses activités sur la formation médicale continue. Elle se rapproche aussi du grand public en organisant, à partir de 1983, des expositions à l'intérieur de ses congrès qui permettent de démythifier la médecine scientifique. L'Association crée également de nouveaux services, comme le Programme d'aide aux médecins du Québec et envoie des conférenciers francophones en Afrique, renouant avec une pratique de tournées de conférences mise en place dans les années 1970.

En 2002, l'AMLFC fêtera son centième anniversaire, ce qui représente un exploit, si l'on considère que plusieurs sociétés et revues médicales ayant vu le jour au XIXe siècle se sont éteintes après quelques années seulement. Deux conflits mondiaux et quelques crises économiques ont ralenti quelque peu ses activités sans pour autant la faire disparaître.

Les congrès et autres activités scientifiques de l'Association ont permis de faire connaître les principaux cliniciens et chercheurs francophones du Canada. L'AMLFC a honoré depuis sa fondation des centaines de médecins (qu'ils soient étudiants, internes ou résidents, omnipraticiens ou spécialistes) pour leur contribution à l'enseignement ou à la recherche ou pour leur engagement social. L'histoire de l'AMLFC permet donc, indirectement, de suivre l'évolution des hôpitaux, des facultés de médecine et des diverses spécialités médicales au Québec et au Canada depuis un siècle. Plusieurs anciens présidents de l'AMLFC ont d'ailleurs aussi été doyens des facultés de médecine ou présidents du Collège des médecins ou du Service provincial d'hygiène de la province de Québec, ou ont occupé d'autres fonctions très importantes.

L'histoire de l'AMLFC démontre également que les médecins canadiens-français n'ont jamais été isolés ni opposés au progrès de leur discipline. D'Alexis Carrel à Luc Montagnier, en passant par Wilder Penfield, René Dubos, Henri Laborit et plusieurs autres, les congrès de l'AMLFC ont toujours offert une tribune aux chercheurs étrangers de réputation mondiale.

En fait, l'Association a réussi à s'adapter aux changements survenus à l'intérieur de la pratique médicale et de la société. Bien que les moyens utilisés aient varié au fil des années, elle est toutefois restée fidèle à ses deux objectifs fondamentaux: la formation de ses membres et la promotion de la langue française en médecine.

Ce récit de l'histoire de l'AMLFC se termine en l'an 2000, ce qui correspond au moment où nous remontions dans le temps pour découvrir les origines de l'Association et les grands et petits évènements de son passé. La commémoration de son centenaire est, bien sûr, l'occasion idéale pour honorer les grands noms de la profession médicale francophone qui l'ont fondée et qui ont assuré sa survie bénévolement pendant cent ans. Elle doit être aussi un moment pour faire le point sur sa situation présente et s'interroger sur son futur. À quel avenir l'AMLFC se destine-t-elle ? Pour projeter un éclairage sur l'AMLFC actuelle et ses perspectives, nous nous sommes entretenus avec les Drs Jean Léveillé et Wilhem B. Pellemans, respectivement actuel et prochain présidents de l'Association.

Selon eux, la défense de la langue française et la formation médicale de ses membres demeurent les raisons qui justifient l'existence de l'AMLFC et la démarquent des autres associations. Le médecin a le devoir de parler la langue de son patient, affirme le Dr Pellemans. Pour sa part, le Dr Léveillé maintient que la mondialisation ne doit pas conduire à un appauvrissement de la culture nationale. Les deux médecins soulignent par ailleurs l'importance de l'exposition scientifique lors des congrès annuels. Selon le Dr Léveillé, celle-ci permet au médecin de remettre une partie du savoir qu'il a acquis à la communauté qui a contribué financièrement à son éducation.

La mondialisation représente un défi important pour l'AMLFC. Selon le Dr Léveillé, la possibilité qu'a l'Association de diffuser en français la médecine nord-américaine représente un atout important, qui suscite l'intérêt des médecins étrangers. À titre d'exemples, le médecin rappelle qu'un récent congrès à Athènes, auquel participaient les membres de l'AMLFC, s'est déroulé exclusivement en français. De même, un congrès se déroulera prochainement en Chine exclusivement dans la langue de Molière.

Pour survivre et s'épanouir dans le contexte de la mondialisation actuelle, l'Association devra par contre utiliser pleinement les ressources offertes par l'informatique. Le Dr Pellemans nous a ainsi confirmé que d'importants développements seront apportés au site Internet de l'AMLFC au cours des prochains mois.

Le Dr Pellemans signale en outre l'importance d'intégrer les jeunes et les femmes médecins dans les instances de l'AMLFC dans les prochaines années. Si les étudiants participent aux activités scientifiques, on constate toutefois une perte de contact au moment de leur résidence. De même, les femmes participent moins aux activités scientifiques pendant les années où elles doivent concilier les activités professionnelles et familiales. L'Association devra veiller à ce que ces deux groupes soient mieux représentés dans ses divers comités et à l'intérieur de son conseil d'administration.

Le Dr Léveillé souhaite par ailleurs que les communautés locales reconnaissent le dévouement de leurs médecins. Grâce au Prix médecins de cœur et d'action et à son *Bulletin*, l'AMLFC a contribué à mieux faire connaître l'œuvre de médecins engagés dans leur milieu respectif. De tels hommages mériteraient d'être reproduits dans les régions.

Pour conclure, que sera l'Association des médecins de langue française du Canada dans les décennies à venir ? Elle sera à l'image de la médecine francophone du pays. Elle connaîtra sans doute de grands moments, mais aussi des périodes plus difficiles, qui l'obligeront à s'adapter. Mais puisse-t-elle exister tant et aussi longtemps que des médecins de langue française exerceront sur ce continent.

L'ANNÉE DU CENTENAIRE

Fêter son centenaire, pour une organisation comme l'Association des médecins de langue française du Canada, représente une étape majeure de son évolution. Longtemps à l'avance, on en planifie le déroulement, on élabore des projets qui deviennent réalité, on participe à des événements que seul un anniversaire de cette ampleur peut justifier. Comment résumer en quelques lignes les nombreuses discussions, puis toutes les décisions prises à tous les niveaux, et enfin tous les moments forts et toutes les émotions vécus en 2002 ?

Il y a, bien sûr, ces gestes de mémoire qui prennent des dimensions particulières, des significations que seul le recul permettra de mesurer. Mais qu'il me soit permis de mentionner les signes extérieurs visant à intéresser le plus grand nombre d'organismes et d'individus au riche héritage laissé par ces cent ans d'histoire de la médecine de langue française au Canada.

Des manifestations grand public

Il y a d'abord *L'Association fête ses cent ans*, quatre courtes bandes vidéo et audio diffusées grâce au réseau Astral Média, qui ont permis de partager cet événement remarquable avec un large public.

Puis il y a ces épinglettes et ces banderoles, et toutes ces invitations, ces entrevues et ces rencontres avec divers organismes de la francophonie qui ont été réalisées à l'occasion du centenaire de l'Association. Dans le cadre de la Semaine internationale de la francophonie, organisée du 16 au 24 mars 2002 par le Regroupement des associations francophones du Québec, il y eut ainsi une réception, puis une soirée consacrée aux réalisations de l'Association, ce qui a permis de faire connaître celle-ci et de tisser des liens avec le Regroupement. Le Dr Michel Bergeron, récipiendaire des Prix Adrien-Pouliot et Georges-

Émile-Lapalme, nous a alors entretenus d'un sujet qui lui tient à cœur: la place du français scientifique. Malgré une température maussade, de nombreux membres de l'AMLFC ont pu participer à cet événement prestigieux.

Dans le cadre de l'année francophone internationale 2002, un volumineux ouvrage ayant nécessité la participation de 200 collaborateurs signale les activités des pays et organismes francophones et francophiles. À l'occasion de son centenaire, l'AMLFC, sous la plume de Mme Bettina B. Cenerelli, professeur assistant de l'Université Mount Allison, y fait l'objet d'un article important résumant les principales activités de l'Association. Cette publication, un outil de référence diffusé sur les cinq continents, décrit avantageusement nos activités régionales, nationales et internationales.

Des plaques commémoratives au 1105 rue Saint-Jean, à Québec, et au siège social de l'Association à Montréal

À l'occasion du dévoilement d'une plaque commémorative apposée sur l'édifice de Québec où a œuvré le fondateur, il y a eu des réunions du Conseil d'administration et du Conseil général avec ses descendants, des membres de la famille Brochu: M. Michel Brochu (petit-fils), Mme Marie Brochu-Cincou (petite-fille), Mme Élizabeth Cincou-Harvey (arrière-petite-fille), MM. François, Bernard et André Cincou (arrière-petits-fils), Camille Fournier (arrière-arrière-petite-fille) et Michel Venne (arrière-arrière-petit-fils). Le même jour, une large délégation était accueillie chaleureusement par les religieuses du monastère des Augustines de l'Hôtel-Dieu de Québec, dans ce magnifique musée où sont conservés des objets ayant appartenu au Dr Brochu et où l'on peut consulter les documents d'époque, dont les annales du premier congrès de l'Association, en 1902.

Un travail considérable de patientes recherches, entrevues et compilations a occupé l'année 2002 et permis à l'historien Guy Grenier de produire le présent volume, qui résume une part importante de l'évolution de la médecine francophone en Amérique du Nord. Grâce au soutien de la Banque Nationale et de la firme Merck Frosst, tous les membres de l'Association ont pu recevoir un exemplaire de l'ouvrage.

Le 10 septembre, une plaque commémorative à l'effigie du Dr Michel-Delphis Brochu, fondateur de l'AMLFC, était dévoilée au siège social de l'Association à Montréal, en présence de Mme Louise Beaudouin, ministre d'État aux Relations internationales, ministre des Relations internationales, ministre responsable de la Francophonie et ministre responsable de l'Observatoire de la mondialisation, et de M. Gérald Tremblay, maire de Montréal.

Un colloque en français à Shanghai

En septembre 2002, l'Association tenait conjointement avec l'Université médicale II de Shanghai, en Chine, le 10e Colloque de médecine ambulatoire et multidisciplinaire. Il convient de rappeler qu'une filière francophone existe depuis des années à l'Université médicale de Shanghai. Tant les présentations des médecins chinois que celles des collègues canadiens, de même que tous les échanges, se sont donc déroulés en français à cette occasion. Une forte délégation de membres de l'Association a été à même de constater combien, à l'ère de la mondialisation, il est important pour notre communauté francophone nord-américaine de faire connaître ses réalisations et de participer à de tels échanges. Ce rôle d'ambassadeur de notre culture auprès des organismes francophiles ou francophones des pays étrangers assure à l'AMLFC un rayonnement considérable que malheureusement plusieurs sous-estiment. Le grand succès de cet événement, dans le cadre du centenaire, est tout à l'honneur du comité organisateur de l'Association.

Fidèle à sa tradition, l'Association rend hommage…

Dans le cadre de son 74e Congrès annuel, l'AMLFC remettait la Médaille du centenaire à d'anciens présidents ainsi qu'à certains collaborateurs de l'Association.

Lors du prestigieux dîner-gala du 1er novembre, plus de 500 convives, dont de nombreuses délégations des universités, des organismes de la santé, du Collège des médecins, des diverses associations et fédérations médicales et des milieux des affaires et de la politique se sont joints aux membres de l'AMLFC pour rendre hommage.

À cette occasion, l'Association a remis la Médaille Michel-Delphis-Brochu, spécialement conçue pour couronner l'année du centenaire, à des personnalités s'étant spécialement illustrées dans le domaine de la santé et du français. On a ainsi honoré les Drs Jacques Boulay (Québec), Jacques Genest (Montréal), Victor Goldbloom (Montréal), Gisèle Lalonde (Ottawa, Ontario) et Aurel Schofield (Dieppe, Nouveau-Brunswick).

Dr Jacques Boulay

Dr Jacques Genest

Dr Victor C. Goldbloom

Mme Gisèle Lalonde

Dr Aurel Schofield

À l'occasion du centième anniversaire de l'AMLFC, le site Web de l'Association a été totalement remanié. Il s'engage désormais résolument, par ses chroniques et ses échanges interactifs, selon le mode participatif, à vous convier non seulement à le fréquenter, mais surtout à vous y associer et à y participer activement. De nombreux articles du *Bulletin* ou de la page de l'AMLFC dans *L'Actualité médicale* ont rapporté les manifestations du centenaire.

Ce bref résumé des activités de l'année 2002 se voulait un rappel de célébrations dignes de l'héritage laissé par nos prédécesseurs, mais respectueuses de nos ressources financières, puisqu'elles s'autofinançaient. Il convient de remercier chaleureusement tous les commanditaires, les organismes subventionnels, les collaborateurs et partenaires, les membres de l'Association, en particulier des divers comités, et les gens de la permanence, qui sans relâche se sont entièrement engagés pour assurer l'immense succès de cette année du centenaire.

Ce chapitre de notre histoire ne doit pas faire oublier le dynamisme d'une association aux idées et aux projets multiples et originaux visant à préparer pour nos successeurs un matériel aussi riche en vue des prochains anniversaires, en particulier le 200e, en 2102.

Jean Léveillé, M.D.
Président de l'AMLFC

ARCHIVES DE L'AMLFC

A20. Ordres du jour et procès-verbaux de l'Assemblée semi-annuelle du Conseil général (1977-1998)

A30. Ordres du jour et procès-verbaux de l'Assemblée annuelle (1949-1998)

A40. Ordres du jour et procès-verbaux du Conseil d'administration (1968-2000)

A50. Ordres du jour et procès-verbaux du Bureau exécutif (1969-2000)

J60. Prix et distinctions

J80. Programmes officiels des congrès (1922-1995)

COMPTES RENDUS DES CONGRÈS DE L'AMLFAN (1902-1934)

SOURCES ORALES

Michel Brochu (petit-fils du fondateur de l'AMLFAN)

Marcel Cadotte (rédacteur en chef de *L'Union Médicale du Canada* de 1982 à 1987)

André de Sève (directeur général de l'AMLFC depuis 1985)

Georges Desrosiers (fondateur du Comité d'étude des termes de médecine)

Gilles Lapierre (directeur des finances de l'AMLFC)

Jean Léveillé (président de l'AMLFC de 2000 à 2002)

Wilhem B. Pellemans (président de l'AMLFC de 1987 à 1990 et de 1994 à 1996)

REVUES ET JOURNAUX

Bulletin de l'AMLFAN (1937-1957)

Bulletin de l'AMLFC (1967-2001)

Bulletin médical de Québec (1910-1998)

L'Union Médicale du Canada (1900-1995)

DOCUMENTS DE RÉFÉRENCE

DICTIONNAIRE BIOGRAPHIQUE DU CANADA

Bernier, Jacques, «Jean Blanchet», vol. VIII, University of Toronto Press et Presses de l'Université Laval, 1985, p. 107-108.

Bernier, Jacques, «Jean-Philippe Rottot», vol. XIII, University of Toronto Press et Presses de l'Université Laval, 1994, p. 984-985.

Bernier, Jacques, et François Rousseau, «Michael Joseph Ahern», vol. XIV, University of Toronto Press et Presses de l'Université Laval, 1998, p. 11-13.

Boissonault, Charles-Marie, «Charles-Jacques», vol. IX, University of Toronto Press et Presses de l'Université Laval, 1977, p. 314-316.

Boissonnault, Charles-Marie, «Joseph Morrin», vol. IX, University of Toronto Press et Presses de l'Université Laval, 1977, p. 631-632.

Boissonnault, Charles-Marie, «Joseph Painchaud», vol. X, University of Toronto Press et Presses de l'Université Laval, 1972, p. 618-619.

Cook, Ramsay, «Albert Laurendeau», vol. XIV, University of Toronto Press et Presses de l'Université Laval, 1998, p. 662-664.

Desjardins, Rita, «Séverin Lachapelle», vol. XIV, University of Toronto Press et Presses de l'Université Laval, 1998, p. 623-625.

Desrosiers, Georges, Benoît Gaumer et Othmar Keel, «Emmanuel-Persillier Lachapelle», vol. XIV, University of Toronto Press et Presses de l'Université Laval, 1998, p. 620-623.

Goulet, Denis, «Louis-Édouard Desjardins», vol. XIV, University of Toronto Press et Presses de l'Université Laval, 1998, p. 315-317.

Goulet, Denis, et Othmar Keel, «Alphonse-Barnabé Larocque de Rochbrune», vol. XII, University of Toronto Press et Presses de l'Université Laval, 1990, p. 576-577.

Goulet, Denis, et Othmar Keel, «Sir William Hingston», vol. XIII, University of Toronto Press et Presses de l'Université Laval, 1994, p. 514-515.

Keating, Peter, «Arthur Vallée», vol. XIII, University of Toronto Press et Presses de l'Université Laval, 1994, p. 1136-1137.

Leblond, Sylvio, «James Douglas», vol. XI, University of Toronto Press et Presses de l'Université Laval, 1982, p. 298-299.

Leclerc-Larochelle, Monique, «Laurent Catellier», vol. XIV, University of Toronto Press et Presses de l'Université Laval, 1998, p. 226-228.

Le Moine, Roger, «Adelstan de Martingy», vol. XIV, University of Toronto Press et Presses de l'Université Laval, 1998, p. 811-812.

Lortie, Léon, «François-Alexandre-Hubert Larue», vol. XI, University of Toronto Press et Presses de l'Université Laval, 1982, p. 546-547.

Milner, Elizabeth Hearn, «Francis Wayland Campbell», vol. XIII, University of Toronto Press et Presses de l'Université Laval, 1994, p. 165-167.

NOTICES NÉCROLOGIQUES

La direction, «Nécrologie. Le professeur Hervieux. 1863-1913», *L'Union Médicale du Canada*, 42, 2, février 1913, p. 63-68.

Amyot, Roma, «In Memoriam. Séraphin Boucher (1865-1946)», *L'Union Médicale du Canada*, 76, 1, janvier 1947, p. 3-4.

Amyot, Roma, «Albert Lesage (1869-1954)», *L'Union Médicale du Canada*, 83, 12, décembre 1954, p. 1343-1348.

Amyot, Roma, «Nécrologie. Donatien Marion, 1897-1971», *L'Union Médicale du Canada*, 100, 5, juin 1971, p. 1197-1198.

Blagdon, Léo, «Mémoires. Professeur Pierre-Z. Rhéaume», *L'Union Médicale du Canada*, 64, 9, octobre 1935, p. 1173-1176.

Brault, Jules, «In Mémoriam. Le docteur J.N. Roy, 1872-1959», *L'Union Médicale du Canada*, 88, 7, juillet 1959, p. 905-912.

Dufresne, Origène, «In Memorian. Léo Pariseau, 1882-1944», *L'Union Médicale du Canada*, 73, 2, février 1944, p. 105-107.

Gauvreau, Joseph, «Louis-Phillippe Normand, 1863-1928», *L'Union Médicale du Canada,* 57, 8, août 1928, p, 494-499.

Gauvreau, Joseph, «In memoriam, Le professeur Arthur Simard, 1867-1931», *L'Union Médicale du Canada*, 60, 10, octobre 1931, p. 685-692.

Lachapelle, Séverin, «Ad Memoriam. Le docteur J.B.A. Lamarche», *L'Union Médicale du Canada*, 39, 7, juillet 1910, p. 375-380.

Lecours, Antonio, « In Mémoriam. Eugène Valin (1882-1964) », *L'Union Médicale du Canada*, 93, 12, décembre 1964, p. 1455-1471.

Leduc, André, « Nécrologie. Émile Blain, 1899-1969 », *L'Union Médicale du Canada*, 98, 10, octobre 1969, p. 1736-1737.

Lesage, Albert, « In Memoriam. Rodolphe Boulet. 1867-1935 » *L'Union Médicale du Canada*, 64, 2, février 1935, p. 113-120.

Lesage, Albert, « Un souvenir. Le docteur Aurèle Nadeau (1871-1946) », *L'Union Médicale du Canada*, 75, février 1946, p. 197-201.

Lesage, Albert, « In Memoriam. Le docteur DeBlois, 1867-1952 », *L'Union Médicale du Canada*, 81,11, novembre 1952, p. 1265-1268.

Lesage, Albert, « In Memoriam. Le professeur L.-E. Fortier (1865-1947), *L'Union Médicale du Canada*, 76, 9, septembre 1947, p. 1155-1158.

Roy, J.-N., « Foucher. 1856-1932 », *L'Union Médicale du Canada*, 61, 11, novembre 1932, p. 1203-1205.

Vallée, Arthur, « Michel-Delphis Brochu. 1853-1933 », *L'Union Médicale du Canada*, 62, 4, avril 1933, p. 285-288.

OUVRAGES GÉNÉRAUX

Abbott, Maude, *History of Medicine in the Province of Quebec,* McGill University Press, Montréal, 1931.

Amyot, Roma, « Premier congrès de l'A.M.L.F.A., Québec, 1902 », *L'Union Médicale du Canada,* 84, 1, janvier 1955, p. 3-7.

Amyot, Roma, « Le deuxième congrès à Montréal en 1904 et le troisième à Trois-Rivières, en 1906, de l'Association des médecins de L.F. de l'Amérique du Nord », *L'Union Médicale du Canada*, 84, 2, février 1955, p. 133-137.

Amyot, Roma, « Congrès de l'Association des médecins de langue française de l'Amérique du Nord, Québec 1908, Sherbrooke 1910, Québec 1920 », *L'Union Médicale du Canada*, 84, 3, mars 1955, p. 256-259.

Amyot, Roma, « Congrès de l'A.M.L.F.A.N. – 7e congrès Montréal 1922, – 8e congrès Québec 1924 – 9e congrès Montréal 1926 », *L'Union Médicale du Canada*, 84, 4, avril 1955, p. 381-386.

Amyot, Roma, « Congrès de l'Association des médecins de langue française de l'Amérique du Nord- Québec : 1928 – Montréal : 1930 – Ottawa : 1932 », *L'Union Médicale du Canada,* 84, 5, mai 1955, p. 500-505.

Amyot, Roma, « Le 13e congrès de l'Association des Médecins de langue française de l'Amérique du Nord tenu conjointement avec le 23e congrès français de médecin – Québec 1934, *L'Union Médicale du Canada*, 84, 6, juin 1955, p. 636-640.

Amyot, Roma, « Congrès de l'Association des Médecins de langue française de l'Amérique du Nord – XIVe congrès : Montréal 1936 – XVe congrès : Ottawa 1938 – XVIe congrès : Trois-Rivières 1940 », *L'Union Médicale du Canada*, 84, 7, juillet 1955, p. 761-766.

Amyot, Roma, « Alexis Carrel à Montréal en 1904 », *L'Union Médicale du Canada*, 95, 9, septembre 1966, p. 1072-1073.

Association canadienne des éducateurs de langue française, *Esquisses du Canada français*, Fides, Montréal, 1967.

Baillargeon, Denyse, « Gouttes de lait et soif de pouvoir. Les dessous de la lutte contre la mortalité infantile à Montréal, 1910-1953 », *Bulletin canadien d'histoire de la médecine/Canadian Bulletin of Medical History*, 15, 1, 1998, p. 25-57

Bélisle, Alexandre, *Histoire de la presse franco-américaine et les Canadiens-Français aux États-Unis,* Imprimerie de l'Opinion publique, Worcester, 1911.

Bélisle, Louis-Philippe, « Histoire de la radiologie au Canada français », *L'Union Médicale du Canada,* 88, 1, janvier 1959, p. 40-52.

Bernier, Jacques, *La médecine au Québec. Naissance et évolution d'une profession,* Presses de l'Université Laval, Québec, 1989.

Bernier, Jacques, «Ahern, historien de la médecine», *Bulletin canadien d'histoire de la médecine/Canadian Bulletin of Medical History*, 17, 1-2, 2000, p. 25-35.

Boissonnault, Charles-Marie, «Histoire de la faculté de médecine de Laval», *Laval Médical*, 1952, p. 538-564; 679-709; 803-848; 968-1008; 1098-1149; 1246-1281; 1314-1487.

Boissonnault, Charles-Marie, *Histoire de la faculté de médecine de Laval*, Presses de l'Université Laval, Québec, 1953.

Brochu, Renaud, *Les Brochu, Tome 3: Descendance de Michel Brochu et Françoise Quirouet*, Les Éditions le Brochu, Sainte-Foy, 1987.

Chartrand, Luc, Raymond Duchesne et Yves Gingras, *Histoire des sciences au Québec*, Boréal, Montréal, 1987.

Collin, Johanne, et Daniel Béliveau, *Histoire de la pharmacie au Québec*, Musée de la pharmacie au Québec, Montréal, 1994.

Daigle, Johnanne, et Nicole Rousseau, «Le Service médical aux colons. Gestation et implantation d'un service infirmier au Québec (1932-1942)», *Revue d'histoire de l'Amérique française*, 52, 1, 1998, p. 47-72.

Deschênes, Gaston (dir.), *Dictionnaire des parlementaires du Québec, 1792-1992*, Presses de l'Université Laval, Sainte-Foy, 1993.

Desjardins, Édouard, «Médecins éminents, maires de Montréal», *L'Union Médicale du Canada*, 94, 7, juillet 1965, p. 915-921.

Desjardins, Édouard, «La faculté de médecine de Montréal. Ses doyens», *L'Union Médicale du Canada*, 95, 7, juillet 1966, p. 857-861 ; 95, 8, août 1966, p. 967-977 ; 95, 9, septembre 1966, p. 1077-1081.

Desjardins, Édouard, «La faculté de médecine de Montréal. Les secrétaires du conseil», *L'Union Médicale du Canada*, 95, 10, octobre 1966, p. 1193-1201.

Desjardins, Édouard, «L'existence simultanée à Montréal de quatre Écoles de médecine», *L'Union Médicale du Canada*, 95, 12, décembre 1966.

Desjardins, Édouard, «L'accueil fait, en 1904, au docteur Alexis Carrel», *L'Union Médicale du Canada*, 98, 9 septembre 1969, p. 1517-1521.

Desjardins, Édouard, «Le voyage inoubliable qui marqua la carrière de quatre médecins rénommés». *L'Union Médicale du Canada*, 98, 10, octobre 1969, p. 1728-1733.

Desjardins, Édouard, «L'enseignement médical à Montréal au milieu du XIXe siècle», *L'Union Médicale du Canada*, 100, 2, février 1971, p. 305-309.

Desjardins, Édouard, «Le cas d'Alexis Martin», *L'Union Médicale du Canada*, 100, 5, mai 1971, p. 964-968.

Desjardins, Édouard, «Le centenaire de la Société médicale de Montréal, *L'Union Médicale du Canada*, 100, 6, juin 1971, p. 1188-1194.

Desjardins, Édouard et Jean-Jacques Lebebvre, «Les médecins canadiens, diplômés des universités étrangères au XIXe siècle», *L'Union Médicale du Canada*, 101, 5, mai 1972, p. 935-951.

Desjardins, Édouard, «La petite histoire du journalisme médical canadien», *L'Union Médicale du Canada*, 101, 1972, p. 121-130; 309-314; 511-518; 1190-1196.

Desjardins, Édouard, «Trois étapes de la chirurgie», *L'Union Médicale du Canada*, 101, 11, novembre 1972, p. 2337-2346.

Desjardins, Édouard, «Les sociétés de chirurgie du Québec», *L' Union Médicale du Canada*, 102, 8, août 1973, p. 1749-1754.

Desjardins, Édouard, «La vieille école de médecine Victoria», *L'Union Médicale du Canada*, 103, 1, janvier 1974, p. 117-125.

Desjardins, Édouard, «L'origine de la profession médicale au Québec», *L'Union Médicale du Canada*, 103, 4, 1974, p. 732-743; 918-930; 1112-1119; 1279-1292; 1450-1458; 1891-1904; 2040-2049.

Desjardins, Édouard, «Biographies de médecins du Québec», *L'Union Médicale du Canada*, 107, 1, janvier 1978, p. 114-127.

Desjardins, Rita, « Ces médecins montréalais en marge de l'orthodoxie », *Bulletin canadien d'histoire de la médecine/Canadian Bulletin of Medical History,* 18, 2, 2001, p. 325-347.

Desmarais, Louise, *Mémoire d'une bataille inachevée : la lutte pour l'avortement au Québec, 1970-1992,* Trait d'Union, Montréal, 1999.

Desrosiers, Georges, Benoit Gaumer et Guy Grenier, *L'ACMDPQ, un partenaire à découvrir. Histoire de l'Association des conseils des médecins, dentistes et pharmaciens du Québec, 1946-1991,* Éditions de l'ACMDP, Montréal, 1996.

Desrosiers, Georges, Benoit Gaumer et Othmar Keel, *Vers un système de santé publique au Québec. Histoire des unités sanitaires de comtés : 1926-1975,* Département de médecine sociale et préventive, Université de Montréal, Montréal, 1991.

Desrosiers Georges, Benoit Gaumer, François Hudon et Othmar Keel, « Les renforcements des interventions gouvernementales dans le domaine de la santé entre 1922 et 1936 : le Service provincial d'hygiène de la province de Québec », *Bulletin canadien d'histoire de la médecine/Canadian Bulletin of Medical History,* 18, 2, 2001, p. 205-240.

Duffin, Jacalyn, et Paul Potter, « History of the Canadian Society for the History of Medicine », *Bulletin canadien d'histoire de la médecine/Canadian Bulletin of Medical History,* 17, 1-2, 2000, p. 287-293.

Dumas, Paul, « Les neuf rédacteurs en chef de l'Union Médicale du Canada », *L'Union Médicale du Canada*, 101, 2, février 1972, p. 303-308.

Fournier, Marcel, Yves Gingras et Othmar Keel (dir.), *Sciences et médecine au Québec. Perspectives sociohistoriques,* Institut québécois de recherche sur la culture, Québec, 1987.

Gaumer, Benoît, Georges Desrosiers, Othmar Keel et Céline Déziel, « Le service de santé de la ville de Montréal. De la mise sur pied au démantèlement », *Cahiers du centre de recherches historiques (EHESS)*, 12, avril 1994, p. 131-158.

Gauvreau, Joseph, « L'Union Médicale du Canada en liaison avec le Collège des Médecins et Chirurgiens pendant 60 ans : 1872 à 1932 », *L'Union Médicale du Canada,* 61, 2, février 1932, p. 123-142.

Gauvreau, Joseph, « Le Collège des Médecins et Chirurgiens de la Province de Québec », *L'Union Médicale du Canada*, 61, 3, mars 1932, p. 513-519 ; 4, avril 1932, p. 618-626.

Gingras, Yves, *Pour l'avancement des sciences. Histoire de l'ACFAS, 1923-1993,* Boréal, Montréal, 1994.

Goulet, Denis, et André Paradis, *Trois siècles d'histoire médicale au Québec. Chronologie des institutions et des pratiques,* VLB Éditeur, Montréal, 1992.

Goulet, Denis, *Histoire de la faculté de médecine de l'Université de Montréal,* VLB Éditeur, Montréal, 1993.

Goulet, Denis, « Les hommes-relais de la bactériologie en territoire québécois et l'introduction de nouvelles pratiques diagnostiques et thérapeutiques (1890-1920) », *Revue d'histoire de l'Amérique française,* 46, 3, 1993, p. 417-442.

Goulet, Denis, François Hudon et Othmar Keel, *Histoire de l'Hôpital Notre-Dame,* VLB Éditeur, Montréal, 1994.

Goulet, Denis, « Du modèle européen au modèle américain. Le développement de l'enseignement médical à la Faculté de médecine de l'Université de Montréal (1843-1980), *Cahiers du centre de recherches historiques* (EHESS), 12, avril 1994, p. 116-130.

Goulet, Denis, Gilles Lemire et Denis Gauvreau, « Des bureaux d'hygiène municipaux aux unités sanitaires. Le conseil d'hygiène de la province de Québec et la structuration d'un système de santé publique 1886-1926 », *Revue d'histoire de l'Amérique française,* 49, 4, printemps 1996, p. 491-520.

Goulet, Denis, *Histoire du Collège des médecins du Québec, 1847-1997,* Collège des médecins du Québec, Montréal, 1997.

Goulet, Denis, « La structuration de la pratique médicale, 1800-1940 », dans Normand Séguin (dir.), *L'institution médicale, Atlas historique du Québec*, Presses de l'Université Laval, Sainte-Foy, 1998, p. 117-142.

Grenier, Guy, *L'implantation et les applications de la doctrine de la dégénérescence dans le champ de la médecine et de l'hygiène mentale au Québec entre 1885 et 1930,* Mémoire de maîtrise (Histoire), Université de Montréal, 1990.

Grenier, Guy, « Doctrine de la dégénérescence et institution asilaire au Québec (1885-1939) », *Cahiers du centre de recherches historiques*, (EHESS), 12, avril 1994, p. 105-115.

Grenier, Guy, *Les monstres, les fous et les autres. La folie criminelle au Québec*, Éditions Trait d'Union, Montréal, 1999.

Grmek, Mirko D., *Histoire du sida*, 2e éd., « Médecine et sociétés », Payot, Paris, 1990.

Guérard, François, *Histoire de la santé au Québec*, Boréal, Montréal, 1996.

Guérard, François, « La formation des grands appareils sanitaires, 1800-1945 », dans Normand Séguin (dir.), *L'institution médicale, Atlas historique du Québec*, Presses de l'Université Laval, Sainte-Foy, 1998, p. 75-106.

Guérard, François, « Ville et santé au Québec. Un bilan de la recherche historique », *Revue d'histoire de l'Amérique française*, 53, 1, été 1999, p. 19-46.

Guérard, François, « L'histoire de la santé au Québec : filiations et spécificités », *Bulletin canadien d'histoire de la médecine/Canadian Bulletin of Medical History*, 17, 1-2, 2000, p. 55-72.

Heagerty, John Joseph, *Four Centuries of Medical History in Canada*, vol. 1, The MacMillan Company of Canada, Toronto, 1928.

Jobin, Albert, « Les débuts de la Société médicale de Québec », *Laval Médical*, 7, septembre 1942, p. 333-340.

Keating, Peter, et Othmar Keel (dir.), *Santé et société au Québec, XIXe-XXe siècle*, Boréal, Montréal, 1995.

Keating, Peter, *La science du mal : l'institution de la psychiatrie au Québec ; 1800-1914*, Boréal, Montréal, 1993.

Kuss, René Robert, et Willy Gregoir, *Histoire illustrée de l'urologie de l'Antiquité à nos jours*, R. Dacosta, Paris, 1988.

Lambert, Jules, *Milles fenêtres*, Centre hospitalier Robert-Giffard, Beauport, 1995.

Leblond, Sylvio, « Québec en 1832 », *Laval Médical*, 32, 2, février 1967, p. 183-191.

Leblond, Sylvio, « La médecine et les médecins à Québec en 1872 », *L'Union Médicale du Canada*, 101, 12, décembre 1972, p. 2720-2725.

Leblond, Sylvio, « Au Québec, on volait aussi des cadavres… », *La vie médicale au Canada français*, 3, 12, 1974, p. 1210-1218.

Lesage, Albert, « Association des médecins de langue française du Canada. Bref Historique », *L'Union Médicale du Canada*, 73, 6, juin 1944, p. 753-767.

Lessard, Rénald, *Se soigner autrefois aux XVIIe et XVIIIe siècles*, Musée canadien des civilisations, Hull, 1989.

Linteau, Paul-André, René Durocher, Jean-Claude Robert et François Ricard, *Histoire du Québec contemporain, Tome 2, Le Québec depuis 1930*, Boréal, Montréal, 1989.

MacDermott, Hugh Ernest, *One Hundred Years of Medicine in Canada (1867-1967)*, McClelland and Stewart Limited, Montréal et Toronto, 1967.

Mercier, Oscar, « Trois siècles de médecine au Canada français », *L'Union Médicale du Canada*, 71, 6, août 1942, p. 801-806.

Migneault, L.-D., « Histoire de l'École de médecine et de chirurgie de Montréal », *L'Union Médicale du Canada*, 55, 1926, p. 444-450 ; 511-514 ; 536-542 ; 598-674.

Nadeau, Gabriel, « Le docteur Ernest Choquette et Nelligan », *L'Union Médicale du Canada*, 102, 10, octobre 1972, p. 2130-2142.

Paradis, André, « L'Asile, de 1845 à 1920 », dans Normand Séguin (dir.), *L'institution médicale, Atlas historique du Québec*, Presses de l'Université Laval, Sainte-Foy, 1998, p. 37-65.

Pierre-Deschênes, Claudine, « Santé publique et organisation de la profession médicale au Québec, 1870-1918 », *Revue d'histoire de l'Amérique française*, 35, 3, hiver 1981, p. 355-375.

Roland, Charles G., *Secondary Sources in the History of Canadian Medicine, A Bibliography*, Wilfrid Laurier University Press, Waterloo, Ontario, 1984.

Rousseau, François, *La croix et le scalpel. Histoire des Augustines et de l'Hôtel-Dieu de Québec, I, 1639-1892,* Septentrion, Sillery, 1989.

Rousseau, François, *La croix et le scalpel. Histoire des Augustines et de l'Hôtel-Dieu de Québec, II, 1892-1989,* Septentrion, Sillery, 1994.

Saucier, Jean, «Petite histoire du journalisme médical au Canada français», *L'Union médicale du Canada,* 65, 11, novembre 1936, p. 1039-1049 ; 66, 5, mai 1937, p. 521-525.

Saucier, Jean, «Quand nos pères lisaient l'Union Médicale», *L'Union Médicale du Canada,* 75, 11, novembre 1946, p. 1341-1346.

Séguin, Normand (dir.), *Atlas historique du Québec. L'institution médicale*, Presses de l'Université Laval, Québec, 1998.

Stewart, W. Brenton, *Medicine in New Brunswick,* The New Brunswick Medical Society, New Brunswick, 1974.

Sylvestre, Paul-François, *Nos parlementaires,* Éditions l'Interligne, Ottawa, 1986.

Wallot, Hubert, *La danse autour du fou. Survol de l'histoire organisationnelle de la prise en charge de la folie au Québec depuis les origines jusqu'à nos jours,* Publications MNH Inc., Beauport, 1998.

Weisz, George, «Origine géographique et lieux de pratique des diplômés en médecine au Québec de 1834 à 1939», dans Marcel Fournier, Yves Gingras et Othmar Keel (dir.), *Sciences et médecine au Québec, perspectives socio-historiques,* Institut québécois de recherche sur la culture, 1987, p. 129-170.

ANNEXE 1

LISTE DES PRÉSIDENTS DE L'AMLFC

Nom	Lieu de pratique	Années
Michel-Delphis Brochu	Québec	1902
Auguste-Achille Foucher	Montréal	1902-1904
Louis-Philippe Normand	Trois-Rivières	1904-1906
Arthur Simard	Québec	1906-1908
Pantaléon Pelletier	Sherbrooke	1908-1910
Henri Hervieux	Montréal	1910-1913
Arthur Rousseau	Québec	1913-1920
Joseph-Edmond Dubé	Montréal	1920-1922
Arthur Vallée	Québec	1922-1924
Albert Lesage	Montréal	1924-1926
Pierre Calixte Dagneau	Québec	1926-1928
Pierre-Zéphyr Rhéaume	Montréal	1928-1930
R.-Eugène Valin	Ottawa	1930-1932
Albert Paquet	Québec	1932-1934
Alfred Jarry	Montréal	1934-1936
J.-Hector Lapointe	Ottawa	1936-1938
Charles-Nuna de Blois	Trois-Rivières	1938-1940
Oscar Mercier	Montréal	1940-1942
Charles Vézina	Québec	1942-1946
Richard Gaudet	Sherbrooke	1946-1947
Arthur L. Ricard	Ottawa	1946-1948
Edmond Potvin	Chicoutimi	1948-1949
J.-Avila Vidal	Montréal	1948-1950
J.-Avila Denoncourt	Trois-Rivières	1950-1951
Jean-Baptiste Jobin	Québec	1951-1952
René Duberger	Sherbrooke	1952-1953
Jean-Marie Laframboise	Ottawa	1953-1954
Roma Amyot	Montréal	1954-1955
Louis-Philippe Mousseau	Edmonton (Alberta)	1955-1956
Lucien Larue	Québec	1956-1957
Georges L. Dumont	Campbellton (N.-Brunswick)	1957-1958
Pierre Smith	Montréal	1958-1959
Alphonse A. Leblanc	Windsor (Ontario)	1959-1960
Pierre Jobin	Québec	1960-1961
Édouard Desjardins	Montréal	1961-1962

Richard Lessard	Québec	1962-1963
Roger Dufresne	Montréal	1963-1964
Antonio Lecours	Ottawa	1964-1965
Wilfrid Caron	Québec	1965-1966
Jacques Léger	Montréal	1966-1967
Charles Lépine	Montréal	1966-1967
Henri-R. de Saint-Victor	Ottawa	1967-1968
André Leduc	Montréal	1968-1969
Charles Lépine	Montréal	1969-1971
Jacques Léger	Montréal	1971-1972
Bernard Lefebvre	Ottawa	1972-1973
Jean-Louis Léger	Montréal	1973-1974
Paul-André Meilleur	Hull	1974-1976
Omer Gagnon	Québec	1976-1977
Paul David	Montréal	1977-1978
Léo-Paul Landry	Laval	1978-1979
Michel Copti	Montréal	1979-1980
Paul Duchastel	Laval	1980-1981
Monique Boivin-Lesage	Montréal	1981-1982
André Boyer	Montréal	1982-1983
Hugues Lavallée	Trois-Rivières	1983-1984
François Lamoureux	Montréal	1984-1985
Bernard Leduc	Montréal	1985-1986
François Lamoureux	Montréal	1986-1987
Wilhem B. Pellemans	Laval	1987-1990
Victor Bardagi	Montréal	1990-1992
Claude Thibeault	Montréal	1992-1994
Wilhem B. Pellemans	Laval	1994-1996
Jacques Lambert	Montréal	1996-1998
André H. Dandavino	Iberville	1998-2000
Jean Léveillé	Montréal	2000-2002

ANNEXE 2

LISTE DES CONGRÈS DE L'AMLFAN/AMLFC

	Année	Date	Lieu	Sujets principaux ou thèmes
1	1902	25 au 27 juin	Québec	Congrès de fondation
2	1904	27 au 29 juin	Montréal	Tuberculose, appendicite, médecine légale, inspection médicale des écoles
3	1906	26 au 28 juin	Trois-Rivières	Alcoolisme, tuberculose, hygiène infantile
4	1908	20 au 22 juillet	Québec	Enseignement de l'hygiène, tuberculose rénale, lithiase biliaire
5	1910	23 au 25 août	Sherbrooke	Hygiène dans les écoles, enseignement de l'hygiène, maladie du système digestif
6	1920	9 au 11 septembre	Québec	Néphrites, accidents de travail, traitement des plaies, maladies vénériennes
7	1922	7 au 9 septembre	Montréal	Expertises médicolégales, ulcères d'estomac, goitre, pleurésies purulentes, cholécystites, cancer
8	1924	10 au 12 septembre	Québec	Mortalité infantile, cancer, diabète, tuberculose
9	1926	21 au 24 septembre	Montréal	Insuffisance ventriculaire, ulcères gastriques et duodénaux, états vertigineux, syphilis infantile, tuberculose, l'hôpital et le praticien
10	1928	5 au 8 septembre	Québec	Diphtérie, infection puerpérale, hygiène mentale
11	1930	16 au 19 septembre	Montréal	Agents physiques
12	1932	6 au 8 septembre	Ottawa	Communications libres
13	1934	27 au 30 août	Québec	Congrès Jacques-Cartier, avec l'AMLF (Europe) État hypoglycémique, syndromes pancréatiques, pyréthothérapie
14	1936	7 au 10 septembre	Montréal	Tuberculose de la hanche, abcès du poumon, ulcère gastro-intestinal
15	1938	6 au 8 septembre	Ottawa	Communications libres
16	1940	9 au 12 septembre	Trois-Rivières	Communications libres
17	1942	14 au 17 septembre	Montréal	Médecine militaire, syndrome hémorragique
18	1946	13 au 14 juin	Québec	Examen médical périodique, nutrition, problèmes d'habitation
19	1947	13 au 15 juin	Sherbrooke	Premier congrès régional
20	1948	6 au 9 septembre	Ottawa-Hull	Cancer, maladies cardio-vasculaires
21	1949	2 au 3 juin	Chicoutimi	Second congrès régional
22	1950	25 au 28 septembre	Montréal	Antibiotiques, gastroentérologie, neurochirurgie, obstétrique, arthrite et rhumatisme, tuberculose

23	1951	4 au 6 octobre	Trois-Rivières	Obstétrique, cardiologie, ophtalmo-oto-rhino-laryngologie
24	1952	23 au 26 septembre	Québec	Biologie des glandes surrénales, maladies du thorax, pathologies vasculaires des membres
25	1953	16 au 19 septembre	Sherbrooke	Le congrès du praticien, cancer, syndromes hémorragiques, pathologie de la thyroïde
26	1954	27 au 30 septembre	Ottawa-Hull	Anesthésie, pathologie pulmonaire
27	1955	21 au 24 septembre	Montréal	Prurit ano-vulvaire, cortisone, antibiotiques, hormones, pathologie thoracique
28	1956	13 au 16 septembre	Jasper (Alberta)	Congrès de l'Ouest, enseignement de la médecine, arthrite et cortisone, cardiologie, insomnie, fatique, céphalée et vertige
29	1957	23 au 26 septembre	Québec	psychiatrie, alcoolisme
30	1958	11 au 13 septembre	Saint-André-sur-Mer (N.-B.)	Congrès de l'Atlantique, stéroïdes, ulcère digestif, pédiatrie
31	1959	23 au 26 septembre	Montréal	Prévention des maladies contagieuses, urgence en pathologie abdominale, gériatrie, médecine psychosomatique, promotion de la santé
32	1960	20 au 23 septembre	Windsor (Ontario)	Congrès de l'Ontario, alcoolisme, surdité, régimes prépayés d'assurance-maladie
33	1961	4 au 7 juin	Québec	Sous le signe de l'enseignement
		21 au 23 septembre	Paris	Congrès conjoint AMLFC-AMLF (Europe)
34	1962	7 au 10 novembre	Montréal	La recherche clinique
35	1963	13 au 16 novembre	Québec	L'éducation médicale continue
36	1964	18 au 21 novembre	Montréal	La médecine dans la cité
37	1965	17 au 20 novembre	Ottawa	Sujets variés
38	1966	26 au 29 octobre	Québec	Algies cranio-faciales, maladies fibro-kystiques, maladies vénériennes, hernies hiatales, éducation médicale
39	1967	25 au 30 septembre	Montréal	Congrès conjoint AMLFC-AMLF (Europe), médecine des hommes
40	1968	2 au 5 octobre	Ottawa	Psychiatrie sociale, avortement, transplantation d'organes, maladies coronariennes, drogues psychédéliques
41	1969	8 au 11 octobre	Québec	L'informatique et la médecine
42	1970	2 au 5 décembre	Montréal	Pour une médecine communautaire
43	1971	13 au 16 octobre	Québec	La médecine et le médecin
44	1972	18 au 21 octobre	Montréal	Le cancer: horizons nouveaux
45	1973	17 au 20 octobre	Ottawa-Hull	La protection de la santé
46	1974	16 au 19 octobre	Québec	Sciences et précision
47	1975	15 au 18 octobre	Sherbrooke	Les maladies rhumatismales
48	1976	6 au 10 octobre	Montréal	La médecine et les thérapeutiques
49	1977	5 au 8 octobre	Québec	L'urgence et le médecin

50	1978	11 au 14 octobre	Montréal	Environnement et santé
51	1979	3 au 6 octobre	Québec	Congrès tripartite des médecins francophones
52	1980	24 au 27 août	Montréal	La reproduction
53	1981	19 au 21 novembre	Québec	Le cancer
54	1982	21 au 22 octobre	Ottawa-Hull	Médecine préventive
55	1983	14 au 17 septembre	Montréal	La médecine en images
56	1984	24 au 27 septembre	Montréal	Thérapeutique moderne
57	1985	7 au 9 novembre	Montréal	Transplantation-implantation : aujourd'hui, demain
58	1986	25 au 27 novembre	Montréal	L'homme-cerveau
59	1987	8 au 10 octobre	Montréal	Nourrir sa santé
60	1988	6 au 8 octobre	Montréal	Sexualité et santé
61	1989	12 au 14 octobre	Montréal	Un cœur en santé pour mieux vivre
62	1990	11 au 13 octobre	Montréal	Pleins feux sur l'arthrite et les rhumatismes
63	1991	10 au 12 octobre	Montréal	Le cancer, perspective 2000
64	1992	8 au 10 octobre	Montréal	Santé et maladies mentales, un défi de société
65	1993	6 au 9 octobre	Montréal	150 ans d'enseignement francophone de la médecine à Montréal
66	1994	13 au 15 octobre	Montréal	Hormones et santé
67	1995	12 au 14 octobre	Montréal	Cardiologie, dermatologie, gastroentérologie, microbiologie : le point
68	1996	10 au 12 octobre	Montréal	L'appareil locomoteur
69	1997	16 au 18 octobre	Montréal	Nouveau regard sur la gériatrie
70	1998	15 au 17 octobre	Montréal	Nutrition, santé et maladie
71	1999	16 au 18 octobre	Montréal	Neurologie : du dépistage au traitement
72	2000	12 au 14 octobre	Montréal	Pneumologie à l'air de l'an 2000
73	2001	11 au 13 octobre	Montréal	La santé des jeunes
74	2002	31 octobre, 1 et 2 novembre	Montréal	(La sexualité)

ANNEXE 3

DIRECTEURS GÉNÉRAUX ET SECRÉTAIRES GÉNÉRAUX DE L'AMLFC

Directeurs généraux (1932-2002)

Pierre-Zéphyr Rhéaume	(1932-1935)
R.-Eugène Valin	(1935-1946)
Donatien Marion	(1946-1950)
Émile Blain	(1950-1968)
Antonio Lecours	(1968-1972)
Henri de Saint-Victor	(1972-1979)
Jean Mailhot	(1979-1980)
Raymond Robillard	(1980-1985)
André de Sève	(depuis 1985)

Secrétaires généraux (1932-1968)

Donatien Marion	(1932-1946)
Hermille Trudel	(1946-1959)
Rolland Blais	(1959-1968)

ANNEXE 4

L'UNION MÉDICALE DU CANADA

Rédacteurs en chef (1872-1995)

Jean-Philippe Rottot	(1872-1874)
Georges Grenier	(1874-1876)
Emmanuel-Persillier Lachapelle	(1876-1882)
Adolphe Lamarche	(1882-1889)
Hugues-Évariste Desrosiers	(1889-1897)
Emmanuel-Persillier Benoit	(1897-1900)
Albert Lesage	(1900-1944)
Roma Amyot	(1944-1970)
Édouard Desjardins	(1970-1978)
André Arsenault	(1978-1982)
Marcel Cadotte	(1982-1987)
Fernand Taras	(1987-1992)
Henri A. Ménard	(1992-1995)

Présidents du conseil d'administration (1930-1979)

Damien Masson	(1928-1929)
Oscar-Félix Mercier	(1929)
Pierre-Zéhyr Rhéaume	(1930-1931)
Joseph-Napoléon Roy	(1931-1932)
Joseph-Edmond Dubé	(1932-1933)
Antoine-Hector Desloges	(1933-1934)
Louis de Lotbinière-Harwood	(1934)
Benjamin-Georges Bourgeois	(1934-1935)
Télesphore Parizeau	(1935-1937)
Eugène Saint-Jacques	(1937-1938)
J.-Alfred Mousseau	(1938-1939)
R.-Eugène Valin	(1939-1941)
Albéric Marin	(1941-1942)
L.-J. Petitclerc	(1942-1943)
Donatien Marion	(1943-1944)
Charles-Auguste Gauthier	(1944-1945)
J.-Avila Denoncourt	(1945-1947)
Albert Bertrand	(1947-1948)
Richard Gaudet	(1948-1949)
Jean Saucier	(1949-1950)
Gustave Lacasse	(1950-1951)
Léon Gérin-Lajoie	(1951-1952)
Pierre Smith	(1952-1953)
Jean-Marie Laframboise	(1953-1954)
Albert Jutras	(1954-1955)
Édouard Desjardins	(1955-1956)
J.-Avila Vidal	(1956-1958)
Paul Letondal	(1958-1959)
Roger Dufresne	(1959-1960)
Paul Dumas	(1960-1963)
Origène Dufresne	(1963-1965)
J.-Philippe Paquette	(1965-1966)
Paul David	(1966-1969)
Paul Bourgeois	(1969-1972)
Jacques Genest	(1972-1973)
Léon Tétrault	(1973-1975)
Jean-Réal Brunette	(1975-1976)
André Barbeau	(1976-1977)
Michel Dupuis	(1977-1978)

Présidents du conseil de rédaction (1979-1996)

Paul David	(1979-1980)
Marcel Cadotte	(1980-1984)
Bernard Leduc	(1884-1987)
François Lamoureux	(1987-1992)
Wilhelm B. Pellemans	(1992-1996)

ANNEXE 5

COMITÉS ORGANISATEURS DES CONGRÈS (1902-2001)

1902 : Michel-Delphis Brochu, Emmanuel-Persillier Lachapelle, Léandre Coyteux-Prévost, Jules-Lactance Archambault, J.-Vitalien Cléroux, Albert Marois, Albert Lesage et Arthur Simard.

1904 : Auguste-Achille Foucher, Michaël Joseph Ahern, Omer Larue, Albert Lesage, Arthur Simard, Armand Bédard, Albert Laramée, Séraphin Boucher et Albert Marois.

1906 : Louis-Philippe Normand, J.-Omer Camirand, Joseph-Edmond Dubé, G.-A. Boucher, Charles-Nuna de Blois, Eugène Saint-Jacques, Jean Décarie, Alexandre Saint-Pierre et F.-X. Dorion.

1908 : Arthur Simard, Henri Hervieux, Joseph-Octave Sirois, Albert Paquet, Odilon Leclerc, Alexandre Edge, Émile Nadeau et N.-A. Dussault.

1910 : Pantaléon Pelletier, N.-A. Dussault, John James Guerin, J.-E. Larochelle, F-A. Gadbois, Calixte Dagneau, Ludovic Verner et J.-O. Ledoux.

1920 : Arthur Rousseau, Joseph-Edmond Dubé, J.-O. Ledoux, L.-L. Auger, Arthur Vallée, Eugène Couillard et J. Vaillancourt.

1922 : Joseph-Edmond Dubé, Arthur Vallé, Louis-Philippe Normand, M.-D. Caron, Ernest Coquette, J.-A. Saint-Pierre, Eugène Latreille, J.-U. Gariépy, Georges Racine, O.-E. Desjardins et Hector Aubry.

1924 : Arthur Vallée, Albert Lesage, J.-E. Larochelle, L.-G. Pinault, Georges Racine, Roméo Boucher, J.-E. Verreault, Joseph de Varennes et Eugène Couillard.

1926 : Albert Lesage, Pierre Calixte Dagneau, L.-D. Collin, Oswald Mayrand, Gustave Archambault, Roméo Boucher et Hector Aubry.

1928 : Pierre Calixte Dagneau, Pierre-Zéphyr Rhéaume, F.-A. Richard, J.-C.-E. Tassé, Joseph de Varenne, A.-R. Potvin et Arthur Leclerc.

1930 : Pierre-Zéphyr Rhéaume, Oscar Mercier, Donatien Marion et M.-H Lebel.

1932 : R.-Eugène Valin, Albert Paquet, Amédée Granger et J.-R. Bélisle, J.-Hector Lapointe, Donatien Marion et Eugène Gaulin.

1934 : Albert Paquet, Louis de Lotbinière-Harwood, Charles-Nuna de Blois, N.-E. Chaput, Joseph Vaillancourt, Paul Garneau et Achille Paquet.

1936 : J.-Arthur Jarry, Amédée Granger, J.-Hector Lapointe, Charles Vézina, J.-D. Milot, Donatien Marion, J.-Avila Vidal et Pierre Smith.

1938 : J.-H. Lapointe, Benjamin-Georges Bourgeois, J.-R. Bélisle, J.-Raoul Larochelle, Amédée Granger, Arthur-L. Richard et Jean-Marie Laframboise.

1940 : Charles-Nuna de Blois, J.-A. Denoncourt, A. Tétreault, J.-M. Trudel, A.-J.-B. Falcon et J.-A. Tardif.

1942 : Oscar Mercier, Roma Amyot, Charles Vézina, J.-A. Tardif, A.-J.-B. Falcon, Gustave Lacasse et C.-E. Dumont.

1946 : Charles Vézina, Eugène Gaulin, J.-F.-Auray Fontaine, Albert Sormany, Gustave Lacasse, Richard Gaudet, J.-Avila Denoncourt, Jean-Baptiste Jobin, Charles-Auguste Gauthier, Marcel Langlois, Roméo Blanchet et Pierre Jobin.

1947 : Richard Gaudet et Jacques Olivier.

1948 : Arthur-L. Richard, J.-Avila Vidal, Richard Gaudet, J.-A. Denoncourt, Jean-Baptiste Jobin, J.-F. Auray Fontaine, Gustave Lacasse, Antonio Lecours, J.R. Titley et J.-E. Perras.

1949 : Edmond Potvin, Évariste Lamy, J.-Ed. Bergeron, Gérard-O. Tremblay, J.-Émile Simard, Louis-Joseph Gobeil et Gérard Boudreault.

1950 : J.-Avila Vidal, Jean-Baptiste Jobin, J.-Avila Denoncourt, Richard Gaudet, Edmond Potvin, Gustave Lacasse, Jean-Marie Laframboise, J.-F.-Auray Fontaine, Pierre Smith, Hermille Trudel, J. -L. Pilon et B.-Guy Bégin.

1951 : J.-Avila Denoncourt, Jean-Baptiste Jobin, Jean-Marie Laframboise, Gustave Lacasse, J.-F.-Auray Fontaine, Joseph Normand, J.-L. Rochefort et C. Boucher.

1952 : Jean-Baptiste Jobin, Sylvio Leblond, Antoine Pouliot et Pierre Jobin.

1953 : René Duberger, Lionel Groleau et Léo Blais.

1954 : Jean-Marie Laframboise, Henri-R. de Saint-Victor et Arthur Powers.

1955 : Roma Amyot, Pierre-A. Turgeon et François Archambault.

1956 : Louis-Philippe Mousseau, J.-P. Moreau et Richard Poirier.

1957 : Lucien Larue, Pierre Jobin, Yves Rouleau et Jean-Marie Delage.

1958 : Georges-L. Dumont, Jean-Paul Carette et François Saint-Laurent.

1959 : Pierre Smith, Origène Dufresne, Camille Laurin et André Leduc.

1960 : Alphonse-A. Leblanc, Ernest Beuglet, Paul Quenneville, Gilles Poulin et André Vallières.

1961 : Pierre Jobin, Jacques Turcot, Wilfrid Caron et Jean-Marie Delage.

1962 : Édouard Desjardins, Jacques Genest, Jean Charbonneau et Lucien-L. Coutu.

1963 : Richard Lessard, Jean Beaudoin, Jean-Marc Lessard et Jean Couture.

1964 : Roger Dufresne, Édouard-D. Gagnon, Laurent Archambault et Bernard Lebœuf.

1965 : Antonio Lecours, Gaston Isabelle, Léonard Rousseau, Noël Coutu et Laurent Potvin.

1966 : Wilfrid Caron, Jacques Turcot, Jacques Brunet et André Moisan.

1967 : Jacques Léger, Paul Milliez, Charles Lépine, Didier Fritel et Marc Geoffroy.

1968 : Henri-R. de Saint-Victor, Bernard Lefebvre, Paul-André Meilleur et Lionel Pichette

1969 : Raoul Roberge, Martin Laberge, Louis Saint-Arnaud, Jacques Gaudreau et Andrée Boissinot.

1970 : Paul David, André Davignon et Claude Goulet.

1971 : Laurent Potvin et Jean-Paul Déchêne.

1972 : Jean-louis Léger, Pierre-Audet Lapointe, Michel Gagnon et Guy Boileau

1973 : Jean-Marie Laframboise, Gaston Isabelle, Jean-E. Dupuy, Émille Tessier, Paul-André Meilleur, Jacques Joubert et Georgette Lamoureux.

1974 : Jacques Turcot, Robert Fortin, Yves Marquis et Luc Deschênes.

1975 : Gérald Lasalle, Bernard Mongeau, Pierre Reny et Pierre-Paul Demers.

1976 : Jacques Cantin, Marcel Rheault, Yvan Boivin, Gérard Tremblay et Gaston Ostiguy.

1977 : Jean-Louis Bonenfant, Jean Blanchet, Roger Roy, Luc Deschênes, Réginald Langelier, Albert McKinnon, René Lamontagne, Rénald Leroux, Claude Laberge, Réal Lagacé et Michel Plante.

1978 : André Boyer, Léo-Paul Landry, Paul David, Monique Boivin-Lesage, André Arsenault et Jules Brodeur.

1979 : Pierre Viens, Jacques Joubert, Gilles Murray, Jean Rochon, Omer Gagnon, Jean Mailhot, Roger Parinaud, Michel Yoyo, Monique Constant-Desportes et Fernand Turcotte.

1980 : Yves Lefebvre, Michel Dupuis, Claude Duchesne, Bernard Leduc et Paul Duchastel.

1981 : Louis Dionne, Luc Bélanger, Jacques Cantin, Yvan Drolet, Jacques Laverdière, François Lamoureux, Michel Plante, André Boyer et Bertrand Savoie.

1982 : Rodolphe Paré, Pierre Fortier, Fernande Grondin, Gilbert Jolicœur, Rodolphe-L. Leblanc, Paul-André Meilleur, Élie Mouaikel, Odette Pépin et Marthe Ledoux.

1983 : François Lamoureux, Victor Bardagi, Guy Breton, Gilles Dubuc, Roméo Éthier, Réginald Langelier, Jacques Lamoureux, Réjean-Yves Lévesque et Jacques Sylvestre.

1984 : Yves Morin, Aurèle Beaulne, Pierre Larochelle, Gérard Mohr, Pierre Sirois et Raymond Robillard.

1985 : Serge Carrière, Albert Aguayo, Pierre Ferron, James T. Lund, Régent-Luc Beaudet, Pierre Daloze, Charles-Hilaire Rivard, Jacques Papillon, Jacques Boileau, Ronald D. Guttman, Jean-Guy Lachance, Pierre Duplessis, Wilhem B. Pellemans et Bernard Leduc.

1986 : Yves Lamarre, Antoine Yangi-Angatté, Raymond Hélénon, Paul Brazeau, Claude de Montigny, Laurent Descaries, André Roch Lecours, Jacques Montplaisir et Jean-Marc Saint-Hilaire.

1987 : Léo Boyer, Jitka Vobecky, Maurice Verdy, Erroll Basil Marliss, Jean Léveillé, Eugénio Rasio, Wilhem B. Pellemans, André Imbach, Claude Bouchard et Michèle Houde-Nadeau.

1988 : Marc Steben, Guy Durand, Claude Duchesne, Robert Gemme, Richard Lessard, David Roy et Jean Léveillé.

1989 : Pierre Théroux, Denis Burelle, Ihor Dyrda, Rafik Habib, François Sestier et Léon Dontigny.

1990 : André Lussier, Bernard Amor, Michel Taillefer, Simon Carette, Henri Ménard, Jean-Pierre Pelletier et Ghislaine Roederer.

1991 : François Croteau, Roger Poisson, André Bel, Whilhem B. Pellemans, Jean Léveillé, Sylvie Dufresne, Omer Gagnon, Patrick Vinay, Yves Le Tallec et Jean Latreille.

1992 : Yves Lamontagne, Jocelyn Aubut et Brigitte Nault.

1993 : Farid Amellal, Anne-Marie Bernard, Alcide Chapdelaine, François Gobeil, Pavel Hamet, Jean-Luc Malo, Gilles Richer, Pierre Rivest, Serge Rossignol, Élizabeth Matteau et Chantal Thomas.

1994 : Jana Havrankova, André Lacroix, Jean Mailhot, David Morris et Omar Serri.

1995 : Alain Dansereau, Michel Jarry, Michel Olivier, Pierre Ricard, Guy Tremblay, Gilbert Cérat, Marie-Dominique Beaulieu et Anne-Marie Pinard.

1996 : Jean-Yves Dansereau, Jacques Des Marchais, Michel Dupuis, Marcel Morand et Claude Thibeault.

1997 : André-H. Dandavino, François Croteau, André-G. Trahan, Réjean Hébert et Brigitte Junius.

1998 : Eugenio Rasio, Maryvonne Hamel, Mario Lalancette, Louis Gagnon et Gilles Pineau

1999 : Jacques Des Marchais, Omer Gagnon, Jean Mathurin, Marie-Françoise Mégie, Céline Monette, Serge Gauthier, Rémi Quirion, Raymond Hélénon, Édouard Galanth et Roberte Hamousin-Métrégiste.

2000 : Bruno Paradis, Alain Desjardins et Denis Corminbœuf.

2001 : Nagy Charles Bedwanis, Marc-A. Girard et Marie-Josée Forgues.

Coordonnateurs du volet exposition (1983-2001)

1983 François Lamoureux

1984 Raymond Robillard

1985-1986 Pierre Duplessis

1988-2001 Jean Léveillé

ANNEXE 6

PRIX DE L'AMLFC

Prix de l'œuvre scientifique – Ce prix est décerné tous les deux ans à un médecin canadien et francophone pour l'ensemble de son œuvre scientifique. Une bourse de 5 000 $ est attachée à ce prix.

1970	Armand Frappier
1972	Albert Jutras
1974	Hans Selye
1976	Charles-Philippe Leblond
1978	Herbert Jasper
1980	Jacques Genest
1982	Claude Fortier
1984	André Barbeau
1986	André Lanthier
1988	Jean-Marie Delage
1990	Léon Tétrault
1992	Heinz Leihman
1994	Michel Chrétien
1996	Jean Davignon
1998	Jacques de Champlain
2000	Otto Kuchel

Médaille du mérite – La Médaille du mérite est remise tous les deux ans, en alternance avec le Prix de l'œuvre scientifique. Elle est décernée à un médecin francophone du Canada pour sa brillante carrière au service de la cause médicale. Une bourse de 5 000 $ de la Banque Nationale du Canada est attachée à ce prix.

1987	Augustin Roy
1989	Paul David
1991	Jocelyn Demers
1993	Pierre Bois
1995	Michel Dupuis
1997	Jacques-E. Rioux
1999	Léo-Paul Landry
2001	Yves Lamontagne

Prix Abbott-Pelland-Brissette – L'AMLFC et le Collège des médecins du Québec décernent annuellement ce prix à un médecin qui s'est illustré particulièrement dans le domaine de la santé des femmes.

1995	Lise Fortier et Yves Lefebvre
1996	Suzanne Lamarre
1997	Dona Cherniak
1998	Danielle Rousseau
1999	Denise Ouimet-Oliva
2000	Louise Charbonneau
2001	Monique Lamothe-Guay

Médecins de cœur et d'action – Ce prix est décerné par l'AMLFC et le groupe *L'Actualité médicale* à une dizaine de médecins canadiens-français qui se sont distingués par la qualité de leur pratique médicale.

1990

Louise Dionne	spécialiste en chirurgie	Québec
J.-Dominique Gauthier	omnipraticien en milieu non urbain	Shippagan (Nouveau-Brunswick)
Lucien Gendreau	omnipraticien en CLSC et en DSC	Rimouski
Raymond-Marie Guay	spécialiste en médecine spécialisée	Lévis
Réal Lafond	spécialiste en obstétrique	Sherbrooke
André Lapierre	médecin administrateur	Montréal
Raymonde Vaillancourt	omnipraticienne en milieu urbain	Sherbrooke
Jean-A. Vézina	spécialiste en médecine de laboratoire	Québec

1991

Pierre Daloze	spécialiste en chirurgie	Montréal
Pierre Delorme	médecin en éducation médicale continue	Montréal
Louis Fortin	omnipraticien en milieu urbain	Montréal
Gloria Jeliu	spécialiste en médecine spécialisée	Montréal
Mireille Lajoie	omnipraticienne en CLSC et DSC	Trois-Rivières
Jacques Lamoureux	spécialiste en médecine de laboratoire	Montréal
Clément Lavoie	omnipraticien en milieu non urbain	Saint-Boniface (Manitoba)
Clément Richer	médecin administrateur	Montréal

1992

André Aubry	médecin administrateur	Cap-de-la-Madeleine
Germain Bigué	spécialiste en chirurgie	Val d'Or
Louise Charbonneau	spécialiste en médecine de laboratoire	Montréal
Christine Colin	omnipraticienne en CLSC et DSC	Montréal
Gustave Gingras	spécialiste en médecine spécialisée	Monticello (Île-du-Prince-Édouard)
Pierre Labelle	médecin en éducation médicale continue	Montréal
Robert Laurin	spécialiste en obstétrique	Montréal
Clément Olivier	omnipraticien en milieu urbain	Montréal
Réjean Thomas	omnipraticien en milieu urbain	Montréal
Jean-Marie Rochefort	omnipraticien en milieu non urbain	North Bay (Ontario)

1993

Jean-Guy Bonnier	omnipraticien en CLSC et DSC	Verdun
Yvette Bonny	spécialiste en médecine spécialisée	Montréal
Gilles Desrosiers	médecin en éducation médicale continue	Montréal
Léon Dontigny	spécialiste en chirurgie	Montréal
Antoine-B. Dusseault	omnipraticien en milieu non urbain	Saint-Marc-des-Carrières
Robert Lachance	omnipraticien en milieu urbain	Montréal
Léo-Paul Landry	médecin administrateur	Ottawa (Ontario)
Jacques Lorrain	spécialiste en obstétrique et gynécologie	Montréal
Claude-Lise Richer	praticienne en enseignement	Montréal
Pierre Viens	spécialiste en médecine de laboratoire	Québec

1994

Mireille Belzile	omnipraticienne en milieu urbain	Québec
Maurice Falardeau	spécialiste en chirurgie	Montréal
Arthur Labelle	spécialiste en médecine spécialisée	Carignan
Claire Laberge-Nadeau	spécialiste en santé publique	Montréal
Gérald Lasalle	médecin administrateur	Ottawa (Ontario)
Rodolphe Maheux	spécialiste en obstétrique et gynécologie	Québec
Richard Morriset	spécialiste en médecine de laboratoire	Montréal
André Simon	médecin en éducation médicale continue	Montréal
Charles-André Valiquette	omnipraticien en milieu non urbain	Saint-Jérôme

1995

Jean-Marie Albert	spécialiste en médecine spécialisée	Montréal
Shirley Fyles	spécialiste en médecine spécialisée	Montréal
Pierre Audet-Lapointe	spécialiste en obstétrique et gynécologie	Montréal
Marie-Dominique Beaulieu	omnipraticienne en milieu urbain	Montréal
Jacques Corman	spécialiste en chirurgie	Montréal
Yolaine Fournier	omnipraticienne en milieu non urbain	Rouyn-Noranda
André Jacques	médecin en formation médicale continue	Montréal
Gilles Pigeon	médecin administrateur	Sherbrooke
Jean Robert	médecin en CLSC et DSC	Montréal
Jean Lorrain Vézina	spécialiste en médecine de laboratoire	Montréal
Denis Vincent	omnipraticien en milieu non urbain	Saint-Isidore (Manitoba)

1996

Joseph Ayoub	spécialiste en médecine spécialisée	Montréal
Huguette Bélanger	omnipraticienne en milieu non urbain	Richelieu
Georges Boileau	médecin administateur	Montréal
André Bonin	spécialiste en médecine de laboratoire	Laval
Roger Cadieux	omnipraticien en CLSC et DSC	Verdun
Louise Fortin	médecin en formation médicale continue	Montréal
Pierre Fugère	spécialiste en gynécologie et obstétrique	Montréal
Louis-Conrad Pelletier	spécialiste en chirurgie	Montréal
Marc Stevens	omnipraticien en milieu non urbain	Verdun
Ginette Thibault-Gagnon	médecin en coopération internationale	Lachute

1997

Marc Afilalo	omnipraticien en milieu urbain	Montréal
William Barakett	omnipraticien en milieu non urbain	Cowansville
Diane Boivin	spécialiste en médecine spécialisée	Montréal
Richard Cruess	médecin administrateur	Montréal
Jean-Claude Forest	spécialiste en médecine de laboratoire	Québec
René Lamontagne	médecin en formation médicale continue	Québec
Jacques Papillon	spécialiste en chirurgie	Montréal
Jacques Pépin	médecin en coopération internationale	Sherbrooke
Diane Provencher	médecin en gynécologie et soins mère-enfant	Montréal
Danielle Rousseau	médecin du domaine communautaire	Vaudreuil

1998

Marie-Andrée Champagne	omnipraticienne en milieu non urbain	Joliette
Luc Deschênes	spécialiste en chirurgie	Sainte-Foy
Denis Drouin	médecin en formation médicale continue	Québec
Vania Jimenez	omnipraticienne en milieu urbain	Montréal
Jean Labbé	spécialiste en médecine spécialisée	Sainte-Foy
Rémi-H. Lair	médecin administrateur	Montréal
André B. Lalonde	médecin en gynécologie et soins mère-enfant	Ottawa (Ontario)
Richard Lessard	médecin du domaine communautaire	Montréal
Pierre Ricard	spécialiste en médecine spécialisée	Montréal
Ghislaine Robert	omnipraticienne en milieu urbain	Laval
Aurel Schofield	médecin en formation médicale continue	Dieppe (Nouveau-Brunswick)

1999

Johanne Blais	omnipraticienne en milieu urbain	Québec
Louise Caouette-Laberge	spécialiste en chirurgie	Montréal
Raymond Carignan	médecin administrateur	Montréal
Françoise Décary	spécialiste en médecine de laboratoire	Montréal
Michel Labrecque	médecin en formation médicale continue	Québec
Josée Dubuc-Lissoir	médecin en gynécologie	Montréal
Olivier-Marie Gendron	omnipraticien en milieu non urbain	Berthierville
Isabelle Laporte	médecin du domaine communautaire	Montréal
Jean Latreille	spécialiste en médecine spécialisée	Montréal

2000

Céline Bard	spécialiste en médecine d'investigation	Montréal
Georges Bélanger	spécialiste en chirurgie	Longueuil
Vicentin-C. Béroniade	spécialiste en médecine spécialisée	Montréal
Jean-Luc Bétit	omnipraticien en milieu non urbain	Victoriaville
Daniel Blouin	médecin en gynécologie et soins mère-enfant	Sherbrooke
Monique Boivin	médecin en santé du travail	Montréal
Jacques Boulay	promotion scientifique et terminologie médicale (prix spécial)	Montréal
Pierre Côté	médecin du domaine communautaire	Montréal
Jean Desaulniers	médecin en formation médicale continue	Trois-Rivières
Luc Pélissier-Simard	omnipraticien en milieu urbain	Longueuil
Danielle Perreault	médecin œuvrant dans la promotion de la santé dans les médias	Verdun
Lucie Poitras	médecin administrateur	Montréal

2001

Jacques Cantin	chirurgien oncologue	Montréal
Ba Ngoc Dao	omnipraticien	Montréal
Jeanne Drouin	hématologue	Ottawa
André Gagnon	psychiatre	Hull
Paul Grand'Maison	omnipraticien	Sherbrooke

François Lehmann	omnipraticien	Verdun
Jean-Marie Moutquin	obstétricien-gynécologue	Sherbrooke
Renée Pelletier	omnipraticienne en CLSC	Montréal
Micheline Sainte-Marie	gastroentérologue pédiatrique	Halifax (Nouvelle-Écosse)
Louise Vanasse	omnipraticienne	Val-d'Or

Prix d'excellence – Ce prix est remis aux étudiants en médecine des universités Laval, McGill, de Montréal, d'Ottawa et de Sherbrooke qui ont terminé premiers dans l'ensemble de leurs études médicales. Une bourse de 500 $ accompagne ce prix.

1960	Harry Grantham	Université Laval
	Fernand Ladouceur	Université de Montréal
1961	François Jobin	Université Laval
	André Lafrance	Université d'Ottawa
	Marc Launay	Université de Montréal
1962	Brien Benoit	Université d'Ottawa
	Marie-Laure Brisson-de-Champlain	Université de Montréal
	Fernand Côté	Université Laval
1963	Aldéric Légère	Université Laval
	Roger Perreault	Université d'Ottawa
	J.-Hubert Sasseville	Université de Montréal
1964	André Lisbona	Université de Montréal
	Roger Pelletier	Université Laval
	Madeleine Roy	Université Laval
	Révérende sœur Sainte-Marie	Université d'Ottawa
1965	Pierre Bernatchez (4e année)	Université Laval
	Yvan Drolet (internat)	Université Laval
	Louis Ranger (4e année)	Université de Montréal
	Jean-G. Joly (internat)	Université de Montréal
	Georges Surette	Université d'Ottawa
1966	Jean Lemire	Université d'Ottawa
	Jacques Montplaisir	Université de Montréal
	Paul-Eugène Soucy	Université Laval
1967	René Desmarais	Université d'Ottawa
	Jean Ledoux	Université Laval
	Marie-Rose Richard	Université de Montréal
1968	Michel Drouin	Université Laval
	Guy Génier	Université d'Ottawa
	Pierre Limoges	Université de Montréal
1969	Michel Aubé	Université de Montréal
	François Lemire	Université Laval
	Pierre Soucy	Université d'Ottawa
1970	Paul Brisson	Université d'Ottawa
	Claude Gélinas	Université Laval
	Louis Letendre	Université de Montréal
	Marek Rola-Plescynski	Université de Sherbrooke

1971	André Arcand	Université Laval
	Serge Belisle	Université de Sherbrooke
	Richard Lalonde	Université d'Ottawa
	Réal Thuot	Université de Montréal
1972	Jacques D'Astous	Université d'Ottawa
	Michèle Desrosiers	Université de Montréal
	Jacques Deschênes	Université Laval
	Juan Roberto Iglesias	Université de Sherbrooke
1973	Jean-Charles Bouillon	Université de Sherbrooke
	Anne-Marie Bourgault	Université Laval
	André Cartier	Université de Montréal
	Eugène Pommier	Université d'Ottawa
1974	Marthe De Serres	Université de Sherbrooke
	Robert Larose	Université Laval
	Claude Perrault	Université de Montréal
	Danielle-J. Perrault	Université d'Ottawa
1975	Denis Coulomhe	Université Laval
	Jean-Guy Fortin	Université de Montréal
	Pierre J. Huard	Université d'Ottawa
	Denis Ouimet	Université de Sherbrooke
1976	Marie-Dominique Beaulieu	Université Laval
	Serge Côté	Université de Sherbrooke
	Louise Coulombe	Université d'Ottawa
	Louis-Georges Sainte-Marie	Université de Montréal
1977	Denis Laliberté	Université Laval
	Guy Lalonde	Université de Montréal
	Daniel Moreau	Université de Sherbrooke
	Louise-Marie Tétrault	Université d'Ottawa
1978	Marie Gourdeau	Université Laval
	Michel Lemay	Université d'Ottawa
	François Letendre	Université de Montréal
	Karl Shooner	Université de Sherbrooke
	Philippe Vaillancourt	Université McGill
1979	Denis Brunet	Université Laval
	Jacques Pépin	Université de Sherbrooke
	Philippe Saltiel	Université McGill
	Jean-François Séguin	Université d'Ottawa
	Line Toupin	Université de Montréal
1980	Léo Berger	Université McGill
	Renée Bouthilier	Université de Sherbrooke
	Claude Parent	Université Laval
	Guy-Armand Rouleau	Université d'Ottawa
	Jean-Paul Soucy	Université de Montréal
1981	Sylvain Allard	Université Laval
	Pierre Bourque	Université d'Ottawa
	Sylvain Langlois	Université de Sherbrooke
	Marcel Milot	Université McGill
	Jean Raymond	Université de Montréal

1982	Patrice Archambault	Université McGill
	Pierre Laneuville	Université d'Ottawa
	Bernard Lespérance	Université de Montréal
	Hieu Hang Ngo	Université de Sherbrooke
	Sophie Nadeau	Université Laval
1983	Chantale Brazeau	Université d'Ottawa
	Jean-Marc Girard	Université de Montréal
	Isabelle Houde	Université Laval
	Jean Saint-Louis	Université McGill
	Guy Tropper	Université de Sherbrooke
1984	Pierre Brassard	Université Laval
	Robert Fradet	Université de Sherbrooke
	Mindy Goldman	Université de Montréal
	Bruno Ligier	Université McGill
	Geneviève Moineau	Université d'Ottawa
1985	Hélène Baril	Université de Sherbrooke
	Thierry-Ezer Béramoch	Université McGill
	Nicolas Cimon	Université de Montréal
	Christine Houde	Université Laval
	Nicole McPherson	Université d'Ottawa
1986	Stephen D. Child	Université d'Ottawa
	Simone A. Glynn	Université McGill
	Anne Martin	Université de Montréal
	Maryse Mercier	Université de Sherbrooke
	François Philippon	Université Laval
1987	Alexander Bee Dagum	Université McGill
	Éric Giguère	Université de Sherbrooke
	François Hudon	Université de Montréal
	Nathalie Hudon	Université Laval
	Eugène Kovalik	Université McGill
1988	Catherine Doyle	Université Laval
	Christian Lefebvre	Université de Montréal
	Sanjay Mehta	Université McGill
	Dany Rioux	Université de Sherbrooke
	Peter Wozniak	Université d'Ottawa
1989	Marie Arsenault	Université Laval
	Johanne Caya	Université de Sherbrooke
	Michel Dubé	Université de Montréal
	Steve Kravcik	Université McGill
	Pamela Saint-Onge	Université d'Ottawa
1990	Sylvie Desmarais	Université de Montréal
	Thomas J. Hewlett	Université McGill
	Martin Lecomte	Université Laval
	Pierre Perreault	Université de Sherbrooke
	Jennifer Deirdre Walker	Université d'Ottawa

1991	Marc Gosselin	Université McGill
	Bruno Morin	Université Laval
	Nathalie Provost	Université de Sherbrooke
	Surendranath Sanmugasunderam	Université d'Ottawa
	Danielle Talbot	Université de Montréal
1992	Patricia Cain	Université de Sherbrooke
	Marc Cohen	Université McGill
	Suzanna Martin	Université McGill
	Alaa K. Rostom	Université d'Ottawa
	Yves Thibeault	Université de Montréal
	Nathalie Turgeon	Université Laval
1993	Liane Feldman	Université McGill
	Michelle Graham	Université d'Ottawa
	Annie-Claude L'Abbé	Université de Sherbrooke
	Hélène Mayrand	Université de Montréal
	Chantal Sirois	Université Laval
1994	Sonia Bourelle	Université de Montréal
	Martin Dussault	Université de Sherbrooke
	Richard Gliek	Université McGill
	Cindy Hutnik	Université d'Ottawa
	Mathieu Simon	Université Laval
1995	Chrystine Allen	Université de Sherbrooke
	Alain Filion	Université Laval
	Patrice Lepage	Université de Montréal
	Steven Miller	Université McGill
	Gary Wallace	Université d'Ottawa
1996	Louise Chantal	Université de Montréal
	Alain Girard	Université Laval
	Tuong Phong Nguyen	Université McGill
	Nadine Sauvé	Université de Sherbrooke
	Jacqueline Shaw	Université d'Ottawa
1997	Éric Bédard	Université d'Ottawa
	Guiseppe Ficara	Université McGill
	Élisabeth Lajoie	Université de Sherbrooke
	Isabelle Michaud	Université Laval
	Sébastien Olivier	Université de Montréal
1998	Annie Beaudoin	Université de Sherbrooke
	Caroline Benedek	Université d'Ottawa
	Julie Nault	Université d'Ottawa
	Danielle Émond	Université Laval
	Christine Jacques	Université de Montréal
	Éric Smith	Université McGill
1999	Ghislain Cournoyer	Université de Sherbrooke
	Karine Gaul	Université de Montréal
	Véronique Marinville	Université McGill
	Patricia Noël	Université Laval
	Nathalie Roy	Université d'Ottawa

2000	Marie-Claude Amyot	Université de Montréal
	Nicole Bouchard	Université de Sherbrooke
	Esther Breton	Université Laval
	Sylvain Gagné	Université d'Ottawa
	Mark Saul	Université McGill
2001	Élyse Grégoire	Université de Sherbrooke
	Alayne Kealey	Université d'Ottawa
	Sylvie Nadeau	Université Laval
	Mathieu Pelletier	Université de Montréal
	Arnaud Robitaille	Université McGill

Meilleur article du « Cahier de formation médicale continue » de *L'Actualité médicale* – Ce prix est décerné par l'AMLFC et le groupe *L'Actualité médicale* pour le meilleur article du cahier de formation médicale continue paru dans *L'Actualité médicale*, en fonction des trois critères suivants : pertinence du sujet traité, valeur éducative du texte et originalité de la présentation. Une bourse de 2 000 $ accompagne ce prix.

1990	L'hypercholestrolémie : qui, quand, comment et jusqu'où traiter ?	Rafik Habib
1991	L'examen médical périodique. Mise à jour : dépistage précoce de l'alcoolisme latent	Richard B. Goldbloom, Renaldo Battista et Jean Haggerty
1992	Les adénites cervicales chez l'enfant	Jean-Bernard Girodias Hôpital Sainte-Justine Montréal
1993	L'évaluation des douleurs scrotales	Ginette Martin et Luc Valiquette (chirurgiens)
1994	En quoi devrait consister l'examen médical d'une personne âgée	Marie-Dominique Boileau Hôpital Notre-Dame Montréal
1995	Greffe médullaire autologue : principe de base et applications	Jean-Pierre Moquin Hôpital du Sacré-Cœur Montréal
1996	Perspectives nouvelles sur le traitement de l'hypertrophie bénigne de la prostate	François Péloquin Hôpital Notre-Dame Montréal
1997	Mise à jour du traitement des vaginites et de certaines MTS	Monique Drapeau Clinique Vimy Sherbrooke
1998	Le traitement des plaies chroniques aux membres inférieurs chez la personne âgée	Paule Boisvert Hôpital du Saint-Sacrement Québec
1999	Le traitement à long terme de l'hyperlipidémie chez les coronariens	Jacques Genest fils Institut de recherche clinique de Montréal
2000	Anémies et analyses	Douglas Fish Hôpital Maisonneuve-Rosemont Montréal
2001	Urgences au bureau : le diabétique mal contrôlé	Jean-Patrice Baillargeon Virginia Commonwealth University (Richmond, É.-U.)

Prix de reconnaissance – Ce prix est décerné à des résidents pour souligner la qualité de leur apport dans leur milieu. Il est accompagné d'une bourse de 1 000 $ de la Banque Nationale.

Année	Lauréat	
2000	Amal Abdel-Baki	Université Laval
	Jean-Frédéric Lévesque	Université de Montréal
2001	Sophie Gosselin	Université McGill
	Pascal Renaud	Université Laval
	Anny Sauvageau	Université de Montréal

Prix d'implication sociale – Ce prix est remis à l'étudiant qui s'implique de manière active au sein des facultés de médecine et de leurs institutions hospitalières affiliées ainsi que dans le milieu universitaire et dans sa communauté.

1993-1994	Stéphanie Bourgeois	Université Laval
	Hugo Delorme	Université de Montréal
	Colin LaGrenade-Verdant	Université de Montréal
	Ronald Bourgeois	Université de Sherbrooke
1994-1995	Emmanuelle Jourdenais	Université Laval
	Patrick Monday	Université de Montréal
	Sarto Paquin	Université de Montréal
1995-1996	Sébastien Proulx	Université Laval
	Geneviève Garneau	Université de Montréal
1996-1997	Kim O'Connor	Université Laval
	Cuong Ngo Minh	Université de Montréal
1997-1998	Marie-Ève Arsenault	Université de Sherbrooke
	Geneviève Bécotte	Université Laval
	Marie-Noëlle Pépin	Université de Montréal
1998-1999	Frédéric Bernier	Université de Sherbrooke
	Jean-Luc Éthier	Université d'Ottawa
	Micheline Lemyre	Université Laval
	Simon Turcotte	Université de Montréal
1999-2000	Pierre-Yves Anctil	Université Laval
	Marianne Benoit-Thibodeau	Université de Sherbrooke
	Véronique Godbout	Université de Montréal
	Stéphane Moffet	Université d'Ottawa
2000-2001	Guillaume Carboneau	Université de Montréal
	Bernard Larue	Université de Sherbrooke

Médaille d'excellence – Cette médaille vise à reconnaître le leadership exemplaire et la contribution de médecins qui se sont illustrés de façon exceptionnelle comme membres de la profession médicale dans leur vie professionnelle, par des réalisations dont l'honneur a rejailli sur la profession.

1992	Roberta Gondar	Neurologue et première canadienne à voyager dans l'espace
1993	Étienne-Émile Beaulieu	INSERM, Paris
1993	Pierre Corvol	Collège de France et INSERM, Paris
1993	Luc Montagnier	Institut Pasteur, Paris

Écusson d'honneur – L'Écusson est remis pour services rendus à la communauté canadienne-française dans le domaine médical.

1964	Ernest Couture	Ottawa
1965	J.-Avila Vidal	Montréal
1966	Georges-H. Courchesne	Québec
1968	Albert-M. Cholette	Montréal
1969	Roma Amyot	Montréal
1971	J.-Dominique Gauthier	Shippagan (Nouveau-Brunswick)
1973	Annie et Arthur Powers	Ottawa
1975	Édouard Desjardins	Montréal
1977	Albert Joannette	Sainte-Agathe-des-Monts

Prix Powers – Ce prix était remis à un interne ou à un résident pour un travail de recherche fondamentale ou clinique. Une bourse de 400 $ accompagnait ce prix, qui a cessé d'être remis en 1982.

1974	Pierre Côté
1975	Claude Dumont
1976	Pierre Beauchamp
1977	Claude Dumont
1978	Guy Pelouze et Jean-Louis Bonenfant
1979	Vincent Raymond
1980	(Pas de lauréat)
1981	Marc Bazin
1982	Marcel Dumont

Prix de la recherche fondamentale – Ce prix était remis pour le meilleur article en recherche fondamentale publié au cours de l'année dans *L'Union Médicale du Canada.*

1966	René Boyer
1967	Gaston Côté
1968	Bernard Hazel
1969	Michel Chrétien
1971	Michel Bergeron
1972	Fernand Labrie
1973	Jean-Rock Lapointe
1974	Georges Pelletier
1975	Jacques Saint-Laurent
1976	André Lussier
1977	(Pas de lauréat)
1978	Claude de Montigny
1979	Serge Montplaisir
1980	Jean-Gilles Latour
1981	Henri-André Ménard
1985	Denise Sylvestre et Alice P'An
1986	Luc Bélanger

Prix de la recherche clinique – Ce prix était remis pour le meilleur travail de recherche clinique publié dans *L'Union Médicale du Canada* dans le cours de l'année.

1968	Claude-L. Morin
1970	Bernard Mongeau
1972	Pierre Biron
1973	Otto Kuchel
1974	André Barbeau
1975	Paul-Émile Raymond
1976	Yves Lamontagne
1977	Maurice Gydé
1978	Guy Chouinard, Lawrence Annable et Andrée Ross-Chouinard
1979	Gertrude Lehner-Netsch et Jean-Marie Delâge
1980	Lise Frappier-Davignon
1981	Pierre Bielman
1982	N.-Michelle Robitaille
1983	Louis Dallaire
1984	Gérard Mignault
1985	Marie-Claude Michaud
	Gilles Beauchamp

Prix de publication – Ce prix a été remis en 1981 par l'AMFC pour souligner la publication par des auteurs québécois de traités didactiques en langue française.

Robert Duguay et Henri-F. Ellenberger	*Précis pratique de psychiatrie*
Jean-Louis Bonenfant et Ferdinand Caban	*Anatomie pathologique*
André-Roch Lecours et François Lhermite	*L'aphasie*
Martial Bourassa et Jean-Paul Cachera	*La maladie coronarienne*

Prix des expositions scientifiques – Ce prix était offert à l'auteur de l'exposition scientifique la mieux réussie au cours du congrès annuel. Grâce à l'aide financière des universités francophones, une bourse de 500 $ accompagne ce prix.

1968	G.-L. Boivin	Institut de réadaptation de Montréal
1969	Robert Potvin et Robert Carrier	Service de cardiologie de l'Hôpital Saint-François d'Assise de Québec
1970	Pierre Brais et André Marchildon	Service d'ophtalmologie de l'Hôpital Notre-Dame de Montréal
1971	André McClish	Institut de cardiologie de Québec
1972	Marc Dorion	Service de radiologie de l'Hôtel-Dieu de Québec
1973	(ex æquo)	Environnement Canada et Environnement Québec
1974	Paul-Émile Raymond	Centre régional de radiothérapie de l'Hôtel-Dieu de Québec
1975	Étienne Lebel et Jules Josselin	Centre hospitalier universitaire de Sherbrooke
1977	Gilles Cormier	Centre de renseignements cardio-respiratoires
1978	(Pas de lauréat)	
1979	Antonio Pellicano	Centre hospitalier de Rimouski

Les prix suivants sont accordés pour rendre hommage à des personnes ayant accompli des actions ou des activités qui ont fait honneur à l'Association des médecins de langue française du Canada.

Membres émérites

1969	Roma Amyot, Émile Blain, Rolland Blais, Donatien Marion et Hermille Trudel
1971	Édouard Desjardins, Richard Lessard, Arthur Powers et Pierre Smith
1972	Ernest Beuglet, Roland Décarie et Jules-E. Dorion
1973	André Leduc et Pierre Jobin
1974	J.-Avila Denoncourt, Armand Rioux et Antonio Lecours
1975	Richard Gaudet, Jean-Baptiste Jobin et Eugène Thibault
1976	Annie Powers, Albert Jutras et Raymond Caron
1977	Roger Dufresne et Robert A. Beaudoin

Membres honoraires

1974	Jean-Claude Patel (France)
1976	Claude Laroche (France)
	David M. Stewart (président de la fondation MacDonald Stewart)
1977	Eugène Robillard
1978	Henri Laborit (France)
1982	Claude Fortier, Gustave Gingras et Martin Laberge
1983	André Leduc et Paul Letondal et Albert Royer
1991	Jacques Debray (France)

Certificat d'honneur

1986	Monique Vézina	Ministre des Approvisionnements et Services, Gouvernement du Canada
	Raymond Hélénon	Président de la Société médicale des Antilles et de la Guyane française et vice-président conjoint du 58e congrès
	Antoine Yangi-Angate	Doyen de la Faculté de médecine de la Côte d'Ivoire

Médaille Hommage et reconnaissance

1989	Henri de Saint-Victor	Directeur général de l'AMLFC de 1973 à 1979
	Jean Léveillé	Coordonnateur du volet exposition de l'AMLFC
1993	Serge Carrière	Doyen de la Faculté de médecine de l'Université de Montréal et président du 65e congrès-exposition de l'AMLFC
	Guy Lamarche	Président des fêtes du 150e anniversaire de la Faculté de médecine de l'Université de Montréal
1994	Paul Bilodeau	Président de Wyeth-Ayerst Canada inc.
1997	Roch Bernier	Président du Collège des médecins du Québec
	Joëlle Lescop	Secrétaire générale du Collège des médecins du Québec
1999	François Halley	Président d'honneur de la Société médicale des Antilles et de la Guyane française, section Guadeloupe

Médaille Appréciation

1996	Gilles Lapierre	Directeur des finances de l'AMLFC

Plaque hommage et reconnaissance

1996	Hélène de Sève	

Médaille du partenariat de l'AMLFC

1999	Raymond Hélénon	Président de la Société médicale des Antilles et de la Guyanne française, section Martinique

ANNEXE 7

PRÉSIDENTS HONORAIRES DE L'AMLFAN (1902-1912)

1902 William Campbell, doyen de la Faculté de médecine de l'Université McGill
Robert Craik, doyen de la Faculté de médecine de l'Université Bishop
Jean-Philippe Rottot, doyen de la Faculté de médecine de l'Université Laval à Montréal.
Louis-Joseph-Alfred Simard, doyen de la Faculté de médecine de l'Université Laval à Québec

1904 Jules-Lactance Archambault, médecin des hôpitaux, Cohoes, États-Unis
Edmond-Joseph Bourque, professeur agrégé à la Faculté de médecine de l'ULM
Michel-Delphis Brochu, professeur à la Faculté de médecine de l'ULQ
Azarie Brodeur, docteur en médecine de l'Université de Paris
William Campbell, doyen de la Faculté de médecine de l'Université Bishop
Laurent Catellier, professeur à la Faculté de médecine de l'ULQ
J. -Vitalien Cléroux, professeur agrégé à la Faculté de médecine de l'ULM
Elphège Dagenais, président du Comité d'hygiène de la ville de Montréal
Louis-Avila Demers, professeur agrégé à la Faculté de médecine de l'ULM
Louis-Édouard Desjardins, professeur à la Faculté de médecine de l'ULM
L.-P. de Grandpré, docteur en médecine, Worcester, États-Unis.
Siméon Grondin, professeur à la Faculté de médecine de l'ULQ
John James Guerin, professeur agrégé à la Faculté de médecine de l'ULM
William Hingston, professeur à la Faculté de médecine de l'ULM
Arthur Joyal, ancien agrégé à la Faculté de médecine de l'ULM
Louis Laberge, médecin sanitaire de la ville de Montréal
Emmanuel-Persillier Lachapelle, président du Collège des médecins
Séverin Lachapelle, professeur agrégé à la Faculté de médecine de l'ULM
J.-B.-Adolphe Lamarche, professeur à la Faculté de médecine de l'ULM
L.-J. Leblanc, dentiste de Montréal
Albert Marois, professeur à la Faculté de médecine de l'ULQ
Louis-Daniel Mignault, professeur à la Faculté de médecine de l'ULM
Louis-Philippe Normand, président de la Société médicale de Trois-Rivières
Wilfrid Petit, médecin des hôpitaux, Nashua, États-Unis
J. Cornelius Phelan, président de la Société médicale de Shefford
Léandre Coyteux-Prévost, chirurgien à l'Hôpital Saint-Luc, Ottawa
Thomas George Roddick, doyen de la Faculté de médecine de l'Université McGill
Jean-Philippe Rottot, doyen de la Faculté de médecine de l'ULM
Louis-Joseph-Alfred Simard, doyen de la Faculté de médecine de l'ULQ
Edwin Turcot, professeur à la Faculté de médecine de l'ULQ

1906 Michaël Joseph Ahern, professeur d'anatomie descriptive à l'ULQ
S. Bardet, secrétaire général de la Société de thérapeutique de Paris
Séraphin Boucher, professeur agrégé à la Faculté de médecine de l'ULM
Rodolphe Boulet, médecin en chef de l'Institut ophtalmologique de Montréal
Michel-Delphis Brochu, ancien président de l'AMLFAN

Foveau de Courmelles, délégué officiel de la Société française d'hygiène
Louis-Napoléon Delorme, professeur d'anatomie pratique à la Faculté de médecine de l'ULM.
William James Armand Derome, professeur à l'École d'anatomie comparée de Montréal
Napoléon-Arthur Dussault, ophtalmologiste de l'Hôtel-Dieu de Québec
L.-P. Fiset, docteur en médecine, membre de l'Assemblée législative
Adelstan de Martigny, délégué officiel de la Société de médecine de Paris
François de Martigny, ancien assistant chirurgien de l'Hôpital Péan de Paris.
Achille-Auguste Foucher, ancien président de l'AMLFAN
Siméon Grondin, gynécologue à l'Hôtel-Dieu de Québec
Louis de Lotbinière-Harwood, gynécologue et surintendant général de l'Hôpital Notre-Dame
Joseph-Édouard Hétu, docteur en médecine et député à l'Assemblée législative
Emmanuel-Persillier Lachapelle, président du Collège des médecins
Séverin Lachapelle, professeur à la Faculté de médecine de l'ULM
Daniel-E. Lecavalier, docteur en médecine de Montréal
Albert Lesage, rédacteur de *L'Union Médicale du Canada*
Oscar-Félix Mercier, chirurgien en chef de l'Hôpital Notre-Dame de Montréal
Alfred Morrisette, docteur en médecine et député à l'Assemblée législative
Ephrem Panneton, président de la Société médicale de Trois-Rivières
Samuel Pozzi, membre de l'Académie de médecine de Paris
Thomas Roddick, doyen de la Faculté de médecine de l'Université McGill
Jean-Philippe Rottot, doyen de la Faculté de médecine de l'ULM
H. Thérien, médecin de Trois-Rivières
Charles-Narcisse Valin, professeur-adjoint à la Faculté de médecine de l'ULM
Georges Villeneuve, surintendant médical de l'Hôpital Saint-Jean de Dieu

1908 Michaël Joseph Ahern, professeur à la Faculté de médecine de l'ULQ
Michel-Delphis Brochu, ancien président de l'AMLFAN
Edmond Casgrain, dentiste de Québec
Laurent Catellier, doyen de la Faculté de médecine de l'ULQ
Achille-Auguste Foucher, ancien président de l'AMLFAN
Adolpheus Knopf, médecin de New York
H.-A. Lafleur, doyen de la Faculté de médecine de l'Université McGill
Adrien Loir, professeur à la Faculté de médecine vétérinaire de Montréal
L.-P. Normand, ancien président de l'AMLFAN
Éphrem Panneton, médecin de Trois-Rivières
Léandre Coyteux-Prévost, chirurgien d'Ottawa
Robert Proust, professeur agrégé à la Faculté de médecine de Paris
Henri Triboulet, médecin de Paris

1910 Georges Bourgeois, médecin à l'Hôpital Saint-Joseph de Trois-Rivières
Joseph Camirand, médecin de l'Hôpital Saint-Vincent-de-Paul de Sherbrooke
Pierre Calixte Dagneau, professeur d'anatomie descriptive à l'ULQ
Joseph-Edmond Dubé, président du Bureau médical de l'Hôpital Sainte-Justine de Montréal
Louis-Édouard Fortier, professeur à la Faculté de médecine de l'ULM
Amédée Marien, chirurgien à l'Hôtel-Dieu de Montréal
Albert Paquet, professeur à la Faculté de médecine de l'ULQ
L. Picqué, chirurgien en chef des asiles d'aliénés de la Seine
Arthur Simard, ancien président de l'AMLFAN
Louis-Joseph Octave Sirois, surintendant de l'Asile de Saint-Ferdinand d'Halifax
Joseph-Eugène Turcot, médecin de Saint-Hyacinthe

ANNEXE 8

CONFÉRENCIERS DE L'AMLFC À L'ÉTRANGER

Conférenciers Jacques-Léger (1972-1980)

1972	Yves Morin	Liban
1973	Michel Chrétien	Liban
1974	Jules Hardy	Liban
1975	Serge Carrière	Liban
1976	Jean de L. Mignault	Sénégal
1977	Marcel Rheault	Sénégal
1978	Pierre Grondin	Côte d'Ivoire
1980	Marcel Rheault	Martinique
1980	Michel Copti	Liban

Chaire AMLFC des médecins visiteurs (1995-2001)

1995	Yves Lefebvre	Bénin
1996	Jean-Marie Moutquin	Bénin
1997	Paul Bessette	Bénin
1999	Tewfik Nawar	Gabon
2000	Tewfik Nawar	Gabon
2000	Louis Patry	Sénégal
2001	Tewfik Nawar	Gabon

ANNEXE 9

CONFÉRENCIERS BROCHU (1963-1981)

Année	Conférencier	Titre de la conférence
1963	Lucien-L. Coutu	L'éducation médicale continue
1966	Jean-Marie Delage	Immunologie néonatale
1967	Louis-Charles Simard	Quelques aspects pratiques de la médecine
1968	Jacques Turcot	Concepts nouveaux dans l'enseignement des spécialités
1969	Paul David	À l'aube de l'assurance-maladie
1970	Armand Frappier	Des faux dieux et du vrai dieu de la médecine
1971	Jean-Louis Bonenfant	La pathologie du bien-être
1972	Roma Amyot	Quelques jalons historiques sur les œuvres écrites en médecine
1973	Pierre Jobin	La médecine d'aujourd'hui
1974	Roger Dufresne	Les apprentis-sorciers de la médecine moderne
1975	Albert Jutras	Où allons-nous?
1976	Claude Bertrand	Voyage autour du cerveau
1977	Jean Beaudoin	Un défi médical : des soins aux personnes âgées
1978	Gustave Gingras	Les droits des handicapés
1979	Louis-J. Poirier	Réflexions sur la recherche en sciences de la santé: son devenir en milieu francophone
1980	André Lanthier	Sexe et comportements
1981	Thérèse Vanier	Saint-Christopher's Hospice : son histoire, son rôle, son influence

ANNEXE 10

PUBLICATIONS DE L'AMLFC

Sonomed

Série 1, nº 1, 1973	L'infarctus du myocarde
	La ménopause
	Les infections des voies respiratoires chez l'enfant
	Les brûlures
	Les états dépressifs
Série 1, nº 2, 1973	L'asthme chez l'enfant
	La vasectomie
	Abdomen aigu
	Les vaginites
	Freak Out
Série1, nº 3, 1973	Les principes de l'alimentation du nouveau-né
	L'anesthésie en obstétrique
	La gastroentérite de l'enfant
	La bactérurie asymptomatique
	L'épaule douloureuse
Série 1, nº 4, 1973	L'infarctus du myocarde
	Les varices des membres inférieurs
	La prévention de l'érythroblastose par l'emploi de l'anti-RH
	Les convulsions chez l'enfant
	Étude de la fonction thyroïdienne
Série 1, nº 5, 1973	L'anémie
	La digitalisation
	Grossesse et diabète
	Les traumatismes cranio-cérébraux
	La rectorragie
Série 1, nº 6, 1973	L'obstétrique pathologique pour le praticien
	Ulcération du col utérin
	Héroïne
	La pyélonéphrite de l'adulte
	Les corps étrangers oculaires
Série 1, nº 7, 1973	Masse au sein
	Coliques du jeune bébé
	Phlébites
	Endométriose
Série 1, nº 8, 1973	Hypoglycémiants oraux
	Alcoolisme
	Ocytociques
	Rhinite allergique
	Impuissance sexuelle organique
Série1, nº 9, 1973	Syphilis

	Hypothyroïdie
	Strabisme chez l'enfant
	Voix rauque
	Hémorroïdes
Série 1, nº 10,1973	Diabète chez l'enfant
	Glaucome
	Mononucléose infectieuse
	Tendinite
Série 1, nº 11, 1973	Hémorragies du premier trimestre
	Otites aiguës et chroniques
	Réactions allergiques à la pénicilline
	Infécondité chez la femme
	Énurésie
Série 1, nº 12, 1973	L'insuffisance vertébro-basilaire
	Questionnaire : médicaments composés
	Cancer de l'utérus
	Troubles de la fonction sexuelle
	Commentaires
Série 2, nº 1, 1974	Infertilité mâle
	Le diabétique face à la chirurgie
	Psoriasis
Série 2, nº 2, 1974	Diabète et grossesse
	Cardiopathie et grossesse
Série 2, nº 3, 1974	Les pontages coronariens (table ronde)
	L'étude de la fonction hépatique
	Les thymoanaleptiques
Série 2, nº 4, 1974	Les pontages coronariens (table ronde)
	Les infections à virus
Série 2, nº 5, 1974	Médicaments et malformations
Série 2, nº 6, 1974	Les maladies et l'avion
Série 2, nº 7, 1974	Brachialgies et sports de raquette («tennis elbow»)
	Les anxiolytiques
	La résection sous-muqueuse
Série 2, nº 8 1974	L'entorse de la cheville
	Ne confisquez pas la salière
	La transfusion sanguine
	Les hypnotiques
Série 2, nº 9, 1974	La planification des naissances
	Indication de la cardiostimulation permanente
	L'antibiothérapie
Série 2, nº 10, 1974	Les hypoglycémies
	Les anti-psychotiques
	Le goitre chez l'adulte
Série 3, nº 1	La polyarthrite rhumatoïde
	L'obésité
Série3, nº 2	L'anémie hypochrome
	La chirurgie mineure
	L'épaule douloureuse

Série 3, nº 3	Les céphalées chez l'enfant
Série 3, nº 4	La baisse de l'acuité visuelle
	Les traumatismes oculaires
	Le larmoiement
Série 3, nº 5	Les symptômes urinaires
	L'exploitation rénale
Série 3, nº 6	L'œil rouge
	La surdité
	Les otalgies
	Les otorrhées
Série 3, nº 7	Le vertige
	Les rhinorrhées
	Le nodule thyroïdien
	Le nodule mammaire
	Le cancer du sein
Série 3, nº 8	Néphropathies diverses
	Anomalies urinaires
Série 3, nº 9	La dyspnée
	La douleur
	Les troubles du rythme
	L'œdème
	L'investigation en cardiologie
	La médication en cardiologie
Série 3, nº 10	Les anomalies menstruelles
	Le prurit vulvaire et les problèmes de la leucorrhée
	La douleur pelvienne chez la femme
Série 3, nº 11	La dyspareunie
	La frigidité et le dysfonctionnement orgasmique
	L'infertilité
Série 3, nº 12	Le diabète
	Indications et effets secondaires des anabolisants
	La céphalée migraineuse
Série 4, nº 1	Effets secondaires et toxicité des tétracyclines
	Les indications de césarienne
	La réadaptation de l'enfant physiquement handicapé
	Le ginseng réhabilité
Série 4, nº 2	La présentation du siège
	La nature chimique de la schizophrénie
	La gastroentérite
Série 4, nº 3	L'hypertension artérielle
	Les troubles de l'apprentissage
	Un modèle animal pour la chorée de Huntingdon
	Un chirurgien sous le scalpel
Série 4, nº 4	Les troubles de la parole et du langage chez l'enfant – 1re partie
	Le traitement du psoriasis
	Mon patient porteur d'un pacemaker
	La résection cunéiforme de l'ovaire
Série 4, nº 5	Les troubles de la parole et du langage – 2e partie

	Le culte des pirates de l'air
	Les opérés du cœur travaillent-ils ?
	L'alimentation, l'obésité et les maladies cardio-vasculaires
Série 4, nº 6	Les indications de l'hystérectomie
	La douleur pelvienne
	Le traitement de l'infarctus aigu non compliqué
	Les accidents nucléaires
	La querelle de la vitamine C
Série 4, nº 7	Les urgences en néonatalogie
	La castration chez la femme de moins de 35 ans
	La sympathectomie pré-sacrée
	La suspension utérine
	Le sexe et le port des livres
Série 4, nº 8	La toxémie gravidique
	L'aspirine et la thrombose
	Les arbres en milieu urbain
	Anatomie et physiologie du système immunitaire
Série 4, nº 9	L'ultrasonographie en obstétrique
	Le premier gène synthétique
	L'examen de pré-embauche
	Les médicaments chez les personnes âgées
Série 4, nº 10	Les dangers des corticoïdes
	Recherches récentes sur le diabète
	Des hybrides bizarres
	Les réactions immunopathologiques
Série 4, nº 11	La place du sexologue en médecine générale
	L'arthrite rhumatoïde juvénile
	La trichinose
	L'instinct des saumons
Série 4, nº 12	Principes et pratique de l'anticoagulothérapie
	La toxoplasmose
	Du nouveau sur l'obésité
Série 4, hors-série	Les maladies des voyageurs
	Précautions à prendre avant de partir en voyage sous les tropiques
Série 5, nº 1	L'environnement et la santé
	Le traitement de désensibilisation
	L'allergie aux piqûres d'insectes
Série 5, nº 2	Principes généraux de l'antibiothérapie
	L'effet biologique des ions négatifs de l'air
	Les médicaments à valeur discutable
Série 5, nº 3	L'embolie pulmonaire (1re partie : physiothérapie)
	Le fléau de la malaria
	Les lentilles cornéennes
Série 5, nº 4	L'environnement et les maladies mentales
	L'emploi des antibiotiques en prophylaxie
	Bronchiolites, Laryngites, Épiglottites
Série 5, nº 5	L'embolie pulmonaire (2e partie : clinique)
	La pollution de l'air et la santé

	Les banques d'yeux
Série 5, nº 6	Les infections urinaires
	Le quotient intellectuel et l'hérédité
	L'acné juvénile et son traitement
Série 5, nº 7	Le dépistage des anomalies visuelles et oculaires
	L'asthme occupationnel
	Conduite à tenir devant la gynécomastie de l'adolescent
Série 5, nº 8	L'emploi des ocytociques
	L'utilisation clinique des diurétiques (1re partie)
	Mise à jour sur l'acupuncture
Série 5, nº 9	L'utilisation clinique des diurétiques (2e partie)
	Tabac et cancer du poumon
	Adolescence et grossesse
	Les indications des adéno-amygdalectomies
Série 5, nº 10	Les nouvelles orientations de la lutte antituberculeuse au Québec
	L'aménorrhée après cessation des anovulants
	Le strabisme chez l'enfant
Série 5, nº 11	L'investigation radiologique du cancer du sein
	L'examen de pré-emploi
	Les réactions systémiques aux piqûres d'insectes
	Le contrôle pharmacologique de l'asthme
Série 5, nº 12	L'investigation d'une pathologie intestinale
	Comment parler de pronostic à un malade
	Les problèmes psychologiques et physiologiques liés au bruit
Série 6, nº 1	Le traitement d'urgence des brûlures
	L'importance des fibres alimentaires dans la diète
	La toxocarase
Série 6, nº 2	Les réactions immunopathologiques aux anticorps cytotoxiques
	La cryptorchidie
	La mort sociale du vieillard
Série 6, nº 3	Programme de santé pour la petite et moyenne entreprise
	L'hématurie
	Les vaccins d'aujourd'hui
Série 6, nº 4	Les réactions immunopathologiques à complexes immuns
	L'infertilité mâle
	L'alcoolisme
Série 6, nº 5	La douleur musculo-squelettique en pratique générale
	La physiologie de la sécrétion gastrique
	Le diagnostic précoce de l'insuffisance saphénienne
Série 6, nº 6	Les problèmes psychiatriques chez les personnes âgées
	Nutrition et grossesse
	Les intoxications rencontrées en salle d'urgence
Série 6, nº 7	Les pneumoconioses
	L'évaluation initiale des polytraumatisés
Série 6, nº 8	Le traitement des colites fonctionnelles
	La douleur chronique et son traitement
Série 6, nº 9	L'ophtalmologie du travail
	La rhumatologie du praticien

	Les pesticides et la santé publique
	L'enseignement du régime alimentaire
Série 6, nº 10	Le bilan de santé
	L'euthanasie – une option contemporaine
Série 6, nº 11	L'investigation radiologique du cancer du sein
	L'examen de pré-emploi
	Les réactions systémiques aux piqûres d'insectes
	Le contrôle pharmacologique de l'asthme
Série 7, nº 1	Les hémoptysies
	L'enfant nerveux
	La physiologie de la sexualité féminine
Série 7, nº 2	Les lombo-sciatalgies
	L'introduction des aliments solides chez le nourrisson
	Le patient exposé au bruit
Série 7, nº 3	La médecine du travail
	Les hauts et les bas de la vie psychique à 40 ans
Série 7, nº 4	L'investigation et le traitement de la gonorrhée
	Troisième âge et trouble de sommeil
Série 7, nº 5	Les fissures labiales et palatines
	Manifestations systémiques au niveau des tissus mous
	Le soin des cancéreux à la phase terminale
Série 7, nº 6	La surdité
	Conduite à tenir devant… une protéinurie
Série 7, nº 7	Les hémoptysies
	L'enfant nerveux
	La physiologie de la sexualité féminine
Série 7, nº 8	Table ronde : l'obésité
	Les maladies inflammatoires de l'intestin
Série 7, nº 9	Les urgences en ophtalmologie
	L'échec en sclérothérapie
	Les masses scrotales
Série 7, nº 10	Les maladies immuno-immunitaires
	La physiologie de l'acte sexuel mâle

MÉMOIRES

Mémoire sur l'Assurance-Hospitalisation et les services diagnostiques préparé par la Filiale du Québec de l'Association des Médecins de Langue Française du Canada, 1962.

Mémoire de l'Association des Médecins de Langue Française du Canada à la Commission royale d'enquête sur les services de santé, 1962.

Mémoire de L'Association des médecins de langue française du Canada à la Commission royale d'enquête sur la fiscalité, 1963.

Mémoire de l'AMLFC au sujet de la chiropratique, 1962. Auteurs : Roma Amyot, Albert Jutras et Claude Bertrand.

Mémoire sur le bilinguisme et le biculturalisme, 1965. Auteurs : Albert Jutras, André Barbeau, Roma Amyot, Édouard Desjardins et Antonio Lecours.

Mémoire de l'Association des médecins de langue française du Canada concernant la planification familiale et la limitation des naissances, présenté au comité permanent de la santé et du bien-être social, 1966. Rédigé par le Dr Jacques Baillargeon.

Mémoire de la filiale du Québec de l'Association des médecins de langue française du Canada présenté à la commission d'enquête sur la santé et le bien-être social (Gouvernement du Québec), 1967.

Mémoire présenté au nom de l'Association des médecins de langue française du Canada devant le comité de la santé du Ministère de la Santé nationale et du Bien-être social, à Ottawa, par les Drs Charles Lépine, Lise Frappier-Davignon et Pierre Nadeau, 1969.

Mémoire de l'Association des médecins de langue française du Canada sur le projet de loi 65, 1971.

Commentaires et recommandations de l'Association des médecins de langue française du Canada sur « une politique scientifique canadienne », 1972.

La recherche biomédicale au Québec : une situation d'urgence. Mémoire présenté par l'Association des médecins de langue française du Canada à monsieur Claude Forget, 1974.

La stérilisation des déficients mentaux, 1981.

Commentaires de l'Association des médecins de langue française du Canada en marge des modifications sur la loi C-22 sur les brevets, 1987.

Mémoire de l'Association des médecins de langue française du Canada sur le projet de loi 120 « loi sur les services de santé et les services sociaux et modifiant diverses dispositions législatives », 1991.

Analyse du projet de règlement de la loi 27, L'Union Médicale du Canada et l'Association des médecins de langue française du Canada, 1983.

De la loi 65 à la loi 27. Vers une médecine d'État, 1983.

LIVRES

Dandavino, André-H., *Guide familial des symptômes*, Fides, Éd. Santé, Montréal, 1999, 671 p.

Dandavino, André-H., *Guide familial des maladies*, Rogers Media, Montréal, 2001, 523 p.

Dandavino, André-H. (dir.), in collaboration with Dr William Hogg, Director of Research, Department of Family Medicine, University of Ottawa, *The Family Guide to Health Problems,* Rogers Media Publishing, 2001, 460 p.

Léger, Jean-Louis, Pierre Audet-Lapointe, Michel Gagnon et Guy Boileau, *Cancer : Horizons nouveaux,* AMLFC, Montréal, 1973, 428 p.

Patenaude, Victor (dir.*), Modules d'auto-apprentissage*, Publications de *L'Union Médicale du Canada*, s.d.

Olivier, Clément et Réjean Thomas (dir.), *Sida* : 1re édition, 1989, 99 p. ; 2e édition, 1990, 407 p. ; 3e édition, 1995 847 p.

TABLE DES MATIÈRES

Troisième partie
Les premières années (1904-1910)

Quatrième partie
Une association bien vivante dans une société en mouvement (1918-1944)

Cinquième partie
L'âge d'or de l'association (1946-1967)

Sixième partie
Le besoin de s'exprimer (1968-1980)

Septième partie
Un nouveau tournant (1980-2000)

Annexes